DU MÊME AUTEUR

Aux Éditions de Minuit

L'INCONSCIENT MALGRÉ LUI (rééd. Folio essais, n° 436)

LE MÊME ET L'AUTRE. Quarante-cinq ans de philosophie française (1933-1978)

GRAMMAIRE D'OBJETS EN TOUS GENRES

PROUST : PHILOSOPHIE DU ROMAN

PHILOSOPHIE PAR GROS TEMPS

LA DENRÉE MENTALE

LES INSTITUTIONS DU SENS

Chez d'autres éditeurs

LE PLATONISME, Presses Universitaires de France.

nrf essais

Vincent Descombes

Le complément de sujet

Enquête sur le fait d'agir de soi-même

Gallimard

PROGRAMME :
UN TOURNANT GRAMMATICAL
EN PHILOSOPHIE DE L'ESPRIT SUBJECTIF

« SUJET, substantif masculin [...] 8° Terme de philosophie. L'être qui a conscience de lui-même, par opposition à objet. Le sujet et l'objet. » Cette explication qu'on peut lire dans le *Littré* à l'article « sujet » nous rappelle que ce mot reçoit en philosophie un sens particulier. Du point de vue d'un lexicographe travaillant sur l'état de sa langue à l'époque où le fait Littré, ce sens apparaît d'ailleurs marginal puisqu'il ne vient qu'en huitième position et ne donne lieu à aucune illustration par des références à des auteurs. On note aussi que le sens philosophique du mot est ici expliqué par un autre terme de la philosophie : la *conscience de soi*. Ce sont en effet les philosophes qui sont amenés à distinguer, pour les besoins de certaines de leurs analyses, la simple conscience de la conscience de soi. En revanche, le langage courant parle facilement de conscience (« L'alpiniste est conscient des risques d'une avalanche », « Le malade a repris conscience »), mais n'a pas vraiment d'emploi pour les mots « la conscience de soi ». De fait, à la différence des philosophes, la langue ordinaire ne fait pas une différence nette entre un individu conscient et un individu conscient de soi[1].

Je me propose ici de soumettre les concepts philosophiques de *sujet* et de *subjectivité* à un examen systématique. L'occasion m'en est fournie par un diagnostic que chacun peut porter sur la grande controverse autour de la notion du sujet qui a occupé une bonne part de la discussion en France dans la deuxième moitié du siècle dernier, et dont nous ne sommes pas entièrement sortis. Cette Querelle française du sujet — convenons de la désigner par cette dénomination — était elle-même l'écho et l'exacerbation d'une difficulté de toute la philosophie du xxᵉ siècle, de sorte qu'on peut parler aussi d'une Querelle européenne. Les épisodes les plus marquants de la Querelle européenne du sujet auront été : le tournant idéaliste de la phénoménologie (Husserl, *L'idée de phénoménologie*, 1907) et la réaffirmation d'une orientation cartésienne de toute la philosophie (Husserl, *Méditations cartésiennes*, 1931) ; l'essai d'une radicalisation existentielle de l'idée du rapport subjectif à soi (Heidegger, *Être et temps*, 1927 ; Sartre, *L'être et le néant*, 1943) ; les entreprises démystificatrices tendant à faire du sujet une illusion d'optique ou un « effet de langage » connues sous le nom de théorie structuraliste (culminant dans la synthèse de Foucault, *Les mots et les choses*, 1966) ; le programme d'un dépassement des philosophies classiques de la conscience dans un dialogisme (Habermas, *Théorie de l'agir communicationnel*, 1981) ; les travaux de restauration herméneutique d'un sujet rendu frugal par un accent mis sur sa finitude humaine, son historicité, sa dette (Gadamer, *Vérité et méthode*, 1960 ; Ricœur, *Soi-même comme un autre*, 1990).

Les résultats de la Querelle sont à vrai dire décevants, et l'on doit se demander pourquoi. Ce diagnostic s'impose si l'on compare l'intensité des controverses d'hier à la pauvreté des conclusions que nous sommes censés pouvoir en tirer. La Querelle du sujet a été tout à la fois confuse et stérile : le signe en est qu'il est devenu aujourd'hui difficile de faire la différence entre les partisans et les adversaires du sujet à partir du contenu réel de ce qu'ils soutiennent, sans pour autant qu'ils acceptent de se tenir pour réconciliés entre eux.

Sans doute, les positions tranchées d'hier n'ont plus cours. D'un côté, les adversaires du sujet acceptent de faire place en philosophie à un sujet à condition qu'il ressemble un peu plus à ce que révèle une expérience humaine : à condition que ce sujet que je suis censé être soit divisé, fragmenté, souvent opaque à lui-même et parfois impotent, comme je le suis moi-même. De l'autre côté, les partisans du sujet affirment qu'on ne saurait tenir l'idée de sujet pour illusoire, mais concèdent qu'il n'a jamais existé que sur le mode divisé, fragmenté, opaque et impotent. Bref, tout le monde paraît disposé à dire que le sujet avait été conçu, à tort, comme doté de deux attributs auxquels il n'avait pas droit : la *transparence* et la *souveraineté*. Tout se passe alors comme si un compromis éclectique nous était suggéré. Conservons notre idée du sujet, mais après avoir dépouillé ce sujet des attributs dont il était revêtu dans les grands systèmes classiques. Abandonnons le sujet « métaphysique » et remplaçons-le par un sujet « post-métaphysique ».

Pourtant, cette solution ne peut pas véritablement donner satisfaction. Elle ne nous éclaire pas sur les raisons qui rendent le sujet *nécessaire* si l'on adopte le point de vue de ses partisans, *fictif* si l'on adopte celui de ses adversaires. S'agirait-il donc d'une fiction nécessaire ? Nécessaire à quoi ? On notera ici que le sujet « post-métaphysique », après avoir été réformé, est censé conserver sa place architectonique dans notre conception générale du monde et de notre propre statut cosmologique. Il n'est pas certain qu'il puisse le faire dans les conditions qu'on lui fixe désormais. Il n'est même pas certain que nous puissions véritablement expliquer ce qu'il faudrait être ou faire pour mériter le titre de sujet. Le sentiment de cette incertitude est le motif de l'enquête qui commence ici.

Pendant tout le temps de la Querelle, il allait sans dire que la philosophie comme telle, ou du moins la philosophie *moderne*, était du côté d'une affirmation de l'homme comme « sujet » : de sorte que revendiquer ce statut de sujet pour l'homme, c'était aussi reconnaître à la philosophie la mission de « penser son temps », c'est-à-dire de formuler le principe et l'esprit de son époque et d'en garantir la légitimité. La philosophie était contemporaine de son temps en expliquant comment *tout homme* était voué à devenir un homme *moderne* en devenant sujet ou en découvrant sa propre subjectivité, jusqu'alors méconnue.

En revanche, ceux qui, dans cette Querelle, dénonçaient les prétentions de l'homme-sujet se devaient du même coup de contester l'illusion de la philosophie. Non pas seulement les dogmes d'une école particulière, mais une illusion attachée à toute tentative philosophique, à la *philosophie* comme telle. Critiquer le sujet, c'était nécessairement critiquer la philosophie, et la critiquer du dehors, je veux dire la critiquer comme théorie purement spéculative en lui opposant les résultats d'une théorie *positive*. Telle théorie du fonctionnement psychique remet en question les attributs de transparence et de souveraineté attachés à cette sphère mentale où le sujet est censé se trouver chez soi : on ne peut plus croire comme avant à la philosophie alors que divers faits ont imposé l'hypothèse d'un psychisme inconscient. Telle théorie de l'action historique assigne la philosophie du sujet à l'idéologie d'un système social : on ne peut plus juger de la même façon une philosophie quand on la rapporte à une organisation particulière des rapports sociaux dont elle veut assurer le bien-fondé. Telle théorie sémiotique incite à voir dans le sujet de conscience un « effet de langage » : en fait, nous croyons être des sujets, non parce que nous éprouvons qu'il en est ainsi, mais parce que notre pensée subit naïvement l'emprise du système des formes signifiantes, et cela vaut pour la pensée philosophique elle-même.

Entreprendre une enquête *philosophique* sur les concepts de sujet et de subjectivité, c'est donc aussi s'interroger sur notre propre position de philosophes à l'égard de ce qui est souvent présenté comme le mouvement de la pensée moderne, voire l'expression par excellence, dans l'élément de la philosophie, de l'esprit moderne. Nous serions les héritiers d'un legs indivisible constitué progressivement au cours des générations précédentes, de sorte qu'il nous faudrait revendiquer aujourd'hui comme hier cet héritage, sinon dans son détail, du moins dans l'idée directrice qui s'y manifeste (comme le fait par exemple Husserl) ou bien alors le rejeter comme un tout.

Et, pourtant, une autre attitude est possible. Nous, qui bénéficions aujourd'hui de l'avantage du recul, sommes frappés par une limite conceptuelle qui pourrait bien avoir enfermé toute la discussion dans une voie sans issue. Tous ceux qui ont pris une part active à la Querelle du sujet ont commencé par accepter certains présupposés communs qui définissaient les termes du débat. Et avant tout le présupposé principal : *il existe un concept (et un seul) de sujet.* Les critiques et les défenseurs, les démolisseurs et les restaurateurs partagent un dogme : la philosophie aurait bel et bien dégagé un concept de sujet, concept qu'on peut certes présenter de plusieurs façons, mais qui possède sa voie royale, l'argument du *Cogito*[2].

Le contraste est frappant entre la quantité d'énergie et de subtilité déployée dans la controverse sur la validité des prétentions émises par les *doctrines* du sujet et le peu de temps consacré à l'examen systématique du *concept* lui-même[3]. Non seulement les philosophes paraissent croire qu'ils possèdent ce concept quand ils se demandent si nous sommes, ou non, des sujets. Mais ils semblent avoir réussi à convaincre leurs lecteurs qu'il y avait bel et bien une définition ou une image de l'homme moderne *comme sujet*. Le mot philosophique de « sujet » figure aujourd'hui dans le langage savant bien au-delà des limites de la discipline proprement dite. « L'homme est devenu sujet » : cette interprétation — ou, plus audacieux encore, cette observation — ne se lit pas seulement dans les livres de philosophie, elle est reprise par des historiens, des sociologues, des juristes, des critiques littéraires.

Il me semble que nous sommes aujourd'hui en position de poser les problèmes philosophiques de façon plus *radicale* que cela n'a été fait tant que les discussions étaient menées sur le « mode immanent », comme on dit, c'est-à-dire en cherchant dans les systèmes hérités les ressources de leur propre dépassement, ou bien alors de l'extérieur, en se réclamant des sciences de l'homme. Nous devons cet avantage au renouvellement de la philosophie qui s'est produit pendant la première moitié du XXᵉ siècle et qui a reçu l'étiquette de « tournant linguistique ». En effet, nous observons aujourd'hui ceci : les prétentions des penseurs du sujet et les objections de leurs adversaires reposent sur une philosophie commune de l'esprit, héritage commun à toutes les écoles de la pensée moderne[4]. Or il se trouve justement que le tournant linguistique, au moins dans l'une de ses versions, donne naissance à une nouvelle philosophie de l'esprit, libre de quelques-uns des préjugés de la tradition moderne. Cette version est celle que pratique Wittgenstein dans ses écrits relevant de ce qu'il appelait la « philosophie de la psychologie ».

La référence à Wittgenstein et à son propos grammatical explique la manière dont les questions seront ici abordées. Non pas comme des questions théoriques auxquelles il faudrait apporter des réponses elles-mêmes théoriques (en imaginant des modèles explicatifs ou en faisant des hypothèses sur des entités à chercher derrière les phénomènes). Mais comme des embarras philosophiques dont il est possible de s'extirper par une pratique plus radicale de la philosophie.

Pourquoi la philosophie est-elle une construction si compliquée ? À cette question qu'il se pose, Wittgenstein répond que « la philosophie dénoue des nœuds dans notre pensée[5] ». Les choses se présentent souvent ainsi : d'abord, une question purement spéculative est posée. Par exemple, on se demande comment notre pensée peut porter sur le futur ou sur le passé alors que par définition ni l'un ni l'autre ne sont présents. Ne faut-il pas qu'ils nous soient présents pour que nous puissions nous les représenter comme étant le passé et le futur ? La question paraît redoutable, elle intimide. Qu'est-ce donc que le temps, se demande-t-on[6] ? Toutes les réponses qui viennent à l'esprit ont quelque chose de décevant : ou bien elles ont un air naïf, et elles semblent trop courtes face à la difficulté soulevée ; ou bien elles ne répondent qu'en introduisant des puissances et des opérations plus mystérieuses encore que ce qu'il s'agissait d'expliquer. On est alors tenté de *trancher* le nœud, c'est-à-dire de s'impatienter et de prendre un parti unilatéral, ou alors d'accepter que le nœud soit inextricable et de conclure au caractère paradoxal de la chose considérée. C'est une erreur, enseigne Wittgenstein. La bonne méthode est de faire preuve de patience et de détacher les fils progressivement. On parvient alors à une réponse qui paraît triviale et qui, en effet, est triviale. Pourtant, si notre question était bien philosophique, nous ne sommes nullement déçus, car ce que nous cherchions n'était pas vraiment cette réponse (nous la connaissions déjà), mais un moyen de l'accepter comme la bonne réponse. Et c'est justement cela que le nœud conceptuel nous empêchait de faire. La réponse est triviale, mais le chemin vers cette réponse ne l'est pas. Ce qui fait l'intérêt, et dans certains cas la profondeur, du travail philosophique ainsi conçu n'est donc pas la teneur de la réponse, mais c'est d'arriver à accepter que cette réponse triviale soit en effet la bonne, donc à déjouer les charmes des sirènes spéculatives. Pour cela, il a fallu surmonter une tendance à pratiquer la philosophie sur le mode *eidétique*, comme nous étions tentés de le faire en cherchant à fixer notre attention sur le temps pour déterminer ce qui fait que le temps est le temps. Il a fallu accepter de procéder par la voie grammaticale (comment se sert-on de petits mots tels que « plus tard », « maintenant », « pas encore », « après », etc. ?). Cette voie est qualifiée de grammaticale, non pas pour suggérer que la réponse est déjà donnée dans les manuels des linguistes, mais pour nous rappeler que les mots s'emploient dans un contexte et qu'on explique leur sens en les y replaçant : d'abord dans celui de la construction d'une phrase, ensuite dans ceux d'un « jeu de langage » pour l'emploi de cette phrase et d'une « forme de vie » pour la pratique de ce jeu de langage[7].

Mais peut-être convient-il de souligner ici que cette idée d'une philosophie qui nous désenchante ou nous dégrise ne doit pas être prise elle-même pour une thèse *générale* sur la philosophie, sur toute philosophie. Elle n'est pas la conclusion d'un argument méta-philosophique qui aurait visé à établir ce qu'il en était des spéculations humaines et des pouvoirs cognitifs de la raison comme telle. Nous n'avons pas à décider *a priori* que toute spéculation est vaine, que toute difficulté intellectuelle relève d'un ensorcellement grammatical. Le diagnostic doit être porté au cas par cas et n'a d'autre justification que l'efficacité du traitement qui se trouve par là prescrit.

Voici donc le diagnostic et le type de solution qui seront proposés dans le présent ouvrage : ce qu'on appelle souvent la « philosophie du sujet » ou la « métaphysique de la subjectivité » présente tous les signes d'une pensée souffrant d'un *embrouillement conceptuel*. Ce genre d'embrouillement appelle un traitement approprié, un traitement qui ait les caractères d'un débrouillement, pour reprendre l'image de Wittgenstein.

Il y a donc une grande différence entre prendre parti *dans* la Querelle (pour ou contre la thèse qui fait de nous des sujets) et prendre parti *sur* la Querelle (quel en a été le propos ?). Bien des penseurs ont développé une critique des prétentions de l'affirmation de soi comme sujet : sachant ce qu'il faudrait faire ou être pour mériter la qualité de sujet, il apparaît que nous ne sommes pas des sujets et que peut-être nous ne pouvons pas l'être. Mais la position à laquelle j'arrive est différente : s'il est vrai que le mot philosophique « sujet » doit réunir des usages hétérogènes de ce terme, on ne peut dire ni que nous sommes des sujets, ni que nous ne le sommes pas, car personne n'a encore expliqué ce qu'il faudrait être pour se voir appliquer le terme tel qu'il est censé être compris dans la « philosophie du sujet ». En revanche, la question prend un sens légitime chaque fois que nous acceptons de nous placer dans l'un ou l'autre des usages bien établis du terme.

J'ai tiré mon titre d'une remarque que fait le linguiste Lucien Tesnière dans son traité de syntaxe structurale : *le sujet est un complément comme les autres*[8]. Selon Tesnière, la grammaire traditionnelle qui oppose le sujet du verbe et les compléments ne permet pas de saisir le véritable trait structural de la phrase : la grande distinction syntaxique n'est pas entre le sujet et le complément d'objet, mais entre les compléments de type actanciel (sujet, complément d'objet, complément d'attribution) et les compléments de type circonstanciel (qui sont en réalité des adverbes).

Le modèle du concept utile de sujet, c'est ici la notion syntaxique de complément d'agent qui nous la fournit. Pour reprendre les termes de Tesnière : entre le sujet d'une phrase (le « premier actant ») et l'objet (le « second actant »), il y a une différence sémantique (agent/patient), mais pas de différence syntaxique. L'un et l'autre sont des compléments actanciels du verbe. Autrement dit, tout ce qui peut être présenté comme un sujet d'action doit être désigné par un mot appartenant à la classe des substantifs. La portée de cette observation pour la philosophie me semble considérable. En effet, si l'on admet que le concept de sujet dont nous avons besoin est celui de l'agent, alors il faut reconnaître aussi que le sujet est désigné dans la phrase par un complément « comme les autres », donc un complément qui doit signifier, tout autant que le complément d'objet de la phrase narrant une action transitive, une entité entrant dans la catégorie des suppôts d'action et de changement (« passion »). Je reprends ici le vieux terme de *suppôt* pour désigner l'individu en tant qu'il peut jouer un rôle actanciel dans une histoire, de sorte qu'on peut demander s'il est le sujet de ce qui arrive, ou s'il en est l'objet, ou s'il en est l'attributaire.

On objectera que la philosophie ne saurait emprunter ses concepts à la théorie syntaxique. Et encore moins à une théorie particulière, c'est-à-dire à une hypothèse que font certains linguistes sur les structures des langues humaines. Assurément, ajoutera-t-on, l'étude de la langue peut nous éclairer sur diverses illusions d'origine linguistique (comme l'a bien vu Nietzsche) : mais ce n'est tout de même pas l'étude du français, du grec ou du chinois qui nous dira si nous sommes des sujets ou ce que c'est qu'une conscience de soi. Il importe de répondre à ces deux objections pour prévenir un malentendu possible.

Les analyses présentées dans cet ouvrage sont purement philosophiques. Elles ne font nullement appel à des *autorités* scientifiques, linguistiques ou autres pour trancher des points de philosophie. Et cela pour deux raisons.

D'abord, il ne s'agit pas de placer la philosophie sous l'autorité du linguiste. En fait, le philosophe n'a pas pour but, comme le linguiste, d'étudier les langues humaines dans leur diversité. Ce qui l'occupe, ce sont des difficultés conceptuelles. Pourtant, c'est précisément là que la philosophie doit se faire grammaticale. Comme l'a souligné Wittgenstein, les différences qui retiennent son attention se présentent comme des différences entre des façons de parler, entre des constructions de langage : ces différences sont tout aussi grammaticales que celles qui importent au linguiste. Néanmoins, il arrive souvent que nous autres philosophes ne trouvons pas dans les traités de grammaire les notions que nous cherchons, car les problèmes du linguiste sont ceux que pose la description des langues existantes, pas ceux d'une élucidation philosophique de termes épineux ou de concepts problématiques. En fait, une bonne part du travail d'analyse conceptuelle consiste dans l'élaboration de distinctions et de précisions, en elles-mêmes indifférentes au linguiste, qui relèvent de ce qu'on peut appeler, après Wittgenstein, une *grammaire philosophique*. À titre d'exemples d'une telle mise en évidence philosophique des formes grammaticales originales, on peut citer toute la logique des constructions intentionnelles (« Œdipe ne sait pas qui est le meurtrier de Laïos ») et, chez Wittgenstein lui-même, la réflexion sur les « verbes psychologiques », c'est-à-dire justement sur ces *verbes de cogitation* qui sont en réalité le point de départ de toutes les philosophies du sujet.

En second lieu, notre enquête est bien philosophique au sens de toute la tradition philosophique puisqu'elle prétend aboutir à une conclusion philosophique. Un des résultats de nos analyses sera qu'il est impossible de réunir dans un seul concept tous les emplois des mots « sujet », « subjectif », « pour soi », « ipséité », « moi », « soi », etc., que les philosophes utilisent pour traiter de la conscience de soi. Quand on reconnaît cette pluralité d'acceptions hétérogènes, on s'aperçoit qu'il vaut mieux renoncer à parler *du* sujet. Dès lors, la question posée ne peut plus être de savoir si nous n'avons pas besoin, après l'avoir critiqué dans ses prétentions insoutenables, de rétablir sous une forme assagie ou affaiblie le concept traditionnel de sujet. Il n'y a rien à rétablir si ce concept, en réalité, n'existe qu'en fausses espèces. Mais la question est désormais de savoir si, parmi les emplois du mot « sujet » que la philosophie a cru pouvoir faire, il n'en est pas quelques-uns qui se montrent intelligibles et nécessaires. Je réponds qu'il en est un qui remplit cette condition : c'est le sujet comme *complément d'agent*. Un tel sujet doit avoir les traits requis pour jouer le rôle d'un agent : il faut qu'il soit, non seulement identifiable comme un individu, mais présent dans le monde à la façon d'une puissance causale. Ce sujet a donc tous les traits d'une substance ou, pour employer le terme technique traditionnel, d'un *suppôt*. Autrement dit, le sujet qui nous est nécessaire se découvrira être beaucoup plus aristotélicien que cartésien.

Certes, relever les traits aristotéliciens d'un concept particulier de sujet, ce sera pour la plupart des contemporains réunir des pièces à conviction qui suffisent à condamner ce concept (pour cause d'archaïsme ou de substantialisme). Du coup, la thèse ici défendue paraîtra sans doute déconcertante à ceux de mes lecteurs qui, élèves formés comme je l'ai été moi-même sur les bancs d'une école où l'on nous enseignait les doctrines orthodoxes de la tradition moderne, auraient été pleinement satisfaits par les leçons reçues. Je ne veux pas nier que la conclusion puisse déconcerter. Mais, qu'elle soit finalement établie ou pas, il est bien clair que c'est une conclusion de philosophe.

Néanmoins, je dois admettre qu'il se présente ici une difficulté terminologique. Si le sujet comme complément d'agent est un sujet en bonne et due forme, dont la place au sein des formes de description d'une action humaine peut être indiquée sans qu'on se heurte à des paradoxes logiques, ce n'est pourtant pas de lui que s'est occupée la philosophie qui mérite d'être qualifiée de « pensée du sujet ». En effet, cette dernière entend par là quelque chose qui ne peut s'exprimer que sous une forme réfléchie (le « soi »), et donc en passant par la première personne grammaticale (*ego, moi*). La difficulté est celle-ci : même s'il n'y a pas un et un seul concept de sujet, il a existé et il existe toujours chez de nombreux philosophes l'idée — selon moi, l'illusion — d'un tel sens unitaire du mot « sujet ». Même s'il n'y a pas *le* sujet dont nous parlent les philosophes, ces derniers ont bel et bien développé une philosophie *du* sujet. J'ai donc choisi de concéder à ces philosophes le mot « sujet », terme à prendre en un sens philosophique qu'eux-mêmes disent connaître : à charge pour eux d'expliquer quel est ce sens. Quant à nous, nous nous bornerons à nous demander si nous comprenons leurs explications. Pour ce qui est du sujet pris au sens du « complément de sujet », il sera plus clair d'utiliser un synonyme et de parler par exemple de l'agent humain particulier. En faisant cette concession terminologique, je ne veux pas mettre en doute le fait que la question du sujet — celle que nous savons poser — porte sur le complément d'agent, seulement reconnaître que cette réponse ne donne pas satisfaction à la philosophie qui se veut « philosophie du sujet » (cf. chap. 13).

Le plan que j'ai suivi dans ce livre résulte de ce choix de me placer après le tournant linguistique (grammatical) en philosophie de l'esprit et d'en tirer toutes les conséquences relatives au concept de sujet. Il appartient au philosophe, ai-je dit, d'introduire le concept de sujet auquel il entend faire jouer un rôle dans notre pensée. Cela vaut pour tous les concepts de sujet qu'on voudra distinguer. J'ai donc commencé par assumer moi-même le rôle du philosophe s'adressant à nous (moi et le lecteur) : j'ai introduit l'idée d'un complément du verbe narratif indiquant quel est l'agent de l'événement signifié par ce verbe. Cette introduction se fait en deux temps.

D'abord, partant de ce qu'on appelle à l'école élémentaire la « question du sujet », il est possible de préciser les implications de l'emploi d'une *construction avec sujet* dans son langage. La question « Qui ? » est une question à laquelle on répond en indiquant un complément d'agent (*Première partie*). Lorsque le verbe signifie une action humaine, son sujet est un sujet pratique.

Ensuite, le statut de ce complément d'agent demande à être éclairci : c'est l'objet de la *Deuxième partie*. Il convient de dissiper une confusion entre deux sens possibles de cette question « Qui ? ». Soit une phrase telle que : « Le chat mange la souris. » Elle peut donner lieu à deux analyses qui répondent à des points de vue distincts. Si nous la traitons comme une phrase narrative, la « question du sujet » qu'on posera à son endroit ne comporte qu'une réponse : c'est *le chat,* selon cette phrase, qui mange la souris. Mais si nous la traitons comme une proposition prédicative, alors l'analyse logique lui trouve deux sujets de prédication. Il y a donc lieu de faire la différence entre deux acceptions analytiques du terme « sujet » :

1° le sujet de prédication, qui répond à la notion *logique* d'un individu auquel la proposition fait référence pour lui appliquer un prédicat (dans une proposition déclarative) ;

2° le complément de sujet d'un verbe narratif, autrement dit le premier actant au sens de la *syntaxe*.

L'analyse des formes linguistiques grâce auxquelles nous décrivons des événements en les rapportant à des agents (ainsi qu'à des patients et à des bénéficiaires ou plus généralement des attributaires) conduit à dessiner le portrait de l'agent d'une action humaine. Elle permet de distinguer des *degrés de l'agir*. Agir de soi-même, c'est faire une action sans qu'on puisse distribuer l'agir entre un *agent immédiat* et un *agent principal* qui serait derrière lui et qui la lui ferait faire. On arrive alors à l'idée d'un agent qui est le sujet propre de son opération, autrement dit qui *agit de lui-même*.

Quel est le statut philosophique de ce résultat ? Il serait insuf-
fisant si j'avais prétendu apporter la réponse à une question
qu'on pose souvent dans les classes de philosophie : avons-nous
la preuve que nous pouvons agir de nous-mêmes ? que répondre au penseur qui signale, à juste titre, qu'en fait nul n'est un
empire dans un empire ? Toutefois, je n'ai pas cherché à trouver cette preuve. Bien plus, je ne sais pas ce que serait une telle
preuve, et je ne crois pas qu'un philosophe ait à fournir des
preuves de ce genre. Dites-moi ce qui serait pour vous une
preuve de l'*existence* des actes libres et nous verrons alors si les
preuves qui pourraient vous convaincre relèvent bien de la philosophie et non pas plutôt de la science expérimentale. Tout au
plus puis-je faire remarquer au philosophe qui prétend douter
de l'acte libre que son doute n'est pas entièrement convaincant
puisqu'en réalité il ne renonce nullement à *faire comme si* les
gens autour de lui pouvaient agir d'eux-mêmes. Par exemple, il
leur parle pour leur demander des services.

En revanche, il appartient au philosophe de se demander si
nous avons les moyens conceptuels de *penser* une action libre, si
le concept même d'un agent qui agit de lui-même n'est pas
incohérent ou inexprimable. Il se pourrait d'ailleurs que ce soit
en réalité cette inquiétude conceptuelle, purement philosophique, qui inspire les doutes relatifs à l'existence des actes accomplis de soi-même. Il s'agit de décider ce que nous entendons par
un acte autonome. Non pas : sachant ce que c'est qu'un tel
acte, je me demande s'il y en a. Mais bien : devant cet acte que
tout le monde attribue à son auteur comme à son sujet propre,
je me demande si j'ai bien le droit de le qualifier d'acte autonome, car cette notion semble exiger, de façon contradictoire,
que l'agent *se fasse faire* l'acte que nous lui imputons. Or l'éclaircissement des formes de langage par lesquelles nous imputons
une action à son agent réel exclut qu'un agent qui agit de lui-
même ait une telle relation causative à soi.

Il me semble que nous comprenons toutes ces explications,
car elles ne font qu'expliciter des formes d'expression qui nous
sont familières. Je considère donc qu'un philosophe qui s'en
tiendrait là aurait pleinement accompli le programme d'une
introduction du concept de sujet.

On peut montrer que le sujet compris comme premier actant
est celui que réclame une « philosophie des verbes psychologiques », c'est-à-dire une philosophie de l'esprit déchargée de
ses présupposés cartésiens et empiristes après le « tournant lin-

guistique » (pris comme passage à une méthode grammaticale
d'éclaircissement des concepts). J'ai cherché à le faire en distinguant les formes syntaxiques de l'expression d'un rapport de
l'agent à lui-même. La philosophie classique du sujet a décidé
que la conscience de soi d'un sujet était un acte cognitif de
forme *transitive* (comme le rappelle l'explication de Littré par
laquelle j'ai commencé) : acte posant le rapport d'un sujet à un
objet. Il s'agit d'une décision de sa part, et d'une décision
lourde de conséquences, car elle doit aussitôt ajouter que cet
objet, justement, n'en est pas tout à fait un. C'est pourquoi il est
bon de s'aviser qu'un verbe qui se construit avec le pronom
réfléchi n'a pas nécessairement un *sens réfléchi* : si quelqu'un se
lave lui-même, il y a quelqu'un qui est lavé, à savoir lui, le
laveur, mais si quelqu'un se promène, il n'y a pas quelqu'un qui
est promené, il y a seulement un promeneur qui fait une promenade sans que personne ne le promène, pas même lui. Par
conséquent, il n'est pas certain que quelqu'un qui *se sent*
d'humeur joyeuse soit un sujet qui ait une connaissance directe
de son état par une réflexion sur soi (même « immédiate » ou
« vécue »), et de même pour toutes les expressions d'une
conscience de soi.

Ainsi, le sujet dont parle la philosophie du sujet n'est pas
simplement un premier actant ou un agent, c'est un agent qui
instaure un rapport transitif avec lui-même à la première personne. L'objet avec lequel il entre ainsi en rapport ne peut pas
être l'individu dont il peut être question à la troisième personne, c'est donc un autre personnage qu'on appelle le *moi* ou
le *soi*. Les quatre dernières parties de l'exposé sont consacrées à
différentes tentatives qui ont été faites pour mettre en évidence
la nécessité de postuler un tel rapport subjectif à soi. La philosophie du sujet s'appuie tantôt sur des phénomènes que nous
voulons être en mesure de décrire, tantôt sur des exigences normatives que nous voulons pouvoir formuler. Par exemple, c'est
un fait que les individus humains s'expriment à la première personne : nous voulons pouvoir dire qu'ils le font et rapporter ce
qu'ils disent sous la forme où ils le disent. Mon propos n'est
pas, bien entendu, de contester ce fait (et donc de récuser le
moins du monde l'existence d'un « point de vue de la première
personne » ou d'une « conscience de soi »). Il est de récuser la
prétention de la philosophie du sujet à fournir les éléments
d'une compréhension de ce point de vue : de nous donner une
« philosophie de la première personne » qui puisse nous satis-

faire. Mes critiques n'impliquent donc nullement que l'expression à la première personne grammaticale ait quelque chose d'illusoire ou alors d'incommunicable. Je soutiens au contraire qu'elle n'a rien de tel et que, pour cette raison même, l'analyse proposée par la philosophie du sujet est invalide (puisqu'elle lui impute nécessairement ce caractère solipsiste et ineffable).

Dans la *Troisième partie*, la question porte sur le rapport à soi qui s'instaure dans l'acte d'une désignation de soi-même. D'après la philosophie du sujet, cet acte a le caractère d'une opération réfléchie sur celui qui la fait, et cela n'est concevable que si le fait de prononcer le mot « je » ou le mot « moi » permet au locuteur de « se poser comme sujet » ou de se poser comme un « soi » distinct de l'individu qu'il est pour les autres. Le développement de cette interprétation de la première personne engendre la *philosophie de la conscience*, dont Wittgenstein a fait une critique qui paraît définitive (en ce sens que personne n'a réussi jusqu'ici à la récuser, même si plusieurs philosophes ont cru pouvoir la surmonter en se contentant tout simplement de l'ignorer).

La philosophie du sujet a voulu trouver le rapport transitif à soi dans d'autres domaines encore : celui de la conscience d'une responsabilité de soi, tantôt sous la forme du « souci de soi », tantôt sous la forme d'un sens des « obligations envers soi-même » (*Quatrième partie*) ; celui du projet que forme le sujet comme « soi » ou « ego » de se donner une existence en compagnie de ses semblables, par la voie du « contrat social » (*Cinquième partie*) ou celle de la reconnaissance mutuelle des prétentions à jouir des « droits subjectifs » (*Sixième partie*).

Ici encore, mon propos est toujours de contester une analyse et non un phénomène. C'est ainsi qu'on peut observer (et apprécier) dans l'histoire humaine des mouvements éthiques ou spirituels de *retour à soi*. La question que je pose porte sur la description à donner de ces mouvements. Elle ne met en doute, ni le fait qu'un individu peut se proposer d'opérer la conversion à soi, ni d'ailleurs la sagesse supérieure d'un tel retour, que je ne conteste nullement. De même, la question que je pose à la philosophie politique reste conceptuelle : quelle est la forme logique et syntaxique du rapport à soi instauré par le fait de participer, comme citoyen d'un État démocratique, à la souveraineté politique qui s'exerce précisément sur soi ? Mon but n'est pas de critiquer une définition de la liberté politique (par cette participation), mais seulement la prétention émise par les philosophes qui disent pouvoir en rendre compte grâce à un acte d'auto-position de l'*ego*. Et il en va de même lorsque je me tourne finalement vers le « sujet de droit » : dans cet exposé, je ne me suis pas du tout donné les moyens de déterminer si nous avons ou n'avons pas tel ou tel droit, mais seulement ceux de juger si nous avons un langage pour exprimer de façon pour nous satisfaisante les droits, quels qu'ils soient, que nous pensons avoir. Dans ces divers domaines, j'ai cherché à montrer que le langage dont nous avions besoin était celui qui a été explicité dans les éclaircissements grammaticaux de la *Deuxième partie* et qu'avec un tel langage, nous pouvions pleinement exprimer les différents « rapports à soi » qui nous importent, sans avoir à introduire les moyens d'expression plus puissants que la philosophie du sujet croit nécessaires, mais dont elle-même n'a pas la clé.

Quel résultat voudrais-je avoir atteint au terme du parcours que je propose ? Comment le lecteur pourrait-il apprécier si ces analyses ont été fructueuses ? Il me semble que le bénéfice à attendre de cette enquête est finalement de surmonter une difficulté que nous avons lorsque nous cherchons à concevoir le fait de notre autonomie.

Il semble y avoir un cercle vicieux dans l'idée même d'un agent qui *devient* autonome par un apprentissage des pratiques rationnelles (parler, calculer, mesurer, classer, etc.) et des techniques du gouvernement de soi. Mais, si cette apparence est véridique, cela veut dire qu'un agent ne peut pas être maintenant autonome à moins de l'avoir toujours été, ce qui reviendrait à admettre qu'on ne trouvera pas d'agents autonomes dans ce monde tel qu'il est (et que, si nous sommes autonomes, c'est dans un autre monde). Il semble donc qu'une formation à l'autonomie soit logiquement impossible : seul pourrait devenir autonome un agent qui le serait déjà. On pourrait dire que la philosophie du sujet, en postulant une opération d'auto-position de la part de l'individu qui agit de manière autonome, prend acte de la difficulté que constitue cette menace d'un cercle vicieux.

Elle en prend acte, mais elle ne la résout pas. Elle nous invite en effet à voir les choses ainsi : de lui-même, l'individu qui était jusque-là incapable de se diriger lui-même pose qu'il est capable de le faire sur-le-champ, il se pose comme sujet. Cet individu doit faire qu'un individu (lui-même) soit désormais capable de faire ce que lui-même n'est pas capable de faire, et cela, non pas en *apprenant* à le faire, mais en faisant *dès maintenant* que quelqu'un (lui-même) l'ait fait. Il doit, tel qu'il est, faire un acte dont l'agent n'existera qu'à la faveur de cet acte même. Malheureusement, un tel acte fait l'effet d'une fiction, pour ne pas dire d'un mythe, ou alors d'une rodomontade.

Le résultat du travail d'élucidation proposé dans cet ouvrage est qu'il est possible de concevoir un *cercle de l'autonomie* qui soit le cercle familier de l'apprentissage et non le cercle logique d'une fondation sur elle-même de la chose à fonder. Si l'imputation de l'agir est une affaire de degrés, et s'il y a quelque chose comme une acquisition des aptitudes à agir dans un sens donné par un exercice dirigé dans ce sens, cela veut dire qu'il est possible d'acquérir le pouvoir de se diriger soi-même — c'est-à-dire en fait le *pouvoir instituant* lui-même — en s'exerçant à se diriger soi-même. Une telle acquisition n'a plus du tout la forme logique d'une auto-position puisqu'elle ne peut consister qu'à participer (« en première personne ») à une puissance normative qui doit être déjà présente (sous la forme des *institutions* d'une forme de vie sociale) pour qu'un individu puisse s'en approprier une part. Le terme de l'enquête est donc atteint lorsqu'il apparaît que les questions de Wittgenstein sur la possibilité de suivre une règle définissent le programme d'une philosophie de l'esprit renouvelée à la suite du tournant linguistique. Wittgenstein pose en fait deux questions, l'une sur le pouvoir normatif de la règle, l'autre sur la capacité de l'agent à la suivre dans sa conduite. Première question : comment la règle, qui m'est extérieure, peut-elle me guider ? Par exemple, comment la ligne droite peut-elle m'aider à me mouvoir en ligne droite si je le désire ? Seconde question : comment puis-je saisir ce que la règle me demande alors qu'elle comporte une infinité d'applications et que mon esprit est fini ?

On reconnaît dans ces deux questions ce qu'on appellerait, en termes hégéliens[9], le problème de l'*esprit objectif* (comment se fait-il que les normes et les idéalités produites par nous puissent nous diriger comme si elles étaient indépendantes de nous ?) et celui de l'*esprit subjectif* (comment la règle est-elle présente dans l'agent compétent de façon à lui permettre de donner dans chaque cas particulier la bonne réponse, alors qu'en apprenant la règle il n'a nullement mis en mémoire l'ensemble des bonnes réponses ?). Ce qui se présente hors de l'individu sous la forme des modèles pré-établis et des usages institués se présente dans l'individu sous la forme des aptitudes acquises d'abord par l'apprentissage social, ensuite seulement par la formation de soi-même. Le tournant linguistique en philosophie de l'esprit permet donc, pour reprendre ces deux appellations, d'expliquer comment rapporter l'esprit objectif à la conduite des individus : il faut pour cela passer par des capacités acquises par l'individu dans l'apprentissage de la vie humaine, car c'est sous cette forme qu'elles constituent un esprit subjectif.

I

LA QUESTION DU SUJET

I

Histoire et philosophie du sujet

Beaucoup d'auteurs ont enquêté sur le concept de sujet du point de vue *historique*. Ils ont cherché à saisir l'événement d'une mutation fondamentale par laquelle l'homme est devenu sujet. Ils ont demandé : est-ce que l'homme est devenu moderne le jour où il a découvert qu'il était sujet ? En quoi cette découverte le distingue-t-elle de l'homme ancien ?

Mais, déjà, cette façon de poser l'objet de l'enquête suppose qu'une décision purement philosophique ait été prise. Y a-t-il un sens à dire de quelqu'un qu'il *découvre* sa nature de sujet ? L'événement qu'on célèbre comme la « découverte de la subjectivité[1] » peut-il être une découverte ? Ne faut-il pas dire plutôt que l'homme est devenu moderne, non pas en découvrant ce qu'il était déjà sans le savoir, mais en *se constituant* comme quelque chose qu'il n'était pas encore : un sujet. Enfin, certains, tout naturellement, font suivre la question historique d'une question qu'on pourra dire *post-historique* (si l'on croit que l'histoire proprement dite est liée à la modernité) ou *post-moderne* (si l'on croit que les temps modernes ne forment qu'une époque parmi d'autres) : cette découverte est-elle réversible ? Ne peut-on imaginer que cette découverte soit annulée ou cette auto-position défaite ?

Toutes ces questions sont légitimes pourvu que nous comprenions de quelle sorte de mutation il s'agit : que faut-il changer à ses manières d'être et d'agir pour « se découvrir sujet » et par là, selon quelques philosophes, pour « devenir un sujet » ? On comprend ce que c'est pour quelqu'un que de se découvrir l'héritier d'un parent oublié, de se constituer partie civile dans un procès, ou de s'établir marchand d'antiquités. Mais comment quelqu'un peut-il *découvrir* son statut de sujet à l'égard de quoi que ce soit ou *devenir* le sujet de quoi que ce soit ? Nous savons demander *qui* devient *quoi*. Pourtant, dans le cas présent, il s'agirait plutôt, semble-t-il, de demander *qui* ✓ devient *qui*. On dira que le sujet en cause est le sujet des pensées. Est-ce à dire qu'il s'agit de se placer devant telle et telle pensée et de se demander quel en est le sujet ? Comme si l'on pouvait envisager qu'après tout, ce sujet de la pensée en question, ce soit justement *moi* ! Mais la signification d'une telle opération reste énigmatique. « Voici une pensée, cherchez quel en est le sujet. » Pour comprendre ce que pourrait bien être cette recherche du sujet de la pensée, il faudrait d'abord qu'on donne une application aux mots « voici une pensée ». Montrez-moi une de mes pensées et je pourrai me demander comment je sais que j'en suis le sujet. Vous répondez que ce n'est pas à vous, mais à moi, de procéder à l'identification ostensive d'une de mes pensées. Malheureusement, je ne sais pas comment me poser à moi-même une question du genre : « Voici une pensée, est-ce qu'elle est pensée par vous ou est-ce qu'elle l'est par moi ? »

Pour comprendre véritablement la question historique qu'on voudrait poser sur le concept de sujet, il faudrait avoir déjà *introduit* le concept en question par la voie philosophique. Poser un tel ordre entre les questions n'est pas marquer du dédain pour les disciplines historiques, c'est au contraire se montrer sensible à leur manière propre de travailler. Certains philosophes demandent par exemple : est-ce au XVIIe siècle ou déjà chez les anciens Grecs que l'homme est devenu sujet ? Il me semble que l'historien de métier acceptera de trouver un sens historique à de telles questions qui lui viennent du philosophe à condition que ce philosophe lui ait procuré un concept de sujet susceptible de donner lieu à une enquête telle qu'on la conçoit dans sa profession.

C'est donc par une analyse philosophique du concept qu'il convient de commencer. Je le ferai en demandant : avons-nous besoin en philosophie d'un concept de sujet, et, si c'est le cas, de quel concept et pour quel usage ? Ma réponse sera que nous avons besoin d'un concept de sujet comme *complément d'agent* pour notre philosophie de l'esprit, ou, si l'on préfère, pour notre *philosophie de l'action humaine.*

On dira peut-être qu'une telle réponse apparaît d'emblée naïve ou désuète. On fera remarquer que le véritable lieu d'un usage contemporain du mot philosophique « sujet » n'est plus la philosophie de l'esprit, comme ce fut le cas dans la première période (constructive) de la pensée moderne. C'est désormais, à des fins rétrospectives, la philosophie de l'histoire, elle-même conçue comme une manière de confirmer la validité de nos idées en matière de morale et de politique. Selon cette vue, nous avons besoin du concept de sujet pour raconter, dans une histoire écrite sur le mode philosophique, la grande mutation par laquelle les sociétés occidentales sont entrées dans l'époque moderne.

Pourtant, ce n'est pas d'une mise en lumière des traits originaux de l'époque moderne, de sa science, de sa religion, de sa morale et de son droit, de son économie et de sa politique, que l'historien va tirer un concept du sujet dont le philosophe pourrait ensuite s'emparer. Les choses se passent bien évidemment dans l'autre sens. Le philosophe, muni de ses autorités philosophiques (le *Cogito*, la Révolution copernicienne, etc.), dégage un sens de l'époque qui échappait au regard du profane. Certains historiens, impressionnés par cette synopsis philosophique, reprennent à leur compte le schéma général.

Condorcet distingue *l'histoire de l'esprit humain* d'une *métaphysique de l'esprit humain*[2]. Il est clair que ce n'est pas seulement le *Tableau* de Condorcet qui présuppose une « métaphysique », c'est-à-dire pour lui une philosophie de l'esprit, mais toute entreprise comparable. Il suffit ici de rappeler que, chez Hegel, la place encyclopédique de la philosophie de l'histoire est dans une section de la philosophie de l'esprit[3]. Il convient donc de commencer par l'élucidation proprement philosophique du concept de sujet, car tant qu'on ne sait pas ce que les philosophes appellent « sujet » ou « subjectivité », on ne peut pas non plus savoir si c'est un trait humain fondamental, si ce trait universel n'a été reconnu qu'à une certaine époque, ou bien s'il s'agit d'un trait du seul homme moderne.

Une telle élucidation, puisqu'elle ne peut pas emprunter les voies de l'histoire des idées, consistera à *introduire* le concept problématique. C'est pourquoi nous devons maintenant faire comme si nous ne comprenions plus le vocabulaire philosophique du sujet et de la subjectivité. Du reste, il reste à prouver que nous le comprenons réellement, car il n'est pas certain que nous sachions le manier conformément aux indications de la philosophie moderne sans nous heurter à divers « paradoxes de la subjectivité », comme on les appelle, dont le modèle reste celui de la double impossibilité : le sujet des philosophes se définit par son opposition à l'objet, mais aussi par le fait de se faire objet pour lui-même. Le propos du philosophe tend donc ici à devenir dialectique : le sujet doit être objet (pour lui-même), justement pour se distinguer des objets. Ou encore : le sujet est l'être qui, justement quand il se fait son propre objet, cesse d'être un simple objet.

Il convient maintenant de se demander comment nous pourrions introduire le concept de sujet dans un langage qui serait, tel quel, trop pauvre pour l'exprimer.

II

Les constructions avec sujet

Supposons que nous décidions de nous priver de tout concept de sujet, comme certains philosophes nous ont d'ailleurs invité à le faire. Quelles sont, dans ce cas, les possibilités d'expression qui nous manqueraient ? Qu'est-ce que nous deviendrions incapables de faire et de dire ?

Poser la question ainsi, c'est faire d'une pierre deux coups. D'abord, en nous demandant si nous pourrions nous passer d'un concept de sujet, nous reconnaîtrons ce que ce serait que de soutenir une philosophie « sans sujet ». Car ce n'est pas le tout de déclarer qu'on veut échapper à la philosophie du sujet, il faut ensuite montrer qu'on ne perd rien à le faire, sinon des illusions et de fausses apparences. Ensuite, ayant identifié les positions d'une philosophie « sans sujet », nous aurons par là même le moyen de trancher l'autre question qui tarabuste l'historiographie philosophique de la modernité : est-il vrai que la différence entre les anciens et nous tienne à une « découverte », qui nous serait propre, de la subjectivité ? Le sujet des philosophes est-il toujours, par définition, celui de la philosophie moderne ?

Sans un concept de sujet, nous ne pourrions pas poser la *question du sujet* au sens élémentaire du mot, je veux dire au sens grammatical des classes de français à l'école élémentaire. *Le maître parle.* Qui est-ce qui parle ? C'est le maître. *Bientôt reviendra le printemps.* Qu'est-ce qui reviendra ? Le printemps.

Est-ce à dire que nous sommes entrés en possession de ce concept le jour où nous avons appris à indiquer quel était dans la phrase le sujet du verbe ? Non, car il fallait pour apprendre

cela que nous possédions déjà ce concept : l'institutrice de nos
jeunes années a pris appui sur notre capacité à construire des
phrases avec sujet pour nous enseigner le mot qui servirait,
désormais, à nommer ce type de construction. Je ne veux nullement prétendre que la possession d'un concept (quel qu'il
soit) se réduit à la possession d'une compétence langagière.
Pourtant, il est clair que certaines compétences langagières,
manifestées dans le maniement correct des formes d'expression, attestent que le locuteur possède les concepts ainsi exprimés. Si nous ne possédions plus le concept ordinaire de sujet,
cela se manifesterait dans notre discours par le fait que nous ne
pourrions plus produire les phrases comportant une construction du verbe avec ce complément qu'on appelle son sujet, ou
« construction avec sujet ».

On peut ici penser à deux situations différentes. Un langage
dépouillé de la construction avec sujet peut se présenter d'abord
comme un langage dans lequel tous les verbes sont « impersonnels » et désignent de *purs événements*, des actions sans agent.
Mais ce peut être aussi un langage dans lequel il est impossible
de présenter les choses de tel ou tel point de vue, et donc parler
d'une situation ou d'une affaire telle que *quelqu'un* la comprend
et la ressent.

Soit d'abord la *première possibilité* : en renonçant à la construction avec sujet, nous renonçons aux constructions actancielles[1].
Notre description du monde ne fera état que de « procès sans
sujet », c'est-à-dire que notre discours tiendra entièrement dans
ce qu'on appelle des phrases « impersonnelles » (ou « *subjekt-
los* », comme disent les grammairiens allemands). De telles formes sont familières quand il s'agit de décrire des phénomènes
météorologiques (« Il pleut », « Il vente », « Il neige »).

Comment comprendre ces « procès sans sujet » ? Au XIXᵉ siècle, comme le rappelle Jean-Louis Gardies[2], l'existence des
verbes impersonnels avait retenu l'attention des logiciens, car
on pouvait y trouver une objection contre un vieux préjugé de
l'analyse : toute phrase déclarative était censée pouvoir s'analyser en deux parties, le sujet logique (désignant l'objet dont on
parle) et le prédicat (ce qu'on dit de cet objet). Or, justement,
on ne trouve pas ce sujet logique dans les exemples classiques
tirés de la météorologie : « Il pleut », « Il vente », « Il neige ».
Gardies propose une explication de type phénoménologique :
lorsque le locuteur a l'impression de *dominer* intellectuellement
le phénomène dont il parle, il distingue devant lui un objet

qu'il identifie. Il se trouve que l'expérience ne permet pas toujours de procéder à cette position d'un objet. Lorsque le locuteur veut parler d'un phénomène qu'il est incapable de fixer devant lui en l'isolant « sous le rayon de l'attention », alors il ne peut plus lui appliquer la structure conceptuelle opposant un objet à ses propriétés. « Tel est le cas de tout ce qui nous submerge : les phénomènes atmosphériques par exemple, la pluie, le vent, le chaud, le froid, ou encore les états affectifs qui noient le sujet tout entier comme la honte, le remords ou la pitié, sont par le fait même le domaine privilégié des verbes impersonnels[3]. » S'il en est ainsi, on peut dire aussi bien que l'énoncé « Il neige » est composé d'un prédicat sans sujet, ou qu'il a pour sujet autre chose qu'un objet particulier identifiable, par exemple l'*Umwelt* (le monde environnant). Gardies, pour sa part, conclut que l'exigence d'une structure *prédicat/ sujet* pour toute proposition singulière était un pur préjugé : il n'y a pas lieu de chercher un sujet (implicite, sous-entendu) dans la proposition « Il neige », laquelle est complète telle qu'elle est exprimée. Il faudrait accepter que certaines propositions déclaratives singulières ne soient pas prédicatives.

L'opinion de Gardies semblait devoir s'imposer à l'époque où il écrivait son livre, mais il n'en va plus de même aujourd'hui. En effet, nous sommes maintenant plus sensibles au fait qu'une proposition comme « Il neige » a un caractère narratif (voir *infra* chap. 7). Prenons un exemple au passé. « L'hiver dernier, il a neigé à Paris. » Une telle proposition est-elle singulière ? Non, elle ne l'est pas plus qu'une proposition générale existentielle disant « À Paris, il existe un brocanteur millionnaire ». Ce dernier énoncé est général parce qu'il pose l'existence d'au moins un exemplaire répondant à la description générale d'un individu brocanteur et millionnaire. Tout de même, on dira que l'énoncé narratif sur la neige de l'hiver dernier pose qu'il a neigé au moins une fois, sans d'ailleurs exclure qu'il ait neigé plusieurs fois. Donald Davidson[4] a montré qu'on pouvait, pour rendre compte de ce fait, traiter tout énoncé narratif comme une proposition posant l'existence d'un événement. Du même coup, on pourra désigner chacun de ces événements — c'est-à-dire en faire des sujets de prédication — et leur reconnaître certaines propriétés : la première chute de neige a été légère, mais la seconde exceptionnellement abondante, la troisième tardive, etc.

Le statut des énoncés de ce type faussement qualifié d'impersonnel est donc celui que décrit ainsi Tesnière : « *Il neige* exprime simplement un procès qui se déroule dans la nature sans que nous puissions concevoir un actant qui en soit à l'origine[5]. » Cet énoncé, si nous l'analysons logiquement, n'a pas de sujet logique (au sens d'un *hypokeimenon* aristotélicien[6]) parce qu'il est général. Mais supposons qu'il s'agisse de la présente chute de neige : « Il neige fortement depuis une heure. » Dans ce cas, notre analyse logique devra distinguer le sujet (l'*événement* de la chute de neige) et les prédicats (la chute *dure depuis une heure*, elle *est forte*). En revanche, notre analyse syntaxique trouvera un verbe narratif, mais pas d'actant. Le verbe « neiger » ne comporte pas de place pour insérer un complément actanciel d'agent.

Pourquoi un philosophe est-il tenté de soutenir que le langage des constructions sans agent est plus satisfaisant que le langage qui comporte la construction actancielle ? Que serait un monde pour lequel le langage des constructions sans agent suffirait à nos besoins descriptifs ? Ce serait un monde dans lequel les événements n'auraient pas à être imputés à des puissances causales.

Ici, le philosophe qui pense contre le sujet veut se libérer de l'idée — il dira sans doute : du préjugé, de la superstition[7] — qu'il y a toujours un agent derrière l'événement, qu'il *doit* y en avoir un. Avoir un concept de sujet dans ce sens, c'est avant tout, semble-t-il, avoir un vocabulaire de la causalité. Ce n'est donc pas tant le concept de sujet qui nous importe que le concept d'un individu concret doté de pouvoirs causaux, autrement dit, pour reprendre le terme traditionnel, d'un *suppôt* capable d'exercer des effets sur d'autres suppôts. Une métaphysique des procès sans sujet élimine, non pas seulement le sujet des philosophes (l'*ego* transparent et souverain du *Cogito*), mais toute puissance causale. Ce sont tous les verbes d'action transitive qui deviennent inutilisables. La thèse critique, dans ce cas, ne vise pas spécialement l'action causale du sujet humain. Par conséquent, nous ne sommes pas encore sur le véritable terrain de la question du sujet. Quand on se demande si le concept de sujet est nécessaire, on ne s'intéresse pas aux phénomènes de la neige ou de la pluie, mais à ceux de l'agir humain. Le sujet qui doit nous intéresser est le sujet *conscient de soi*, l'agent d'une action qui manifeste une action humaine, donc une intention.

C'est d'ailleurs l'idée d'un tel agent que vise normalement la dénonciation de l'exigence de poser un sujet derrière tout ce qui arrive. Car il y a des cas où nous trouvons tout naturel de critiquer « la pensée du sujet ». Selon certaines théories psychologisantes de la sorcellerie (imaginées par des gens qui sont en général des citadins), le paysan superstitieux qui se demande pourquoi ses vaches tombent malades au moment même où les intempéries ont ruiné sa récolte et endommagé sa ferme est quelqu'un qui applique à ce concours malheureux de circonstances une « pensée du sujet » : il doit y avoir derrière tout cela une puissance causale qui a des intentions malveillantes à son égard. Il faut bien que cette accumulation de malheurs ait une explication. Mais ce paysan a tort, et nous tenons pour absurde la recherche d'une cause — sous la forme d'un agent (sujet) intentionnel — dans le cas des coïncidences.

Ainsi, la question du sujet qui nous importe est la question annoncée par le mot « Qui ? », autrement dit une question qui exclut une réponse prise en dehors des agents susceptibles de former des intentions et d'exécuter des pensées. Cette question « Qui ? » n'autorise que deux réponses : *quelqu'un* ou alors *personne*, étant entendu que l'agent responsable d'un événement peut être *personne* sans pour autant être *rien*. Si le vent violent me renverse, personne ne m'a renversé, mais c'est pourtant quelque chose qui m'a renversé, car je ne suis pas tombé tout seul.

Nous passons alors à la *seconde possibilité* dans lequel on peut parler d'une construction avec sujet : il est sous-entendu que ce sujet est personnel. Il s'agit cette fois d'entendre par là une construction qui nous impose de considérer ce qui est signifié dans la phrase avec les yeux de l'agent, en restituant son point de vue. Je parlerai dans ce cas d'une construction intentionnelle.

III

Les constructions intentionnelles

Parlant d'un agent personnel, je peux décrire ce qu'il fait de façon plus ou moins cavalière ou pédestre, selon que j'adopte un style historique dans lequel j'identifie ses actions par leurs résultats ou que je préfère un style plus minutieux dans lequel je donne le détail de sa conduite. Dans le premier cas, il peut arriver que je doive distinguer le résultat qu'aura finalement eu l'action de celui que l'agent s'imaginait à tort pouvoir obtenir. Soit l'exemple du voyageur qui se trompe de train : si vous l'interrogez, il vous dit qu'il est en route pour Marseille (la ville dans laquelle il veut se rendre en prenant ce train) ; mais vous qui savez que le train va en réalité à Dijon, vous devrez opposer la destination réelle de son déplacement et la destination « pour lui », celle qu'il croit atteindre en prenant le train qu'il a pris. Ce contraste se ramène à la distinction de ce qu'il dit (pourrait dire) — « Je suis en route pour Marseille » — et de ce que vous dites (pourriez dire) — « Il est en route pour Dijon ». Nous avons ainsi retrouvé l'opposition classique entre une description qui s'attache à l'*en soi* des faits et une description qui restitue le *pour soi* de l'agent, entre une vision impartiale et une vision répondant à un point de vue particulier.

Pour être en mesure de faire une telle distinction, il faut avoir la capacité conceptuelle d'appliquer la polarité du *soi* et de l'*autre que soi* à l'emploi de « je » dans un même discours[1]. En effet, quelqu'un qui aurait à décrire la situation de notre voyageur devrait distinguer les deux occurrences des mots « moi » et « je » dans l'énoncé suivant : « Ce voyageur dit "Moi, je vais à Marseille", mais, moi qui vous parle, je vous dis qu'il va à Dijon. » En d'autres termes, il faut pour décrire ainsi les choses posséder dans son langage la technique du discours rapporté, c'est-à-dire être en mesure de disposer, autour de l'acte de discours, les quatre positions du *locuteur* de cet acte, de son *rapporteur*, de l'*interlocuteur* de l'acte rapporté et du *destinataire* de l'acte rapportant le discours rapporté. Ce qui permet de produire des formes telles que « Je vous dis qu'il m'a dit de vous dire que je lui avais dit, etc. », donc de pouvoir suivre le déplacement de l'acte de parole, telle une balle, entre les partenaires de ce jeu. Dans de telles formes, la question du sujet se pose chaque fois que la première personne grammaticale est employée. *Qui parle ?* Est-ce la personne qui a présentement la parole (le rapporteur) ou est-ce quelqu'un qui s'est exprimé à la première personne et dont le discours est rapporté (le locuteur) ? Il est clair que, dans cette application, la question « Qui parle ? » n'a pas le sens causal qu'elle aurait si nous voulions identifier la source d'un événement de vocifération. Nous savons très bien qui détient maintenant la parole, mais nous demandons s'il parle *in propria persona* ou pour reproduire les propos de quelqu'un d'autre.

Puisque cette construction du discours rapporté permet de décrire des situations dans lesquelles quelqu'un croit faire une chose qu'il veut faire, mais en fait en réalité une autre, nous pouvons la qualifier de construction intentionnelle, dans le sens où les philosophes parlent de l'*intentionalité*. En effet, la construction permet de poser l'écart séparant le but *visé par l'agent* (son intention « subjective ») du but *visé par l'action* de l'agent (comme si cette action avait pris son indépendance et s'était portée à l'insu de l'auteur vers un autre but, ou comme si un autre agent avait détourné son action de la visée qu'il lui donnait pour lui en substituer une autre). En fait, il n'y a ici d'autre but que celui que l'agent croit pouvoir atteindre par les voies qu'il a choisies. L'autre but n'est visé par personne, sauf à admettre qu'il est à nouveau le but visé par l'agent, mais dans une détermination « inconsciente » de sa conduite. Tout se passerait alors comme si l'agent était en train d'exécuter un autre projet, le projet d'un autre.

Ce n'est pas seulement dans le cas où l'agent se méprend sur la réalité de sa propre action que nous devons distinguer ce qu'il fait effectivement et ce qu'il pense faire. Il en va de même lorsqu'il est pleinement conscient de soi, pleinement conscient de ce qu'il fait. D'abord, toute action particulière se fait dans une foule de circonstances qui en affectent le contenu : dire qu'un agent sait ce qu'il fait, ce n'est pas du tout prétendre qu'il connaît son action sous toutes les descriptions qui en sont vraies. Ensuite, il y a une différence entre une activité dirigée vers un but et une activité qui est faite parce qu'il est apparu à l'agent qu'il pouvait, en agissant ainsi, atteindre ce but auquel il désirait arriver. Une chose est de relever qu'un comportement peut s'expliquer en termes téléologiques, autre chose est de reconnaître à l'agent qui se comporte ainsi une conscience d'agencer des moyens en vue d'atteindre une certaine fin qu'il s'est donnée.

Le contraste du discours au style direct (visant à dire ce qu'il en est de quelque chose) et du discours au style indirect (visant à rapporter ce que quelqu'un dit qu'il en est de quelque chose) peut être étendu à tous les verbes déclaratifs, tous les verbes de dire et de penser. C'est ainsi qu'on passe du sens pratique de l'intentionalité (avoir une intention, c'est agir comme on le fait pour la raison que c'est le moyen d'arriver à telle ou telle fin) au sens logique de cette notion (« toute conscience est conscience de quelque chose »). Nous distinguons le monde *tel qu'il est* et le monde *tel que quelqu'un nous dit qu'il est*. S'il nous dit que la terre est immobile (parce qu'il le croit), nous pouvons déterminer ce qu'il en est, non de la terre, mais de sa représentation des choses en énonçant : « Pour lui, la terre est immobile. » La construction intentionnelle permet ainsi d'attribuer à certains agents, causes de certains événements, les intentions dans lesquelles ils interviennent dans le cours des choses, les idées qu'ils se font de leur situation, les fins qu'ils se donnent. Nous leur attribuons tout cela en faisant comme si ces agents manifestaient leur statut personnel en nous annonçant à l'avance les actions qu'ils décident de faire, en expliquant à chaque fois les raisons qu'ils ont de les faire. Sans la construction intentionnelle, toutes ces attributions seraient impossibles[2]. Dire ce qu'un agent a fait intentionnellement, c'est le faire parler, faire comme s'il avait annoncé le but qu'il visait au moment d'agir.

Ce procédé descriptif suppose une priorité logique de l'attribution d'un discours à un locuteur sur celle d'une pensée à un penseur. Quelqu'un qui pense « Je vais à Marseille » n'a certes pas besoin de nous le dire ou même de se le dire à lui-même *in petto*. Mais il aurait pu le dire. Bien plus, il est logiquement nécessaire qu'il en ait eu le pouvoir. Quelqu'un qui ne pourrait pas nous dire « Je vais à Marseille » (dans une langue quelconque) ne pourrait pas non plus se le dire à lui-même, ce qui veut dire qu'il ne pourrait pas non plus le penser en aparté, « pour soi ». C'est pourquoi on peut décider, pour reprendre l'expression rendue célèbre par Peter Geach[3], qu'attribuer une pensée à quelqu'un revient à répéter une chose qu'il se dit « dans son cœur », selon le modèle biblique de « L'insensé a dit dans son cœur : il n'est point de Dieu ». Il ne s'agit pas ici d'imputer à tout penseur un dialogue intérieur, mais seulement de marquer que les pensées qui viennent à l'esprit s'identifient par leur expression, et, au-delà d'un certain degré de complexité, par une expression qui est nécessairement articulée dans une langue humaine.

La philosophie contemporaine de l'action a souligné que nous pouvions nous placer à différents points de vue pour décrire une seule et même action. Ces perspectives sur l'action ne correspondent pas à des interprétations ou à des hypothèses différentes, mais à des intérêts descriptifs différents. Je veux dire que la diversité des interprétations provoque un conflit herméneutique, car elles s'excluent mutuellement et il faut choisir l'une d'entre elles. En revanche, la diversité des descriptions ne provoque aucun conflit, car chaque description saisit un aspect de la réalité. S'il y a plusieurs façons de dire ce qui a été fait, c'est tout simplement parce que l'identification d'une action est sensible au contexte. Selon certaines de ces descriptions, l'action est identifiée telle qu'elle est connue de l'agent et donc telle qu'il est dans son intention de la faire. En revanche, cette même action peut être également décrite sous des aspects dont l'agent n'a pas connaissance[4].

À partir de là, nous pouvons distinguer, en reprenant les indications d'Elizabeth Anscombe[5], divers types de situations et d'événements qui appellent des descriptions qui n'ont pas la même forme logique :

1° *Quelqu'un glisse sur la glace.* Nous le constatons et disons « Il glisse sur la glace », sans savoir s'il glisse volontairement ou malgré lui. Notre description ne rapporte donc qu'une action (purement) naturelle ou physique puisqu'elle ne se prononce pas sur le statut intentionnel de la glissade.

2° *Un chien laisse tomber la balle qu'il tenait dans sa gueule.* On peut parler d'une description « vitale » ou « animale », en entendant par là que des verbes tels que « laisser tomber », « jeter », « se diriger vers » ne s'emploient qu'avec des agents animaux ou animés.

3° *Quelqu'un téléphone, quelqu'un signe un contrat.* Ce sont là des descriptions d'action humaine. En les distinguant des actions naturelles ou physiques, nous ne voulons nullement dire que les actions humaines ne sont pas physiques, seulement qu'elles ne peuvent pas être identifiées comme telles dans un vocabulaire purement physique. Il faut recourir au vocabulaire intentionnel, aux techniques du style indirect.

On retiendra de ces distinctions que la construction intentionnelle permet d'appliquer à des agents des « descriptions d'action humaine ». Maintenant, que serait une description du monde qui obéirait à la règle de se passer de la construction intentionnelle ? Pour déterminer le contenu d'une philosophie prescrivant cette abstinence en matière d'intentionnalité, il est commode de faire le détour d'une petite fable.

*

LES DEUX ACADÉMIES

Dans un royaume légendaire — appelons-le pour fixer les idées le royaume d'Yvetot —, le Palais royal fut pendant quelque temps le centre d'un essor culturel remarquable. Le Prince avait attaché à sa cour une académie de poètes et une académie de savants. Or ces deux corps avaient fini par développer, chacun de son côté, des règles strictes, le premier pour la composition poétique, le second pour l'exposé scientifique. La poésie pratiquée à Yvetot était, comme on voudra dire, simpliste, ou au contraire extrêmement subtile, car les poètes n'avaient droit en tout et pour tout qu'à deux figures de discours, celles que Pierre Fontanier dans son traité appelle respectivement la *personnification* et la *subjectification*. Pour qu'un discours pût être accepté comme une œuvre de poésie, il devait se servir de ces figures et seulement de ces figures. De leur côté, le corps des savants professait une conception positiviste de la science. Pour eux, la science consistait à se faire une vision désenchantée, au sens de *dépoétisée*, des choses sensibles. Pour pouvoir se faire écouter à l'académie des sciences, il suffisait donc de redire ce que le poète avait dit, mais en supprimant les figures. C'est dire que le traité de Fontanier aurait été accepté à l'Académie yvetotaise des sciences comme un ouvrage capital, puisqu'il permet de traduire le discours figuré en une prose dépouillée de ses atours langagiers et de ses charmes stylistiques. Pour notre part, nous n'entreprendrons pas de juger de la valeur poétique ni de la solidité épistémologique d'une culture développée sur de tels principes. Nous considérerons seulement les problèmes d'expression rencontrés par les savants d'Yvetot.

Mais voici d'abord les définitions des deux figures que Fontanier classe parmi les tropes d'expression par fiction.

1° Définition de la *personnification* : « faire d'un être inanimé, insensible ou d'un être abstrait et purement idéal, une espèce d'être réel et physique, doué de sentiment et de vie, enfin ce qu'on appelle une personne[6]. » C'est ainsi que Racine, dans *Phèdre*, fait dire à Hippolyte s'adressant à Aricie :

Argos vous tend les bras et Sparte vous appelle.

Pourtant, Argos n'a pas de bras qu'il pourrait tendre, ni Sparte le pouvoir d'appeler. Racine a donc personnifié un être non personnel. De même, Racine personnifie un être abstrait (au sens d'un être qui ne peut exister par lui-même) dans ces vers :

On sait que sur le trône une brigue insolente
Veut placer Aricie et le sang de Pallante.

Selon une vue dépoétisée, ce sont les insolents qui briguent pour placer sur le trône la fille de Pallante. Il en va d'ailleurs de même d'un philosophe qui dit « une conscience » pour « une personne » : ce philosophe fait une figure de personnification au sens de Fontanier. Par ailleurs, on peut personnifier des abstractions au sens d'hypostases, en prêtant un discours et des intentions à des puissances telles que le Temps, la Mort, l'Espoir, l'Envie, l'Amour, etc.

2° La *subjectification* est une figure dont Fontanier croit devoir inventer le nom pour désigner le tour qui consiste « à dire d'une chose physique ou abstraite par laquelle un sujet agit ou s'annonce, et qui en est l'organe, l'instrument, ou enfin un attribut quelconque, ce qui, à la rigueur, ne peut se dire et s'entendre que du sujet lui-même, considéré par rapport à cette chose[7] ». La subjectification consiste donc à transformer une chose en sujet, à nommer une *chose* à la place où le sens exige que soit désigné un *sujet*, comme lorsque Racine écrit :

Quand vos bras combattront pour son temple attaqué,
Par nos larmes du moins il peut être invoqué.

L'explication que donne Fontanier donnera pleine satisfaction aux esprits positifs : les bras ne combattent ni seuls, ni d'eux-mêmes, les larmes ne peuvent pas invoquer, il faut des personnes pour servir de sujet à « combattre » et à « invoquer ».

Il est possible de présenter la personnification comme une forme de construction grammaticale : elle consiste à changer (par figure) le statut d'un agent que l'on désigne en faisant de lui le complément d'agent d'un verbe d'action humaine. Or un verbe d'action humaine est un verbe intentionnel, de sorte que la construction avec personnification de l'agent est bel et bien une construction intentionnelle (au sens logique). Mais pourquoi ajouter une nouvelle figure de la subjectification pour désigner le fait de prêter des actions personnelles à des organes et des signes ? Fontanier reconnaît que la figure d'un bras qui combat et celle des larmes qui implorent ont une valeur « personnificative ». Toutefois, il aperçoit quelque chose de spécial dans ce tour de langage qui inverse le rapport des deux agents que Fontanier appelle respectivement la chose (organe, instrument, attribut) et le sujet. La figure consiste à suggérer que je combats pour autant que mon bras combat, comme si mon bras était le *sujet propre* du combat alors qu'il n'en est que l'organe.

Ces explications permettent de comprendre la Querelle qui a divisé l'Académie des sciences d'Yvetot. Certains savants (formant le camp « néo-conservateur », par opposition au parti des vieux conservateurs d'Yvetot qui ne reconnaissent de légitimité qu'à l'Académie des poètes) considèrent qu'il n'y a rien de poétique à *personnifier des personnes*. La poésie commence là où l'on personnifie des choses. D'autres savants (réunis dans un camp qualifié de « radical-naturaliste ») estiment qu'il faut désenchanter la psychologie et donc appliquer aux personnes la même dépoétisation qu'aux éléments naturels.

Il y a une figure poétique (au sens de la poétique yvetotaise) dans le fait de dire que Sparte vous appelle ou que Sparte pense à vous. Mais y a-t-il de nouveau une figure de personnification lorsque moi, je dis que *vous* m'avez appelé ou que *vous* avez pensé à moi ? Si la personnification de X consiste à traiter X comme une personne (en lui attribuant une vie personnelle), le problème se pose de savoir si c'est par figure que certains êtres, en dehors de moi, sont traités comme des personnes. Sur ce point, plusieurs chapelles académiques ont développé des vues plus ou moins radicales. Pour certains, c'est seulement par hypothèse que je peux traiter quelqu'un d'autre que moi comme une personne. On dit aussi qu'il s'agit d'une « stratégie interprétative » : cette stratégie est bien sûr déraisonnable dans le cas d'une chose inerte ou d'une abstraction, mais elle devient défendable lorsqu'il s'agit d'un individu dont le comportement se laisse mieux décrire et prédire par la voie de la personnification que par celle de la dépoétisation. Pour d'autres, la rigueur de la science exige que la figure poétique disparaisse entièrement : rien n'est une personne. Assurément, vous n'êtes pas une personne, car toute description de votre vie personnelle doit s'appuyer sur un certain nombre d'indices positifs (gestes, bruits) et ne fait en réalité rien d'autre que leur conférer une animation poétique. Mais, pour les mêmes raisons, je ne suis pas moi-même une personne, tant du moins qu'il s'agit de décrire ce qui existe véritablement sous mon nom.

Il y a une figure poétique dans le fait de dire que votre bras a combattu l'ennemi. Mais n'y a-t-il pas aussi une subjectification dans le discours qui énonce que vous avez vous-même combattu l'ennemi ? N'est-ce pas là mettre l'organe ou l'instrument à la place du sujet, c'est-à-dire de l'agent véritable, celui qui accomplit ses fins par le moyen de l'organe ? Dans cette hypothèse, la personne n'est pas le sujet propre de son action, ce dernier devant être cherché dans les puissances qui l'ont fait agir.

L'histoire ne dit pas si les académiciens des sciences d'Yvetot ont pu s'entendre sur un manuel unique de défiguration du langage poétique.

*

Cette petite fable n'a d'autre moralité que de nous donner le portrait d'un philosophe qui voudrait se priver de la construction intentionnelle.

Nous tenons donc, apparemment, la réponse à la question posée en commençant. Nous avions décidé d'entamer notre enquête sur le concept de sujet en faisant comme si nous n'avions jamais tout à fait compris le mot « sujet ». Il convenait donc de le réintroduire dans notre langage à partir des fonctions qu'il y remplit. Pour opérer cette réintroduction, il a fallu d'abord imaginer un langage sans construction avec sujet et mesurer l'appauvrissement qui en résultait. Une *philosophie sans sujet* se définissait alors comme une doctrine préconisant cet appauvrissement (au nom de la vérité ou de la sagesse, peu importe ici). Or nous avons constaté qu'il y avait déjà deux appauvrissements possibles.

La première possibilité d'un langage privé de la construction du verbe avec sujet était de perdre les moyens de désigner des agents. Un tel langage convient parfaitement à une philosophie d'un monde composé de *procès sans sujets*. Un tel monde serait fait de purs événements discontinus.

La seconde possibilité est celle d'un langage privé de la possibilité d'opposer ma description du comportement d'un agent (il se rend à Marseille, puisqu'il monte dans le train dont la destination est Marseille) et ma description de l'intention de cet agent (il veut aller à Dijon et il croit faire ce qu'il faut pour aller à Dijon). Ici, renoncer au « sujet », ce serait renoncer aux constructions intentionnelles. Pour nous donner le concept du sujet conscient de soi, au sens d'un agent qui peut répondre à une question portant sur ce qu'il se propose de faire par son action présente, il fallait enrichir le langage descriptif des actions naturelles et des actions vitales ou animales par un *langage des actions humaines*. Ce dernier langage repose sur la technique du discours au style indirect, lequel permet d'attribuer des projets, des visées, des intentions et plus généralement des pensées, au sens intellectuel du terme.

Il se découvre ainsi que nous avons tout simplement retrouvé une notion proche de celle qu'Aristote se fait du sujet pratique, c'est-à-dire de l'agent en tant qu'on le considère dans les sciences morales. Mais cela veut dire qu'en réalité, nous n'avons nullement réussi à élucider la notion de sujet telle qu'elle est mise en œuvre, peut-être pour la première fois, dans la philosophie moderne. Nous ne retrouvons pas, dans le sujet conçu comme l'agent d'une action intentionnelle, la figure du sujet au sens des philosophes post-kantiens. Ce sujet de la philosophie moderne n'est pas censé être une substance. Il ne se définit pas par le fait d'être le principe de changements extérieurs à lui, mais plutôt par le caractère primordial des changements qu'il peut produire en lui-même ou plus généralement des interactions qu'il peut avoir avec lui-même.

Que manque-t-il au sujet que nous venons d'introduire, ou plutôt de réintroduire, puisqu'il n'est autre que le bon vieux complément d'agent, pour être le sujet au sens des philosophes ? Pour le savoir, il nous faut nous demander comment la question du sujet — la question « Qui ? » — trouve le moyen d'être posée dans le contexte d'une situation dont un individu particulier rend compte en disant « Je pense que *p* ». Nous avons jusqu'ici examiné l'application de la question du sujet à des aventures triviales qu'on peut décrire « en troisième personne », comme par exemple « Qui a laissé la lumière allumée ? », « Qui a mangé toutes les confitures ? ». Mais la question ne met en lumière le sujet, dans le sens des philosophes, que si le penseur la pose à la première personne à propos de son propre acte de penser.

II

ÉCLAIRCISSEMENTS LOGIQUES
ET SYNTAXIQUES

IV

La superstition du sujet

Dans un texte célèbre, Nietzsche oppose à l'analyse philosophique du « Je pense » l'expérience commune des gens qui, comme les écrivains ou les orateurs, font un métier qui leur impose de *penser* dans le sens prosaïque de trouver des idées à exprimer pour rendre leur copie ou pour répondre aux attentes de leur auditoire. Ces professionnels du penser ont besoin d'idées, mais ils savent trop bien que la pensée, ainsi entendue, n'est pas quelque chose de foncièrement actif. Dans les livres des philosophes, il est beaucoup question du *moi*, c'est-à-dire du sujet qui pense ses pensées, mais cette représentation du *sujet pensant* ne tient pas compte de l'expérience que nous avons de nos propres inspirations. Nietzsche suggère que la métaphysique du sujet pensant s'enracine dans des routines acquises à l'école élémentaire : quand on s'exprime par une phrase qui comporte un verbe à l'actif, on doit poser une action signifiée par ce verbe et poser un sujet qui fasse cette action. S'il en était ainsi, l'opération dite d'auto-position du sujet par le *Cogito* reposerait sur l'évidence d'une forme d'expression et non, comme il le faudrait, sur celle d'une expérience authentique.

Voici une traduction de ce texte remarquable de Nietzsche[1] :

> (a) En ce qui concerne la superstition des logiciens : je ne me lasserai jamais de souligner un bref petit fait que ces superstitieux ne reconnaissent pas volontiers. À savoir qu'une pensée vient quand « elle » veut et non quand « je » veux. (b) De sorte que c'est une *falsification* des faits que de dire : le sujet « je » est la condition du prédicat « pense ».. (c) Cela pense : mais que ce « cela » soit d'emblée ce bon vieux « je », c'est là, pour le dire en termes indulgents, une simple supposition, une simple

affirmation, en aucune façon une « certitude immédiate ». (d) Et finalement, ce « cela pense » en dit déjà trop, car ce « cela » contient déjà une *interprétation* du procès et n'appartient pas au procès lui-même. On raisonne ici selon une habitude grammaticale : « Penser est une activité, à toute activité appartient quelqu'un d'actif, par conséquent... »

Dans ces quelques lignes, Nietzsche part de l'expérience pour suggérer d'abord qu'il y a une passivité de la pensée (a), puis, à travers une mise en question de l'analyse logique (b) et de la métaphysique qu'elle inspire (c), il va jusqu'à se demander si la pensée n'est pas foncièrement impersonnelle (d).

(a) *L'expérience de l'écrivain*

Le point de départ est une expérience familière à tout écrivain. Quiconque a besoin d'avoir une idée[2] sait qu'elle ne vient pas à la demande. Or la forme d'expression « je pense » ne restitue pas bien cette expérience. Elle ne dit rien des dispositions qu'il faut ménager en soi, faites d'attente et de veille, pour que les idées consentent à venir. Qui plus est, les bonnes dispositions de celui qui tient la plume ne suffisent pas. On peut bien être éveillé, attentif, ce n'est pas cela qui provoque l'événement de la venue de la pensée. Cet événement a l'allure d'une visitation. Nietzsche retrouve ici l'observation classique de Pascal[3].

Même si l'expérience ici évoquée ne concerne que l'un des emplois du verbe « penser » et qu'elle en laisse de côté d'autres (comme « réfléchir à quelque chose » ou « tirer les conséquences », opérations qui demandent un contrôle par le sujet pensant), elle est en elle-même instructive. Une pensée vient quand « elle » veut et non quand « je » veux. Les guillemets soulignent qu'il y a ici comme deux protagonistes engagés dans un duel, comme deux volontés en train de se mesurer : l'écrivain veut avoir une pensée, mais il ne peut pas, à lui tout seul, faire venir l'idée qui lui manque. La forme grammaticale « je pense » a donc le tort de suggérer une fausse ressemblance avec « je me lève » ou encore « j'écris ». (Notons pourtant qu'on peut lui reprocher de suggérer une interprétation, de favoriser une confusion, mais non de nous imposer une théorie. Il est toujours possible de résister à ces suggestions venues de la forme d'expression.)

(b) *Les superstitions logiques*

Une superstition est une croyance superflue ou excessive. En quoi les logiciens auxquels pense Nietzsche sont-ils superstitieux ?

Les logiciens apparaissent ici comme des personnages qui, dans toute phrase déclarative, cherchent le sujet et le prédicat. Ils appliquent un schéma d'analyse : *Qu'est-ce qui est dit du sujet de la phrase ?* La partie qui le dit est le prédicat. *De quoi est-ce que la phrase le dit ?* Elle le dit du sujet. Nietzsche conteste (avec raison) ce préjugé. Pourquoi devrait-il y avoir, en toute proposition complète et pourvue d'une valeur de vérité, un sujet et un prédicat ? Pas de prédicat sans sujet, donc pas de pensée sans un penseur, sujet de sa pensée[4]. À cette analyse, Nietzsche oppose les faits.

La pensée de Nietzsche participe ici de ce qu'elle croit être l'esprit de la science : séparer la question du vrai de la question du bien (en vertu de l'impératif du désenchantement) — séparer les exigences émanant du penseur (le besoin de comprendre, de trouver une bonne forme) et les véritables nécessités qui tiennent à la chose. Un philosophe positif raisonne ainsi : qu'est-ce qui est *vraiment* donné ? qu'est-ce qui est *ajouté* par nous ? ce qui est ajouté l'est-il pour de bonnes ou de mauvaises raisons ? Si c'est pour des raisons morales ou des raisons tenant à nos conventions langagières, alors ces motifs ne valent évidemment rien du point de vue de la science.

Mais pourquoi ajouter quoi que ce soit à ce qui est donné ? Certes, pour donner satisfaction à des exigences de *forme* (logique) ou de *sens*. Mais de telles exigences sont-elles justifiées ? Les logiciens nous demandent de mettre nos dires en forme logique : est-ce pour concevoir plus clairement ce qui est (à partir de ce qui est donné) ou est-ce seulement pour donner satisfaction à une logique qui n'est en réalité qu'une paresse grammaticale ?

(c) *La pensée comme procès passif*

N'oublions pas le « petit fait » décisif : une pensée vient quand elle veut et non quand je veux. Disons donc : « *es denkt* » plutôt que « *ich denke* ». Quelque chose pense en moi. Il était donc incorrect de dire : moi, je pense (*ego cogito*). Qui est l'auteur de mes pensées ? L'expérience citée indique que ce n'est pas moi, elle n'en dit pas plus.

Toutefois, nous devons demander ici : en quoi cela concerne-t-il le logicien ? En quoi la logique élève-t-elle une exigence concernant le caractère personnel du sujet (suppôt) de la pensée ? Qu'il faille un sujet pour un prédicat est une condition pour qu'il y ait proposition déclarative, mais il n'est nullement requis que ce sujet soit actif.

C'est Nietzsche lui-même qui parle des préjugés du logicien. On attendrait donc qu'il soit question du sujet et du prédicat au sens de la logique classique, c'est-à-dire d'un attribut prédiqué d'un sujet par le moyen d'une copule. Or, si Nietzsche use bien ici des mots « sujet » et « prédicat », on s'aperçoit vite que ce n'est pas de cela qu'il entend nous parler. En fait, le mot « prédicat » est pris ici comme un équivalent de *verbe*, pas au sens de prédicat logique. Du coup, le mot « sujet » est pris au sens de *complément d'agent*, pas de sujet de prédication. Nietzsche a raison de douter que le verbe « penser » appartienne (dans tous ses emplois) à la catégorie des verbes d'action. Mais le problème de savoir si penser est une activité contrôlée par le penseur ne relève en aucune façon d'une analyse logique formelle.

Si Nietzsche prenait le mot « prédicat » dans le sens des logiciens (d'hier et d'aujourd'hui), il ferait du verbe « pense » *ce qui est dit* de celui qui pense, et non pas du tout un signe indiquant *ce que fait* l'individu identifié comme agent. Il n'y aurait aucun sous-entendu d'une responsabilité du penseur à l'égard de son état ou acte de pensée. Car on ferait la même analyse logique de l'énoncé « Je souffre d'une migraine », sans pour autant prétendre que la migraine vient quand je veux. De fait, une migraine s'en va *quand elle veut* et non quand je veux, l'anesthésie n'étant pas un retour à un état normal de bien-être, mais plutôt une restriction volontaire de mes capacités sensibles.

En fait, Nietzsche ne paraît pas s'intéresser le moins du monde à une analyse *logique* de la proposition en deux parties, le sujet et le prédicat (pour autant qu'il y ait lieu de faire ici une telle analyse). Il s'en prend à une analyse qui veut trouver dans « Je pense » un sujet actif et un verbe d'action.

(d) *La pensée comme procès sans sujet*

Selon Nietzsche, la critique de la superstition doit être poussée plus loin. C'est une première espèce de superstition que de croire que je suis pour quelque chose dans l'événement de la pensée. Oubliant les conditions précaires de son inspiration, le penseur se veut « sujet actif », c'est-à-dire qu'il prétend s'attribuer le mérite d'avoir eu une idée. Il n'a fait que se trouver là pour l'accueillir au moment heureux, mais la forme ordinaire d'expression lui fait croire qu'il est la *cause* de ses pensées.

Or il y a une deuxième espèce de superstition : croire qu'il faut chercher un auteur ou un agent des pensées. Si je ne suis pas la cause de la venue des pensées, alors c'est autre chose qui provoque cet événement. On prend donc le verbe « penser » pour un verbe d'action et c'est pourquoi on croit qu'il faut déterminer un agent (moi ou « cela »). Mais pourquoi un verbe à l'actif serait-il forcément un verbe d'action ? Nietzsche suggère d'entendre le « *es denkt* » dans un sens impersonnel, sur le modèle de « il pleut », « il vente », etc. Penser, avoir une idée, ce serait là un événement impersonnel.

Quelle leçon pouvons-nous tirer de là ? S'agit-il de mettre en cause la grammaire, « cette métaphysique pour le peuple » (*Le gai savoir*, § 354) ? Nous pourrions peut-être nous contenter d'une telle incrimination si nous avions à notre disposition, pour nous exprimer, un langage informe, comme tel incapable d'imposer une structure préconçue aux phénomènes, dans lequel nous ferions état des données de l'expérience avant toute intrusion d'une syntaxe. Ce pur langage de l'expérience, comme on sait, est un mythe. Il faut donc tirer une autre leçon de la critique salubre que fait Nietzsche des préjugés syntaxiques qui conduisent à poser un sujet. La critique de la philosophie du sujet était nécessaire, et pourtant elle a vite tourné court faute de pousser assez loin l'analyse.

Nietzsche, pour résister à la fausse évidence du *Cogito*, s'est demandé si nous devions véritablement faire de « je » (c'est-à-dire d'un être désigné par ce pronom) la *condition* du prédicat « pense », par une application mécanique de la forme sujet/prédicat à la phrase « Je pense ». Il a donc commencé par contester la métaphysique du sujet sur le terrain de la logique. Or nous constatons qu'il abandonne aussitôt ce terrain pour se placer sur celui de la grammaire : est-ce qu'en utilisant un verbe à la voix active, nous rendons compte fidèlement de notre expérience de l'activité de penser ? Il y a donc deux critiques possibles du concept métaphysique du sujet, selon qu'on vise le sujet d'une prédication (point de vue logique) ou le sujet d'un verbe d'action (point de vue grammatical).

Meilleur écrivain que bien d'autres philosophes, Nietzsche a été sensible à la difficulté *stylistique* de rapporter l'événement que constitue le fait d'avoir une pensée, au sens d'être comme visité par une idée. C'est là sans doute ce qui lui a permis de reconnaître, derrière la mise en forme scolaire de la phrase en une partie « sujet » et une partie « prédicat », une syntaxe originale propre aux phrases authentiquement verbales : des phrases qu'on peut appeler narratives[5]. Certaines de ces phrases posent un sujet, c'est-à-dire un *agent.* D'autres ne posent qu'un *patient* (« Pierre a été précipité à terre »). Elles le font parfois en dépit de la forme apparemment active du verbe (« Pierre a fait une chute », « Pierre souffre de la tête »). D'autres enfin ne posent ni agent ni patient (« Il pleut », « Il neige »). Dans ce qu'elle a de plus aigu, la critique de Nietzsche ne porte pas vraiment sur des superstitions inhérentes à la logique, mais plutôt sur la confusion du sujet *logique* et du sujet *actanciel.* Ou, du moins, sa critique ne devient éclairante que si elle se dédouble en critique du sujet selon l'analyse logique et du sujet selon l'analyse syntaxique. Mais ces deux critiques sont fort inégales du point de vue de l'intelligibilité.

La critique du préjugé grammatical est parfaitement claire. Quelle que soit la réponse à donner, il est légitime et utile de se demander si la pensée est une activité dont le penseur a le plein contrôle. Autrement dit, de se demander si le verbe « penser » est bien un verbe d'action et si, par conséquent, le sujet de ce verbe désigne un agent. Bien entendu, cette question n'appelle pas forcément une réponse simple. Le verbe « penser », tel qu'il est utilisé dans nos langues, ne semble pas entrer dans une catégorie unique : selon les cas, il peut désigner un événement (« j'ai pensé à quelque chose », « une idée m'est venue »), une attitude (« il pense que la victoire est proche »), une manière d'agir (« il pense à ce qu'il fait »), et aussi une activité à laquelle il est possible de se consacrer.

Maintenant, qu'en est-il de l'autre critique possible du sujet, celle qui vise la « superstition des logiciens » ? « Le sujet "je" est la condition du prédicat "pense". » La présence d'un sujet grammatical dans la phrase nous imposerait de rapporter le prédicat à un référent, à quelque chose qu'on appellera le *sujet de prédication.* Or le sens de cette critique du sujet des logiciens est loin d'être clair.

Comme on vient de le voir, l'objection faite aux logiciens n'est pas, en définitive, qu'ils traitent comme un sujet actif (un « je pense ») ce qui est en réalité un sujet passif (un « cela pense »), mais qu'ils *ajoutent* tout simplement une entité théorique (le sujet de prédication) à ce qui est donné de façon immédiate (le procès de pensée). Ce qui est ici en cause, c'est le sujet pris dans l'ancien sens du mot, le *subjectum* entendu comme l'individu dont parle une proposition singulière. Mais, telle est ici l'objection, pourquoi faudrait-il ajouter ce *subjectum* ? Pourquoi ne pas se contenter de ce qui est donné tel qu'il est donné ? Quelle raison avons-nous de chercher à ce qui est donné (le phénomène) une condition d'existence dans un sujet qui n'est pas donné, mais inféré ?

Ainsi, pour comprendre tout à la fois la métaphysique du sujet et sa critique, nous devons donc procéder à des éclaircissements logiques et syntaxiques. Il y a deux enquêtes à mener.

La première porte sur le *sujet de prédication* d'une proposition singulière. Que veut dire rapporter ce qui existe — ce dont on peut constater que cela existe — à un sujet ? S'agit-il d'une addition ? (Voir *infra*, chap. 5-6.)

La seconde porte sur le *complément d'agent* d'une action transitive. En quoi la notion d'un agent se distingue-t-il de celle d'un sujet pour un prédicat d'action ? Quelle différence entre identifier le sujet d'un prédicat et identifier l'auteur d'une action. De façon plus générale, on se souvient que le concept moderne de sujet, en philosophie, se définit à partir de l'opposition d'un sujet et d'un objet (pas par celle d'un sujet et d'un prédicat). Comment cette opposition s'introduit-elle dans notre pratique langagière ? (Voir *infra*, chap. 7-12.)

V

Le sujet scolastico-cartésien

Les historiens de la philosophie nous avertissent de ne pas oublier, lorsque nous lisons Descartes, que le mot « sujet » n'est pas pris par lui dans le sens de la philosophie moderne (pour désigner exclusivement l'être conscient de soi), mais dans le sens traditionnel. L'avertissement est d'autant plus nécessaire que le sens moderne de ce terme philosophique est le plus souvent expliqué par la voie d'une exégèse de l'argument du *Cogito*. De fait, Descartes parle souvent dans un idiome « scolastico-cartésien », pour reprendre le titre du précieux *Index* que Gilson a composé pour permettre au lecteur d'aujourd'hui de déchiffrer des textes souvent opaques[1]. En reprenant le vocabulaire philosophique de ses professeurs du collège de La Flèche, Descartes en a souvent repris les distinctions fondamentales, ou si l'on préfère, leur « ontologie ». Ce fait, aujourd'hui reconnu par tous les spécialistes, ne contrarie en rien la juste réputation d'audace spéculative et de puissance théorique de notre philosophe. Réservons donc l'appellation de « sujets scolastico-cartésiens » à ces sujets dont parle Descartes dans le premier article de son traité des *Passions de l'âme.*

> (...) Je considère que tout ce qui se fait ou qui arrive de nouveau est généralement appelé par les philosophes une passion au regard du sujet auquel il arrive, et une action au regard de celui qui fait qu'il arrive ; en sorte que, bien que l'agent et le patient soient souvent fort différents, l'action et la passion ne laissent pas d'être toujours une même chose qui a ces deux noms, à raison des deux divers sujets auxquels on la peut rapporter.

Descartes part ici d'une notion générale d'événement : quelque chose *se fait* ou *arrive*. Il note qu'on peut *rapporter* un événement à un sujet patient, auquel cas on l'appelle sa « passion » (au sens physique de « pâtir » ou de subir un changement), ou bien le rapporter à un sujet agent, et qu'on l'appelle alors « action ». Par exemple, l'événement de l'ouverture de la fenêtre est tout à la fois mon action d'ouvrir la fenêtre et le changement d'état que subit cette fenêtre. Comme le rappelle Descartes, cette doctrine est traditionnelle. Action et passion sont deux « noms », deux façons de décrire le même changement. Il y a deux catégories prédicatives, mais une seule réalité visée. En effet, mon action d'ouvrir la fenêtre, considérée comme telle au sens de la catégorie de l'agir, ne consiste pas dans un *autre* changement (par exemple, des mouvements de ma part) par lesquels je m'efforcerai de provoquer un changement indépendant de moi (l'ouverture de la fenêtre). Sans doute, j'ouvre la fenêtre en faisant divers mouvements du corps, du bras, de la main, mais ce n'est pas comme si mon action était la conjonction de deux événements distincts, un événement me concernant et un événement affectant ensuite la fenêtre. L'action transitive n'est pas une association causale de deux changements, comme celle qu'on aurait si j'intervenais pour que la fenêtre s'ouvre en disant « Fenêtre, ouvre-toi ! », et si ensuite la fenêtre s'exécutait par un mouvement qu'elle ferait d'elle-même pour satisfaire ma demande. L'action transitive est la production d'un changement de l'objet, changement qu'un agent provoque par un exercice de ses capacités d'intervention dans le cours des choses.

Dans la proposition « Paul ouvre la fenêtre », le changement signifié par le prédicat peut être rapporté aussi bien à Paul qu'à la fenêtre. Ainsi, cette proposition comporte, non pas un sujet, mais deux sujets de prédication, Paul comme sujet d'une action et la fenêtre comme sujet d'une passion. Deux leçons se dégagent alors.

Première leçon : nous vérifions que le sujet, quand il est pris au sens d'un *subjectum* scolastique, ne comporte aucune notion d'un être actif, mais seulement celle de l'individu auquel on rapporte *prédicativement* ce qui est signifié par l'attribut ou par le verbe. Le *sujet scolastico-cartésien* est défini par opposition à l'accident, pas par opposition à l'objet. Pour introduire l'opposition entre l'actif et le passif, c'est-à-dire pour trouver le *sujet* et l'*objet* au sens de la syntaxe du verbe transitif, il faut avoir *deux sujets* au sens de la logique, deux sujets de prédication.

Seconde leçon : sachant que cette fenêtre vient d'être ouverte, je peux demander qui l'a ouverte. Je peux poser la question du sujet au sens de l'agent. Mais, si je le peux, c'est parce que j'ai déjà rapporté *ce qui se fait ou arrive* à un sujet : il s'agit de l'ouverture de *cette fenêtre*. Inversement, sachant que Paul a ouvert quelque chose, je peux demander ce qu'il a ouvert. Si je peux poser la question du patient, c'est parce que j'ai déjà rapporté *ce qui se fait ou arrive* à un sujet (de prédication) : il s'agit de déterminer l'objet d'une action faite *par cet agent*, Paul. Dans les deux cas, je peux chercher un (deuxième) sujet de prédication pour un procès qui s'effectue devant moi parce que je suis capable d'identifier ce procès. Qui a ouvert cette fenêtre ? La recherche d'un sujet pour *cette* action suppose que cette action ait été constatée, et elle l'a été pour autant que nous constatons que *cette* fenêtre a été ouverte. Nous rapportons l'ouverture de cette fenêtre (premier sujet) à un agent (deuxième sujet). Il en va de même si nous voulons rapporter cette action, c'est-à-dire l'action de cet agent, à un sujet auquel il est arrivé quelque chose. Qu'est-ce que Paul a ouvert ? Nous cherchons un (deuxième) sujet de prédication pour ce qui est arrivé et que nous exprimons comme l'action de Paul : il a ouvert une fenêtre, mais laquelle ?

Soit la procédure de l'attribution d'une œuvre à son auteur. Nous pouvons poser la question de l'auteur parce qu'il arrive que nous sachions identifier l'œuvre qui nous occupe — *ce tableau* —, mais pas l'auteur de *cette* œuvre. On établit alors qu'il y a une relation d'œuvre à ouvrier entre *ce tableau* (qu'on identifie, par exemple en le montrant ou en indiquant où il se trouve) et *cette personne* (qu'on identifie pour elle-même).

Notre question était de savoir si ce n'était pas un préjugé qui nous impose de rapporter certaines choses à des sujets. Mais rapporter en quel sens ? Comme on vient de le voir, la prédication dans la catégorie de l'action transitive a quelque chose de particulier puisqu'elle requiert un couple de sujets (cf. *infra*, chap. 8). L'opération sur laquelle nous nous interrogeons n'est pas celle de l'attribution causale d'un changement à un agent (« Qui a ouvert cette fenêtre ? »), c'est l'attribution prédicative d'une forme d'être à un sujet de prédication (« Qu'est-ce qui est ouvert ? — Cette fenêtre est ouverte »). Nous voulons savoir d'où vient la nécessité de rapporter certaines existences à des sujets : s'agit-il d'une nécessité purement linguistique (il faut un substantif pour l'adjectif) ou s'agit-il d'une nécessité conceptuelle ?

Dans ses objections aux *Méditations métaphysiques* de Descartes, Hobbes refusait de conclure de l'existence d'un acte de penser du penseur à l'immatérialité de ce penseur. Mais il n'en concédait pas moins un axiome que Descartes estimait connu par la lumière naturelle : pas d'acte sans un sujet de cet acte. C'est pourquoi on ne peut pas contester l'inférence de la proposition « J'existe » à partir de « Je pense », car « nous ne pouvons concevoir aucun acte sans son sujet, comme la pensée sans une chose qui pense, la science sans une chose qui sache, et la promenade sans une chose qui se promène » (*Troisièmes objections*, A.T., IX, 134).

Le mot « acte » utilisé dans l'adage pourrait nous faire croire qu'il s'agit de rapporter une action à un agent. Il n'en est rien, comme le montre le fait que Hobbes puisse donner en exemple la science. Assurément, savoir quelque chose n'est pas une activité que le savant exerce à l'égard de ce quelque chose (même si c'est, éventuellement, le résultat d'une activité comme celle d'apprendre ou de chercher à savoir). Et pourtant l'adage s'applique parfaitement : s'il y a savoir, on peut demander qui possède ce savoir. L'adage est donc absolument général : il ne prescrit pas seulement de rapporter l'existence d'une action à son fondement dans l'existence d'un agent, mais aussi l'existence d'une science à son fondement dans l'existence d'un savant. Et, de façon générale, l'existence d'un *accident* à son fondement dans l'existence d'une *substance*.

Il faut donc comprendre le mot « acte » par l'opposition de la puissance et de l'acte, ou, si l'on veut, de la capacité et de son exercice. Si *je suis promenant*, cela veut dire que j'exerce ma faculté de me promener, et c'est l'exercice actuel de cette faculté qui prouve que cette faculté existe en moi ou qu'elle a en moi le fondement de son existence.

Il y a lieu de rapporter quelque chose, par exemple ma promenade ou ma méditation, à un sujet au sens de *subjectum* si ce quelque chose réclame un fondement. Mais, encore une fois, pourquoi y aurait-il une telle « condition » à l'application du verbe « pense » ? Pourquoi certaines choses auraient-elles besoin d'un *fondement* pour exister ? Et comment d'autres choses pourraient-elles exister par elles-mêmes, se passer d'un fondement ?

Pourquoi la pensée devrait-elle être fondée dans le penseur, alors que le penseur, lui, n'aurait pas besoin d'être fondé dans quoi que ce soit ?

Ici, les historiens du vocabulaire métaphysique, aiguillonnés sans doute par l'exégèse heideggerienne du *Cogito*, nous rappelleront sans doute qu'il y a, derrière ces adages de la lumière naturelle, toute une ontologie grecque du fondement, c'est-à-dire en grec de l'*hypokeimenon*, lequel veut dire « base » ou « fondement » (d'un édifice, d'un État, etc.), mais qui dans la langue philosophique désigne la « matière » d'une discussion, la chose dont on parle, et finalement le sujet de prédication. Il y aurait donc, derrière ce terme dont se sert la logique, toute une spéculation sur l'être et la présence dont la logique serait bien incapable de rendre compte.

Sans doute, la logique n'explique pas tout. Mais on peut néanmoins espérer qu'elle pourra nous expliquer pourquoi elle se sert du mot « sujet », c'est-à-dire, comme le rappelle le philologue, d'un mot qui veut dire « fondement » puisqu'il est le participe du verbe *hypokeisthai* qui veut dire « servir de base à quelque chose ».

VI

Logique des individus

Le sujet de la philosophie moderne, peut-on lire dans les exposés d'inspiration heideggerienne, hérite de ses ancêtres : le *subjectum* de la scolastique, qui provient lui-même de l'*hypokeimenon* grec. Cette généalogie est correcte du point de vue d'une histoire de la terminologie, mais elle ne nous dit pas à quoi servaient ces termes techniques. On croit parfois l'expliquer en rappelant les images qui gouvernent l'étymologie de ces mots, comme si une image pouvait à elle seule fixer la signification d'un terme. Dire que ces vocables évoquent, chacun à sa façon, une fondation (pour une superstructure) ou un substrat (pour des phénomènes de surface) ne nous éclaire pas, à moins de donner le mode d'emploi de cette figuration.

Le mot grec *hypokeimenon* est le terme qu'emploie Aristote pour désigner le sujet de prédication d'une proposition. On le trouve en particulier dans un passage du chapitre II des *Catégories*[1]. Or, dans ce texte difficile, on remarque qu'Aristote ne définit nullement ce que c'est qu'être un *hypokeimenon* — ce que c'est qu'être un sujet —, mais qu'il traite d'une *fonction de sujet* (ou, si l'on préfère, de fondement) que doivent exercer certaines choses à l'égard d'autres choses, certains êtres à l'égard d'autres êtres. Bien entendu, un rappel de l'étymologie de ce mot *hypokeimenon* ne saurait suffire à nous expliquer en quoi consiste précisément cette fonction de « fondement » ou de « support ». Aristote soutient que la fonction de sujet peut être assurée de deux façons qu'il désigne par des locutions techniques : 1° « exister dans quelque chose *comme dans un sujet* » ; 2°« se dire de quelque chose *comme d'un sujet* ». Il précise que le fait pour une chose (A) d'exister dans une autre chose (B) comme dans un sujet ne doit pas s'entendre au sens où une partie existe dans un tout (comme les parties organiques dans l'être vivant), mais au sens où on ne peut pas séparer l'existence de A de celle de B.

Dans ce chapitre II de son traité, Aristote se livre en fait à une analyse ontologique, c'est-à-dire qu'il cherche à distinguer divers *modes d'existence*. Contrairement à d'autres philosophes qui ont parfois cru pouvoir retrouver chez lui leurs propres vues, il ne part pas d'une notion indifférenciée de l'existence, et il ne cherche pas non plus à définir une prétendue propriété d'être (ou, comme on a pu dire, d'*étance* des choses qui sont *étantes*). De fait, l'analyse ontologique ne consiste évidemment pas à se demander d'une chose si elle existe (car, si elle n'existait pas, il n'y aurait pas d'existence à analyser !). Elle n'est pas non plus de se demander en quoi consiste la propriété ou l'activité par lesquelles cette chose existante existe, par opposition au défaut de cette activité d'exister chez les entités qui n'existent pas (car si je peux identifier les entités qui n'existent pas comme des *entités*, c'est qu'en fin de compte elles ne sont pas inexistantes, contrairement à l'hypothèse).

L'analyse ontologique porte sur *ce qu'il y a* ou, mieux, *ce qu'il doit y avoir* s'il est vrai d'affirmer : il y a des X et des Y. La question ontologique prolonge donc la question proprement logique des conditions de vérité. Non pas : y a-t-il des oliviers en Grèce, y a-t-il des lois grecques ? Mais plutôt : que doit-il y avoir pour qu'il y ait des oliviers ou des lois en Grèce ? Bien entendu, la question n'est pas causale, mais purement descriptive. Il apparaît que l'existence d'oliviers en Grèce requiert seulement l'existence d'individus qui soient des oliviers — tels que *cet* arbre que je vous montre ou que je pourrais vous montrer si nous étions sur place. Dira-t-on que l'existence de lois en Grèce doit consister également dans l'existence d'individus, c'est-à-dire d'êtres indépendants les uns des autres du point de vue de la référence, qui soient des lois grecques ? Mais il reste à expliquer comment je peux identifier des lois. Assurément, je puis montrer une pierre gravée ou un livre et dire : voici les lois grecques. Mais on ne saurait dire que les lois grecques soient un morceau de pierre ou un papier couvert de signes, choses que je peux identifier en vous les montrant directement du doigt. Il reste donc à expliquer comment une pierre ou un ensemble d'inscriptions peuvent être ce qu'on appelle des lois grecques, autrement dit la façon dont on pourrait identifier les lois grecques à l'aide du texte écrit ou gravé et du rôle que joue ce texte dans diverses pratiques. Je peux identifier pour vous l'olivier dont je vous parle, et je peux compter des oliviers dans une oliveraie. Mais je ne peux identifier les lois grecques qu'en identifiant des hommes qui se servent de tout un système de formules, orales ou écrites, explicites ou peut-être implicites, pour conserver ce qu'ils appellent leurs lois. Le mode d'identification est complètement différent, parce que le mode d'existence et d'individuation est différent.

Y a-t-il quelque chose comme un X (olivier, lois, couleurs, nombres, etc.) ? S'il y en a un, alors vous pourriez dans certaines conditions me le montrer. La première condition est d'abord de se trouver là où ce X existe, et d'avoir accès à cet X. Or il y a aussi une condition logique, et c'est cette condition logique qui nous intéresse dans ce chapitre des *Catégories* : nous devons avoir fixé la grammaire de la formule « Voici un X ». En somme, on n'a pas expliqué ce que c'est qu'une loi grecque tant qu'on n'a pas dit ce que c'est, pour une entité telle qu'une loi, d'exister. Mais, pour élucider l'ontologie des lois grecques, il faut fixer d'avance les conditions dans lesquelles je dois me tenir satisfait lorsque vous me dites « Voici une loi grecque » tout en me donnant les moyens appropriés de discerner une loi grecque d'une autre loi grecque, d'individuer des articles de législation dans le genre de la loi.

Notre professeur Georges Canguilhem, quand il traitait du réalisme, se plaisait à citer le mot de Courbet : « Si vous voulez que je peigne des déesses, montrez-moi-z-en. » Cette demande de Courbet ne témoigne pas seulement d'un robuste sens franc-comtois de la réalité, mais aussi de sa conscience d'une condition de toute activité descriptive ou dépictive. Cette condition, le philosophe la formulera ainsi : si vous me demandez de décrire la réalité et de dire en quoi un X diffère réellement d'un Y, alors vous me demandez de parler d'individus, pas seulement de formes séparées ou de genres de choses possibles. Dès lors, dites-moi comment identifier un X et comment, en identifiant quelque chose comme un X, je le distingue d'un autre X. Si vous voulez que je peigne des individus de telle espèce, dites-moi comment vous feriez pour m'en montrer.

Le chapitre II des *Catégories* peut donc être compris comme une réflexion logique sur les différentes façons dont un locuteur peut faire référence à des individus, étant entendu qu'on appelle ici « individu » tout ce qui peut faire l'objet d'une identification (directe ou indirecte). C'est pourquoi il est éclairant de rapprocher ce chapitre, pour autant qu'il est une contribution à la logique d'un discours sur les individus, des réflexions de Wittgenstein sur la logique de la définition ostensive, et, plus généralement, sur la logique des procédés ostensifs[2]. C'est à la lumière de ces réflexions que je me propose de commenter certains points du chapitre d'Aristote.

Notre texte propose une classification ontologique qui se veut entièrement générale. Elle est en réalité plus bornée qu'il n'est annoncé, car elle se limite à des exemples tels que : *cet homme, ce cheval, ce blanc, cette connaissance d'un point linguistique*[3]. Ces exemples sont construits sur le même patron syntaxique : un démonstratif opérant sur un terme général. Notons déjà quelle sera la leçon du chapitre. On ne saurait comprendre la formule indexicale *ce cheval blanc* comme l'équivalent de : *ceci que je vous montre* (pur objet d'ostension, pur « ceci »), *qui est cheval* et *qui est blanc* (attributs reconnaissables appartenant à « ceci »), comme si nous pouvions mettre dans la même classe prédicative le fait d'être cheval et le fait d'être blanc. Il faut comprendre : *ce cheval-ci* dans lequel *ce blanc-ci* existe « comme dans un sujet », ou bien *cet animal-ci*, duquel on peut dire « comme d'un sujet » qu'il existe comme l'individu qu'il est du fait d'être *ce cheval*.

Dans la série ci-dessus, les deux premiers exemples sont aisés à saisir, mais les deux derniers réclament une explication. En disant « ce blanc » (*to ti leukon*), nous sommes censés parler de la couleur blanche d'un cheval particulier (et non d'une nuance de la couleur blanche qu'on pourrait retrouver ailleurs que dans le cas de ce cheval et qu'on opposerait à d'autres nuances de blanc). Tout en disant « ce blanc », nous tendons le doigt vers un cheval blanc qui se trouve devant nous. En disant « cette connaissance linguistique » (*è tis grammatikè*), nous sommes censés parler du fait que telle personne sait quelque chose, pas du contenu de ce qu'elle sait et qu'on pourrait identifier en exposant *ce que* sait cette personne, auquel cas nous n'aurions nullement à mentionner cette personne puisqu'il suffirait de communiquer l'information.

Il est remarquable qu'Aristote tienne ces quatre choses pour des individus (*atoma*)[4]. Dans ce chapitre au moins, la notion d'individu est centrale et elle s'étend au-delà du domaine des « objets » ou des « substances premières ». La notion d'un être individuel ou particulier est ici plus large que celle de l'ontologie commune à la plupart des philosophes contemporains. *Ce cheval* (que je peux montrer) est un individu, mais *ce blanc* (que je peux montrer) est lui aussi un individu. En revanche, *ce cheval blanc* n'est pas un individu, puisqu'il y a deux individualités en cause : celle de l'animal et celle de la couleur. Cela ne veut pas dire que les mots « ce cheval blanc » désignent un *couple* d'individus, car la première sorte d'individu existe par elle-même (ce cheval) tandis que la seconde sorte d'individu (cette couleur blanche) n'existe qu'en étant la couleur de ce cheval. Or on ne peut pas compter des individus sans plus (« ceci », par exemple le cheval, puis « ceci », c'est-à-dire cette fois cette couleur blanche). On ne peut compter des unités ontologiques que dans un genre donné. Devant mon doigt tendu, il n'y a (dans l'exemple proposé) qu'un seul cheval, et il se trouve que ce cheval-ci n'a qu'une seule couleur.

Nous apprenons ainsi que, contrairement à ce qu'enseigne la théorie scolaire de la substance, l'inhérence de la couleur au cheval n'est nullement fondée sur le simple fait qu'un prédicat (« est blanc ») se dit de quelque chose (son sujet). Elle est fondée sur le fait que le blanc existe « dans le cheval comme dans un sujet ». Si le fait de la prédication suffisait, il faudrait analyser de la même façon une proposition comme « cet animal est un cheval ». La prédication dans la catégorie de la « substance » (qu'est-ce que c'est, pour cet animal, que d'être ce qu'il est ?) ne se distinguerait pas d'une prédication dans une catégorie de l'accident.

La discussion de la série des exemples fait donc ressortir deux grandes différences :
1° La différence entre *ce cheval* (que je montre en tendant le doigt vers un cheval placé devant moi qui s'appelle « Bucéphale ») et *ce blanc* (que je montre en tendant le doigt vers Bucéphale, lequel se trouve être, pour les besoins de notre exemple, un cheval blanc). Ou encore : entre *cet homme* (je montre du doigt Socrate) et *cette connaissance* (je montre cette science en montrant de nouveau celui qui est savant du fait de cette science, à savoir Socrate).
2° La différence entre *être homme* et *être savant* (avoir telle information), ou entre *être cheval* et *être blanc*. Socrate est homme en étant *cet homme*, mais il n'est pas informé en étant *cette information*, car pour être *cette information*, il faut être une connaissance, pas un homme. Bucéphale est cheval en étant *ce cheval*, mais il n'est pas blanc en étant *ce blanc*, car être *ce blanc*, c'est être une couleur et pas un cheval.

Que penser, en fin de compte, de cette thèse d'Aristote sur la différence entre le mode d'existence d'une chose telle que *ce cheval* et celui d'une chose telle que *ce blanc*? Cette solution ontologique, qui est à la base de la théorie des modes de prédication (catégories) est-elle archaïque? Il est frappant que ce soit précisément cette solution que retrouve Wittgenstein lorsqu'il se heurte à un problème analogue à celui d'Aristote face aux platoniciens. En l'occurrence, le problème est de savoir s'il n'est pas scabreux de juger que « la couleur rouge existe ». En émettant cette assertion d'existence, nous avons l'air de poser des universaux dans la réalité. Pourtant, explique Wittgenstein, il n'y a ici aucun réalisme des universaux. Dire que la couleur rouge existe, ce n'est pas du tout prendre une décision théorique coûteuse (par l'invention d'entités théoriques ou d'objets idéaux qu'elle suppose). La couleur rouge existe puisque nous pouvons nous faire montrer des choses de couleur rouge. Pour expliquer à quelqu'un ce que c'est qu'être de couleur rouge, il nous suffit de montrer une chose individuelle quelconque, un toit, un tapis, un ballon, une fleur, un drapeau, qui soit de couleur rouge. Bien entendu, il doit être entendu qu'en pointant le doigt vers le tapis rouge, je ne vous montre pas *ce tapis*, mais *le rouge de ce tapis*. La solution de Wittgenstein est donc dans une distinction parallèle à celle que fait Aristote entre le mode d'existence de la couleur et le mode d'existence de ce dans quoi la couleur existe comme dans un sujet. « Une couleur déterminée (ce rouge) existe » veut dire tout simplement : « Il existe quelque chose qui est de cette couleur[5]. » Chez Wittgenstein, cette solution est qualifiée de grammaticale parce qu'elle se ramène à une condition d'emploi de certaines formes d'expression : nous tenons ces deux façons de parler pour équivalentes.

Dans le présent chapitre, j'ai répondu à la question de savoir à quoi répondait l'analyse philosophique qui rapporte certaines existences à d'autres selon une relation de fondation ontologique. Pourquoi faut-il rapporter une chose à une autre comme à un « sujet » ? Il ne s'agit nullement d'ajouter des entités théoriques invisibles aux phénomènes visibles. L'analyse logique vise seulement à préciser les conditions d'emploi de nos propositions singulières. Le sujet grammatical d'une proposition singulière désigne un référent ou une entité individuelle, mais pas forcément une entité qui puisse exister par elle-même à la façon d'un être vivant et plus généralement d'une « substance ».

La doctrine que propose le texte d'Aristote et que retrouve à sa façon la réflexion de Wittgenstein sur l'identification par l'ostension est très éloignée de la théorie scolaire de la substance, je veux dire la doctrine qu'on trouve en général dans les manuels et les dictionnaires, mais qui, chose remarquable, est formulée du point de vue de ceux qui jugent ce concept problématique ou même inacceptable[6]. D'après cette théorie scolaire, la notion de substance est la traduction, en termes ontologiques, de la notion logique d'un sujet de prédication. De même que le prédicat de la proposition a besoin d'un sujet logique pour être vrai de quelque chose, de même, la propriété que désigne ce prédicat a besoin d'un sujet ontologique (la substance) pour exister. Il est clair qu'une telle doctrine ne tient aucun compte de l'effort qu'a fait Aristote pour distinguer des termes qui sont prédiqués dans la catégorie de la substance (« homme », « cheval ») et de ceux qui sont prédiqués dans une autre catégorie et qui posent donc des entités inhérentes (« blanc »). Elle oublie qu'une proposition singulière peut avoir pour sujet de prédication un accident individué : *ce blanc, cette distance, cette course cycliste, ce triangle, ce cercle, cette figure, cette position, cette information.* Comment identifions-nous ces référents ? Tant qu'on n'a pas posé cette question, on n'a encore aucune raison de s'intéresser à la fonction d'*hypokeimenon* qu'exerce par exemple, ce morceau de bois à l'égard de cette figure triangulaire ou ce corps à l'égard de cette position couchée.

En termes contemporains, on dira qu'il ne saurait y avoir d'entité sans identité, de position d'entités sans définition de principes d'individuation pour ces entités. *No entity without identity* (Quine). Les notions d'existence et d'individuation sont inséparables. Si l'on me dit que Bucéphale est à l'écurie, cela est vrai s'il y a présentement dans l'écurie un individu du genre cheval et que ce soit Bucéphale, à savoir *le même cheval* que celui qui a reçu ce nom qu'on emploie pour le désigner. Pour comprendre ce qui existe, en vertu de cette proposition singulière portant sur Bucéphale, je ne dois pas simplement être en mesure de dire « Voici un cheval », donc de distinguer quelque chose de rien, la présence d'un cheval à l'écurie de l'absence de tout cheval. Je dois être en mesure de comprendre le sens de la

formule indexicale « ce cheval-ci », et pour cela disposer d'un
principe d'individuation pour des chevaux : je dois comprendre
la différence qu'il y aurait entre le fait de trouver à l'écurie le
cheval Bucéphale et le fait d'y trouver un autre cheval que
Bucéphale.

VII

L'analyse des propositions
narratives

Au cours de notre enquête sur ce qu'il faut entendre par le fait pour le philosophe de « poser la question du sujet », notre problème est devenu celui de savoir quelle différence il y a lieu de faire entre poser la question du sujet pour déterminer le *sujet d'un prédicat* et poser la question du sujet pour découvrir l'*agent d'un événement*. Est-ce qu'un logicien pourrait, en analysant une proposition narrative, apercevoir une quelconque différence entre les deux questions ? Mais, d'abord, est-ce qu'il pourrait reconnaître, parmi les propositions déclaratives, une classe de propositions narratives ?

Appelons *proposition narrative* tout énoncé rapportant un événement à propos duquel peut se poser la question du sujet au sens de l'agent : *Qui a fait cela ?* Sans doute, poser une telle question semble présupposer qu'il y a un agent à découvrir, et que cet agent est forcément personnel (puisqu'on a demandé « Qui ? »). Pourtant, ce n'est qu'une apparence. La proposition narrative, en posant qu'il est arrivé quelque chose, ouvre un espace d'application à l'interrogation en « Qui ? », mais sans appeler forcément une réponse positive. Il n'est pas exclu qu'on réponde : *Personne n'a fait cela.* Toute action humaine est une action de l'homme, mais toute action dont l'agent est un homme n'est pas une action humaine[1]. De même, toute action quelle qu'elle soit est un événement, mais tout événement n'est pas une action (« il pleut », « ça se réchauffe », etc.). En fait, la question « Qui ? » ne présuppose pas qu'il y ait un agent, mais seulement qu'on puisse se demander s'il y en a un, et, le cas échéant, qui il est.

Notre question n'est pas de savoir si le logicien est en mesure de donner une analyse de la proposition narrative en termes de connexion prédicative[2] entre le verbe d'action et le nom de l'agent. Personne ne doute qu'il le puisse. Mais nous voulons savoir si, en traitant le verbe d'action comme exprimant un prédicat et le nom de l'agent comme donnant le sujet de prédication, l'analyse logique retient le caractère *narratif* de la proposition.

En réalité, il faut souligner que l'analyse logique d'une proposition déclarative ne s'intéresse pas au verbe comme tel, mais plutôt à la partie de la phrase qui joue le rôle prédicatif de dire quelque chose de vrai au sujet des individus qu'elle identifie comme étant ce dont elle parle. À vrai dire, le logicien ne fait pas de différence entre une phrase *attributive* (« Socrate est philosophe ») et une phrase *narrative* (« Socrate parle à Théé- tète »). Il n'exige même pas qu'une phrase soit proprement *verbale* et peut très bien se satisfaire d'une phrase *nominale* (comme par exemple en grec le célèbre aphorisme : *pantôn metron anthrôpos*, littéralement « l'homme, mesure de toutes choses »). Il convient donc de se demander en quoi l'analyse lo- gique se distingue d'une analyse syntaxique.

Il est vrai que, dans les cas les plus simples, il semble revenir au même de parler du prédicat ou de parler du verbe. Dans « Socrate marche », le grammairien trouve un nom et un verbe. Pour le logicien, ce verbe constitue le prédicat puisqu'il indique ce qui est vrai de Socrate. On peut donc avoir l'impression que les termes « verbe » et « prédicat » sont deux façons de désigner la même chose. Du reste, aux origines de la logique, c'est sous le nom de verbe (*rhèma*) que la fonction du prédicat a été intro- duite. Comme l'explique Platon dans *Le Sophiste* (262a-e), on ne peut pas faire une phrase en utilisant seulement des noms, mais on ne le peut pas non plus en alignant des verbes (« marche, court, dort »), car il faut associer un nom et un verbe (« Théé- tète marche »). Il semble indifférent de dire que « marche » est un verbe ou que c'est un prédicat ou que c'est un verbe expri- mant le prédicat de la phrase. D'excellents auteurs font d'ailleurs appel à la notion logique de prédicat pour expliquer la fonction du verbe dans la phrase. Ainsi, Jean Humbert intro- duit la question de la phrase nominale en grec ancien par des considérations qui combinent les deux points de vue logique et grammatical : « Le type normal de la phrase, du moins dans les langues indo-européennes, est la phrase **verbale**, qui comporte un *prédicat* exprimé par un *verbe* et qui se rapporte à un *sujet* ; dans "le train *part*", on pose l'*action de partir* pour la *notion nomi-*

nale de train ; de même, dans "le chat *est* blanc", on pose la qualité de blancheur pour tel *chat*[3]. » Une telle notion de « phrase verbale » peut donc s'appliquer aussi bien à une phrase attributive (« le chat *est* blanc ») qu'à une phrase proprement narrative (« le train *part* »).

Du coup, rien ne paraît distinguer la fonction logique qu'exerce le sujet de la phrase à l'égard du prédicat et la fonction syntaxique qu'exerce le sujet grammatical à l'égard du verbe. Néanmoins, les exemples qui viennent d'être donnés ne peuvent manquer de nous intriguer : il est difficile de ranger ensemble les phrases données en exemples sans suggérer qu'une assimilation doit s'opérer dans un sens ou dans l'autre. Ou bien c'est la phrase attributive qui, du fait de son caractère verbal, revêt l'apparence d'une phrase rapportant une activité du chat (l'activité de blanchir ou de « blanchoyer »). Ou bien, c'est la phrase narrative qui, du fait de comporter un sujet de prédication, prend les allures d'une phrase attributive (comme si l'on disait que la forme « le train part » dissimule la véritable forme logique de l'énoncé, à savoir « le train est partant »).

Est-ce que la phrase verbale « Le chat blanchoie » dit autre chose que la phrase attributive « Le chat est blanc », laquelle est au fond l'équivalent d'une phrase non verbale telle que « Blanc, le chat »[4] ? Pour illustrer sa critique d'une logique (comme celle du *Tractatus*) qui croit pouvoir trouver une même forme à toutes les compositions signifiantes de mots, Wittgenstein a recours, précisément, au fait qu'on exprime parfois les qualités sous une forme verbale[5]. En anglais, on dit : *it's blue,* ce qui suggère à un anglophone monolingue que les couleurs sont des qualités statiques, mais on pourrait imaginer que tous les mots de couleur soient des verbes. De fait, en allemand, note-t-il, il est possible de dire : *es blaut.* Quelles seraient les suggestions de notre façon de parler si nous disions désormais en anglais : *the sky blues*[6] ? Il est clair qu'on pourrait décider qu'il n'y a pas de différence entre les deux façons d'indiquer la couleur du ciel, ou bien qu'au contraire la différence n'est pas seulement dans le langage employé, mais dans la façon même de concevoir la couleur.

Il se trouve qu'en français, nous disposons parfois de deux formes pour parler des qualités, l'une attributive, l'autre verbale. En effet, on peut avoir :
1° « L'herbe est verte » (phrase attributive) ;
2° « L'herbe verdoie » (phrase verbale).

La différence est-elle purement stylistique ou bien l'une des formes est-elle préférable à l'autre du point de vue sémantique ?

Nous pouvons décider de prendre au sérieux la forme verbale et donc les suggestions qu'elle comporte[7]. Tesnière note qu'il y a une ambiguïté de ce qu'on appelle un « verbe d'état », selon qu'il est simplement pris comme l'équivalent d'un attribut ou qu'il est compris comme un verbe d'activité immanente. « À la différence de *l'arbre est vert*, qui exprime l'état de l'arbre dans toute sa passivité, *l'arbre verdoie* suggère la notion d'une force interne active qui est à l'origine de la végétation de l'arbre[8]. » Dans le monde du conte de Perrault, toutes les qualités semblent capables de se présenter comme de telles forces, comme si l'auteur avait voulu illustrer par sa prose les idées de Leibniz. Ainsi que le dit la sœur Anne à l'épouse de la Barbe-Bleue : *Je ne vois rien que le soleil qui poudroie et l'herbe qui verdoie.*

Mais on peut aussi reconnaître qu'il y a cette suggestion et ajouter qu'elle est sans valeur. Poser que « L'herbe verdoie » ne se distingue pas de « L'herbe est verte », c'est estimer que le verbe « verdoyer » se présente comme un verbe d'activité, donc qu'il présente l'état dont il nous parle comme un procès interne ou une activité intransitive, mais que c'est là une simple manière de parler. Ainsi, même si nous ne prenons pas les qualités chromatiques pour des « forces internes actives », nous n'en reconnaissons pas moins que les phrases verbales les présentent comme si elles étaient de telles forces, et qu'il y a donc un trait proprement narratif dans la phrase verbale. Tout ce qui est présenté comme une action n'est pas une action, mais cela veut dire qu'il existe bien une forme de présentation de quelque chose *comme si* c'était une action.

En réalité, l'analyse grammaticale et l'analyse logique ne coïncident pas. Chercher la syntaxe d'une phrase ne consiste nullement à dégager la connexion prédicative. La différence majeure est que le logicien peut, hormis les cas élémentaires, choisir parmi plusieurs formes logiques possibles celle qu'il veut assigner à la proposition, alors que le syntacticien ne le peut pas. Dans la proposition « Pierre rase Paul », il n'y a qu'*un verbe*, mais il y a *trois* possibilités d'analyse logique, trois manières d'isoler un *prédicat*. Qu'est-ce qu'on appelle en logique un prédicat ? C'est une partie de la phrase qui, attachée à un signe qui nomme un individu, dit quelque chose de vrai au sujet de cet individu. Pour extraire un prédicat d'une phrase donnée, il suffit donc d'en soustraire au moins un nom propre (ou un terme singulier équivalent à un nom). Ce qui reste est, par définition, ce que la phrase déclare au sujet du porteur de ce nom. C'est pourquoi il y a plusieurs analyses possibles d'une proposition dès qu'elle contient plus d'un nom propre. Ainsi, le logicien est libre de choisir, parmi les trois questions suivantes, celle à laquelle répond la proposition « Pierre rase Paul » :

(1) « *Qui* rase Paul ? »
(2) « *Qui* Pierre rase-t-il ? »
(3) « *Qui* rase *qui* ? »

Selon qu'on choisit de faire porter la *question du sujet* sur le raseur, sur le rasé ou sur le couple du raseur et du rasé, on a trois façons de composer un même *logos apophantikos*, une même proposition déclarative.

Il faut donc tout simplement rejeter le vieux préjugé de l'unique forme logique, refuser l'idée que la logique doit « mettre en forme » les phrases pour révéler leur véritable structure[9]. En revanche, il n'y a qu'une seule façon de dégager la construction syntaxique d'une phrase. La preuve en est qu'une phrase dont on découvre qu'elle peut être construite de plusieurs façons est aussitôt dénoncée comme ambiguë. La phrase « J'ai vu manger des chiens » est ambiguë parce qu'on peut comprendre, soit comme s'il y avait « J'ai vu des chiens qui mangeaient », soit comme s'il y avait « J'ai vu des chiens qui étaient mangés ». Cela veut dire que la langue française permet de construire deux propositions distinctes en utilisant le même matériel linguistique dans le même ordre. Néanmoins, la différence des constructions suffit à nous assurer qu'il n'y a pas ici une phrase qui, chose étonnante, voudrait dire des choses opposées. Mais bien qu'il y a deux phrases distinctes qui, chose étonnante, se présentent comme le même assemblage matériel de mots.

Parmi les diverses analyses logiques d'une proposition telle que « Pierre rase Paul », il en est une qui isole comme sujet de prédication l'individu qui est désigné comme l'agent. On ne dira pourtant pas que, dans ce cas du moins, la logique et la syntaxe coïncident. En effet, l'analyse syntaxique de cette phrase y reconnaît un verbe transitif (« raser »), lequel requiert deux compléments (un sujet au « nominatif » et un objet à l'« accusatif »). En revanche, le prédicat monadique qui est attaché au nom « Pierre » n'est pas fourni par le seul verbe « rase », mais bien par la fonction propositionnelle « (...) rase Paul ». C'est pourquoi, comme l'explique Geach, le logicien pourra se demander s'il ne faut pas faire une différence entre « Paul rase Paul » et « Paul se rase lui-même », car il reconnaîtra dans « Paul *rase Paul* » le même prédicat que dans « Pierre *rase Paul* », tandis qu'il reconnaîtra dans « Paul *se rase lui-même* » le même prédicat que dans « Pierre *se rase lui-même* ».

La notion de prédicat est complémentaire de celle de sujet (logique), alors que la notion de verbe est complémentaire de celle de nom ou de substantif. Quand on parle des noms et des verbes, on évoque des *classes grammaticales* de mots. Quand on parle du sujet et du prédicat, on s'occupe des *fonction logiques* que jouent, dans une proposition, les expressions qui la composent.

Nous avons considéré jusqu'ici une analyse logique de la proposition conçue comme le produit d'une « connexion prédicative ». Du point de vue d'une telle logique, la différence entre l'actif et le passif apparaît purement stylistique. Comme l'observait Frege, on peut dire à l'actif « Les Grecs ont vaincu les Perses à Platées ». Ou bien dire exactement la même chose au passif : « Les Perses ont été vaincus par les Grecs à Platées » (*Begriffschrift*, § 3). Puisque ces deux phrases ont exactement les mêmes conditions de vérité, elles ont le même sens, ce qui veut dire qu'on peut dériver les mêmes conséquences de l'une et de l'autre. Ainsi, cette analyse logique ne fait pas de différence entre le sujet et l'objet d'un verbe transitif employé à la forme active. L'un et l'autre sont, au même titre, des sujets de prédication. Lorsqu'elle tombe sur le complément d'objet direct d'un verbe transitif, elle l'intègre au prédicat ou bien elle en fait un sujet de prédication. Or elle peut procéder de la même façon avec le sujet du verbe. Enfin, lorsqu'elle isole le verbe transitif, elle en fait le prédicat des deux individus identifiés comme le sujet et l'objet, ce qui veut dire qu'elle traite le verbe transitif comme un prédicat de relation.

Autrement dit, l'action semble être, du point de vue logique, une espèce de relation. Néanmoins, la question se pose de savoir si l'on peut se satisfaire, même du seul point de vue logique, d'une telle assimilation. Et c'est en répondant à cette question que nous saurons pourquoi ce n'est pas tout à fait la même chose de dire que Pierre est le *sujet* auquel s'applique le prédicat « rase Paul » (en vertu d'une relation de raseur à rasé entre lui et Paul) et de dire qu'il est l'*agent* d'une action de raser Paul, même si, cela va de soi, c'est en vertu du même fait qu'il est ce sujet et cet agent.

VIII

Les catégories de l'action

N'y a-t-il vraiment rien d'autre dans une action transitive qu'une relation ?

Aristote avait distingué une prédication dans la catégorie de la relation d'une prédication dans la catégorie de l'action-passion (*Catégories*, chap. 7 et 9). Cette distinction serait-elle devenue oiseuse depuis les progrès de la logique des relations au XIXe siècle ? Est-il vrai que la différence entre l'actif et le passif n'ait aucune importance logique et philosophique ? Beaucoup de logiciens, et non des moindres, l'ont apparemment pensé. « Les Grecs ont vaincu les Perses à Platées. » Dans cet exemple donné par Frege, les termes de la relation sont les Grecs, les Perses et Platées, tandis que ce qui est dit de ces trois sujets, c'est qu'il y a entre eux une relation exprimée par la formule « (...) s'est fait battre à (...) par (...) ». On voit que le mot « sujet » est pris ici au sens logique de *sujet de prédication*, pas du tout au sens syntaxique de *complément d'agent*.

Pourtant, il se trouve que, dans la seconde moitié du XXe siècle, plusieurs philosophes ont reconnu que l'analyse logique d'une proposition narrative du type « Jean a frappé Pierre » devait tenir compte d'une particularité qui distingue ce genre d'énoncés des phrases attributives. Les propositions narratives contiennent par définition un *verbe d'action*, ou, à tout le moins, un verbe indiquant un événement. Ces philosophes, en approfondissant leur réflexion sur les propriétés formelles des verbes d'action, ont été conduits à développer ce qu'on appelle parfois une « ontologie des événements » dont l'objet est justement de rendre compte de ce qu'ils ont appelé les « phrases d'action », et dont j'ai moi-même repris ci-dessus la notion sous l'appellation plus générale de « propositions narratives ». Ce développement d'une philosophie de l'action est évidemment de la plus grande importance pour nous qui cherchons à saisir les caractères d'un sujet pris au sens d'un complément d'agent.

Dans un petit livre qui est l'une des sources de ce courant d'idées[1], Anthony Kenny a montré que les énoncés narratifs d'un discours historique ont des propriétés originales, dont une logique des relations (conçue initialement pour s'appliquer aux nombres ou aux figures géométriques et non à un monde changeant) ne peut pas rendre compte de façon satisfaisante. Kenny a appuyé sa démonstration *logique* sur certains traits *syntaxiques* de ces énoncés. Il a tiré argument d'une considération proprement structurale : tout discours narratif peut être soumis à deux types de transformation, l'une dans le sens de la concision (par *l'ellipse*), l'autre dans le sens de l'abondance des détails (par *l'amplification*). La théorie poétique décrit justement la structure d'une œuvre narrative (par exemple une épopée ou une tragédie) en réduisant d'abord le poème à son argument (*logos*), puis en montrant comment, par adjonction des détails et des incidences, on peut engendrer le poème à partir de la donnée de cet argument. Comme le dit Aristote dans sa *Poétique* (chap. 17), l'événement raconté dans l'*Odyssée* peut tenir en peu de mots. L'argument n'en est pas long (*ou makros o logos estin*) : Ulysse parvient à rentrer chez lui, où les choses vont très mal (prétendants au trône, menaces pesant sur Télémaque), en dépit des obstacles que lui opposent des dieux qui lui sont hostiles. En principe, si ce bref *logos* est bien énoncé, il suffit de détailler chacun des points mentionnés (les conditions du retour, les dieux hostiles, la situation au pays) pour retrouver le récit épique dans son intégralité. De même, de nombreux romanciers ont expliqué comment une « idée de roman » est un mini-récit dont un écrivain habile sait tirer tout un roman. Réduction d'un récit à son argument, amplification d'un argument en discours détaillé, ce sont là deux opérations fondamentales de l'art poétique. Ces opérations de type poétique ont des fondements syntaxiques puisqu'elles sont rendues possibles par la construction même d'une phrase rapportant un événement[2].

Or ces possibilités soulèvent aussi une question logique. C'est la même histoire, la même action, qui est rapportée dans l'histoire longue (celle qui demande un *makros logos*) et dans l'histoire brève. Si c'est la même histoire, cela veut dire qu'on peut *inférer* la courte de la longue : si Ulysse finit par rentrer chez lui, après bien des aventures telles que… (et ici viennent les différents épisodes de son périple), cela veut dire au moins qu'il finit par rentrer chez lui. Mais qui dit *inférence* dit analyse des conséquences formelles d'un énoncé, et nous revenons donc sur le terrain de la logique.

Voici un exemple que donne Kenny. Si nous disons que l'énoncé « Brutus a tué César » exprime une *relation* entre Brutus et César, nous assimilons ce récit élémentaire à une proposition de relation. Son statut logique serait le même que celui d'une proposition donnant le résultat d'une comparaison, comme par exemple « Brutus est plus jeune que César ». Mais, demande Kenny, si nous faisons cette analyse, comment expliquer que nous puissions tirer du premier de ces énoncés, par l'ellipse du sujet et le passage de l'actif au passif, une conséquence significative (« César a été tué »), alors que nous ne pouvons nullement pratiquer une ellipse analogue dans le second cas ? Car on ne peut pas se contenter de dire « César est plus vieux » — il faut compléter en donnant un terme de comparaison.

Le développement au XIXᵉ siècle d'une logique des prédicats relatifs a évidemment constitué un grand progrès. L'ancienne logique scolaire qui imposait à toutes les phrases le même uniforme du sujet et du prédicat ne parvenait pas à faire la différence entre « Jean est plus grand que Marie » et « Pierre est fou ». La nouvelle logique distingue le prédicat monadique « (…) est fou » (qui possède une seule place pour l'insertion d'un nom) du prédicat dyadique « (…) est plus grand que (…) » (qui possède deux places). Pourtant, cette nouvelle logique des relations, si elle peut assigner ces deux propositions à des formes différentes grâce à la notion de prédicat polyadique, va classer ensemble un énoncé relationnel comme « Jean est plus grand que Marie » et un énoncé rapportant une action transitive comme « Brutus a tué César »[3]. Elle assimile, en somme, le verbe d'action « tuer » au prédicat dyadique « (…) est le meurtrier de (…) ». Or cette assimilation paraît répondre à un désir de simplifier la « mise en forme » logique des phrases d'action plutôt qu'à un souci d'en restituer la teneur. Si Brutus est en effet le meurtrier de César, c'est qu'il l'est devenu en le tuant : on ne saurait donc réduire le fait de tuer César au fait d'avoir à l'égard de César une relation de meurtrier à victime.

Une telle relation *résulte* du meurtre et ne peut donc en constituer la réalité propre.

Il y a deux transformations possibles de la phrase narrative que Kenny fait ressortir simultanément dans son exemple d'une inférence de « Brutus a tué César » à « César a été tué » : 1° on peut passer de l'*actif* au *passif*; 2° on peut passer d'une expression *polyadique* à une expression *monadique*. Or, dans le cas de la proposition de relation, nous pouvons certes passer d'une relation à sa converse (A est plus jeune que B, donc B est plus vieux que A), mais nous ne pouvons pas changer le prédicat relatif en prédicat absolu. Le fait que César soit plus vieux que Brutus n'implique nullement que César soit vieux, pas plus que le fait que A est plus honnête que B n'implique que A soit tout simplement honnête.

Le premier de ces traits originaux de la phrase d'action (la polarité de l'actif et du passif) est familier, mais le second est moins aisé à énoncer. Et il s'agit bien cette fois d'un trait logique, pas seulement stylistique, car le problème posé est celui de savoir ce qu'on peut dériver *logiquement* d'une proposition, donc en dériver sur la seule base de sa forme logique. Ici, de ce que les Grecs ont vaincu les Perses à Platées, je peux inférer qu'ils ont remporté une victoire à Platées (ellipse de l'objet) ou que les Perses ont subi une défaite à Platées (ellipse du sujet). Kenny a parlé d'un phénomène de « polyadicité variable[4] » des expressions signifiant des actions, phénomène qui justement interdit de placer les actions dans la catégorie de la relation. Que veut-il dire par là ?

Par définition, un prédicat de relation possède un degré fixe de « polyadicité ». La relation « plus vieux que » est dyadique et elle l'est une fois pour toutes. La relation qui consiste à se trouver entre deux autre choses est triadique, ce qui veut dire qu'elle ne peut pas avoir moins que trois places libres pour l'insertion d'un terme désignant un objet. Maintenant, supposons qu'un acte soit assimilable à une relation, par exemple qu'une action transitive (comme celle que signifie « tuer ») soit assimilable à une relation. Si c'était le cas, il faudrait que cette relation soit, comme le dit Kenny, un caméléon. Dans certains récits, elle apparaît comme une relation dyadique entre un meurtrier et une victime : « Brutus a tué César. » Dans d'autres récits, elle apparaît comme une relation triadique entre l'agent, le patient et l'instrument : « Brutus a tué César avec un poignard. » Si l'on ajoute les complices, la date, la relation devient plus complexe encore. Mais il n'y a pas de limite à l'addition d'informations supplémentaires qui nous amèneraient à mentionner d'autres individus, donc d'autres termes pour la relation, d'autres sujets pour le prédicat.

Du point de vue logique, le phénomène (apparent) d'une « polyadicité variable » des verbes d'action constitue donc une formidable objection à l'idée qu'on peut assimiler ces verbes à des prédicats relationnels.

Pour saisir toute la portée de cette objection, considérons une réponse qui vient à l'esprit. D'après Kenny, on peut inférer « César a été tué » de « Brutus a tué César », mais pas « César est plus vieux » de « Brutus est plus jeune que César ». Mais pourquoi ne pas dire que « César a été tué » est elliptique, dans le sens d'incomplet du point de vue de l'expression d'une pensée vraie ou fausse, tout comme « César est plus vieux » est incomplet ? Ce dernier énoncé ne présente pas une pensée complète à moins d'ajouter implicitement un terme de comparaison : « Il existe un x tel que César est plus vieux que x. » Mais ne pourrait-on dire aussi bien que l'énoncé narratif « César a été tué » lui aussi est tel quel incomplet, à moins de sous-entendre qu'il a été tué *par quelqu'un* ?

La réponse de Kenny est éclairante pour une philosophie de l'action. La proposition « César est plus vieux que quelqu'un » dit-elle quelque chose ? En tout cas, elle n'est pas l'expression d'une relation particulière de César à quelqu'un, car le fait d'être plus vieux dépend de l'âge respectif des deux personnes comparées. De fait, il n'y a pas encore eu comparaison de César à qui que ce soit du point de vue de l'âge. En revanche, la proposition « César a été tué » nous apprend quelque chose sur César et nous parle d'un événement particulier. Nous pouvons désormais faire référence à la mort de César et chercher qui est le meurtrier de César. Nous trouvons dans cet événement, que nous désignons en usant du démonstratif, le point de départ d'une enquête possible sur l'agent de l'événement.

Certes, dit Kenny, on peut soutenir que « César a été tué » est elliptique, mais cela n'abolit pas la *différence de catégorie* entre les actions et les relations. En effet, il y a ellipse et ellipse. Il y a l'ellipse au sens de l'omission de détails qui auraient pu être ajoutés et il y a l'ellipse qui consiste en ce que le terme qu'on ne mentionne pas explicitement reste nécessairement sous-entendu.

En un sens, on pourrait dire que la proposition « César est plus vieux que Brutus », bien qu'elle présente telle quelle une pensée complète, n'en est pas moins une proposition elliptique. On n'a pas dit *de combien d'années* César est plus vieux. Et pourtant, s'il est plus vieux que quelqu'un, il doit l'être d'un nombre déterminé de jours et d'ans. On voit qu'une telle ellipse n'empêche pas l'expression de communiquer une pensée complète. De la même façon, on doit dire que, si Brutus a tué César, il l'a tué par un moyen ou un autre (ellipse de l'instrument), en un lieu particulier et en un temps particulier (ellipse du lieu et du temps), seul ou avec d'autres (ellipse des auxiliaires), et ainsi de suite. Kenny fait ainsi défiler tous les éléments de la liste des *circonstances*, liste forgée à l'usage des avocats par la rhétorique latine (*Quis ? quid ? ubi ? quibus auxiliis ? cur ? quomodo ? quando ?*). S'il fallait répondre en détail à toutes ces questions, le récit d'un événement particulier (l'assassinat de Jules César sur le forum le jour des Ides de mars) subirait une amplification qui le changerait en récit complet de l'histoire universelle[5]. Par conséquent, toute proposition narrative peut être tenue pour « elliptique » dans la mesure où elle n'indique pas toutes les circonstances de l'événement rapporté au regard de l'idéal impossible d'un récit complet de ce qui est arrivé. Pourtant, ce qui rend elliptique toute proposition narrative, quelle qu'elle soit, est seulement qu'on peut décider de la tenir pour un récit abrégé de l'histoire universelle, de sorte qu'elle apparaît comme un récit incomplet de cette histoire au regard d'une infinité de propositions plus complètes qu'on peut produire par l'insertion de propositions subordonnées expliquant ce qui se passait en même temps, avant, après, etc. Comme on le sait par les plaidoiries de Petit-Jean et de L'intimé dans *Les plaideurs*, il n'y a pas de limite fixée d'avance à l'amplification d'une narration des faits (« *Avant la naissance du monde... — Avocat, ah ! passons au déluge.* »)

C'est pourquoi on ne peut pas prétendre que la prédication d'une action est la prédication d'une relation comportant un nombre fixé d'avance de places pour des arguments, comme si dire que Brutus a tué César, c'était déjà mentionner tout ce qui reste encore à déterminer : Brutus a tué César *quelque part, à quelque moment de l'histoire, par un moyen ou par un autre, dans un but ou dans un autre*, etc. La liste mnémotechnique de l'avocat n'est qu'un rappel des lieux oratoires, pas une table nécessaire des catégories de l'action comme événement.

En philosophie de l'action, la réflexion sur cette « polyadicité variable des verbes d'action » s'est épanouie dans ce qu'on appelle parfois une « ontologie des événements ». Il est possible d'en donner au moins le principe. Donald Davidson s'est posé le problème de la forme logique d'une phrase d'action en partant, justement, de la difficulté que constitue cette irritante « polyadicité variable » d'un verbe d'action qui surgit dès qu'on veut le traiter comme un prédicat de relation[6]. Sa solution consiste à montrer comment une proposition contenant un verbe d'action peut être considérée comme posant l'existence d'un événement (par exemple, la bataille de Platées, l'assassinat de César). Cet événement est une réalité singulière à laquelle on peut se référer afin de la décrire : l'événement est un assassinat (quiddité de l'événement), il a eu lieu à Rome, il s'est produit le jour des Ides de mars, le patient est César, l'agent est Brutus, l'instrument est un poignard, etc. Davidson énonce ainsi comme autant de *prédicats de l'événement* (et non plus de l'agent et du patient) toutes les circonstances dont Kenny a rappelé la liste mnémotechnique.

Le problème de la polyadicité prédicative posé par Kenny est alors résolu : de même qu'on peut se référer à un objet particulier (par exemple, cette maison) et en donner une description plus ou moins détaillée (en répondant à diverses questions sur sa taille, son emplacement, sa configuration, etc.), de même on peut identifier un événement particulier et le décrire en lui appliquant des prédicats[7]. On voit que la solution de Davidson consiste à dégager une double connexion prédicative. Le verbe « se promener » a bien une fonction prédicative, mais cette fonction s'exerce à l'égard de deux entités individuelles hétérogènes. Le prédicat se dit d'abord, comme dans une analyse classique, d'un individu qu'on désigne comme étant le promeneur, mais il se dit également d'un événement qu'on désigne comme ayant la nature d'une promenade. Dire que Pierre est en train de se promener, c'est dire qu'il y a un événement qui se définit comme une promenade, et que cette promenade est faite par Pierre. Dire qu'il se promène deux fois par jour, c'est dire qu'il y a tous les jours deux événements distincts qui sont des promenades de Pierre.

La phrase d'action décrit à la fois un agent et un événement. Est-ce à dire que les événements sont plus ou moins assimilés à des objets, puisqu'on est censé se référer à eux (« la première promenade de Pierre », « la seconde promenade de Pierre ») et leur appliquer des prédicats ? Ce serait le cas si les attributs d'un événement étaient pris dans les catégories de l'objet. Mais il y a lieu de reconnaître, à côté des catégories de prédicats susceptibles d'être vrais d'un objet, d'autres catégories de prédicats qui eux, ne conviennent qu'à des événements ou des actions ou, de façon générale, des procès (comme par exemple, « lent », « vite »). Il s'agit donc de distinguer les *catégories d'attributs de l'action* des catégories classiques, lesquelles visent à classer les attributs convenant à un *objet* individuel. C'est une erreur de croire que le traité des *Catégories* d'Aristote donne une doctrine complète et exhaustive des types de prédication. Elle est limitée dans son application[8].

Pour illustrer l'intérêt de dresser une liste des catégories de ce qui peut se dire d'un événement, liste distincte de celle des catégories des attributs de l'objet (c'est-à-dire de l'individu substantiel), je donnerai l'exemple de deux « accidents » qui, chez Aristote, ont quelque chose de problématique : le temps et le lieu.

On sait que, dans le traité des *Catégories*, nous sommes censés dériver les catégories en suivant la liste des interrogations possibles à propos d'un individu (par exemple l'homme Callias). Soit la catégorie du temps. Elle est d'ordinaire introduite comme une catégorie de ce qui peut être prédiqué d'un objet. Or il est facile d'expliquer ce que peuvent signifier les mots temporels comme catégorie de l'événement et de l'action : quand Callias est-il né ? quand a-t-il été à la guerre ? combien de temps a-t-il voyagé en Égypte ? Mais il paraît impossible de donner un sens à une question qui porterait sur le temps d'un objet : on peut demander *dans quelle position est Callias* (assis, debout, etc.), ou *de quelle taille est Callias*, mais non *quand est Callias* (à moins de sous-entendre : quand a-t-il vécu ?).

Sans doute, on peut demander *où est Callias*. Il y a bien un lieu pour l'objet. Mais le lieu de l'individu est-il le lieu de l'action de cet individu ? Un exemple d'action-passion que donne Aristote est celui de l'enseignement : on dira alors que ce que fait l'agent (enseigner) est la même chose que ce qui arrive au patient (être enseigné), avec la seule différence que l'accident est considéré d'abord à l'actif, ensuite au passif (*Physique*, III, 202b 2-4). Supposons que Callias soit professeur de mathématiques. On peut demander où se trouve Callias. Mettons qu'il se trouve à Athènes. Qu'y fait-il ? Il y enseigne les mathématiques. Peut-on conclure qu'il enseigne les mathématiques à Athènes ?

Pas du tout, car il se trouve que Callias est un professeur post-moderne qui dispense son enseignement par correspondance électronique. C'est donc à Sparte, à Thessalonique, à Corinthe, à Hagios Nikolaos, etc., que son enseignement est donné si c'est là que ses élèves le reçoivent. Le lieu de l'action ne peut donc être confondu avec le lieu occupé par l'agent.

L'analyse de Davidson montre comment on peut résoudre divers problèmes d'analyse logique de la phrase d'action en considérant une connexion prédicative entre les divers compléments du verbe et un sujet de référence (implicite), l'événement. Toutefois, cette analyse ne permet pas de reconnaître la connexion non prédicative que pose le verbe transitif entre certains de ses compléments. Elle met sur le même plan tout ce qui complète le verbe (agent, objet, adverbes). Aucune structure n'apparaît puisque la liaison entre les prédicats de l'événement est purement conjonctive. Davidson a comparé lui-même sous ce rapport la description de l'événement à celle d'un objet : « Il y a une maison telle que je l'ai achetée, qu'elle est au centre-ville, qu'elle a quatre chambres... », et ainsi de suite[9]. Du point de vue d'une recherche des connexions prédicatives, tout se passe comme si nous abordions la description d'une maison sans avoir un schéma organisant notre discours, comme par exemple ceux que pourraient nous fournir l'histoire de la maison, ou les principes de son architecture, ou le trajet d'un visiteur qui en ferait l'exploration.

Dans une liste des compléments du verbe considérés comme des *prédicats* de l'événement, le couple de l'agent et du patient figure comme un prédicat parmi d'autres. Il y a un événement tel que c'est une mort, et que c'est une chose que subit César, et que c'est une chose que fait Brutus, et que c'est une chose que fait Brutus avec Cassius, et que cela arrive le jour des Ides de mars, etc. Bien entendu, le syntacticien ne saurait approuver une telle assimilation des compléments actanciels à des compléments de circonstances (adverbes). Ce serait méconnaître la « structure actancielle » du verbe (comme l'expliquera le chapitre suivant). Mais est-il vrai que le logicien, quant à lui, puisse tenir le complément d'objet et le complément d'agent comme de simples circonstances de l'événement ? En réalité, il ne le peut pas, car le logicien doit se poser le problème de la référence à l'événement comme sujet de prédication.

De quel événement parlons-nous ? Comment l'avons-nous identifié ? Il serait naïf de croire qu'on peut le faire de façon totalement extérieure, en appliquant par exemple les mots « ce qui est arrivé » à un point de la réalité défini par des coordonnées spatio-temporelles. Qu'est-il arrivé à tel instant sur le Pont-Neuf ? Que s'est-il passé à minuit dans la chambre jaune ? Ces questions sont aussi indéterminées que le serait une identification qui consisterait à dire, en tendant le doigt devant soi : « J'appelle ceci un tamponnoir. » De même que le mot « ceci » (au sens de « cette entité-ci ») n'indique encore rien à lui seul, faute d'un critère d'identité pour ce qui est censé être désigné, de même les mots « ce qui s'est passé » (« cet événement-ci ») n'offrent pas à eux seuls de principe d'individuation. Pour expliquer le mot « tamponnoir », il convient d'identifier un objet dans un genre (« cet outil », « ce morceau de métal »). Tout de même, pour identifier un événement, il faut le rapporter à un genre. Et c'est alors qu'apparaît la fonction logique de la polarité du sujet et de l'objet. On peut raconter de deux façons la bataille de Platées, comme une victoire des Grecs ou comme une défaite des Perses. Il y a donc deux descriptions définies pour le même événement. De même, on peut identifier le meurtre de César sans mentionner ce dernier, à condition de parler du meurtre commis par Brutus. Il en va ici de l'événement comme de Vénus qui se trouve être aussi bien l'étoile du soir que l'étoile du matin.

La syntaxe structurale ne pouvait que constater son différend avec la vieille logique formelle, à laquelle elle reprochait de ne pas reconnaître que la connexion syntaxique principale d'une phrase verbale était celle du « nœud verbal ». Comme l'écrivait Tesnière, « l'opposition du sujet et du prédicat empêche de saisir l'équilibre structural de la phrase, puisqu'elle conduit à isoler comme sujet un des actants, à l'exclusion des autres, lesquels se trouvent rejetés dans le prédicat pêle-mêle avec le verbe et tous les circonstants[10] ». En réalité, le sujet n'est nullement le centre syntaxique de la phrase, mais seulement « un complément comme les autres[11] ».

Il semble aujourd'hui plus facile de concilier le point de vue logique et le point de vue syntaxique, grâce aux développements de la philosophie de l'action qui viennent d'être rappelés.

D'une part, la philosophie paraît capable de distinguer des catégories spécifiques de l'événement, ce qui rejoint l'intuition syntaxique selon laquelle « l'adverbe est au verbe ce que l'adjectif est au substantif[12] ». En effet, les adverbes apparaissent alors comme des attributs de procès[13].

D'autre part, la philosophie paraît capable d'apprécier l'importance de la polarité entre l'actif et du passif. Le verbe transitif peut changer de sujet, à condition de changer de voix, sans cesser de signifier le même événement : ce « mécanisme des voix » permet justement d'identifier l'événement de la bataille, tantôt en le rapportant à l'objet, tantôt au sujet. La question posée à la fin du chapitre 7 trouve ici sa réponse. Lorsque Paul se fait raser par Pierre, quelle différence y a-t-il entre le fait de tenir Paul pour le sujet d'un prédicat ou de le tenir pour l'objet d'une action ? Comme sujet d'un prédicat dyadique, Paul n'est encore que le sujet d'une relation. Or il y a deux espèces de relations : les relations de comparaison (comme le fait d'être plus vieux) et les relations de connexion. Lorsque Paul est le sujet d'une relation de comparaison, le fondement de cette relation repose sur deux faits : par exemple, Paul est plus vieux que Pierre en vertu du fait qu'il est né en 1943 alors que Pierre est né en 1963. C'est pourquoi la relation de comparaison reste indéterminée tant que les deux termes de la relation ne sont pas identifiés. Dire que Paul est plus vieux que quelqu'un, c'est dire qu'il est plus vieux que quiconque est né après lui, ce qui est vrai, mais vide. En revanche, une relation de connexion repose sur une action transitive. Comme l'explique Peirce, un seul et même fait explique que Caïn soit un meurtrier et que Abel soit une victime[14]. On s'explique ainsi que la « question du sujet » (au sens de l'agent) puisse être posée : il est possible de constater qu'une action a été faite sans savoir qui l'a faite, alors qu'on ne peut pas constater qu'une qualité a été acquise (par exemple, par le mur qui vient d'être repeint en blanc) si l'on ne sait pas quel en est le sujet. Pour montrer *ce blanc*, il faut montrer *ce mur blanc*, mais pour montrer *ce meurtre*, il n'est pas nécessaire de savoir qui est le meurtrier, il suffit d'avoir devant soi la victime.

Pour compléter notre portrait philosophique du sujet comme agent, il nous reste à considérer de plus près le fondement du mécanisme des voix du verbe, c'est-à-dire le système actanciel des verbes.

IX

Le système actanciel du verbe

Comment se présente une phrase verbale ? Tesnière fait appel au modèle du drame théâtral pour en illustrer la structure générale[1]. Une telle phrase exprime un « petit drame », c'est-à-dire qu'elle présente une action[2] à laquelle participent, dans des rôles variés, différents *personnages*, sur une scène qui représente les *circonstances* de l'action. Ce modèle nous donne les trois éléments linguistiques de la phrase verbale : d'abord, le *verbe* qui pose une action au sens dramatique, c'est-à-dire un événement dans lequel, en principe, plusieurs personnages sont impliqués ; ensuite, les mots ou assemblages de mots qui forment les compléments de ce verbe et que Tesnière appelle les *actants* ; enfin, les groupes de mots qui fournissent les éléments du décor, les circonstances de l'action, et que pour cette raison il appelle les *circonstants*.

Pour dégager la structure actancielle d'un verbe, il faut d'abord le dépouiller de tous ses compléments circonstanciels. Mais comment distingue-t-on les actants des circonstants ? En fait, nous avertit Tesnière, il n'est pas toujours aisé de savoir si un substantif joue un rôle *actanciel* ou *circonstanciel*. La différence est parfois incertaine. Toutefois, le fait qu'on puisse parfois hésiter montre que la différence n'est pas tranchée une fois pour toutes, mais non qu'elle n'existe pas. Tout ce qu'on peut en conclure est qu'il y a des verbes en train d'évoluer dans leur structure actancielle. La distinction se fait en considérant à la fois la forme et le sens. Du point de vue de la *forme*, le substantif qui joue un rôle actanciel est bien détaché du verbe, en dépit de sa subordination. C'est ce que manifeste par exemple le phénomène de la projection : « le loup, il mangé l'agneau »[3].

Du point de vue du *sens*, c'est l'inverse : on peut éliminer les circonstants sans changer le sens global du récit, mais les actants paraissent indispensables.

> Au point de vue du sens, l'actant fait corps avec le verbe, au point qu'il est souvent indispensable pour compléter le sens du verbe, p. ex. fr. *Alfred frappe Bernard.* On conçoit mal *Alfred frappe* sans second actant. Au contraire, le circonstant est essentiellement facultatif : fr. *Alfred marche* se suffit à lui-même, sans qu'il soit nécessaire d'indiquer avec quoi il marche, ni même s'il a besoin de quelque chose pour marcher (*ibid.*, p. 128).

Même s'il n'est pas toujours facile de savoir si un nom figure dans la phrase comme un actant ou comme un circonstant, le principe de la distinction est net. Maintenant, est-il exact qu'on ne puisse pas toucher aux actants, comme paraît le dire ici Tesnière ? Le nombre des actants que réclame un verbe est-il fixé une fois pour toutes ? Si c'était le cas, il faudrait conclure, comme l'avait vu Kenny, que la logique des verbes d'action se réduit en définitive à la logique des relations. Pourtant, ce serait manquer un trait décisif des verbes narratifs que la syntaxe structurale de Tesnière permet de faire ressortir clairement.

Soit un énoncé narratif quelconque, comme « Alfred donne le livre à Charles pour ses étrennes » ou « Alfred tombe sur le dos ». On peut concevoir deux manières de modifier la syntaxe de ces phrases en opérant sur les compléments du verbe :

1° En supprimant les compléments de circonstances, nous laissons tomber des détails et conservons le noyau de l'affaire : « Alfred donne le livre à Charles », « Alfred tombe ». Nous constatons que le sens du verbe n'est pas affecté.

2° D'autres transformations ont pour effet de faire varier le nombre des actants du verbe. Chaque verbe a normalement une structure actancielle fixe, et c'est là justement ce qui permet d'en faire varier le sens par une modification, en plus ou en moins, de sa structure actancielle. Tesnière explique ainsi cette possibilité :

> Il arrive fréquemment que le sens de deux verbes ne diffère que par le nombre des actants qu'il comporte. C'est ainsi que le verbe *renverser* ne diffère du verbe *tomber* que par la présence d'un actant de plus. En effet, si *Alfred tombe*, la chute qu'il fait subsiste intégralement si je dis que *Bernard renverse Alfred*[4].

Renverser, c'est toujours *faire tomber*, quoiqu'on puisse tomber sans avoir été renversé. Le lien entre les deux verbes est logique ou, si l'on veut, interne : impossible d'affirmer que Bernard renverse Alfred si, par ailleurs, on n'admet pas qu'Alfred tombe. Il ne s'agit pas d'une corrélation que nous aurions découverte, mais bien d'une nécessité conceptuelle.

Tesnière tire de cette observation l'idée que les verbes narratifs forment un système. Chaque verbe peut se voir assigner une place dans une série syntaxique entre deux autres formes verbales. Dans « Bernard renverse Alfred », on n'a pas affaire à un autre événement que dans « Alfred tombe ». Comme l'écrit Tesnière, la chute que fait Alfred *subsiste intégralement* quand on ajoute au sujet de la chute l'agent du faire tomber. Tout se passe comme si on avait toujours une référence à la chute d'Alfred, plus quelque chose que l'énoncé « Alfred tombe » ne mentionne pas, à savoir l'identification de l'agent réel de cette chute comme étant Bernard. On peut donc considérer que « renverser » est *le même verbe* que « tomber », mais employé à une *autre forme*, laquelle réclame l'addition d'un actant. Ou encore, on peut considérer que le verbe « renverser » est une forme verbale simple qui abrège la forme « faire tomber ». La seule différence est que « tomber » s'emploie, au moins au nord de la Loire[5], comme un verbe intransitif alors que « faire tomber » est nécessairement transitif et réclame deux actants. On notera que « faire » n'est pas employé ici comme un verbe principal indéterminé, comme si l'on voulait dire que Bernard fait *quelque chose* qui a pour *effet* la chute d'Alfred. « Faire » est ici un verbe auxiliaire causatif dont le sens est de présenter la chute d'Alfred comme une action, par conséquent comme une action exercée sur Alfred par quelqu'un d'autre. D'ailleurs, on pourrait à nouveau représenter cette action faite par Bernard comme étant en réalité l'action de quelqu'un d'autre, sans que cela annule l'action de Bernard, pas plus que l'action de Bernard n'annule la chute d'Alfred. On pourrait constater par exemple qu'Arthur fait renverser Alfred par Bernard.

C'est pourquoi les verbes d'action forment des *systèmes sémantiques*[6]. On peut en effet situer chaque verbe par rapport à d'autres verbes en fonction de deux échelles. D'abord, on lui assignera une place dans une *échelle des degrés de complexité* de la structure actancielle. Cette place est fonction du nombre de compléments actanciels qu'il requiert, ou encore, pour reprendre l'analogie chimique de Tesnière, du nombre de « valences » du verbe considéré. Les verbes seront ainsi ordonnés par leur degré de polyvalence. Par exemple, « Alfred donne le livre à Charles » a la même structure trivalente que « Alfred montre le livre à Charles ». Ensuite, on pourra repérer la place du verbe dans une *échelle des degrés de l'agir*, échelle constituée par une série causative de formes verbales. Par exemple, « montrer » prend place entre « voir » et « faire montrer » et, de même, « enseigner » entre « apprendre » et « faire enseigner », ou « chasser » entre « partir » et « faire chasser », et ainsi de suite. Pour opérer cette classification des verbes narratifs, on procède donc en deux temps : établir le degré de polyvalence, reconnaître la position dans une série causative. Je reprendrai successivement ces deux points.

Considérons d'abord la propriété que Tesnière appelle « structure actancielle[7] » d'un verbe. De même que la chimie classe les éléments d'après le nombre de leurs valences, de même nous pouvons ranger tous les verbes d'après leur degré de complexité actancielle, c'est-à-dire le nombre d'actants qu'ils réclament pour former une phrase verbale. Ces degrés sont les suivants[8].

(I) AVALENCE. Les constructions suivantes évoquent « une action sans actant » : *Il neige, il vente, il pleut* (*pluit, es regnet, it rains*, etc.). Les verbes avalents sont en fait ces verbes que la grammaire traditionnelle appelle « impersonnels » (cf. *supra*, chap. 2).

(II) MONOVALENCE. Ici viennent se ranger les verbes d'état et les verbes d'action communément qualifiés d'intransitifs : *Alfred dort, Alfred tombe.*

(III) DIVALENCE. On dit par exemple : *Alfred frappe Bernard.* C'est à ce degré de complexité qu'apparaît le mécanisme des voix, avec échange des actants (*Bernard est frappé par Alfred*). La syntaxe structurale de Tesnière s'écarte sur deux points de la grammaire traditionnelle.

D'abord, elle accorde une grande importance à la transformation que permet le mécanisme des voix. Les anciens grammairiens grecs appelaient les voix des *diathèses*, autrement dit des façons dont le sujet du verbe est posé au regard de l'action selon que la forme de ce verbe est *active, passive* ou *moyenne.* Conservant cette notion d'une position du sujet (premier actant) au regard de l'action, Tesnière donne le nom de diathèse à d'autres constructions du verbe qui, elles aussi, ont pour fonction de disposer les actants relativement à l'action (diathèse causative, diathèse récessive)[9].

Ensuite, elle distingue deux types de verbe transitif, c'est-à-dire de verbes possédant les deux formes active et passive. À côté des verbes qui prennent un complément d'objet direct, il y a aussi les verbes transitifs *trivalents* qui ajoutent à la « sortie de l'action hors du sujet » (ou « transcendance » classique vers autre chose) en direction de l'objet une « sortie de l'action hors du sujet » en direction d'un attributaire (ou « transcendance » vers autrui).

(IV) TRIVALENCE. La répartition des verbes en verbes d'activité intransitive et verbes d'action transitive est insuffisante. Les verbes divalents se reconnaissent au fait qu'ils possèdent une forme passive. Mais il existe, dans plusieurs langues, des verbes qui possèdent deux formes passives. C'est par exemple le cas en anglais. Supposons que nous trouvions à l'actif : *Alfred gives the book to Charles*. À partir de cet énoncé, la langue anglaise permet de construire deux passifs : *the book is given to Charles by Alfred, Charles is given the book by Alfred*. Il s'ensuit que Charles est traité, non comme une circonstance du don, mais comme un tiers actant, puisqu'il est susceptible lui aussi de venir occuper la position du premier actant. Le phénomène du second passif permet de mettre en évidence l'existence d'une classe des verbes trivalents. Il est remarquable que les verbes trivalents soient, dans nos langues, de deux espèces : ou bien des verbes de don (« donner », « prêter », « demander », etc.), ou bien des verbes de dire (« dire », « annoncer », « demander », etc.)[10]. Ainsi : *Alfred donne un renseignement à Charles, Alfred demande un renseignement à Charles, Alfred donne le livre à Charles, Alfred demande le livre à Charles*[11]. Les deux séries sont manifestement parallèles du point de vue syntaxique : on peut demander un renseignement ou demander un service.

Quelle est la fonction d'un tiers actant ? Elle est celle d'un complément d'attribution. Tesnière retrouve ainsi la triade des *noms d'agent* (comme « l'acteur », « le donneur », « le directeur »), des *noms de patient* (comme « l'accusé », « l'employé », « le vaincu », « le commis »), et des *noms d'attributaire* (comme « le donataire », « le légataire », « le destinataire », « le mandataire »)[12].

(V) TÉTRAVALENCE. En principe, rien ne s'oppose à ce qu'il y ait dans une langue des verbes possédant un degré de polyvalence supérieur à trois, mais il semble que cette possibilité n'ait pas été retenue jusqu'ici par qui que ce soit. Néanmoins, en dépit de l'absence de formes simples fournies par le lexique, il est possible de créer des « structures actancielles tétravalentes » à l'aide de formes périphrastiques. Ces dernières utilisent le verbe auxiliaire « faire », qui est, nous dit Littré[13], l'auxiliaire de la voix causative. On aura par exemple : *Daniel* (prime actant) *fait donner le livre* (second actant) *à Alfred* (troisième actant) *par Charles* (quatrième actant)[14]. Une telle forme donne une place actancielle à ce qui n'aurait occupé ordinairement qu'une place de circonstant.

Dans ce dernier exemple, nous avons l'exemple d'une petite *série causative* : le verbe « donner » est la forme causative de « avoir » (car donner, c'est faire avoir) et la périphrase « faire donner » est le causatif de « donner ». Il s'ensuit que la question du sujet peut prendre plusieurs significations selon la longueur de la série causative correspondant au cas considéré. Charles possède un livre et il est donc le sujet de cette possession. Pourtant, c'est Alfred qui le lui fait avoir et qui est, par son don, le véritable sujet du verbe « avoir ». Oui, mais c'est Daniel qui le lui fait donner et qui est, par son intervention, le véritable sujet de ce don (et ainsi de suite).

Le point de vue structural adopté par Tesnière lui permet d'enrichir la classification traditionnelle des voix du verbe de deux formes (ou « diathèses ») : la voix causative et, en sens inverse, la voix récessive. Et c'est ici que nous retrouvons le phénomène logique qu'Anthony Kenny avait baptisé « polyadicité variable des verbes d'action » (cf. *supra*, chap. 8). La diathèse causative consiste à déplacer le premier actant d'une phrase à une autre place actancielle du verbe, par l'addition d'un nouvel actant, sur le modèle : *Alfred tombe, Martin fait tomber* (ou *renverse*) *Alfred*. La diathèse récessive est obtenue par l'opération inverse. On supprime une place d'actant, ce qui permet de faire remonter un des actants du verbe à la première place : *Martin ennuie Alfred, Alfred s'ennuie*.

L'opération causative permet, par un jeu sur les actants du verbe, de rapporter un même événement à plusieurs agents que l'on pourra ordonner selon le degré de leur participation à la production de cet événement. Cette distinction des *degrés de l'agir* permet de préciser ce que nous cherchons à savoir lorsque nous posons la question du sujet compris, dans son acception actancielle, comme complément d'agent.

X

Les degrés de l'agir

Le théoricien Fontanier avait discerné une figure poétique non répertoriée à laquelle il avait donné le nom de « subjectification » (cf. *supra*, chap. 3). Comment se fait-il que le problème puisse se poser de décider si c'est au sens propre ou au sens figuré que *ma main* fait telle ou telle chose ? Est-ce que toute action de la main de X est en réalité une action de X ? Ou bien y a-t-il à considérer deux cas, celui dans lequel les mots « la main de X » désignent le tout dont cette main fait partie, donc X, et celui où la main agit de façon indépendante ? Cette question est capitale pour la philosophie de l'action. Elle justifie qu'on fasse un détour par la syntaxe de l'imputation de l'agir à plusieurs agents, ou syntaxe de la *diathèse causative*. Au terme de ce détour, nous aurons achevé de dessiner le portrait philosophique d'un sujet compris comme l'agent doté de la capacité à faire des actions dont il puisse répondre parce qu'il en est l'agent proprement dit, ou encore, si l'on veut, le « sujet propre » de l'action considérée.

Introduisons d'abord la notion de « diathèse causative » ou de « voix causative », par une comparaison avec la diathèse du passif. Si nous racontons l'histoire des anciens Grecs, nous dirons que les Grecs ont vaincu les Perses à Platées. Lorsque nous rapportons le même fait au passif (« les Perses ont été vaincus par les Grecs à Platées »), nous en faisons un épisode de l'histoire des Perses. Il s'agit bien du même événement : les conditions de vérité des deux récits sont identiques.

Considérons maintenant une phrase narrative élémentaire : « Alfred est parti. » Si cette phrase est acceptée comme vraie, elle rapporte un fait sur lequel on peut ensuite s'interroger.

Pourquoi est-il parti ? Est-il parti *de lui-même*, ou bien *quelqu'un l'a-t-il fait partir* ? Ainsi, la réalité de son départ est assurée, quelle que soit l'explication de cet événement, mais cette réalité peut être re-décrite soit comme étant un simple départ (spontané), soit comme étant une expulsion. Si nous apprenons que Bernard est à l'origine du départ d'Alfred, alors nous pouvons maintenant rapporter à nouveau le même événement en le présentant comme une action de Bernard et non plus une initiative d'Alfred : *Bernard a chassé Alfred*, autrement dit il l'a fait partir.

Mais que veut dire : Bernard a fait partir Alfred (ou a fait qu'il parte) ? Il y a, semble-t-il, deux possibilités. Alfred a dû *accepter* de partir du fait de l'intervention de Bernard : il y a eu dans ce cas épreuve de force, conflit de deux volontés. Ou bien Alfred n'a pas eu le choix entre céder ou tenir bon : par exemple, il a été chassé de son poste par celui qui détenait le pouvoir de nommer et de déposer le titulaire de ce poste. Ici, on peut penser à l'anecdote rapportée par celui qui fut gouverneur de la Banque de France avant de devenir le ministre des Finances du général de Gaulle. Baumgartner a raconté qu'il avait essayé de résister à cette dernière nomination en arguant qu'il était un piètre politique et qu'il se sentait plus utile à l'État dans ses fonctions de gouverneur. À quoi de Gaulle lui avait répondu : « Mais *vous n'êtes plus* gouverneur de la Banque de France[1] ! » Le général ne lui avait nullement offert d'entrer au gouvernement plutôt que de rester à la Banque de France, mais il lui avait simplement communiqué sa décision.

Si quelqu'un est contraint de partir alors qu'il aurait préféré rester, mais qu'il aurait pu résister, ce n'est pas comme si son départ s'était fait sans qu'il ait jamais pu s'y opposer. Alfred qui part parce que Bernard obtient son départ par des menaces et des agissements hostiles est quelqu'un qui exerce un pouvoir, même s'il le fait dans des circonstances déplaisantes. Un départ auquel je suis contraint n'est pas un départ involontaire, c'est seulement quelque chose que je fais de mauvais gré, malgré moi, mais non pas quelque chose à quoi j'assiste impuissant ou inactif. Raconter une histoire à la voix causative, c'est donc ajouter une *dimension* supplémentaire au récit, puisqu'il y a lieu maintenant d'apprécier jusqu'à quel point l'action rapportée était volontaire de la part de l'agent. Il faut parler ici d'une dimension, car l'opposition du volontaire et de l'involontaire doit se faire par degrés. Pour sauver son navire pris dans une tempête, le capitaine a dû faire jeter la cargaison par-dessus bord. En un sens, il l'a fait parce qu'il a jugé que c'était la chose à faire : son geste a été volontaire, et même réfléchi. Mais, en un autre sens, il a été acculé à prendre cette décision : ce n'est pas de gaieté de cœur, mais contraint et forcé (par les circonstances) qu'il l'a fait[2]. C'est la tempête qui lui a fait faire une chose que personne ne ferait de soi-même. La conduite du capitaine est volontaire (il aurait pu agir autrement), mais elle lui a également été imposée (il n'aurait pas pu bien agir en agissant autrement, il « n'avait pas le choix » s'il devait faire au mieux).

La notion de diathèse causative permet ainsi de débrouiller les questions relatives à l'imputation de l'agir sans s'enfermer dans le schéma uniforme du *sujet* et de l'*objet*, c'est-à-dire d'un agent conçu comme unique source de tout l'agir qui se manifeste dans une action et, face à cet agent, d'un patient conçu comme un objet inerte, pur instrument de manipulation. Lorsque le maître *fait faire* ses devoirs à l'élève, c'est l'élève qui fait les devoirs, pas le maître. Ce n'est pas comme lorsque le maître fait que s'écrive au tableau noir le mot « théorème » en faisant faire des mouvements au morceau de craie qu'il tient dans sa main : ici, c'est le maître qui écrit, pas le morceau de craie. Dans la métaphysique qui ne connaît d'autre schéma syntaxique que l'opposition monotone du sujet et de l'objet, toute activation d'un autre agent hors de soi tend à être représentée comme le maniement d'un corps inerte. Il n'y aurait pas réellement partage de l'agir entre plusieurs agents. Mais, grâce à des notions analytiques telles que celle du système des verbes narratifs et de la diathèse causative, nous pouvons analyser les choses de façon plus conforme à ce que nous voulons vraiment dire.

Appelons opération causative le fait de faire passer un verbe de l'actif au causatif. Du point de vue syntaxique, l'opération causative libère la place du premier actant en renvoyant le nom qui jouait ce rôle à une autre place dans la phrase. La question se pose alors de savoir comment cette opération répartit l'agir entre les deux individus qu'elle met en scène. Dès lors que plusieurs agents interviennent, le problème se pose de savoir comment le travail de l'œuvre est divisé entre eux. Forment-ils une simple *chaîne* causale, à la façon des anneaux qui sont attachés les uns aux autres de telle sorte que le mouvement de l'un d'entre eux provoque celui de tous les autres ? Ou bien ces agents *coopèrent*-ils sur un pied d'égalité, chacun agissant de sa

propre initiative ? Ou bien y a-t-il parmi eux un agent *principal*
et des agents *auxiliaires*? On peut ici se servir de l'opération
causative telle que la définit Tesnière pour distinguer ces différents cas de figure. Le linguiste écrit à ce propos quelques
lignes qu'il convient de citer intégralement :

> 1. — Si le nombre des actants est augmenté d'une unité, on dit
> que le nouveau verbe est CAUSATIF par rapport à l'ancien. Ainsi
> nous pouvons dire que, pour le sens, *renverser* est le causatif de
> *tomber* et *montrer* le causatif de *voir*.
>
> 2. — On constate que, dans ce cas, le nouvel actant est toujours,
> sinon l'agent immédiat du procès, du moins, à un degré plus
> médiat, mais souvent plus efficace, donc plus réel, son INSTIGA-
> TEUR. C'est ainsi que si Alfred (A) voit une image (B), c'est évi-
> demment lui qui est l'agent de voir, mais que si *Charles (C)*
> *montre l'image (B) à Alfred (A)*, c'est, par-derrière Alfred, Charles
> qui est le promoteur responsable de l'action exécutée par
> Alfred. Le caractère d'instigateur du nouvel actant est très bien
> mis en relief par une phrase attribuée au duc de Guise, lequel,
> entendant citer une jolie épigramme de Gombauld (A)
> demanda : « *N'y aurait-il pas un moyen de faire en sorte que (C) j' (A)*
> *eusse fait cette épigramme (B) ?* »[3].

L'opération causative est illustrée dans ce texte à l'aide de
deux exemples. Dans le premier, on passe, par application de
l'opérateur causatif « faire » au verbe « voir », d'un schéma *A*
voit B à un schéma *C fait voir B à A*. Dans cette affaire, l'activité
de A n'est en rien diminuée ou dégradée : lorsque Charles
montre l'image à Alfred, ce dernier voit exactement ce qu'il
verrait s'il voyait l'image sans qu'elle lui soit montrée par
quelqu'un. Mais, mesurée sur une échelle des degrés de l'agir,
la position de l'agent C du verbe sous forme causative est supérieure à celle de l'agent A du verbe d'action : dans l'exemple
donné, c'est parce que Charles montre à Alfred une image que
ce dernier la voit. On a donc ici un schéma bien connu en historiographie dans lequel on distingue une cause principale (C)
d'une cause auxiliaire (A) qui s'exercent l'une et l'autre sur le
même objet B. Ce schéma peut éventuellement servir à reconstruire l'histoire en attribuant tout le mérite de ce qui se fait
à un instigateur ou un inspirateur suprême[4].

Par l'opération causative, le premier actant initial (A) est
comme *dégradé* au rang d'agent immédiat (et donc plus facile à
détecter), tandis qu'un autre individu entre en scène comme

l'agent principal de toute l'affaire. Le comique de l'anecdote relative au poète Gombauld et au duc de Guise vient de l'incongruité métaphysique de ce qui est demandé : comment le duc pourrait-il, après coup, se faire attribuer le mérite d'un trait d'esprit dont un autre que lui est l'auteur véritable ? Plus généralement, comment pourrait-on faire preuve d'esprit en chargeant d'autres de trouver les bons mots ? La réaction du duc est elle-même spirituelle parce qu'elle a réussi à donner une forme bouffonne au sentiment d'admiration teintée d'envie dont elle est l'expression.

En revanche, il ne serait pas absurde de se faire attribuer le mérite d'une œuvre dont l'exécution et les détails auront été confiés à des agents auxiliaires subalternes. Telle est sans doute l'interprétation qu'on peut donner du célèbre exemple de grammaire latine : *Cæsar fecit pontem*[5]. Certes, César n'a pas construit un pont au sens laborieux du mot, il s'est contenté de donner un ordre et de veiller à son exécution. Mais le général en chef fait des routes et des ponts au sens où il gagne des batailles, en ce sens que le pont ne se serait pas fait s'il ne l'avait pas voulu, et qu'il a suffi qu'il le commande pour que ses troupes se mettent au travail. S'il en est ainsi, le déplacement de l'agir vers César n'est pas une usurpation ou un détournement abusif, tant du moins qu'on impute à César le seul mérite d'avoir fait ce qu'il fallait pour qu'un pont traverse le fleuve à tel endroit, non le travail de sa construction pierre à pierre[6].

Que nous apprend la notion syntaxique d'une diathèse causative sur notre concept ordinaire d'action ? Cette diathèse se comprend par analogie avec celle d'une forme passive d'un verbe transitif. Le passage du passif à l'actif permet de décrire ce que *subit* A comme ce que *fait* B. C'est ainsi que la défaite de A peut être la victoire de B. Le passage au causatif permet de décrire ce que *fait* A (agent immédiat) comme ce que *fait* B (agent principal). Par exemple, A regarde l'image parce que B la lui montre. Ainsi, la notion de causatif est celle d'un couple d'agents, l'immédiat et le principal. Il importe que les deux individus mentionnés soient l'un et l'autre des agents. Si l'agent principal parvenait à s'approprier tout l'agir, il n'y aurait pas de différence entre redécrire l'action de A comme étant celle de B (diathèse causative) et redécrire l'action apparente de A comme étant en réalité un changement provoqué en lui et subi par lui du fait de l'action de B (diathèse passive).

Le fait que l'agent immédiat soit comme « dégradé » dans l'échelle de l'agir ne veut donc pas dire qu'il ne soit actif qu'en apparence. Cela veut seulement dire qu'il y a, derrière lui, un autre individu qui lui est antérieur dans l'ordre des initiatives. Ce que l'opération causative déplace n'est pas le fait d'agir, mais plutôt le fait d'agir à titre principal au regard d'une certaine description de l'action. Mais, s'il en est ainsi, il faut que les agents subordonnés retrouvent le statut d'agents principaux au regard d'une autre description de la même action, une description qui soit à la mesure de leur capacité à agir d'eux-mêmes. Les soldats de César n'ont pas décidé qu'il fallait construire un pont à tel endroit, mais ils décident certainement des mouvements qu'ils font pour exécuter le commandement général. On pourrait peut-être formuler ainsi ce point grammatical : pour que A *fasse* quelque chose à l'instigation de quelqu'un d'autre (B), lequel se révèle être l'agent principal, il faut que A soit à d'autres égards l'agent principal de ce qu'il fait. Si les soldats de César n'étaient pas des agents autonomes à un niveau plus élémentaire, par exemple lorsqu'il s'agit de déplacer maintenant (plutôt que dans cinq minutes) telle pierre (plutôt que telle autre), alors il faudrait dire que c'est César qui fait tout. Il n'y aurait pas d'autre agir que celui de César et tout se passerait comme s'il n'utilisait pas des agents auxiliaires, mais seulement des instruments inertes. L'idée que l'agent principal d'une œuvre collective soit en fin de compte le seul à agir apparaît comme une idée confuse et même incohérente, puisque cela revient à poser un instigateur sans personne pour agir à son instigation. De fait, il est aisé de glisser de la notion d'un agent auxiliaire à celle d'un pur instrument. Il semble que mainte théologie de l'agir providentiel repose sur une confusion de ce genre. De même, si l'on en croit Cornelius Castoriadis[7], le rêve d'un contrôle parfait de l'activité des agents d'exécution, qui est au cœur de l'idée moderne d'une administration des hommes planifiée d'en haut, et qu'on retrouve aussi bien dans la technique humaine du taylorisme que dans les organisations totalitaires, ce rêve absurde exprime précisément le vœu contradictoire de faire agir d'autres agents (pour démultiplier son propre agir) sans pour autant laisser à ces agents l'autonomie nécessaire à une action intelligente.

Que nous a appris la voix causative ? Au moins ceci : il peut arriver que l'activité d'un agent A ne soit pas exclusivement son

opération, mais qu'elle soit en même temps celle d'un autre
agent B. Pour décrire l'activité de A comme une activité de B,
nous appliquons un verbe auxiliaire causatif (« faire ») au verbe
narratif qui décrit l'opération de l'agent immédiat (A), ce qui
fait surgir derrière lui l'instigateur, l'agent principal (B). Par
exemple, le verbe « voir », lorsqu'il est mis à la voix causative,
devient « faire voir », c'est-à-dire « montrer ».

Du même coup, on peut appeler action *propre* d'un agent
celle qui, de fait, n'apparaît en aucune façon comme étant aussi
l'action de quelqu'un d'autre. Lorsque l'agent fait quelque
chose sans que personne ne le lui fasse faire, on pourra dire
qu'il le fait *de lui-même*. C'est une autre façon de dire que l'individu est l'agent *principal*, et pas seulement l'agent *immédiat*, de
son action.

Ce serait évidemment une erreur de considérer qu'une
action propre soit le résultat d'une instigation exercée à l'égard
de soi-même. Lorsque l'agent agit de lui-même, par exemple
lorsqu'il se lève de lui-même, ce n'est pas comme s'il y avait un
agent immédiat et, opérant sur lui, un agent principal qui lui
faisait faire ce qu'il fait, avec cette circonstance particulière
d'une identité de ces deux agents. Beaucoup de philosophes
disent qu'ils ressentent un malaise lorsqu'ils entendent parler
d'une action que ferait un agent sans que rien ne la lui fasse
faire. Cette notion leur semble mystérieuse. Admettre qu'un
agent pourrait agir de lui-même, ce serait accepter qu'il y ait
des événements inexplicables, de miraculeux surgissements
dans le cours des choses. Il faudrait, disent-ils, doter l'agent
d'un mystérieux pouvoir de provoquer en lui-même les événements capables de déclencher le mouvement de ses organes.
Ces philosophes sont perplexes parce qu'ils confondent la série
causative dont il est ici question avec une simple chaîne causale.
Or il y a une différence majeure : la chaîne causale telle qu'ils la
conçoivent est une séquence d'événements distincts les uns des
autres (comme le choc du caillou sur la vitre et le bris de cette
vitre) alors que notre série causative ne concerne que deux
descriptions d'une seule et même action, qui est rapportée
d'abord à son agent immédiat, ensuite à son agent principal.

On est tenté de raisonner selon le schème atomiste de la
chaîne causale des événements quand on prend sur l'action un
point de vue rétrospectif et qu'on se demande par exemple :
comment aurait-on pu empêcher l'action d'être faite ? Mais il
suffit de considérer une action du point de vue prospectif pour

retrouver la place, dépourvue de tout mystère, que joue la notion d'un agent principal dans notre pensée et nos échanges quotidiens. Chaque fois que je me tourne vers quelqu'un pour le prier de faire quelque chose, je me conduis envers cet interlocuteur comme on doit le faire face à un agent principal, sujet propre de certaines opérations. Ce n'est pas comme s'il suffisait de demander aux gens de nous rendre des services pour qu'ils se mettent immanquablement à notre service. En fait, nous considérons qu'il y a des choses qui dépendent d'eux : ils peuvent les faire ou non, selon qu'ils veulent les faire ou pas. Nous tentons d'obtenir qu'ils consentent à les faire par différents moyens : prières, menaces, cadeaux, rappels des engagements pris, etc. Mais, quelle que soit la forme que prend notre demande, le simple fait de demander à quelqu'un d'agir montre que nous reconnaissons en lui le sujet propre de certaines opérations. Nous pouvons bien prétendre qu'il a agi à notre demande et que nous avons donc été à l'origine de l'action, il n'en demeure pas moins que la demande est toujours un appel au bon vouloir de quelqu'un d'autre.

XI

Le rapport à soi

Le sujet, selon la définition canonique, est cet être qui possède la capacité de se faire objet pour lui-même. Les objets qui m'entoure sont des objets pour moi, mais ils ne sont pas des objets pour eux-mêmes. Beaucoup de philosophes ont analysé les formes de la conscience de soi comme autant de façons de pratiquer la réflexion sur soi. Grammaticalement, ces formes s'exprimeraient par des *verbes réfléchis*. Il s'agit là d'une décision philosophique, pas d'une constatation que chacun pourrait vérifier par lui-même.

Cette décision philosophique soulève de redoutables difficultés. Certaines d'entre elles ont été reconnues depuis longtemps et ont fait l'objet de maintes discussions. Ainsi, qui dit *réflexion* dit retour vers l'agent d'un mouvement qui se dirigeait d'abord vers autre chose. Si la conscience de soi est une espèce de réflexion, il faut maintenant trouver un statut pour la vie consciente de l'individu avant réflexion. Que se passe-t-il lorsque mon esprit est si bien tourné vers la chose que je ne fais pas attention à moi[1] ?

Il est, je crois, d'autres difficultés qui sont moins souvent aperçues. Si nous attribuons à un individu un « rapport à soi » qui vaut habilitation à jouir du statut de *sujet* (au sens philosophique du mot) chaque fois que nous en faisons le premier actant d'une construction pronominale, alors il est important de noter que, bien souvent, une telle construction ne suppose aucune réflexion et que parfois elle l'exclut.

1. La construction pronominale des verbes

C'est une erreur d'interpréter toutes les constructions pronominales du verbe comme ayant une valeur réfléchie.

Il faut avouer qu'en français, le point est obscurci par la
notion vicieuse de « verbe pronominal ». Les étudiants étrangers sont saisis de perplexité quand ils lisent dans les manuels
de syntaxe française qu'il existe dans notre langue deux sortes
de verbes pronominaux, les uns étant *essentiellement* pronominaux (comme « s'évanouir ») et d'autres *accidentellement* pronominaux (comme « se raser », « se laver »). Comment se fait-il
que le pronom réfléchi soit déclaré essentiel dans le cas où il ne
joue en réalité aucun rôle ? Et qu'il soit déclaré accidentel là où
il apporte une information décisive (celui qui est lavé, c'est le
laveur lui-même) ? Tesnière croit apercevoir ici un effet parmi
tant d'autres de l'emprise des considérations morphologiques
sur la pensée des linguistes en matière de syntaxe[2]. Emprise
désastreuse, écrit-il, car il ne suffit pas d'enregistrer la présence
d'un marquant morphologique de la valeur du verbe (le pronom), il faut reconnaître quelle est la voix, la diathèse ainsi
marquée. Le danger est alors de confondre le cas où la fonction
du pronom est actancielle, ce qui donne la diathèse *réfléchie*
comme *synthèse de l'actif et du passif,* avec d'autres cas où la valeur
du pronom n'est pas celle d'un second actant, mais sert à marquer d'autres diathèses comme celle de la voix *moyenne* et une
autre qu'il appelle le *récessif.*

En réalité, les verbes qualifiés d'« accidentellement pronominaux » sont effectivement utilisés à la diathèse réfléchie : *se
raser,* c'est *raser soi,* appliquer l'opération du rasage à sa propre
personne. En revanche, les verbes « essentiellement pronominaux » ne comportent aucune notion d'une réflexion de
l'action sur le premier actant : « se tromper », c'est tout simplement faire erreur et non pas tromper soi ; « se lever » est prendre la position debout et non pas lever un objet qui se trouve
être soi.

Ce dernier exemple est intéressant parce qu'il conduit à se
demander si la construction pronominale de « lever » ne pourrait pas recevoir une valeur réfléchie et en quoi elle se distinguerait, si elle était comprise ainsi, de la signification qu'on
donne ordinairement à « se lever ». La discussion à laquelle

Tesnière soumet cet exemple fait preuve d'une grande pénétration philosophique. Je partirai de là pour introduire la notion d'une « diathèse récessive » et pour montrer son intérêt pour une philosophie de l'action.

2. *Le récessif*

Normalement, « se lever » ne peut pas être entendu comme désignant une action réfléchie par laquelle un agent se ferait prendre à lui-même la position debout. De fait, on cherche en vain ce qu'il faudrait faire pour se lever par une action réfléchie. Ici, Tesnière cite un numéro classique de cirque dans lequel le clown cherche, si l'on peut dire, à faire quelque chose qui serait « se lever » au sens réfléchi.

> Le clown, étant assis et voulant se lever, fait mine de se saisir lui-même au collet et de se hisser vers le haut, ce qui produit un effet de bouffonnerie comique, car chacun comprend qu'il y a tricherie et que l'intéressé ne peut pas se hisser lui-même, faute d'avoir un point d'appui extérieur à sa propre personne (*ibid.*, p. 273).

En dehors des facéties du cirque, explique Tesnière, personne ne suppose qu'il faille agir sur soi pour se lever. C'est pourquoi on traduit « Alfred se lève » sans perte de sens en anglais par *Alfred stands up* ou en allemand par *Alfred steht auf*. Dira-t-on que l'expression « se lever » ne peut jamais être prise au sens réfléchi ? C'est ici que Tesnière ajoute finement : quand le clown est habile et que son numéro est réussi, « on peut dire du clown qu'il se lève, en donnant à cette expression une valeur réfléchie » (*ibid.*). Ainsi, le clown joue sur le fait que la langue utilise le pronom réfléchi pour signifier quelque chose de non réfléchi. Du coup, il ne suffit pas de rappeler que personne ne peut se lever ainsi, puisque justement un clown habile peut donner *l'impression* qu'il est capable d'exercer réellement une traction de bas en haut sur soi-même. Nous avons donc besoin d'un langage dans lequel exprimer la *fausse* impression que nous recevons des gesticulations du clown. Mais c'est notre langage qui rend possible cette apparence, par une compréhension littérale du commandement « Lève-toi ! » Le clown fait comme s'il y avait quelque chose à faire sur soi pour se mettre debout. Et, ici, nous ne pouvons pas ne pas nous souvenir qu'on retrouve la même interprétation réfléchie de l'action spontanée dans plusieurs théories philosophiques de l'action, sans doute parce qu'elles subissent à leur insu une suggestion langagière que le clown, lui, exploite malicieusement.

Ainsi, il ne suffit pas qu'une forme verbale soit pronominale pour qu'elle ait une valeur réfléchie. Comme vient de l'illustrer l'exemple de « se lever », la langue française se sert de cette construction pour exprimer une diathèse que Tesnière définit comme l'opposée de la voix causative et qu'il appelle le récessif. En passant à la voix causative, le verbe voit son sens changer puisque l'action (ou l'événement) qu'on rapporte implique désormais un rôle de plus à jouer. Un seul actant suffit pour signifier une chute que fait Alfred, mais il en faut deux pour indiquer que cette chute est en réalité le renversement d'Alfred par Bernard. À l'inverse, la diathèse récessive permet à un verbe de perdre un actant. Lorsque je me lève, il y a bien un événement d'élévation, comme lorsque je lève mon verre, mais il n'y a rien qui soit *levé* (au passif) et donc rien qui soit à proprement parler *levant* (à l'actif). Le verbe « lever » a cessé d'être transitif. De façon générale, la voix récessive permet donc de rendre intransitif un verbe transitif, de rendre dyadique une action triadique, etc. Quand je me lève, il y a *activité sans passivité* de ma part (élimination du second actant). Quand je me fais à moi-même une remarque ou un reproche, il y a quelque chose comme une *donation sans réception*.

Quelles sont les marques du récessif ? Si l'on en croit Tesnière, il semble que les langues pratiquent ici le bricolage et qu'elles utilisent une forme déjà existante en raison d'une proximité avec ce qu'il s'agit d'obtenir. En latin et en allemand, on utilise volontiers les formes du passif pour utiliser un verbe avec le sens récessif : *dormitur, die Tür wurde aufgemacht, es wurde getanzt*[3]. On peut l'expliquer en remarquant que le passif permet de raconter une action sans en nommer l'agent. Il y a donc là un point commun entre le point de vue narratif qu'exprime le passif et celui qu'exprime le récessif. Certes, le passif se borne à passer sous silence un agent qui existe, alors que le récessif exclut qu'il y ait un autre agent. Mais, après tout, nous assistons parfois à des événements dont nous ne savons pas s'ils sont passifs ou récessifs. La porte s'ouvre, et nous ne savons pas si elle s'ouvre toute seule ou si quelqu'un l'ouvre. La diathèse *récessive* nous rend ce service de présenter comme impersonnel un procès dont nous ne savons pas déterminer le véritable statut actanciel.

En français, comme on l'a vu, on peut se servir d'une forme pronominale pour retirer un actant à la structure d'un verbe et le faire passer à la voix récessive. Ce qui suppose une affinité entre le récessif et le réfléchi que Tesnière explique ainsi : dans la diathèse réfléchie d'un verbe transitif, il y a *deux actants*, donc deux rôles à jouer, mais *une seule personne* pour les jouer ; en revanche, dans la diathèse récessive, il y a deux fois une expression désignant la personne, mais *un seul actant*. Pour conserver l'image du théâtre, on pourrait opposer le cas d'une scène qui doit présenter un dialogue, mais avec un seul acteur pour jouer les deux rôles — par exemple, si une personne rapporte un échange verbal en incarnant tour à tour les deux interlocuteurs — et celui d'une scène de pur monologue, où c'est bien la même personne qui tient un soliloque (et cela, même s'il feint de s'adresser à lui-même des paroles, des reproches, des exhortations). Cette dernière image conduit à juger qu'une incise comme « se dit-il » ne doit pas toujours être prise au sens réfléchi. « *Tant pis, se dit Alfred.* La valeur récessive est parfaitement claire en ce cas, puisqu'il est évident qu'Alfred ne tient pas conversation avec lui-même[4]. » « Se dire » ne serait donc pas plus réfléchi que « se tromper », « s'ennuyer », « se réveiller ».

3. La voix moyenne

Certaines langues, comme le grec ancien, possèdent une voix qu'on appelle « moyenne ». Déjà cette qualification de « moyen » témoigne d'une hésitation, puisque cet adjectif veut dire en somme que le sujet du verbe n'est placé devant le procès ni simplement comme actif, ni non plus comme passif. Mais, alors, quelle est sa position ? C'est déjà la définition de la forme réfléchie que de combiner l'actif et le passif, puisqu'elle présente le même individu comme l'agent et le patient du procès. Il y a donc lieu de se demander si ces deux voix sont proches l'une de l'autre.

Pour expliquer la valeur de la forme moyenne en grec ancien, Jean Humbert se réfère aux grammairiens indiens qui ont distingué l'actif et le moyen par des dénominations qui signifient respectivement « mot pour un autre » (*parasmaipadam*) et « mot pour soi-même » (*atmanepadam*)[5]. Cette opposition vaut pour les verbes qui possèdent les deux formes, de sorte que le locuteur a le choix d'user de l'une ou de l'autre. S'il emploie le verbe à la forme moyenne, c'est pour indiquer que « l'action accomplie possède aux yeux du sujet une signification personnelle ». Le sujet (du verbe) accomplit l'action « pour soi », pour son propre compte. Cela n'implique nullement que la visée de cette action soit égoïste. Il s'agit plutôt d'indiquer que l'agent est personnellement engagé dans sa propre action, qu'il est présent à son acte. Ainsi, explique l'auteur, le verbe *poiein* (« faire ») possède les deux formes, ce qui impose d'en tenir compte dans une traduction. Supposons qu'un ambassadeur fasse la paix au nom de son peuple : il faudra rapporter son action de négociateur en employant l'actif (*poiein eirènèn*). Si en revanche on parle d'un peuple qui fait la paix avec un autre et qui la fait donc en personne ou en son nom propre, c'est la forme moyenne du verbe qu'il faudra employer (*poieisthai eirènèn*)[6].

Il y a donc dans la voix moyenne, comme nous le rappelle le linguiste, une connotation de *rapport à soi* et donc une « nuance subjective[7] ». Toutefois, ce rapport à soi n'a rien de réflexif, il n'implique aucune *auto-affection* du sujet par lui-même.

Voici deux exemples grecs que donne Humbert et qu'il convient de rapporter ici en raison de la place de choix qu'ils occupent dans la réflexion des philosophes.

Considérons l'attitude qui consiste à être vigilant ou à prendre soin de quelque chose. À l'actif, le verbe grec *timôrein* veut dire *veiller sur* (au sens de *défendre* celui qui est attaqué ou de *venger* celui qui s'est fait tuer). Au moyen, le sens de ce verbe est modifié dans le sens d'une défense *personnelle*, laquelle peut d'ailleurs concerner soi ou une cause à laquelle on s'intéresse personnellement : « Le moyen indique, soit qu'on veille sur son propre honneur *en se défendant* ou *en se vengeant*, soit qu'on *fait sienne* la cause d'autrui[8]. » C'est là une indication précieuse pour les philosophes qui cherchent à caractériser l'attitude existentielle du *souci de soi*[9]. Dans le cas par exemple où je veille sur mon propre honneur, il n'y a pas deux individus en cause (moi, le gardien de l'honneur et par ailleurs un « soi » dont j'aurais la garde), et il n'y a pas non plus deux rôles à remplir par un seul et même individu (comme lorsque je m'applique à moi-même mon art de médecin ou de barbier). Il y a seulement des actes par lesquels je me défends ou je me venge *moi-même*. Dans le cas où je fais mienne la cause d'autrui, on pourrait parler d'une identification *moyenne* à autrui : je décide de faire de votre cause mon affaire personnelle.

Il est également intéressant de voir la différence, en grec ancien, entre les formes active et moyenne par lesquelles on exprimera l'activité de légiférer, c'est-à-dire de poser des lois. S'il est vrai que la diathèse réfléchie est un cas particulier de la diathèse transitive, c'est ici toute pensée de l'autonomie humaine, au sens de l'auto-législation, qui doit prendre position sur la syntaxe de son concept. Humbert écrit : « Jamais on n'emploie indifféremment *nomous tithenai* et *nomous tithesthai* : tandis que le premier indique une législation *imposée* à un peuple, le second ne peut se rapporter qu'aux lois qu'un peuple *libre* se donne *à lui-même*[10]. » À l'actif (*nomous tithenai*), on parle de donner des lois à un peuple en les lui imposant. Le peuple apparaît comme assujetti. Au moyen (*nomous tithesthai*), on se donne à soi-même librement des lois. Ce qu'il illustre par ce texte de Xénophon dont il donne une traduction mot à mot :

> Pourrais-tu dire, dit-il, que les lois (non écrites) les hommes *se les sont données* (*oti oi anthrôpoi tous agraphous nomous ethento*) ? — Pour moi, je pense, dit-il, que ces lois-là les Dieux les *ont données* (imposées) aux hommes (*theous oimai tous nomous toutous tois anthrôpois theinai*). (*Mémorables*, 4, 4, 19).

Si nous confondions le moyen et le réfléchi, il faudrait comprendre qu'un peuple se donne des lois à lui-même en se les imposant, en s'assujettissant à lui-même, et il y aurait là un exercice énigmatique de schizophrénie politique, pas un régime de souveraineté politique. Quant aux lois non écrites, ou bien elles dépendent de nous et n'ont donc pas d'autre nécessité que celle conférée par notre vouloir, ou bien elles s'imposent à nous, nous reconnaissons leur majesté, ce qui interdit de les rapporter à notre souveraineté. Cette distinction apparaît évidemment capitale : elle montre que, contrairement à ce que semblent penser bien des théoriciens de l'auto-législation, cette dernière n'a pas naturellement ou trivialement un sens réfléchi[11].

Pour pouvoir soutenir que c'est pourtant là son sens authentique, il apparaît nécessaire d'avoir une solide argumentation à présenter[12].

Or la confusion du moyen et du réfléchi nous guette en français, si du moins l'on accepte de tenir certaines formes pronominales de notre langue pour des constructions dont la valeur est celle de la voix moyenne en grec. Tesnière note qu'on peut dire (dans le languedocien qu'il entendait parler à Montpellier) : « Est-ce que je me la mange ou est-ce que je me la suce, l'orange[13] ? » Dans cet exemple, le pronom « me » n'est ni un premier actant, ni un second actant, mais plutôt un circonstant de but avec la valeur de « pour moi ».

4. *La diathèse réfléchie*

On peut décider que tout emploi d'un verbe sous une forme pronominale manifeste un rapport de soi à soi du sujet. En vertu de cette décision, il suffit que le pronom réfléchi figure dans l'énoncé pour qu'on puisse parler d'une présence à soi de l'individu, et donc d'une « nuance subjective » de son acte, voire d'un acte subjectif de sa part. Mais, si l'on raisonne ainsi, il faut accepter que les notions de « présence à soi » et de « subjectivité » soient en réalité équivoques. En effet, nous venons de reconnaître que la forme pronominale du verbe peut correspondre à divers schémas syntaxiques. Il y aurait donc une subjectivité récessive et une subjectivité moyenne à côté de la subjectivité réfléchie, puisqu'il y a un rapport à soi dans l'activité que pose la diathèse récessive (« se lever ») et un tout autre rapport à soi dans l'activité que pose la voix moyenne (« se venger », « se donner des lois »), et qu'aucun de ces rapports ne comporte une quelconque réflexion de l'action sur l'individu qui en est l'agent.

Les philosophes qui entendent introduire le concept d'un sujet réfléchi sur lui-même n'ont pas toujours pris la peine d'expliciter la grammaire de ce concept qu'ils nous invitaient à adopter. Pourtant, on trouve chez certains d'entre eux une conscience des difficultés que l'on rencontre dès qu'on cherche à élucider le schéma syntaxique qu'il s'agit d'utiliser. Ainsi,

Jean-Paul Sartre remarque qu'il est bizarre de parler d'une chose *en soi.*

> Le *soi* ne saurait être une propriété de l'être-en-soi. Par nature, il est un *réfléchi,* comme l'indique assez la syntaxe et, en particulier, la rigueur logique de la syntaxe latine et les distinctions strictes que la grammaire établit entre l'usage du « *ejus* » et celui de « *sui* ». Le *soi* renvoie, mais il renvoie précisément au *sujet.* Il indique un rapport du sujet avec lui-même et ce rapport est précisément une dualité, mais une dualité particulière puisqu'elle exige des symboles verbaux particuliers[14].

Sartre insiste sur le fait que la notion de « soi » est celle d'un pronom réfléchi. Il s'ensuit, dit-il, que parler de la chose en soi, par exemple de la chaise en soi, a quelque chose d'étrange et d'impossible : une chaise n'a pas de quant-à-soi, elle n'a pas de présence à soi. On pourrait parler d'une chaise en soi s'il y avait un verbe pronominal qu'on puisse utiliser avec la chaise comme sujet. Mais c'est justement impossible : on ne peut pas dire que la chaise est satisfaite de sa couleur ou inquiète de l'état de ses pieds.

Pourtant, Sartre aperçoit que la présence du mot « se » dans l'énoncé engendre un paradoxe de la conscience de soi dès qu'on y voit la marque d'une réflexion. D'une part, il faut que le réfléchi fasse référence à quelque chose, à savoir au sujet. Il y a donc dans la phrase deux références au sujet de cette phrase. D'autre part, le réfléchi « soi » (ou plutôt « se ») ne peut renvoyer ni au sujet, ni à autre chose que le sujet. Sartre prend comme exemple cette proposition : « Il s'ennuie. » Le verbe « s'ennuyer » est, selon lui, un verbe réfléchi. Or, dit-il, le « se » ne peut pas renvoyer tout simplement au sujet, à un individu qui existerait indépendamment du fait qu'il est en rapport à soi en tant qu'il s'ennuie. En effet, le sujet sans son rapport à soi n'est plus qu'une chose. Mais le « se » ne peut pas non plus renvoyer à autre chose que cet individu, puisqu'il faut bien que ce mot soit « une indication du sujet lui-même ». Finalement, Sartre conclut qu'il nous faut adopter une formule dialectique : « Le *soi* représente donc une distance idéale dans l'immanence du sujet par rapport à lui-même, une façon de *ne pas être sa propre coïncidence* (…) » (*ibid.,* p. 119). On peut conclure de là que Sartre a reconnu l'impossibilité de trouver une formulation satisfaisante de la thèse à laquelle pourtant il souscrit : la subjectivité (au sens de la « présence à soi »), c'est le rapport à soi qui s'établit dans la réflexion sur soi. Si le mot « se » n'ajoutait rien, le rapport à soi serait logique, pas réel. Si le mot « se » ajoutait quelque chose, il ne désignerait plus le sujet de l'activité, mais son objet.

Cet imbroglio, semble-t-il, s'explique à la lumière de notre enquête sur la diversité des schémas syntaxiques utilisant la forme pronominale. D'une part, Sartre a décidé de traiter comme s'il était réfléchi un verbe qui est en réalité récessif (« s'ennuyer »). D'autre part, il aperçoit quelque chose de décisif pour toute philosophie du sujet : la diathèse réfléchie exige deux actants (sinon le « se » ne pose pas une relation réelle), et, pourtant, dans une expression de la conscience de soi, le rapport du sujet à lui-même ne doit justement pas être un rapport entre deux actants, donc un rapport de sujet à objet, mais un retour vers soi comme sujet, donc un rapport entre le premier actant et lui-même comme premier actant, comme sujet.

La diathèse réfléchie n'est qu'un cas particulier de la diathèse active, et c'est pourquoi elle exige la distinction de l'agent et du patient. Pourtant, il est commode d'en faire une diathèse à part entière pour marquer ce qui la distingue de deux autres formes possibles dont il vient d'être question, la diathèse *moyenne* et la diathèse *récessive*. Quel est donc le rapport du premier actant à son action lorsque le verbe est employé à la diathèse réfléchie ? Et qu'en résulte-t-il pour l'individu qui se trouve être simultanément le sujet et l'objet de son acte ? Ces questions sont centrales pour notre enquête, de sorte qu'il convient de consacrer un chapitre à part à la diathèse réfléchie.

XII

Grammaire de l'action sur soi

Nous devons maintenant déterminer les conditions d'une action réfléchie au sens de la diathèse réfléchie. Les linguistes parlent de verbes réfléchis. Selon l'explication toujours irréprochable de Littré, il convient de les entendre ainsi : « Verbes réfléchis, verbes dans lesquels l'action faite par le sujet a pour objet ce même sujet[1]. » Nous n'aurons en vue ici que des actions réfléchies en ce sens, ce qui exclut d'autres formes de réflexion.

Nous n'envisagerons ni les actions « mûrement réfléchies », c'est-à-dire celles qui sont faites « après réflexion » ou de façon délibérée et attentive, ni non plus les actions comportant une « réflexivité », c'est-à-dire celles qui portent, non pas directement sur un objet quelconque, mais sur une autre action, comme par exemple le fait d'enseigner, non la méthode algébrique, mais la méthode de l'enseignement de l'algèbre, ou encore le fait d'écrire un opéra dont le sujet est la musique, un poème dont le thème est la poésie. Ces deux sens n'ont rien à voir avec la réflexion au sens figuré par le modèle d'un rayon de lumière qui, après s'être réfléchi sur un miroir, revient à sa source, ce qui est l'image qui fournit son nom à la diathèse dite réfléchie.

Par définition, un individu capable de penser son action et capable d'en parler est un être capable de *réfléchir à* ce qu'il fait et capable de nous faire part de ses *réflexions* dans un discours. Toutefois, il s'agit ici de réfléchir au sens d'une manière de penser : appliquer sa présence d'esprit à quelque chose, méditer profondément, considérer attentivement un problème. C'est la réflexion au sens de la maxime honnête et puérile de notre

enfance : *Il faut réfléchir avant d'agir.* On a souvent remarqué
qu'un être qui réfléchit en ce sens est absorbé dans l'affaire
dont il s'occupe, qu'il est donc distrait de toute autre matière
qui pourrait solliciter son attention. En particulier, il n'est pas
tourné vers soi, à moins que sa réflexion ne porte sur un point
le concernant. Et, même dans le cas où il réfléchit sur son
action, ses sentiments, sa vie, il réfléchit à cela et ne s'occupe
pas de soi réfléchissant à cela.

Quant à la réflexivité qu'on trouve dans le fait que le langage
peut porter sur le langage (et plus précisément le fait que le
théâtre puisse mettre en scène un épisode de la vie du théâtre
comme thème dramatique, la critique d'art évaluer une œuvre
critique considérée comme œuvre d'art, etc.), elle ne consiste
nullement dans une action portant sur l'auteur de cette action
même. Il s'agit plutôt d'un rapport entre des actes qui se clas-
sent à des degrés différents le long d'une échelle logique.
Comme l'a noté Ryle[2], le critique littéraire ne peut pas exercer
sa fonction s'il ne reçoit pas des romans à commenter : les actes
du critique sont donc « du deuxième degré » en ce sens qu'ils
ne peuvent pas être posés s'il n'existe pas déjà des actes « du
premier degré » (ceux du romancier ou du poète). À leur tour,
les actes critiques peuvent être l'objet d'actes critiques « du troisième degré ». Peu importe, dans cette affaire, qui sont les
auteurs de ces actes. Rien n'empêche qu'un romancier adopte
à l'égard de son livre un regard « critique » et même qu'il
rédige lui-même des articles de critique portant sur son propre
roman. Mais il ne peut pas écrire un roman qui serait en même
temps une critique de ce roman[3]. Tout ce qui compte est la diversité ontologique des actes : un acte de critique ne peut pas
plus se viser lui-même qu'un missile explosif ne peut se diriger
vers lui-même en vue de s'intercepter.

Ceci suggère une convention de terminologie. Réservons le
titre d'*actions réfléchies* à des actes qu'on exprime par un verbe
réfléchi : se laver, se regarder dans le miroir, se couper, se soigner. Et appelons *actes réflexes* les actes qui ont pour particularité
de viser (intentionnellement) un autre acte du même agent.
L'acte réflexe ainsi compris ne porte nullement sur l'agent,
même s'il concerne indirectement cet agent. L'homme qui
réfléchit pour savoir si les idées qui lui sont venues ces derniers
temps sont aussi bonnes qu'elles paraissaient l'être à première
vue est quelqu'un qui porte sa pensée vers ce qu'il a pensé
auparavant, vers un autre acte de sa part. Il n'y a ici aucune

réflexion dont le modèle serait un acte revenant vers l'auteur, à la façon d'un signal qui serait renvoyé vers sa source.

Nous examinerons les conditions dans lesquelles peuvent apparaître des situations de réflexivité dyadique et triadique :

1° comment puis-je faire porter mon action transitive sur un objet qui est moi ?

2° comment puis-je destiner mon action à quelqu'un qui est moi ?

Nous ne pouvons pas invoquer sans plus la grammaire du verbe réfléchi pour comprendre une action sur soi qui permettrait à quelqu'un de se poser comme *sujet* (au sens des philosophes) ou comme *soi*. Ainsi, l'acte de se soigner soi-même est en effet un acte réfléchi, mais cela veut dire seulement que le malade qui reçoit les soins est aussi le médecin qui les donne. Comme l'avait remarqué Aristote[4], le médecin qui se guérit lui-même guérit, à proprement parler, quelqu'un qui était malade : c'est seulement « par accident » qu'il guérit un médecin (en guérissant celui-là même qui se trouvera être, en tant qu'agent des soins prodigués, l'auteur de la guérison). La guérison en question est un changement dans le patient. Les soins ne sont pas donnés au médecin comme tel, mais à cet homme qui est par ailleurs médecin. L'identité du médecin et du patient est *contingente*.

La forme d'un verbe réfléchi comme « soigner » permet de comprendre comment le médecin Callias soigne le malade Callias, comment il *se* soigne *lui-même*. Le rapport à soi de Callias est un rapport à Callias en tant qu'individu humain qui se trouve d'un côté posséder l'art médical (c'est-à-dire un pouvoir qu'il peut exercer, se posant ainsi comme agent, comme sujet au sens actanciel), et de l'autre les dispositions requises pour guérir à la suite d'un traitement (ce qui fait de lui l'objet possible des soins). Un tel agir est incontestablement réfléchi, mais il ne fait pas que l'agent (sujet) soit en rapport avec autre chose qu'un patient (objet).

L'action réfléchie est celle qu'un agent (personnel ou non) exerce sur lui-même. Elle est une *action* sur soi parce qu'elle est une action *transitive*, une action sur quelque chose. Puisque cette action est transitive, sa description nécessite bien que la phrase présente deux positions actancielles, de façon à poser la polarité de l'actif et du passif. S'il y a dans le village d'Alcala un barbier qui rase tous les habitants du village et qui par conséquent se rase lui-même, alors il y a dans le village quelqu'un (le barbier) qui est rasé par lui-même. Le verbe utilisé à la forme réfléchie a le même sens que lorsqu'il est utilisé avec pour objet autre chose que l'individu agent. Pour qu'il y ait une action *réfléchie*, il faut d'abord qu'il y ait une action *tout court*. Le contenu de l'action n'est pas affecté par l'identité entre la personne nommée comme agent et celle qui est nommée comme patient.

Puisque le verbe ne change pas de sens en devenant réfléchi, cela veut dire, semble-t-il, qu'il n'y a pas de place dans ce système descriptif pour des verbes signifiant des actions qui seraient *intrinsèquement* réfléchies[5]. En effet, cette notion d'une action intrinsèquement réfléchie paraît contradictoire : si, par définition, une activité est intrinsèquement tournée vers le sujet, c'est qu'elle n'est jamais tournée vers autre chose que lui, ce qui veut dire que cette orientation vers le sujet n'a pas le caractère d'une réflexion au sens de l'action réfléchie.

Les conditions d'une action réfléchie sont donc : 1° *ce que l'agent se fait à lui-même, un autre (agent) que lui pourrait le lui faire* ; 2° *ce que l'agent se fait à lui-même, il pourrait le faire à un autre (patient) que lui-même.*

La seule notion d'action réfléchie que procure la syntaxe des verbes transitifs est celle qu'on trouve dans la scène de *L'Arroseur arrosé.* Le jardinier qui s'arrose lui-même est quelqu'un qui a retourné vers lui-même un jet d'eau qu'il aurait dû diriger vers son plant de salades. Bien entendu, ce n'est pas à cette sorte d'activité réfléchie que pense le philosophe du sujet quand il parle d'un acte de faire de soi-même l'objet de son acte (ou d'être objet pour soi-même). Il y a bien un rapport à soi dans l'acte du jardinier qui s'arrose lui-même, mais ce n'est pas le bon ! La raison en est précisément que le jardinier se rapporte à lui-même comme il pourrait se rapporter à ses salades, ou encore qu'il est arrosé de son propre fait comme il pourrait l'être par un autre. Le modèle de l'action réfléchie, au sens de la diathèse réfléchie, ne semble donc ne pas convenir à l'analyse d'une conscience de soi.

La grammaire traditionnelle ne connaît qu'une seule forme de réflexion, celle qui résulte de l'identité entre l'individu qui produit l'action et celui qui en est l'objet. Cette vue apparaît contestable. Puisqu'il y a deux passifs, il convient de reconnaître deux façons pour l'individu qui est identifié comme l'agent de réapparaître une seconde fois dans la description de l'action :

soit comme *objet*, dans l'action réfléchie au sens habituel, soit comme destinataire ou *attributaire*.

Lorsque *je m'adresse une lettre à moi-même*, il y a bien une réflexion, c'est-à-dire qu'on pourrait faire de la personne à qui j'envoie une lettre (moi) le sujet d'une forme passive du verbe (sinon en français, du moins dans les langues qui possèdent deux passifs), et pourtant il ne s'agit pas d'une action sur un objet (s'écrire à soi-même, ce n'est pas faire de soi un patient, mais bien un destinataire de l'acte). De même lorsque *je m'accorde à moi-même cinq minutes de récréation*, je suis l'attributaire de mon action donatrice d'un temps libre, mais je ne produis pas un changement dans un objet passif. Nous distinguerons donc l'action réfléchie transitive et l'action réfléchie donatrice, de façon à tenir compte de la différence entre les deux passifs.

Comment puis-je faire une action dont je sois le bénéficiaire ou l'attributaire ? La condition est que je reçoive exactement ce que recevrait quelqu'un d'autre si c'était lui dont le nom figurait comme tiers actant dans la phrase. Supposons que je sois chargé de procéder au partage de la galette des rois : je dois donner une part à chaque convive, ce qui veut dire que je dois m'en réserver une, exactement comme je le fais pour les autres, puisque je suis l'un des convives. Inversement, il y a des actions transitives de type triadique qu'il est impossible de réfléchir : je ne peux pas me prêter ou me donner de l'argent à moi-même, ni me vendre à moi-même mes propres œuvres (cf. *infra*, chap. 38). Comme le dit Wittgenstein dans son étude des conditions dans lesquelles une règle peut être instaurée : certes, je peux me donner une règle à moi-même, mais cela n'est possible que là où je peux instaurer une règle pour n'importe qui, et encore faut-il que la règle en question ait pu m'être fixée par n'importe qui. Autrement dit, il faut que *ce que* je me donne à moi-même ait le caractère d'une *règle* pour qu'on puisse dire que je me suis fixé ma propre règle (cf. *infra*, chap. 52-55).

Ici encore, le caractère réfléchi de l'action exige que le pronom qui apparaît dans l'énoncé désigne l'individu qui est l'agent dans une autre fonction actancielle. De même que le médecin se soigne lui-même, mais à titre de malade, de même le distributeur des parts de galette s'en donne une, mais comme convive et non comme donateur.

Déjà, nous pouvons prévoir que la diathèse réfléchie ne saurait fournir le modèle permettant de concevoir ce que le philosophe du sujet appelle une « conscience de soi ». Certes, il nous explique que la conscience de soi consiste pour le sujet à *se faire objet pour lui-même.* Une telle opération de faire de soi-même l'objet d'un changement qu'on produit est très exactement une action réfléchie. Mais le sujet doit reconnaître dans cet « objet » soi-même comme sujet, et non soi-même comme objet. Et même si, pour certains, cette réflexion sur soi comporte la passivité d'une auto-affection, il s'agit d'une *auto*-affection. À supposer que le sujet se sente penser, et qu'il ressente donc sa propre activité, ce n'est pas du tout comme lorsque le jardinier s'affecte lui-même de son jet d'eau.

Les activités qui constituent la conscience de soi semblent être du type « intrinsèquement réfléchi », ou encore, pour parler comme les phénoménologues, d'un type transitif spécial (qu'ils appellent « transcendance dans l'immanence »). Or nous n'avons pas trouvé une place conceptuelle pour de telles activités dans le tableau synoptique des diathèses (ou des façons de placer l'agent face à l'action). Comment interpréter ce résultat ?

J'énonce d'abord la conclusion *nihiliste* que personne n'aurait envie de tirer : la conscience de soi est définie comme une activité intrinsèquement réfléchie ; or la notion d'une telle activité est contradictoire ; donc il n'existe rien qui puisse être qualifié comme une conscience de soi.

Cette conclusion ne s'impose que si l'on accepte les prémisses. Mais rien ne nous impose de les accepter. Je dirai donc pour ma part : la conscience de soi existe, donc elle n'est pas une activité intrinsèquement réfléchie puisqu'il est établi que la notion d'une telle activité est contradictoire. (Il convient même d'aller plus loin et de contester que la conscience de soi, celle qui existe, soit une activité à laquelle un sujet puisse se livrer.) Si nous concluons dans ce sens, nous convenons qu'il faut renoncer à la définition d'un être qui serait sujet parce qu'il accéderait à la conscience de soi en faisant de lui-même l'objet de son acte. Il semble donc que le philosophe du sujet aurait voulu définir un acte qui serait une action transitive (pour être réfléchie), mais qui pourtant ne mobiliserait qu'un seul actant (pour atteindre un sujet, pas un objet). Or, nous comprenons ce que c'est qu'une action réflexive, c'est-à-dire un changement dont un même individu est simultanément l'agent et le patient (je me soigne, je me rase, etc.). Mais qu'est-ce qu'une action portant sur quelqu'un, mais dont personne n'est, à proprement parler, l'objet ?

À moins, toutefois, que le tableau des diathèses qui a été esquissé jusqu'ici ne soit encore incomplet. On dira alors : la conscience de soi existe ; or elle est indéniablement une activité intrinsèquement réfléchie ; donc la contradiction qu'on a cru relever dans la notion d'une telle activité est purement apparente. C'est certainement ce que soutiendrait, en ce point de notre enquête, un porte-parole des « philosophies du sujet ». Nous devons donc l'inviter à développer plus avant cette possibilité qu'il aperçoit d'enrichir notre langage pour tenir compte de phénomènes (à décrire) ou d'exigences (à reconnaître) dont nous n'avons pas encore eu l'occasion de parler.

XIII

Le sujet des philosophes

Cette enquête avait commencé par la question (cf. *supra*, chap. 1) : *avons-nous besoin en philosophie d'un concept de sujet et pour quel usage ?* Elle a procédé par les voies de l'éclaircissement syntaxique jusqu'à ce que se dégage une réponse qui est la suivante : nous avons en effet besoin d'un concept de sujet en philosophie parce que nous en avons tout d'abord besoin dans nos pratiques langagières ordinaires. Posséder un concept de sujet, c'est être capable de poser la question « *Qui ?* » ou encore de comprendre ce qu'il faudrait faire pour répondre à cette question quand elle est posée. Or nous avons sans cesse à poser des questions du style *Qui a fait cela ?* ou *Qui fera cela ?* C'est le cas chaque fois que nous devons déterminer, de façon à intervenir dans le cours des choses, quel est le sujet propre d'une action (déjà faite ou à faire). Par exemple, nous avons besoin de nous *adresser* à ce sujet pour lui demander de faire certaines actions, ou d'éviter de les faire, ou de réparer les dégâts dont il a été la cause volontaire.

Pour autant que la Querelle du sujet a porté sur la validité de *tout* concept de sujet, il apparaît maintenant qu'elle doit se conclure par un non-lieu pur et simple. Notre concept de sujet est clair, il est profondément ancré dans des pratiques familières, il paraît donc difficile à ébranler. Existe-t-il des penseurs qui envisagent réellement de se priver du concept actanciel de sujet, soit au nom d'une métaphysique des « procès sans sujet », soit au nom d'un dogme de l'irréalité des intentions ? Il leur reviendrait de montrer comment ils pourraient le faire sans réintroduire aussitôt, sous un autre nom, l'agent responsable dont ils prétendaient pouvoir se passer. Bien entendu, le fait d'*annoncer* seulement que la sagesse commande de renoncer au concept d'agent, ou que c'est faisable *en principe*, ne saurait tenir lieu d'abandon du concept, pas plus que le fait de *dire* qu'il faut arrêter de fumer, et qu'on *pourrait* le faire en principe, ne peut déjà passer pour un renoncement effectif au tabac.

Avons-nous rejoint, en explorant les voies par lesquelles on fait intervenir des sujets (agents) dans le récit du cours des choses, le concept que la philosophie moderne se fait du sujet, celui qui est au centre de la Querelle du sujet ? Il est bien évident que non. Le fait est qu'en dépit de tous nos efforts, nous n'avons toujours pas réussi à introduire ce dont parlent les philosophies du sujet sous l'aspect où elles veulent en parler. Le *sujet des philosophes* n'est pas le complément actanciel auquel nous sommes arrivés et qui n'est autre chose que l'agent d'une action humaine tel à peu près que l'avait conçu Aristote : l'agent qui possède en lui-même le principe de son acte, de sorte qu'il peut, ou non, faire cet acte selon qu'il choisit ou non de le faire.

En réalité, il faut l'avouer, en dépit de tous nos efforts, nous n'avons *pas encore* abordé véritablement l'objet propre de la Querelle du sujet. La meilleure preuve en est que la notion de complément d'agent ne permet pas de comprendre le sens que prend le mot « sujet » dans un énoncé d'historiographie philosophique posant par exemple que : « c'est au XVII\[e\] siècle (et non pas à telle autre date) que l'homme est devenu sujet ». Certainement, personne ne prétend que l'homme ait attendu le XVII\[e\] siècle pour *être* un agent, ou même pour s'apercevoir qu'il lui était possible d'*agir*. Nous ne savons donc toujours pas ce que veut dire un tel énoncé.

Est-ce à dire que notre enquête s'est fourvoyée ? que nous n'avons pas analysé ce que tout le monde appelle « la question du sujet » ? que le complément d'agent ne mérite pas d'être considéré comme un sujet en bonne et due forme ? Le seul sujet digne de ce nom philosophique, ce serait celui dont rien n'a encore été dit ! Ou bien y aurait-il deux emplois indépendants du mot « sujet », l'un pour les classes élémentaires — celui dont il a été question jusqu'ici — et l'autre pour les classes de philosophie ?

Dénombrer des concepts n'est pas aussi facile que dénombrer des billes ou des moutons. Comment individuer des concepts ?

Qui plus est, même si nous devions distinguer deux concepts du sujet d'action, ils ne seraient nullement indépendants : le second se présente en effet comme un approfondissement ou une radicalisation du premier, car il est censé être dérivé, lui aussi, d'une réflexion sur la question « *Qui ?* ». Quand bien même nous devrions maintenant faire une place, dans notre tableau synoptique des formes de diathèses, à un sujet philosophique, cela n'impliquerait pas que le concept défini jusqu'ici ne soit pas celui qui correspond exactement à ce que tout le monde appelle la question du sujet. Le sujet, au sens du *complément de sujet*, est à tout le moins ce qu'il faut donner ordinairement en réponse à la question « *Qui ?* ».

Toutefois, les philosophies du sujet ont diffusé dans ce qu'on peut appeler la culture générale de nos contemporains la représentation d'une autre façon d'*exister* activement *comme sujet*, dans un sens à dériver de la question « Qui ? », que celle qui consiste à être l'agent réel ou le sujet propre de certaines actions (cf. *supra*, chap. 10). Il y aurait donc une autre signification possible du terme « sujet » — une acception philosophique du mot, qui reste entièrement à introduire. Ce « sujet philosophique », s'il est concevable, ne saurait priver notre complément d'agent de sa légitimité, je veux dire de ses droits à se présenter comme directement intelligible dans les termes de nos manières générales de penser. En effet, c'est de nouveau la question élémentaire du sujet qui sera mobilisée et élaborée jusqu'à ce qu'elle se change en *question du soi*. C'est pourquoi le travail d'élucidation mené jusqu'ici, même s'il n'a pas livré le sujet philosophique défini par son rapport subjectif à soi, n'en reste pas moins la seule façon d'entrer dans la matière de ce sujet des philosophes.

Pourquoi est-il impossible de juger que l'enquête est terminée ? Si nous prétendions sans plus qu'elle l'est, on pourrait nous faire, je crois, deux grandes objections.

La première objection accepte de poser le problème du point de vue *descriptif*. De ce point de vue (cf. *supra*, chap. 2), l'explication du concept de sujet passe par une réponse à une interrogation portant sur la puissance expressive d'un langage : pouvons-nous rapporter tous les faits et tous les événements que nous voulons rapporter si nous nous privons du concept de sujet, c'est-à-dire d'une construction grammaticale actancielle ? L'objection est alors qu'il y a encore des faits dont nous voulons parler, que nous voulons pouvoir rapporter, mais dont nous ne pouvons pas parler tant que nous n'avons pas enrichi notre langage. Comme nous allons le voir, ces faits se caractérisent par le fait qu'ils ne peuvent être exprimés qu'*à la première personne*. Nous devons donc vérifier si notre langage possède les ressources permettant l'expression d'une conscience de soi à la première personne.

La seconde objection refuse de se laisser enfermer dans le point de vue descriptif : ce n'est pas pour décrire, mais pour poser les normes, qu'il faut se donner le concept d'un sujet auquel ces normes s'adressent pour gouverner sa conduite. Car les normes ne pourront pas s'appliquer à l'agent *normativement* s'il ne se les applique pas lui-même à lui-même. Et le problème se pose alors à cet agent de savoir si ces normes s'imposent à lui sans plus ou s'il ne doit pas chercher en lui-même les principes de leur validité. Le jour où il répond qu'en effet il doit chercher en lui le fondement de la validité *pour lui* de la norme existante, il s'est posé comme « sujet » des normes.

La discussion de ces deux objections nous demandera de passer par différents détours, ce qui occupera le reste de ce livre. Commençons donc par donner la parole à la première d'entre elles.

Parmi les faits dont nous voulons parler, il y a des faits historiques concernant le succès ou l'échec d'actions humaines. Pour reprendre l'exemple qui avait servi à introduire la notion même de « pour soi » (cf. *supra,* chap. 3), nous observons quelqu'un qui monte dans le train de Dijon et qui, pourtant, nous dit (ou pourrait nous dire) : « Je vais à Marseille. » Cette personne s'attribue à elle-même une intention qui entre en conflit avec la réalité de ses faits et gestes si nous voyons dans ceux-ci l'exécution de son intention.

De qui parle ce voyageur quand il dit « Je vais à Marseille » ? Puisqu'il parle de lui-même, qu'il s'attribue à lui-même une intention, n'y a-t-il pas une réflexion dans cette façon de se désigner soi-même comme celui qui va (croit-il) à Marseille ? Il semble bien qu'en effet, il y ait une réflexion dans la désignation de soi-même. Cette réflexion est-elle contingente ? Le désignateur aurait-il pu désigner quelqu'un d'autre en faisant cette opération d'auto-désignation ? Quelqu'un d'autre aurait-il pu le désigner comme il se désigne lui-même ? Il semble bien que non. En parlant à la première personne, l'individu n'a pu désigner que sa propre personne, et personne d'autre n'aurait pu le désigner comme il l'a fait. L'être qui est désigné (l'objet de désignation) dans un acte de désignation en première personne est identique à l'être qui désigne (le désignateur), et cette identité ne saurait être contingente. Il existe donc une forme d'action sur soi qui suppose une identité nécessaire entre l'agent et le patient, entre le sujet et l'objet.

À côté des actes réfléchis « objectifs », nous devons donc faire une place aux actes réfléchis « subjectifs ». La diathèse transitive réfléchie englobe deux sous-diathèses : la diathèse « objective » (se couper, se raser) et la diathèse « subjective » (se désigner, se déterminer). La différence est la suivante : il est possible de se livrer à l'activité de soigner sans nécessairement se soigner soi-même, et, de même, il est possible de désigner quelqu'un en se servant du nom « Callias » sans nécessairement se désigner soi-même, c'est-à-dire sans être Callias. En revanche, il y a des actions réfléchies dont un individu n'est l'objet que s'il en est aussi le sujet. Si quelqu'un a été désigné dans un discours par le mot « moi », c'est qu'il s'est désigné lui-même. Et si quelqu'un utilise le mot « moi » (au style direct), alors il désigne nécessairement quelqu'un, à savoir lui-même.

Lorsque Callias se soigne lui-même, il instaure un rapport à lui-même, mais ce rapport n'est pas constitutif de l'activité elle-même. C'est ce qui explique qu'on puisse demander à l'agent s'il ne s'est pas vanté, s'il ne cherche pas à s'attribuer le savoir-faire d'un autre : tu es guéri, mais est-il vrai que tu te sois guéri par tes propres soins ? ton visage est fraîchement rasé, mais est-il vrai que tu te sois rasé toi-même ? Il n'est pas inconcevable que l'action en question n'ait pas été réfléchie. En revanche, le rapport à soi semble constitutif de l'opération par laquelle l'individu se désigne lui-même à la première personne. Impossible de transposer les doutes qu'on pouvait énoncer à propos d'une réflexion « objective ».

Telle est donc la première objection à laquelle j'entreprendrai d'abord de répondre. On note que la philosophie du sujet peut recevoir désormais un signalement syntaxique. Voulez-vous savoir si tel penseur est un « philosophe du sujet » ? Demandez-lui s'il juge nécessaire d'attribuer à l'agent d'une action humaine des capacités dont l'exercice doit s'exprimer par un verbe réfléchi de type subjectif. L'agent doit pouvoir effectuer des opérations intrinsèquement réfléchies. Je me propose de retenir dans ce qui suit ce signalement et d'appeler, pour faire bref, « analyse subjective » la décision de donner à tel ou tel verbe (comme « se désigner soi-même » ou « se déterminer soi-même ») une construction réfléchie, laquelle ne peut être qu'intrinsèque en raison du sens de ce verbe. Par conséquent, les expressions d'une conscience de soi par ces verbes auront pour forme celle d'une diathèse réfléchie intrinsèque, ce qui veut dire que l'objet de l'acte ne peut être, pour des raisons essentielles, que l'auteur de cet acte.

La philosophie du sujet s'est attachée à mettre en vedette diverses possibilités humaines dont l'examen permet, croit-elle, de donner un sens à l'idée qu'il existe une forme d'existence spécifique qui est d'*exister comme sujet.* Ce sont des possibilités inhérentes à toute vie humaine, mais dont toutes les époques de l'humanité n'ont pas aperçu la signification. C'est pourquoi il est possible de dire qu'en un sens tout être humain est le sujet de ses pensées et plus généralement de sa vie, mais, qu'en un autre sens, seul l'homme moderne sait qu'il peut se poser comme sujet.

Il nous faut donc considérer tour à tour différents verbes pronominaux dont la construction peut être qualifiée de diathèse réfléchie subjective.

Le premier de ces verbes s'est déjà présenté à nous : « se désigner soi-même ». Comment fait-on pour se désigner soi-même ? Il suffit pour cela de s'exprimer à la première personne. Par exemple, le locuteur dira : « Je sors. » Il se désigne alors, non pas comme objet (comme s'il avait dit : « Je sors *moi* »), mais comme sujet. J'appellerai *égologie cognitive* la famille des doctrines du moi qui tirent un concept philosophique de sujet du fait que nous portons des jugements à la première personne. Cette égologie (ou « doctrine du Moi ») est cognitive pour autant qu'elle soutient qu'il y a un savoir de soi-même comme sujet au fondement de l'expression à la première personne. Elle demande : comment le sujet est-il donné à lui-même ? Elle répond : il est donné à lui-même sous un aspect qui lui permet d'user de ce mot « moi », et c'est donc de la signification référentielle du mot « moi » qu'on tirera une description du phénomène de l'être-soi pour soi (cf. *infra,* chap. 14-23).

Plusieurs verbes utilisés à la forme pronominale, s'ils sont traités comme des verbes réfléchis, permettent d'introduire un concept éthique de sujet : par exemple « se soucier de soi », « se choisir soi-même », « se devoir quelque chose à soi-même ». Il s'agit alors de donner une fonction normative au concept de *soi*. On ne cherche plus ici à saisir un « phénomène » ou une « donation » de soi à soi, mais on se préoccupe de tirer une règle de conduite personnelle de l'exigence formelle d'être soi (cf. *infra*, chap. 24-39).

Enfin, des verbes tels que « se commander à soi-même », « s'obéir à soi-même » ou encore « légiférer pour soi-même » offrent le point de départ d'une interprétation des thèmes majeurs de la philosophie politique moderne en termes d'une auto-position du sujet (cf. *infra*, chap. 40-55).

III

L'ÉGOLOGIE COGNITIVE

XIV

Le phénomène du soi-même

Toute une historiographie philosophique fait de l'apparition de la question du *sujet* — dans le sens requis de question du *soi* — un tournant capital de l'histoire européenne. Ce faisant, elle rencontre une difficulté : pour que l'irruption du concept de sujet fasse une différence entre une époque d'avant et une époque d'après, il faut que le concept soit clairement absent des esprits avant l'événement de son surgissement ; mais pour que cette irruption soit capitale parce que irréversible, il faut que le concept ne soit pas seulement absent, mais qu'il *fasse défaut* là où il est absent.

Il ne suffit pas de montrer que, par exemple, Aristote ne pose pas la question du sujet dans son éthique, il faut aussi établir qu'il était sur le point de le faire, mais qu'il a manqué à le faire. Ainsi, Rémi Brague a soutenu que la question est présente chez lui « en creux ». Il veut dire qu'Aristote ne se pose pas notre question du sujet là même où, selon lui, il aurait dû le faire. Il manque chez Aristote une distinction entre une « anthropologie » et une « pensée de l'ipséité », terme technique par lequel on doit entendre ici une réflexion sur ce que c'est qu'*être soi-même*[1]. Brague relève l'absence d'une telle réflexion dans l'éthique aristotélicienne. Ainsi, la vertu de prudence (*phronèsis*) est, selon Aristote, cette disposition qui permet à l'homme de discerner ce qui est bon *pour lui* dans une situation particulière, et cela *meta logou*, ce que Brague traduit par : « selon la droite règle »[2]. Mais cela veut dire, commente-t-il, que toute éthique doit poser la question du moi, et qu'elle est incomplète si elle ne le fait pas :

> Étant donné une norme, comment puis-je percevoir que *c'est à moi* de m'y soumettre ? Comment la norme peut-elle se présenter comme devant être appliquée *par moi* ? Ce problème (…) ne peut être résolu que par une doctrine du « je » qui explique comment je sais que je suis moi-même. La doctrine aristotélicienne de la *phronèsis* contient ainsi la place en creux d'une doctrine du souci comme constitutif de l'ipséité[3].

L'éthique présuppose donc une doctrine du « je » (ou, plus exactement, du « moi »), autrement dit une *égologie*, dont le propos est d'expliquer *comment je sais que je suis moi-même*. Ce savoir s'exprime dans la proposition dans laquelle Hegel avait reconnu le principe de l'idéalisme abstrait : « Je suis moi-même[4]. » L'égologie considère donc que cette proposition énonce non seulement une vérité, mais une vérité substantielle et même une vérité fondamentale.

Notons toutefois que l'auteur met les guillemets au pronom. En parlant d'une doctrine du « je », et non d'une doctrine du je (ou, plus classiquement, du moi), Brague donne en fait une version *linguistique* de la doctrine égologique. Il s'agit de savoir ce qui nous permet d'employer le pronom « je » ou une forme linguistique quelconque marquant la première personne grammaticale.

Toute doctrine du *mot* « je » est-elle par le fait même une doctrine du je, de l'entité appelée « je » ou « moi », donc une égologie ? Pas nécessairement, car une doctrine du mot « je » n'est d'abord rien de plus qu'une philosophie des conditions de sens ou d'emploi de la première personne grammaticale. Elle est alors ce qu'on peut appeler une *philosophie de la première personne*, c'est-à-dire une réflexion sur la différence qu'il y a entre l'expression d'un fait concernant quelqu'un à la troisième personne et son expression à la première personne. Soit par exemple le fait que Socrate marche (présentement). Pour nombre de penseurs, ce fait peut s'exprimer de deux façons, la différence étant la suivante :

(a) À la troisième personne, le fait est exprimé par une proposition déclarative dans laquelle l'individu concerné est identifié (par exemple, par son nom « Socrate ») et dans laquelle une description est appliquée à cet individu (par exemple, « il marche »). On dira donc quelque chose comme « Socrate marche »

(b) À la première personne, le locuteur pose un sujet de prédication qu'il nous permet d'identifier en nous signalant qu'il s'agit de l'être que lui-même appelle « je » ou « moi », donc celui auquel il s'identifie. Socrate déclare « Je marche », et, ce faisant, il désigne (par « je ») un individu auquel il applique la description signifiée par le verbe.

Toute philosophie de la première personne n'est pas nécessairement une doctrine égologique parce que en réalité, rien ne nous *impose* de souscrire à la thèse (b). Cette thèse, en dépit des apparences, se révèle rapidement problématique. Il est certain que pour attribuer quoi que ce soit à Socrate, nous devons l'identifier (c'est de lui, Socrate, et non Platon ou Théétète, que nous voulons parler). En revanche, il ne semble pas qu'en parlant à la première personne, le locuteur fasse quelque geste d'identification que ce soit de l'individu dont il parle (cf. *infra*, chap. 15-17). C'est d'ailleurs ce qui va déjà apparaître grâce au travail herméneutique par lequel Brague cherche à attribuer à Aristote, sinon l'égologie qu'il n'a pas, du moins le besoin d'une telle doctrine.

Réservons le titre d'*égologie cognitive* à une famille de réponses données à la question « Comment est-ce que je sais que je suis moi-même ? », pour reprendre la formulation remarquable de Brague. En effet, explique-t-elle, il y a une condition épistémique à l'emploi des formes de la première personne grammaticale. Il y a quelque chose à savoir sur moi-même, et le problème se pose donc de déterminer l'origine et les conditions de possession de ce savoir. Une égologie cognitive estime que je dois savoir que je suis moi-même par un mode direct de connaissance portant sur moi présenté à moi-même précisément sous cet aspect, celui où je suis moi-même. Une telle doctrine égologique du mot « je » soutient donc — contre les apparences — que la vérité « je suis moi-même », loin d'être vide, est profonde. Pour me servir de ce mot « je », je dois savoir ce que veut dire ce mot. Je dois savoir à quoi l'appliquer. Je dois donc savoir *que je suis moi* et *ce que c'est que d'être moi*. Si je ne savais pas ce que c'est qu'être soi et si je ne savais pas que je le suis — si je ne savais pas que je possède cette forme d'être —, je ne pourrais pas employer le mot « je » pour parler de moi.

Par conséquent, deux thèses égologiques se dégagent :
1° La fonction de « je » dans la phrase est référentielle. La doctrine égologique du mot « je » soutient une thèse *référentia-*

liste sur la fonction du mot « je » : en employant le mot « je » dans la proposition « Je suis un homme », je fais savoir *de qui* il est dit, dans cette proposition, que c'est un homme. Le mot « je » donne au prédicat un sujet de prédication. Ce sujet, c'est un être qui est *un moi* puisque c'est ainsi qu'on le désigne quand on parle à la première personne. Il est remarquable que les partisans de cette thèse jugent tout naturel de passer de la tautologie « Je suis moi » à la thèse métaphysique « Je suis un moi ». La raison en est peut-être qu'ils jugent triviale l'exigence rappelée par Brague : de même que je ne peux pas appeler cet objet *table* si je ne sais pas ce que c'est pour quelque chose que d'être une table, de même je ne peux pas m'appeler moi-même *moi* si je ne sais ce que c'est pour quelque chose que d'être moi. 2° Pour que le mot « je », employé par le locuteur, fasse référence à celui-là même qui emploie le mot, il faut que ce sujet de l'acte de langage se connaisse lui-même sous cet aspect, sous la description « être soi ». La doctrine égologique du mot « je » soutient une thèse *phénoménologique* sur les conditions d'emploi de « je ». Pour que le mot présente un sens au locuteur, il faut qu'on puisse parler d'un « phénomène du soi-même » ou d'une *donation de soi à soi en tant que soi,* sous les espèces de l'être soi-même. Il doit y avoir une prise cognitive du sujet sur lui-même, précisément sous cet aspect où il est soi pour soi. Le phénomène de l'être soi-même est la source à laquelle chacun de nous a puisé sa compréhension de la construction des verbes à la première personne.

On aperçoit la difficulté : il faut, nous dit l'égologie, savoir ce que c'est qu'être soi pour pouvoir s'identifier soi-même comme un soi. Mais c'est une chose que de savoir *ce que c'est qu'être X* et c'en est une autre de savoir que *je suis moi-même un X.* Or, ici, les deux savoirs doivent coïncider, sinon il pourrait arriver que je sache, par le fait d'être donné à moi-même comme un moi, ce que c'est qu'un moi, sans pour autant être capable de désigner celui qu'il s'agit de désigner comme un moi, à savoir moi.

Si l'on estime que l'emploi de « je » n'est possible que dans les conditions fixées par l'égologie cognitive, on jugera en effet qu'Aristote va trop vite dans son éthique : il traite des biens humains, mais ne se demande pas comment ce qui est bon pour l'homme est bon pour moi. Encore faut-il que je reconnaisse mon propre bien dans ce qui est bon pour un homme. Aristote a trouvé une formule frappante pour caractériser les hommes prudents (*phronimoi*). Ces derniers sont comme Périclès, ils savent apercevoir ce qui est bon pour soi (*ta autois agatha*) et ce qui est bon pour les hommes (*ta tois anthrôpois*)[5]. Brague s'interroge sur cette juxtaposition de « bon pour l'homme » et de « bon pour moi » ? Est-ce qu'Aristote emploie ces formules comme des expressions synonymes ? Est-ce qu'il fait allusion à une différence entre les deux ?

> Peut-on, en effet, identifier, comme si cela allait de soi, « être un homme » et « être soi-même » ? Quand je dis « je suis moi-même », est-ce une autre façon de dire « je suis un homme » ? La seconde formule ne suppose-t-elle pas, justement, que j'ai un savoir implicite de ce que c'est qu'être soi, qui me fait savoir ce que veut dire « je » — ce « je » dont je dis dans un second temps qu'il est homme[6] ?

Si la thèse égologique sur l'emploi de la première personne grammaticale est justifiée, la conséquence est qu'il faut distinguer la vérité fondamentale « Je suis moi-même » de la vérité contingente « Je suis un homme ». Les discours édifiants qu'on tient parfois sur le caractère foncièrement « humaniste » de la pensée du sujet ne doivent pas nous faire perdre de vue ce point. En tant qu'*ego*, le sujet n'est pas un homme, n'est pas un individu identifiable comme cet homme, c'est-à-dire ce corps vivant d'une vie humaine, cet animal humain. Pour la philosophie du sujet, il faut chercher ailleurs que dans les conditions d'existence de son humanité la définition de l'identité personnelle d'un être qui s'identifie à la première personne.

Détaillons un instant ce point décisif. Il y a en effet une grande différence entre les deux énoncés (1) et (2) :

(1) « Socrate est un homme. »

(2) « Je suis un homme. »

L'énoncé (1) ne nous communique pas du tout une information sur Socrate, comme le ferait « Socrate est assis » ou « Socrate est le maître de Platon ». Il ne peut s'agir que d'un rappel de ce que nous savons déjà si nous comprenons l'usage du mot « Socrate » : c'est le nom qui désigne son porteur depuis qu'il a été donné à *cet homme*. De sorte que l'énoncé (1) signifie quelque chose comme : « Socrate, autrement dit l'homme nommé Socrate, est un homme. » Il suffit d'appliquer ici les remarques conjointes d'Aristote et de Wittgenstein sur l'identification ostensive des individus (cf. *supra*, chap. 6). Nous ne pouvons pas dire : « *Ceci*, autrement dit *cet individu-ci* nommé Socrate, est un homme. » Pour cela, il faudrait être en mesure d'identifier un pur objet singulier, un pur individu sans plus. Mais l'identification ostensive ne peut isoler un individu qu'à la condition de le spécifier : *cet homme-ci*.

En revanche, l'énoncé (2) nous communique une information. Supposons par exemple qu'une voix se fasse entendre de nous dans le désert, ou qu'un message s'imprime tout seul sur notre machine imprimante, et que la personne qui nous parle nous avertisse : « Moi qui te parle, je ne suis pas un homme. » Nous aurions peut-être le sentiment d'une mystification, mais rien, dans l'énoncé, ne heurterait la logique de la première personne. Le discours à la première personne annonce un « sujet parlant », mais il n'est pas *logiquement* requis que ce sujet soit humain.

Plus loin, Brague commente dans le même sens les textes d'Aristote sur le désir : c'est pour soi que chacun désire les bonnes choses, car désirer une bonne chose, ce n'est pas désirer que quelqu'un ait cette bonne chose, c'est désirer les avoir soi-même[7]. Brague écrit que, d'après Aristote :

> Nous désirons que ce qu'il y a de bon soit à nous parce que nous sommes, de façon définitive et incontournable, un « nous-même ». Il reste cependant une question, qu'Aristote ne semble pas avoir posée, et qui est pourtant inévitable si les textes doivent pouvoir être compréhensibles : qu'est-ce que signifie « être soi-même» ? Comment « savons »-nous que nous sommes nous-mêmes ? (*Ibid.*, p. 141-142)

Les guillemets mis à « savoir » sont expliqués par ce qui suit : il ne s'agit pas ici de se connaître au sens de l'injonction delphique « Connais-toi toi-même », au sens d'une invitation à progresser dans la connaissance de soi par le moyen d'un examen ou d'une quête dont l'objet serait sa propre personne. En effet, une telle enquête serait « objectivante », elle n'atteindrait que la personne du sujet comme *objet* à découvrir. La connaissance de soi ainsi entendue est un savoir qu'il faut acquérir, par l'expérience et la réflexion sur son passé, parce qu'il porte sur un individu humain et non sur un moi. Il s'agit pour moi de savoir quel type d'homme je suis, quelles sont mes vertus, c'est-à-dire, pour parler comme Chateaubriand, quelles sont mes « aptitudes de caractère ». Mais, alors, en quoi consiste cette « connaissance » (égologique) qui permet à l'individu de savoir de qui il parle, quand bien même il n'aurait qu'une notion imparfaite, voire totalement égarée, de son humanité ?

En ce point, Brague cite un texte dans lequel Aristote explique qu'il est plus facile de connaître la valeur des personnes qui nous sont proches et de ce qu'elles font que de savoir ce que nous valons nous-mêmes et ce que valent nos actions[8]. Brague, dans une lecture interprétative, en tire cette conclusion :

> Il reste à tirer une leçon inattendue de ce texte : le phénomène du « soi-même » ne peut être atteint adéquatement par un *théôrein*, par un regard objectivant. Et cette impossibilité renvoie, en creux, à la nécessité d'un autre mode de « connaissance » — si ce mot a encore sa place ici —, celui par lequel nous percevons que nous sommes nous-mêmes, que c'est nous qui agissons, en tout acte, à commencer par les actes de connaissance (*ibid.*, p. 142-143).

Le nom que la philosophie classique a donné à ce mode d'accès à un phénomène de soi-même est : *conscience de soi*. Il est remarquable que Brague la détermine comme une conscience d'agent : lorsque j'agis, je sais qui agit. Cette conscience d'agent, il cherche à l'étendre à toute forme de conscience de soi, puisque le sujet savant serait lui aussi le sujet d'un acte cognitif.

Il est tout à fait juste de souligner que la conscience de soi d'un agent n'est pas un *théôrein*, qu'elle n'est pas un mode objectivant de connaissance, si cela veut dire le type de relation cognitive qui existe entre un objet et l'observateur du comportement de cet objet. Par exemple, dans la fameuse anecdote rapportée par Ernst Mach (à son propre sujet), le héros a une attitude objectivante : « Quel est cet enseignant minable ? » se demande Mach à la vue d'un passager qui monte d'un pas fatigué dans l'omnibus — avant de s'aviser qu'il était en présence d'un miroir qui lui renvoyait sa propre apparence[9]. Savoir que cet individu (qu'on désigne) est fatigué, ce n'est pas *se savoir* fatigué[10].

Si Brague croit trouver « en creux » une égologie chez un penseur comme Aristote, c'est parce qu'il a décidé d'avance que la condition d'un emploi compétent du mot « je » était l'accès du sujet à un « phénomène du soi-même ». Pourtant, il est étrange de parler ici d'un phénomène, car il s'agit en quelque sorte de postuler que cette présentation de soi à soi a été possible, qu'elle a dû avoir lieu, qu'il a bien fallu qu'elle se produise, puisque l'homme parle de façon sensée à la première personne. S'il n'y avait pas un phénomène du soi-même, argumente l'égologie, le locuteur serait incapable de savoir de qui il parle quand il emploie le mot « je ». Mais ici le mot « phénomène » nous égare. L'égologie n'a pas *montré* qu'il y avait un fait d'auto-position ou de référence à soi dans le fait de « se désigner soi-même ». Elle n'a pas procédé sur le mode « descriptif » qui, pourtant, devrait être celui d'une phénoménologie. Elle a *fixé* que le verbe « se désigner soi-même » devait avoir la syntaxe d'un verbe réfléchi, et elle a ensuite assumé les conséquences d'une telle décision en dotant l'individu d'un accès privé à soi-même.

XV

La référence à soi

Il existe des actions réfléchies, comme de s'habiller ou de se soigner. Nous les exprimons aisément par la diathèse réfléchie, celle qui pose le même individu aux deux positions du premier actant (sujet) et du second actant (objet). On trouve une telle forme verbale dans le proverbe : *Aide-toi et le ciel t'aidera.* Commence par faire toi-même pour toi-même ce que tu demandes aux autres de faire et tu verras que les autres viendront ensuite t'épauler. Il y a donc quelque chose qu'on appelle *recevoir une aide* : cette aide peut venir des autres, mais aussi de l'individu lui-même. Nous avons appelé cette forme de réflexion *objective* pour marquer que l'action réfléchie était d'abord une action transitive, qu'elle devait affecter un individu en tant qu'objet. Devant le changement que nous constatons chez quelqu'un, nous pouvons demander : est-ce que tu l'as fait toi-même, ou est-ce que tu l'as fait faire par un autre. On pourrait imaginer que quelqu'un, par respect des préjugés de son milieu social, prétende s'être fait aider pour un travail, alors qu'il aurait tout fait lui-même (par exemple, le repas qu'il nous offre, les soins de son ménage). Découvrant que personne hors de lui n'a fait le travail pour lui, nous lui dirions alors : il faut bien que quelqu'un ait fait tout cela, c'est donc toi qui l'as fait.

La question est de savoir s'il ne faut pas ajouter au tableau des diathèses une forme de réflexion *subjective*. Certaines actions réfléchies seraient subjectives, ce qui veut dire qu'il y aurait une relation interne entre le fait d'être l'agent d'une action transitive de ce genre et le fait d'en être le patient. Ces actions seraient donc transitives (« transcendantes »), mais elles le seraient « dans l'immanence », sans sortir de l'agent. Il suffirait de

savoir que quelqu'un a été l'*objet* d'une telle action pour
comprendre qu'il en a été l'*agent*. Plusieurs philosophes ont
défini un concept de conscience de soi par une réflexion subjective de ce genre, dont la forme générale consiste pour
quelqu'un à « se poser comme sujet ». Il est clair que l'auto-
position du sujet, s'il existe quelque chose de tel, est une action
tout à la fois réfléchie (donc transitive) et immanente (donc
subjective, c'est-à-dire accomplie dans la sphère propre au
sujet) : car le sujet ne peut pas agir sur soi au sens de l'auto-
position sans être *nécessairement* l'agent de la position dont il est
l'objet.

Il s'agit donc pour nous de décider s'il existe des faits d'auto-
position. Sans la diathèse réfléchie subjective, notre langage ne
pourrait pas exprimer de tels faits. À en croire les doctrines égologiques, on trouve un tel fait d'auto-position dans l'acte de se
désigner soi-même ou de faire référence à soi-même. Nous
avons donc à examiner la forme que prend, dans le langage, la
désignation de soi ou, comme on dit aussi, la référence à soi.

On pourrait croire que l'analyse de la référence à soi est
chose triviale. N'est-il pas clair que faire référence à soi, c'est
faire référence à *quelqu'un*, donc à une personne, et que c'est le
faire à une personne qui est *soi* ? Il y aurait donc deux questions
à poser : 1° Comment fait-on référence, de façon générale, à
une personne ? 2° Comment fait-on référence, spécifiquement, à
sa propre personne ? Pour qu'il y ait référence à soi, il faut que
quelqu'un soit effectivement désigné et que ce quelqu'un soit
ma propre personne. Lorsque ces deux conditions ont été satis-
faites, il y a eu désignation de soi, donc *action réfléchie*.

En réalité, la logique de la référence à soi est loin d'être aussi
aisée que ne le suggère cette analyse simpliste des expressions
« se désigner soi-même » ou « faire référence à soi »[1]. Pour le
montrer, je m'appuierai sur les deux premières études que Paul
Ricœur consacre, dans son livre *Soi-même comme un autre*, à ce qu'il
appelle respectivement la référence et l'« auto-désignation ». En
fait, montre-t-il, nous devons distinguer deux choses : faire référence à une personne qui se trouve être soi, c'est se désigner
soi-même comme « personne objective[2] », mais ce n'est pas
encore faire référence à soi comme on le fait en parlant, à la
première personne, de *son* corps, de *sa* place (ici), de *son* temps
(maintenant), de *ses* sentiments (ceux qu'on éprouve *soi-même*).
Cette distinction coïncide-t-elle avec celle, suggérée par la doctrine égologique, d'une désignation réflexive de type objectif

(avec identité contingente des deux actants) et d'une autre désignation réflexive de type subjectif (avec identité nécessaire du désignateur et du désigné) ?

Pour le savoir, demandons-nous avec Ricœur ce que l'analyse logique du langage peut nous dire sur le concept de personne. La philosophie analytique du langage, observe-t-il, offre deux voies pour déterminer le concept de personne. En effet, une personne est à la fois *quelqu'un dont on peut parler* comme d'un individu doté de la personnalité, et quelqu'un *qui peut parler*, et qui peut même parler de soi, à la première personne. Il semble donc qu'en combinant une «sémantique» des énoncés sur quelqu'un et une «pragmatique» de l'acte d'auto-désignation d'un locuteur, nous puissions élucider complètement le concept de personne (de «sujet»). Pourtant, Ricœur montre que la convergence de ces deux approches est problématique. Il ne va pas de soi que la «personne objective», dont on parle à la troisième personne, et le «sujet réfléchissant», qui parle de soi à la première personne, soient une seule et même entité[3]. Un tel résultat est évidemment des plus déconcertants, car on s'attendrait, en principe, à ce qu'un locuteur qui parle de lui-même à la première personne fasse référence à l'individu même dont les autres parlent à la troisième personne. Or cette identité ne semble pas pouvoir être assurée par la simple analyse du langage. Si c'est le cas, il y a lieu de se demander pourquoi.

Mais, tout d'abord, qu'appelle-t-on référence ? La notion de référence est-elle bien déterminée ? Prenons un texte quelconque et demandons : est-ce que l'auteur y a fait référence à lui-même ? La question est moins claire qu'il n'y paraît d'abord. Dans un épisode de la *Recherche du temps perdu*, Mme Verdurin reproche au professeur Brichot d'écrire trop souvent «je» dans les articles qu'il donne au *Figaro* pendant la Grande Guerre. Ce dernier, pétri de culture classique française («le moi est haïssable»), sent toute la force de la critique et s'efforce de se corriger. Proust écrit malicieusement : «À partir de ce moment Brichot remplaça *je* par *on*, mais *on* n'empêchait pas le lecteur de voir que l'auteur parlait de lui (…)[4]» Évitant la première personne grammaticale, Brichot n'écrit plus : «J'ai dénoncé dès 1897.» Désormais, sa prose s'enveloppe dans des circonlocutions qui lui permettent de se commenter lui-même sous le masque d'une référence indéfinie : «On ne camoufle pas ici la vérité. On a dit que les armées allemandes avaient perdu de leur valeur. »

La théorie sémantique ne trouve pas une référence à soi, au sens logique du terme, partout où un critique littéraire aperçoit aussitôt le *moi* de l'auteur. Pour qu'il y ait référence à soi, il faut que la phrase contienne de quoi *identifier* un sujet de prédication, de façon à former avec un prédicat une proposition singulière. Il ne s'agit donc pas de savoir si le lecteur perçoit une allusion manifestant l'égotisme de l'auteur, mais si, muni du seul énoncé, il peut établir la connexion prédicative[5] d'une partie de la phrase (le prédicat) avec un terme indiquant auquel des individus (de ce monde) appliquer le prédicat. Par conséquent, un lecteur peut bien lire une phrase déclarant « J'ai dénoncé », cela ne lui permet nullement d'identifier un individu plutôt qu'un autre, à moins de pouvoir se reporter à la *signature* figurant en fin de l'article. Une formule telle que « l'auteur de ces lignes », qui passerait peut-être pour référentielle en critique littéraire, est bien incapable d'établir une relation logique de référence entre la phrase dans laquelle elle figure et un individu en particulier. Quelqu'un a certainement écrit ces lignes, et peut-être quelques-uns, s'ils se sont mis à plusieurs pour le faire. Mais nous ne savons pas qui est cet auteur si tout ce que nous savons de lui, c'est qu'il est l'auteur. C'est pourquoi la proposition commençant par « l'auteur de ces lignes a dénoncé dès 1897... » reste *générale*, puisqu'elle ne s'applique encore à personne en particulier, mais seulement à quiconque a écrit les lignes en question.

Le principe de toute l'analyse sémantique de la référence est qu'elle vise à établir les conditions de vérité d'une proposition singulière. La référence doit être « identifiante ». Faire référence à *quelqu'un*, c'est identifier le sujet de prédication d'un prédicat de type personnel. Pour exposer le point de vue sémantique sur la personne, Ricœur s'adresse au livre *Les individus* de Strawson, ouvrage qui a en effet joué un rôle important dans la tradition analytique d'Oxford[6]. Il résume ainsi la contribution d'une analyse sémantique à l'élucidation du concept de personne : « (...) La détermination de la notion de personne se fait par le moyen des prédicats que nous lui attribuons (...) La personne est en position de sujet logique par rapport aux prédicats que nous lui attribuons. C'est la grande force d'une approche de la personne par le côté de la référence identifiante[7]. »

Il n'y a pas deux façons de désigner des *individus*, une façon qui vaudrait pour les choses et une autre qui vaudrait pour les personnes. La division des choses et des personnes est tout entière du côté des prédicats. C'est ce qui fait, selon Ricœur, la force de cette analyse : elle exclut d'emblée le dualisme de l'âme et du corps. Qu'il s'agisse de décrire une chose (par des attributs purement physiques) ou qu'il s'agisse de décrire une personne (par des attributs qui ne peuvent convenir qu'à un être personnel), la connexion prédicative s'établit toujours de la même façon : on doit identifier, dans le monde, un individu qui sera le sujet logique de prédication. On peut déjà prévoir la conséquence : si la référence à soi ne va pas à la « personne objective », elle ne va pas à un individu. Mais alors, à quoi va-t-elle ? La doctrine égologique répond qu'elle va à un soi ou à un *ego*. Telle quelle, cette réponse ne peut manquer de nous laisser perplexes : s'il y a une différence entre faire référence à *soi* et faire référence à *un soi*, que peut bien être cette différence ?

Jusqu'ici, nous avons fait comme si tous les prédicats à répartir entre les individus étaient monadiques. Par exemple :
(1) « Socrate marche. »
(2) « Socrate est assis. »
Il serait simpliste de s'en tenir là. Parmi les prédicats personnels, il y a des descriptions d'actions intentionnelles, c'est-à-dire d'actions que l'agent pourrait commenter en disant ce qu'il veut faire, ce qu'il cherche à obtenir, ce qu'il se propose d'accomplir. L'analyse doit donc considérer des exemples tels que :
(3) « Socrate dit qu'*il* doit un coq à Asclépios. »
(4) « Socrate *se* lave parce que, dit-il, *il* doit souper chez Agathon. »
Les italiques signalent le fait que Socrate pratique ici l'auto-désignation dans un discours à la première personne, un discours que nous-mêmes lui attribuons au style indirect. Socrate a dit : « Je dois un coq à Asclépios », « Je me lave parce que je dois souper chez Agathon ». Il n'a pas eu besoin de se nommer, puisqu'il parlait à ses amis.
La question que pose Ricœur à la théorie sémantique est alors de savoir si nous devons appliquer au discours que tient Socrate et dans lequel il indique qu'il parle de lui-même l'analyse référentielle qui s'applique à notre propre discours à la troisième personne, lorsque nous prédiquons de l'individu

Socrate l'ensemble composé du verbe « dire » et de la subordonnée que gouverne ce verbe. Comme il l'écrit :

> La difficulté [est] de comprendre comment une troisième per-
> sonne peut être désignée dans le discours comme quelqu'un
> qui se désigne soi-même comme première personne. Or cette
> possibilité de reporter l'autodésignation en première personne
> sur la troisième, aussi insolite soit-elle, est sans doute essentielle
> au sens que nous donnons à la *conscience* que nous joignons à la
> notion même d'événement mental : car pouvons-nous assigner
> des états mentaux à une troisième personne sans assumer que
> ce tiers les *ressent* ? Or ressentir semble bien caractériser une
> expérience à la première personne (*ibid.*, p. 48).

Je poserai cette même question du report de l'« autodésignation » dans des termes un peu différents que j'emprunterai à la
discussion sur la logique des « croyances à son propre sujet[8] » :
est-ce que la logique du pronom réfléchi *direct* (comme dans
« Socrate *se lave* ») est la même que celle du pronom réfléchi
indirect (comme dans : « Socrate *se déclare* débiteur d'un coq
envers Asclépios ») ? Il me paraît en effet préférable de séparer
les deux questions évoquées dans le texte ci-dessus : la première
porte sur le sens dans lequel Socrate s'est désigné lui-même en
disant « Je dois un coq à Asclépios » ; la seconde est celle du
caractère nécessairement conscient des expériences vécues,
donc du fait que l'expérience lui apparaît comme sienne. Nous
pratiquons un « report de l'autodésignation » en disant :
« Socrate dit qu'*il* doit un coq à Asclépios. » Or ce report ne
dépend nullement de l'imputation d'un quelconque état vécu à
Socrate, mais veut seulement indiquer que Socrate s'est exprimé
à la première personne (et qu'il n'a donc pas dit, littéralement,
que le débiteur était Socrate, mais que c'était *lui-même*)[9].
   Précisons d'abord cette notion de *pronom réfléchi indirect*, qui
nous vient de la grammaire grecque. Dans les langues latines, il
n'y a pas de formes distinctes du pronom pour indiquer que le
rapport à soi est établi par nous ou qu'il l'est par la personne
dont nous parlons. Mais il existe, en grec attique, une forme
spéciale pour un pronom réfléchi lorsque la complétive dans
laquelle il figure rapporte les paroles ou les pensées du sujet de
la proposition principale. Le pronom réfléchi indirect renvoie à
la personne dont émanent les paroles, ou bien à qui nous attribuons des pensées, comme si cette dernière s'était exprimée à
la première personne.

Pour saisir la fonction de ce pronom, on peut comparer deux façons de traduire en français quelques lignes du préambule du *Banquet* de Platon, l'une qui rétablit le style direct, l'autre qui s'efforce de nous faire sentir les effets du pronom réfléchi indirect. On se souvient que le dialogue de Platon se présente comme issu d'un récit qu'Aristodème, l'un des convives du souper chez Agathon, fait à son interlocuteur Apollodore. La scène s'ouvre sur Apollodore rapportant à des amis qui se trouvent là le récit que lui a fait Aristodème. Apollodore use tour à tour du style direct et du style indirect pour restituer ce que lui a dit Aristodème. Léon Robin, dans sa traduction, choisit de rétablir le style direct pour un passage qui, en grec, est au style indirect :

> Telle avait été en gros, contait Aristodème, leur conversation quand ils se mirent en marche : « Sur ces entrefaites, Socrate, s'étant en quelque façon pris lui-même, chemin faisant, pour objet de ses méditations, était demeuré en arrière. Comme je l'attendais, il m'enjoignit de continuer à avancer. Quand je fus à la maison d'Agathon, j'en trouvai grande ouverte la porte, et j'eus là, disait-il, une plaisante aventure. » (174 d)[10]

Le grec, usant du pronom réfléchi indirect, peut exprimer tout cela au style indirect, car « les réfléchis indirects ne peuvent renvoyer qu'à *la personne qui parle*[11] ». Pour faire sentir l'avantage qu'un auteur grec tire de cette forme, Humbert rend ainsi le même passage du *Banquet* (en ajoutant entre parenthèses la précision que ne donne pas le pronom réfléchi français, mais que fournit le réfléchi indirect grec) :

> Telle était [disait Aristodème] leur (= notre) conversation, quand ils (= nous) se mirent en route. Alors Socrate, se concentrant en lui-même[12], marchait sur le chemin, un peu en arrière, et comme il (= je) l'attendait, le (= me) pria de continuer à avancer. Quand il (= je) avait été à la maison d'Agathon, il (= je) avait trouvé la porte ouverte et il disait qu'il lui (= me) était arrivé une plaisante aventure (*ibid.*).

La confrontation de ces deux traductions offre, je crois, une illustration frappante du phénomène que Ricœur appelle le *report de l'autodésignation en première personne sur la troisième*.

L'analyse « sémantique » de la proposition singulière nous impose donc de faire une différence, qui n'est pas marquée en français, entre deux types de prédicats réfléchis :

1° le prédicat usant du réfléchi direct « *x* dit que *x*... », prédicat dyadique ordinaire dont les deux places marquées « *x* » doivent être remplies par des noms (ou des désignations « identifiantes ») d'un seul et même individu ;

2° le prédicat usant du réfléchi indirect « *x* dit que soi... », dans lequel la place marquée « *x* » doit être tenue pour référentielle au sens sémantique, mais dans lequel il n'est pas certain qu'on trouve une seconde place référentielle.

En français, la différence n'est pas marquée dans la langue, de sorte qu'un énoncé comme « N. a dit qu'il a écrit ce livre » est au fond ambigu puisqu'il n'indique pas si N. a dit « J'ai écrit ce livre » ou s'il a dit « N. a écrit ce livre ». Dans ce dernier cas, N. a certainement fait référence à lui-même. Mais supposons qu'il ait parlé à la première personne. A-t-il fait référence à N. ? Et, s'il n'a pas fait référence à N., à qui a-t-il fait référence ?

Figurons-nous un écrivain prolifique et fantasque qui, tel Fernando Pessoa, aurait utilisé au cours de sa carrière littéraire de nombreux noms de plume. Notre homme n'aurait pas gardé en mémoire toutes ses œuvres et tous ses pseudonymes. On peut donc imaginer qu'il ne se souvienne plus de ce qu'il est lui-même l'auteur de tel roman, tout en sachant fort bien, pour le lire sur la page de couverture, que le roman est signé de tel nom. On pourra donc dire de lui qu'en un sens, il sait *qui est l'auteur de ce roman*, mais qu'en un autre sens, il ne sait pas *être lui-même l'auteur de ce roman*. Nous savons que cet auteur, c'est lui (réfléchi direct), mais lui, tout en étant capable de désigner l'auteur par son nom, ne sait pas être lui-même (réfléchi indirect) cet auteur.

Notre problème est devenu celui de savoir si nous pouvons user d'une même « analyse de référence » pour le « jugement d'attribution » au sens ordinaire et pour le jugement dit d'« auto-attribution ». La référence, nous dit-on, doit être identifiante. Que signifie cette condition ? Comparons donc la fonction du nom dans une proposition singulière quelconque et la fonction du pronom « je » dans un énoncé à la première personne :

(5) « Socrate doit un coq à Asclépios. »

(6) « Je dois un coq à Asclépios. »

Comment l'analyse logique détermine-t-elle, dans l'un et l'autre cas, la référence ? On est d'abord tenté de dire que, dans l'énoncé (5), le nom « Socrate » *fait référence* à Socrate. Et que, dans l'énoncé (6), le locuteur *fait référence* à lui-même en proférant « Je dois un coq à Asclépios ». Mais c'est précisément à cette tentation qu'il faut résister. Sans doute, il peut sembler tout naturel de transposer l'analyse de (5) au cas présenté par (6). Mais cela conduit à un « alignement[13] », comme dit Ricœur, de la première personne sur la troisième, alors que nous voulons, au contraire, comprendre comment la forme de la troisième personne grammaticale permet de reproduire (grâce au pronom réfléchi indirect) la désignation de soi-même en première personne.

Nous ne pouvons manquer de remarquer que dans le premier cas, c'est le *mot* qui est chargé de désigner, alors que, dans le second cas, c'est le *locuteur* qui fait ce travail. On ne dira pas, en effet, que dans (6), c'est le mot « je » qui fait référence. Comment le mot « je » pourrait-il bien faire référence au sens de la référence « identifiante » ? Je peux écrire le nom de Socrate sur le socle d'un buste en marbre représentant un homme pensif et barbu, mais je ne peux pas écrire « je » ni même « moi ». Pour trouver une fonction référentielle de « je », on doit revenir à l'acte du locuteur, et donc passer du point de vue de la sémantique à celui de la pragmatique.

À la grande époque où les maîtres d'Oxford régnaient sur la philosophie analytique, on avait forgé un slogan : « ce ne sont pas les énoncés qui réfèrent, mais les locuteurs qui font référence[14]. » En fait, ce slogan risque fort de reproduire la confusion qu'il voudrait dissiper. Sous l'apparence d'un rappel au bon sens, ce slogan tranche trop vite une difficulté sérieuse qu'il aurait fallu affronter plus attentivement. Bien entendu, un « simple énoncé » (décrit comme tracé sur une feuille de papier ou articulé dans une séquence sonore) ne fait pas référence, n'a pas de propriétés sémantiques. Il n'est rien qu'un phénomène physique. Mais, s'il n'est qu'un phénomène physique, pourquoi l'avoir appelé un énoncé ? Il n'y a d'énoncé que dans une langue ou une autre, ce qui veut dire qu'en parlant d'un énoncé, nous sommes déjà sortis de la description physique. Maintenant, l'énoncé considéré comme une phrase formée en français fait référence indépendamment des intentions de son locuteur. Ce n'est pas ce dernier qui décide. *Personne* ne décide, sinon l'usage (impersonnel). Il n'est donc pas tout à fait exact d'écrire que « ce ne sont pas les énoncés qui ont un sens ou signifient, mais ce sont les locuteurs qui veulent dire ceci ou cela, qui entendent une expression en tel ou tel sens[15] ». Si l'on veut seulement, en renvoyant à un monde peuplé de *locuteurs*, nous mettre en garde contre la vision mystifiante d'un langage qui fonctionnerait sans nous, d'une langue qui se parlerait sans que personne ne la parle, le rappel est bienvenu. Mais il y a dans ce slogan le risque d'une fuite stérile dans le mentalisme, dans le recours mystifiant à des signes mentaux chargés d'accomplir ce que les signes extérieurs n'ont pas pu opérer.

Distinguons plutôt deux emplois du verbe « désigner » (ou « faire référence »), l'un *personnel*, l'autre *impersonnel*. Ce verbe s'emploie personnellement quand il assigne un prédicat à une personne, impersonnellement quand il assigne un prédicat à une expression du langage[16]. L'emploi personnel du verbe « désigner » est parfaitement légitime, mais rien ne permet de lui donner la sorte de priorité qu'implique le slogan d'Oxford. Quel est en effet l'ordre logique d'explication de ces notions de référence « personnelle » et « impersonnelle » ? On ne saurait commencer l'explication en introduisant une classe de signes définis comme des « expressions référentielles », c'est-à-dire des expressions qui permettent d'accomplir des « actes de référence ». Ce serait faire comme si la notion d'un « acte de référence » était déjà fixée. Or c'est l'inverse qui est vrai : il faut partir de la *relation de référence* pour expliquer comment, par certains procédés, elle peut être établie. Établir cette relation, ce sera faire un acte de référence. Nous évitons ainsi le « mentalisme » qui voudrait rendre compte de la référence du nom « Smith » par le fait que le locuteur prononce ce nom en ayant présente à l'esprit la personne de Smith.

Pour que la « référence identifiante » ait été établie, il faut qu'on puisse dire comment le nom a *atteint* une chose (l'individu ainsi nommé) plutôt que d'autres. Comment il atteint cet objet, non pas seulement *dans l'esprit* du locuteur, ce qui ne nous donnerait qu'une « transcendance dans l'immanence », une simple intention de faire référence. Mais comment il l'atteint de façon effectivement identifiante, comme c'est le cas lorsqu'on pose la main sur l'épaule d'un homme en disant « cet homme ». C'est pourquoi il n'est pas inutile de prendre l'expression « porter un nom » au sens le plus littéral et de comparer le nom à une sorte d'étiquette ou de collier que *porterait* l'objet nommé. Toutefois, l'image de l'étiquette, à son tour, peut nous égarer en nous faisant croire qu'il suffit d'inscrire un signe sur une chose pour se donner tous les jeux de langage qui font appel à la corrélation du nom et de la chose[17].

Il vaut mieux prendre pour modèle l'usage effectif d'un nom comme par exemple « Smith ». Comment se fait-il que je puisse penser à Smith lui-même, c'est-à-dire faire porter ma pensée sur le bon Smith et non sur son homonyme ? En Angleterre, le nom « Smith » est banal. Comment ma pensée fait-elle pour porter sur le bon Smith parmi tous ceux qui s'appellent ainsi ? Comment déterminer à quel Smith j'ai pensé ? Comment Dieu lui-même pourrait-il le savoir en inspectant l'intérieur de mon esprit ? La réponse, nous dit Wittgenstein, est dans la question : comment convoquer (*rufen*) le bon Smith dans mon esprit[18] ? Comparons d'abord « Je pense à Smith » à « Je parle de Smith », et comparons ensuite « Je parle de quelqu'un qui s'appelle Smith » à « J'appelle Smith ». Le problème qui se pose pour l'acte de *penser à Smith* est exactement le même que celui de savoir comment faire venir le bon Smith dans la vie en criant son nom. La solution, dans les deux cas, est dans le fait que l'institution sociale des noms humains fonctionne parmi nous. Même s'il y a plusieurs individus portant le même nom, nous réussissons finalement à faire venir Smith en l'appelant par son nom dans des circonstances appropriées. Il y a donc bien une priorité de la logique du nom propre, tel qu'il est utilisé dans la vie, sur la logique des actes référentiels.

Ces précisions sur la notion sémantique de référence expliquent pourquoi il est nécessaire de distinguer la référence « identifiante » à soi et ce que certains auteurs, que suit Ricœur dans son livre, appellent l'auto-désignation. Je ne peux certainement pas m'identifier en écrivant « moi » sur un badge personnel ou demander qu'on m'appelle en criant « moi ! ». Pour faire référence à moi-même au sens de la relation « sémantique », je dois faire exactement ce que ferait quelqu'un d'autre. Par exemple, je désire m'adresser un colis par la poste : je vais écrire mon nom et mon adresse sur l'étiquette. Il faut que ce qui figure à la case prévue pour indiquer le destinataire soit exactement ce qu'un autre aurait pu y écrire. L'action de faire référence à soi ainsi décrite est clairement *réfléchie*, et elle s'exprime par une diathèse réfléchie qu'il faut qualifier d'*objective*. Cela veut dire qu'il y a un sens, en regardant l'étiquette portant mon nom, à demander si mon nom a été écrit par moi ou par un autre. J'ai écrit mon nom, mais je l'ai écrit à une place qu'un autre aurait pu remplir en écrivant, soit mon nom, soit un autre nom. Il n'y a donc pas de diathèse réfléchie « subjective » à trouver de ce côté.

Quant à la référence à soi au sens de l'« autoréférence[19] », nous n'en avons pas encore saisi la logique. Qu'est-ce qu'un individu doit faire pour accomplir un acte pragmatique d'autoréférence et non plus un acte de référence sémantique fondé sur une relation de référence entre le nom et l'objet ? Lorsque l'individu se rend à la poste pour prendre possession d'un colis, il déclare son « identité » en se présentant : « Je suis N. » Peu importe alors qui a écrit le nom sur le colis. Ce qui importe est que l'individu en question soit conscient de ce qu'un colis adressé à N. *lui* est destiné, que c'est *son* colis. Est-ce qu'il faudrait expliquer cet épisode par une autoréférence ? Nous devrions alors analyser l'énoncé « Je suis N. » comme une proposition d'identité contenant deux termes, l'un comportant une référence (sémantique) à l'individu N., l'autre permettant au locuteur d'accomplir une autoréférence.

Pourtant, que se passe-t-il lorsque les gens se servent de mon nom ? Reprenons le récit du colis postal qui arrive à destination. Je me rends au bureau de poste et je m'inscris dans la file d'attente au guichet de retrait des colis. Lorsque l'employé appelle Smith, nous voyons quelqu'un se lever et aller prendre possession de son paquet. Nous en concluons que *cet homme* qui s'est levé quand on a appelé Smith n'est autre que Smith. Lorsque c'est mon nom qui est appelé, je me lève et je me dirige vers le guichet. Je considère en effet, en entendant *mon nom*, que j'ai été identifié comme le destinataire du colis dont l'employé s'occupe à présent. L'employé m'a appelé : telle est en effet la fonction du nom que de faire venir X plutôt que Y selon qu'on prononce tel mot plutôt que tel autre. J'ai appris, moi aussi, à participer à ce « jeu de langage ».

Dans certaines circonstances, l'identification peut être laborieuse et passer par un raisonnement : l'employé a appelé N., or je suis N., donc il m'a appelé. Par exemple, je n'use pas fréquemment de ce nom « N. », dont se servent pourtant certains de mes correspondants. Ou bien encore, en pays étranger, mon nom est prononcé de façon inhabituelle. Supposons que je m'appelle *Jacques* et que la population locale ne puisse prononcer ce nom autrement qu'en l'assimilant à quelque chose qui, à mon oreille, sonne comme *Jack*. Le raisonnement ci-dessus devient plausible : l'employé a appelé *Jack*, or *Jack* = *Jacques*, c'est-à-dire moi, donc il m'a appelé (je me lève). S'il m'a fallu raisonner, c'est parce que je n'étais pas sûr d'avoir bien entendu mon nom plutôt que le nom d'un autre. « Je suis N. » veut donc dire ici : c'est bien mon nom qui a été appelé.

À aucun moment, dans ce raisonnement, je n'ai eu besoin d'identifier un individu que je suis le seul à appeler *moi* à un autre individu que tout le monde appelle *Jacques* (soit, avec l'accent étranger, *Jack*). Supposons pourtant que ce besoin existe, faute de quoi je ne pourrais pas comprendre que *Jack* ou *Jacques*, c'est moi. Alors, il faudrait insérer une étape intermédiaire d'auto-identification référentielle, comme si le raisonnement complet avait été : l'employé a appelé *Jack*, or *Jack = Jacques*, et *Jacques = moi*, et *je* suis *moi*, donc je suis *Jacques*, donc l'employé m'a appelé.

Du coup, nous serions entraînés dans une régression à l'infini. Pour former cette proposition d'identité « *Jacques = moi* », il me faudrait faire référence séparément à un même individu par le moyen des deux termes, donc poser d'un côté l'individu désigné sous le nom de « Jacques » et de l'autre l'individu désigné par le pronom « moi », et poser que ces deux individus n'en font qu'un. Pourtant, il resterait encore à effectuer l'auto-référence, c'est-à-dire à reconnaître que cet individu appelé « moi », c'est moi. On devrait alors exprimer ce dernier acte d'identification par la tautologie « *Moi = moi* ». Et, puisqu'il m'a fallu identifier le *moi* qui est *Jacques* par une autoréférence, il me faudrait de nouveau identifier le *moi* qui est *moi* par une autoréférence. De là une régression à l'infini, qui ne pourrait s'interrompre que si je pouvais introduire, non plus un signe, mais ma propre personne dans la chaîne d'identification. Mais, tant qu'à interrompre la chaîne des identifications par une telle initiative, pourquoi ne pas le faire avant que ne s'enclenche la régression à l'infini ? Lorsque l'employé appelle mon nom, je me lève et présente ma personne à ses yeux[20].

Il faut donc rendre compte tout à fait autrement de ce qu'on appelle la *référence à soi* quand elle ne passe pas par les voies proprement sémantiques de la référence. Ou, si l'on préfère, il faut reconnaître que le mot « référence » est devenu équivoque, puisque nous devons maintenant rendre compte de l'auto-désignation (c'est-à-dire tout simplement du fait d'employer le « moi » et le « je ») sans faire intervenir à proprement parler une référence à soi au sens de cette *relation de référence* qui fait qu'un mot, dans la phrase, identifie un individu particulier parmi tous les individus du monde.

XVI

Parler à la première personne

Le romancier N. déclare : « C'est N. qui a écrit ce roman. »
La question est posée de savoir si, ayant fait référence à N., il a
du même coup fait référence à soi. On doit répondre, je pense,
qu'il a certainement fait référence à lui-même, mais sans nécessairement le savoir (puisqu'il a peut-être oublié que son nom de
plume pour ce livre était « N. »).

Pour la philosophie du sujet, cette explication est insuffisante. Que N. sache ou non que son nom d'auteur est « N. »,
il n'aura identifié, en s'exprimant à la troisième personne,
qu'une « personne objective ». Or il existe une autre façon de
faire référence à soi, et c'est celle qui permet à l'individu de se
présenter comme « personne subjective » ou, si l'on veut,
comme « sujet réfléchissant[1] ». Cette seconde manière de se
désigner soi-même est celle qu'on a appelé ci-dessus l'« auto-
désignation ».

Si le terme « auto-désignation » ne voulait rien dire d'autre
que le fait, pour quelqu'un, de s'exprimer à la première personne, il faudrait reconnaître que N., en attribuant le roman à
N., a certes fait référence à N., mais qu'il n'a pas fait un acte
d'auto-désignation. Toutefois, nous avons reconnu dans le précédent chapitre que l'auto-désignation ne peut pas consister
dans une référence *sémantique* à une entité qui s'appellerait
« moi ». Sinon, nous aurions maintenant un couple de personnes, l'une désignée par le nom et l'autre par le pronom « je »,
c'est-à-dire que nous serions en train d'adopter une théorie *dualiste* de la personne. Et nous devrions expliquer alors comment
il se fait que le locuteur soit en mesure de poser l'identité de sa
personne subjective (celle à laquelle il s'identifie en disant « Je

suis moi ») et de sa personne objective (autrement dit l'individu que vous connaissez sous le nom de « N. ») ?

En fait, c'est une erreur de poser la « personne subjective » comme un autre référent que la personne objective. Cette erreur procède de ce que Ricœur appelle un « alignement » de la première personne sur la troisième[2]. Il faut alors tirer la conséquence. Si le mot « je » ne comporte pas une référence à la personne objective, et s'il ne comporte pas non plus une référence à une autre personne que la personne objective, à une autre entité que l'individu en chair et en os, alors le mot « je » ne comporte *aucune* référence à quoi que ce soit, il ne sert pas du tout à faire référence. Par conséquent, toute philosophie de la première personne doit choisir entre les deux voies qui se séparent ici : ou bien développer une conception référentialiste du « je », et donc accepter la conséquence dualiste, ou bien récuser ce dualisme en montrant comment l'emploi de « je » n'est en rien référentiel[3]. Seule la conception non dualiste de la personne fournit le complément de sujet dont nous avons besoin. Il me revient donc maintenant d'expliquer en quoi l'auto-désignation, comme simple emploi des formes de la première personne, n'a rien à voir avec un acte réfléchi de désignation comme celui qu'on trouve dans la façon dont je détermine à qui envoyer le colis postal que je me destine à moi-même (en donnant mon nom).

On dira que c'est paradoxal. En fait, le paradoxe n'est qu'apparent. Cette apparence se dissipe si l'on remarque, comme nous y invite Ricœur dans sa discussion de l'analyse pragmatique, que la réflexion qui s'effectue par le moyen du mot « je » n'est pas celle du sujet sur lui-même, mais plutôt celle des deux sujets de l'acte de parole sur eux-mêmes par le moyen de leur acte.

Voyons d'abord d'où vient ici la tentation d'un dualisme, en dépit de la prétention à avoir surmonté cette part indésirable de notre héritage philosophique. Il semble bien que la théorie « sémantique » de la personne dont Ricœur a trouvé l'expression chez Strawson n'est pas loin de céder à cette tentation. Comme on l'a vu, la différence des personnes et des choses se fait du côté des prédicats. Les choses ne reçoivent que des prédicats « physiques ». Les personnes reçoivent à la fois des prédicats « physiques » et des prédicats « psychiques ». « C'est la même chose qui pèse 60 kg et qui a telle et telle pensée[4]. » Mais comment fait-on la différence entre les deux sortes de prédicats ? Elle se manifeste dans les critères que nous utilisons pour justifier un jugement d'attribution. Pour déterminer quel est mon propre poids, je dois me peser, exactement comme je dois peser le colis postal pour savoir quel est son poids. En revanche, pour déterminer quel est mon propre état mental, je n'ai pas à faire des observations sur mon comportement extérieur ou sur mes déclarations, alors que c'est justement ainsi qu'il faut procéder pour déterminer l'état mental de quelqu'un d'autre[5]. Dans les deux cas, la différence n'affecte en rien le *sens* du prédicat : qu'il s'agisse du poids ou par exemple d'une sensation, le prédicat signifie la même chose, qu'il soit attribué à un autre ou qu'il le soit à soi. Elle est plutôt, nous dit Strawson, dans le « critère d'attribution ». « Attribué à soi-même (*oneself*), un état de conscience est ressenti (*felt*) ; attribué à l'autre, il est observé » (*ibid.*, p. 53).

Cette théorie des prédicats pourrait bien se révéler dualiste. On notera d'abord que la notion de « psychique » ici pertinente est très spéciale. Elle ne correspond nullement à l'ensemble de notre vocabulaire psychologique. Elle exclut toutes sortes de prédicats qu'il est difficile de caractériser autrement que comme psychiques ou mentaux. Supposons qu'il s'agisse d'attribuer à quelqu'un une *capacité* psychique : « il a une bonne mémoire », « il a une bonne vue ». Je peux certainement porter un jugement sur mes capacités, mais je le fais pour moi comme pour n'importe qui. Par exemple, un critère d'attribution sera que je peux faire à la demande ce que je me dis capable de faire (à condition que l'occasion m'en soit donnée). Pour prouver que j'ai une bonne mémoire, je dois montrer que j'ai retenu tous les détails d'une affaire, tous les noms d'un répertoire. Il ne saurait être question d'éprouver ses capacités, de les revendiquer sur la base d'un vécu de conscience.

Ce qui signale un prédicat comme n'étant pas physique, mais psychique, c'est qu'on peut se l'attribuer à soi-même sans passer par une observation. Le prédicat est « auto-attribuable », ou, comme dit Strawson, « ascriptible à soi-même » (*self-ascribable*[6]). Pourtant, il y a un critère d'attribution. Quel peut bien être ce critère ? Comment puis-je trouver un critère d'attribution de ce que je ressens dans le fait que je le ressens ? Comparons par exemple deux possibilités d'attribuer le prédicat psychique « éprouver une sensation de douleur », pour reprendre l'exemple canonique du pur vécu expérientiel[7] :

(a) « Il a mal au pied » (je le vois bien, je le constate en l'observant) ;

(b) « J'ai mal au pied » (je ressens une douleur au pied).

Ici, la conscience (de soi) est invoquée comme un *mode d'accès* qui est réservé au « possesseur de ses états de conscience » (*ibid.*, p. 53). Les sensations qu'éprouvent les autres se donnent sur le mode constatif : je vois que quelqu'un a mal au pied à la façon dont il marche, se tient, se frotte le pied, etc. Mes propres douleurs se donnent à moi sur un mode qu'on pourrait qualifier d'expérientiel : je ressens mon état, ce qui veut dire qu'il se présente comme auto-imputable (« *self-ascribable* »).

L'explication est étrange. Pour appliquer la distinction, il faudrait partir d'une constatation : voici une sensation douloureuse, il s'agit de l'attribuer à un sujet qui peut être *moi* ou *un autre que moi*. Pour déterminer à qui elle doit être attribuée, nous devrions considérer le critère de l'attribution. Si elle doit être attribuée à quelqu'un au titre d'une observation de son comportement, c'est qu'elle est la sensation *de quelqu'un d'autre que moi*. Si elle doit être attribuée à quelqu'un au titre d'un sentiment, c'est qu'elle est *ma* sensation. Ainsi, on devrait partir d'un événement (mental) et appliquer à cet événement la question du sujet : de qui cette douleur est-elle la douleur ? Pour répondre à cette question « Qui souffre ? », il faudrait considérer le mode de donation. Mais où y a-t-il, dans cette affaire, une place pour une application de la question « Qui ? ». Où sont les états de conscience qu'il faudrait répartir entre moi et l'autre, comme on peut trier du linge en demandant aux gens de reconnaître leurs vêtements — par exemple, lorsqu'on pratique la lessive collective dans une vaste famille réunie pour les vacances ? Pour dire dans quel état mental je suis, je n'ai pas à reconnaître quoi que ce soit. Je n'ai pas à identifier un état et à constater qu'il est « auto-imputable ».

On dira peut-être qu'il n'y avait pas lieu de faire cette supposition d'une première donation de l'événement *en deçà* de la polarité du moi et de l'autre que moi, et qu'il ne saurait donc être question de trier les événements mentaux pour les répartir entre ceux que je dois m'attribuer et ceux que je dois attribuer aux autres[8]. Ma sensation est la sensation que j'éprouve : je n'ai pas à l'examiner pour décider si elle est observée (dans le comportement d'autrui) ou ressentie (dans mon expérience). À cela, il faut répondre que la remarque est juste, mais que la conséquence doit en être tirée : je n'ai pas à reconnaître que ma sensation est mienne, à user d'un quelconque critère, pour dire ce que je sens.

On appelle « critère d'attribution » la raison qui me fonde à juger que quelqu'un éprouve une douleur. Vous me demandez mes raisons de dire « Il a mal au pied ». En réponse, je vous fais part de mes observations. Mais supposons que je dise : « J'ai mal au pied. » Vous me demandez mes raisons de le dire. Mais quelles raisons puis-je vous donner ? Je peux vous donner les raisons de vous le dire maintenant (pour me justifier de ne pas pouvoir jouer au tennis avec vous). Je peux peut-être vous expliquer pourquoi j'ai mal (je me suis fait mal en tombant). Mais rien de tout cela ne fonde un jugement d'attribution. On dira : ce jugement est fondé sur le fait que j'ai conscience de mon état d'éprouver cette douleur au pied. Dans ce cas, la raison de l'auto-attribution se trouve dans ce qui est attribué : ce qui me fonde à juger que j'ai mal au pied, c'est tout simplement que j'ai mal au pied ! Mais, si ce qui me fonde à juger que j'ai mal au pied n'est pas un savoir acquis d'une façon ou d'une autre, mais le fait lui-même, cela veut dire que je n'ai pas eu à juger de mon état ou à m'auto-attribuer quoi que ce soit.

Nous ne trouvons donc pas dans la notion de « prédicat psychique » (telle qu'elle a été expliquée ci-dessus) de quoi justifier une analyse subjective de l'emploi de la première personne en termes d'auto-position. Lorsque quelqu'un exprime ce qu'il éprouve ou ce qu'il ressent, il ne porte pas un jugement sur son « état de conscience », et par conséquent le problème ne se pose pas de fonder son auto-attribution sur une référence à soi qui aurait le caractère d'une position d'un sujet spécial d'attribution, le *soi*.

Notre question subsiste donc : en quoi un individu qui emploie un verbe à la première personne s'est-il désigné lui-même ?

La question peut sembler paradoxale. On dira : comment douter que la fonction de « je » soit de désigner l'individu qui parle ? Au fond, nous sommes sous le charme d'une fausse explication de la fonction de « je » dans notre discours. Lorsque quelqu'un dit « moi, je », c'est forcément pour nous faire savoir de qui il veut parler. Il ne peut s'agir que de lui. De qui s'agirait-il sinon de lui ? Toutes ces protestations témoignent d'une adhésion irréfléchie à la conception de « je » comme étant littéralement un *pronom*, donc un mot qui tient, dans l'énoncé, la place d'un nom. Pour dissiper cette fausse évidence, il convient de retourner en question authentique l'interrogation purement rhétorique qui vient d'être faite : *de qui pourrait parler le locuteur qui dit « je » sinon de lui-même ? qui pourrait-il désigner par le mot « je », sinon lui-même ?* En effet, ce locuteur qui s'exprime à la première personne ne peut parler que de lui-même (sauf s'il est le rapporteur d'un discours, non l'auteur). Mais savons-nous pour autant *de qui* il parle ? Est-ce qu'il nous l'a dit ? Il est bien clair qu'il ne nous l'a pas dit.

D'après la conception référentialiste du mot « je », l'autoréférence est tout simplement une référence, mais une référence à soi qui passe par la convention qu'un locuteur se désigne lui-même s'il emploie « je » dans son discours propre. Selon cette théorie, il faudrait donc dire : de même que le nom « Pierre » sert à *identifier* le référent de la proposition « Pierre descend l'escalier », à savoir Pierre, de même le pronom « je » sert à *identifier* le référent de la proposition « Je descends l'escalier », à savoir celui qui le dit, et donc Pierre si c'est Pierre qui le dit. Or cette explication simpliste ne tient pas compte de la logique propre aux indices de la première personne (« je », « moi », etc.).

Wittgenstein[9] a fait remarquer que les deux formes d'expression étaient complètement différentes, comme on s'en avise en posant le problème de l'erreur. Supposons que nous fassions l'erreur de prendre Jean, que nous voyons descendre l'escalier, pour Pierre. Nous disons à tort : « Pierre descend l'escalier. » En fait, c'est Jean qui descend l'escalier, mais nous croyons à tort reconnaître Pierre. Ou bien, dans la même situation, nous nous trompons de nouveau en disant : « Pierre descend l'escalier. » Cette fois, notre erreur vient de ce que nous avons bien vu Jean descendre l'escalier, mais nous croyons à tort que Jean s'appelle Pierre. Dans le premier cas, notre « acte référentiel » est en conformité avec notre intention (nous disons « Pierre » pour parler de Pierre), dans le second, il est en contradiction avec cette intention (nous disons « Pierre » alors que nous voulons parler de Jean). De façon générale, il est essentiel à la logique du nom propre que celui-ci puisse être utilisé de travers, qu'il puisse être employé par méprise pour quelqu'un d'autre que celui dont il est le nom.

Qu'en est-il maintenant des chances de se tromper lorsqu'on exprime un fait à la première personne. Quelqu'un peut se tromper en disant « J'ai vu Pierre descendre l'escalier » parce qu'il a confondu une personne avec une autre ou un nom avec un autre. Il peut se tromper encore parce qu'il n'a rien vu (il a rêvé). Mais il ne peut pas se tromper parce qu'il a appliqué de travers le signe « je », comme s'il y avait encore une autre possibilité d'erreur qui serait à corriger en disant : « Je me suis trompé en disant que j'avais vu Pierre, car, en fait, c'est Jean qui a vu Pierre, et j'ai cru à tort que Jean, c'était moi. »

De même, quelqu'un pourrait se tromper en disant : « J'ai vu ma fille descendre l'escalier. » Il pourrait reconnaître ensuite son erreur en ces termes : « Ce n'était pas ma fille, mais quelqu'un qui lui ressemblait énormément. » Mais il ne saurait commettre une erreur qu'il devrait corriger en expliquant ensuite : « Quand j'ai dit que j'avais vu ma fille alors qu'il s'agissait de la fille d'Arthur, je me suis trompé, non pas parce que je n'avais pas reconnu la fille d'Arthur, mais parce que j'ai cru un instant que Arthur, c'était moi. »

Bref, ainsi que le résume l'observation devenue classique de Wittgenstein, les phrases à la troisième personne sont des propositions dont la connexion prédicative peut être incorrecte du côté du prédicat comme du côté du sujet. En revanche, une phrase à la première personne ne peut pas être incorrecte du côté du sujet : il n'y a pas d'erreur possible sur l'identité. Les règles du jeu ne prévoient pas que le mot « je » puisse être employé à tort, au sens où un nom propre peut être utilisé à tort. Comme l'illustre plaisamment l'anecdote que cite à ce propos Anscombe : l'évêque qu'on surprend avec la main sur le genou de sa voisine peut prétendre qu'il s'est trompé d'objet (« J'ai pris le genou de la dame pour le mien »), mais il ne saurait prétendre s'être trompé de sujet (« Je me suis moi-même pris pour la dame »)[10].

Ces analyses de Wittgenstein ont parfois été retraduites dans un idiome néo-cartésien, de façon à les rendre acceptables par une philosophie de la conscience. Si l'erreur est impossible, c'est parce que les états « psychiques » du sujet lui sont immédiatement donnés et que ce dernier possède donc un pouvoir infaillible de connaître les événements mentaux dont il est le siège. En vertu de ce caractère immédiat du savoir de ses états conscients, le sujet de conscience aurait le bénéfice d'une « immunité contre l'erreur d'identification[11] » quand il emploie les formes de la première personne. Mais parler d'immunité laisse entendre qu'on a identifié un danger ou un mal possible, et qu'on a trouvé un moyen de s'en protéger. Si quelqu'un possède l'« immunité contre l'erreur d'identification des visages », cela veut dire qu'il est doté d'une capacité infaillible dans ce domaine : il est, en vertu de sa constitution, incapable de faire les erreurs auxquelles nous sommes nous-mêmes exposés. Il n'est que trop facile d'expliquer ce que c'est que prendre un visage pour un autre. En revanche, il est logiquement impossible d'expliquer ce que c'est que d'employer mal à propos les mots « moi » ou « je ». Si l'erreur dans la référence à soi est exclue, cela veut dire que l'immunité contre cette erreur n'existe pas non plus, puisqu'on ne peut pas dire contre quoi elle nous protège. L'expression « immunité contre l'erreur d'identification » représente un compromis incohérent entre deux positions incompatibles.

Il est possible de se servir d'un nom à tort, comme il est possible de faire un faux numéro au téléphone, justement parce que le nom sert à identifier quelqu'un parmi tous ceux dont on pourrait avoir quelque chose à dire (tout comme le numéro de téléphone sert à identifier le correspondant qu'on cherche à joindre parmi tous ceux qui figurent dans l'annuaire et qu'on pourrait appeler). Si le mot « je » avait dans ma bouche une fonction référentielle, il devrait pouvoir être employé à tort. En revanche, s'il était nécessairement employé pour désigner correctement la personne du locuteur, alors ce mot n'aurait plus cette fonction de sélection du référent que j'ai choisi parmi d'autres qui étaient possibles. Ce serait comme si l'annuaire téléphonique mis à ma disposition pour utiliser l'appareil qu'on me procure ne comportait qu'un numéro ! S'il en était ainsi, il serait en effet impossible de se tromper de correspondant.

Par conséquent, il est simpliste d'expliquer que le mot « je », dans la bouche de Pierre, sert à identifier Pierre. Lorsque Pierre doit s'identifier, il ne peut le faire que par un acte réfléchi en bonne et due forme, donc en identifiant sa « personne objective ». Et, si l'on prétend que le mot « je », dans sa bouche, l'identifie comme « soi » ou comme « sujet », alors il faut admettre qu'il y a deux personnes en une, l'objective et la subjective. Ainsi, soutenir que « je » est un terme chargé d'une fonction référentielle, c'est persister dans l'erreur d'aligner la première personne (l'« auto-désignation ») sur la troisième (la relation de référence).

Il est frappant que toute cette discussion concernant les « prédicats psychiques » soit au fond si peu pragmatique. Il y est fort peu question de l'acte de parole et de ses protagonistes. C'est pourtant dans le cadre d'un tel échange entre deux interlocuteurs qu'il faut trouver une place pour la question du sujet d'auto-désignation. Comment ai-je lieu de me demander « Qui parle ? » lorsque quelqu'un s'adresse à moi dans un discours à la première personne ?

Il y a une convention sémantique qui fixe la valeur des énoncés à la première personne dans l'idiome des énoncés à la troisième personne. Si l'individu N. nous déclare « Je lis le journal », alors nous sommes fondés à dire, d'une part, que N. nous a dit qu'il lisait le journal, et, d'autre part, que, s'il a dit vrai, N. était en train de lire le journal (au moment où il nous a parlé). Il n'en reste pas moins que N., puisqu'il parlait à la première personne, ne s'est pas nommé. Il ne nous a pas parlé d'un individu N. en train de lire le journal. Si nous transposons son « je » en nom propre, c'est que nous savons *par ailleurs* comment il s'appelle. Il s'ensuit que l'interlocution à l'état pur permet à des individus de se parler les uns aux autres sans se désigner eux-mêmes *comme « personnes objectives »*. Qui plus est, l'individu N. ne sait peut-être pas qu'il s'appelle N. Ou il a pu l'oublier. Ou encore, il ne sait peut-être pas que nous l'appelons ainsi quand nous parlons de lui entre nous. Bref, il a pu parler de ce qu'il faisait (« Je lis le journal ») tout en ignorant que tout ce qu'il disait faire, nous étions fondés à le dire de N. s'il avait dit la vérité.

A-t-on l'occasion de demander : « Qui parle ? » alors qu'on sait que c'est N. qui parle ? La chose est possible au sens figuré. Par exemple, le ministre, membre du parti ouvrier, s'adresse à son camarade de section qui se trouve être aussi son chauffeur. Il lui demande un service. Oui, mais *est-ce le supérieur ou le camarade qui parle ?*

Le même phénomène d'un discours ambivalent se produit lorsque son auteur dit plusieurs choses à la fois ou se contredit, peut-être surtout dans le ton adopté, parce qu'il est divisé ou indécis. Dans un tel cas, on peut lever la difficulté en décidant d'appliquer à ce discours confus le procédé de la théorie littéraire : il y a *plusieurs voix* dans le discours (exactement comme le critique peut distinguer, dans les « premières personnes » d'un texte, l'auteur, le narrateur, le personnage qui fournit le point de vue principal, etc.) On retrouve les problèmes de l'analyse d'un discours rapporté au style indirect et de la valeur, directe ou indirecte, qu'il faut donner au pronom réfléchi.

Mais qu'en est-il au sens propre ?

Si mon interlocuteur me dit : « Je ne peux pas venir demain, car je dois travailler », il me dit bien, en un sens, *qui* ne peut pas venir demain. Celui qui ne viendra pas, c'est l'individu qui est en train de me parler. Mais il ne me le dit nullement en s'identifiant directement par un quelconque acte *réfléchi* sur lui-même. Il me le fait savoir indirectement en me renvoyant, pour ce qui est de l'identification de sa personne, à notre acte de discours. Voici un petit scénario fabriqué pour illustrer la nécessité de passer par l'acte de parole pour décider ce qu'on doit faire du mot « je » quand notre interlocuteur l'utilise devant nous.

Imaginons un brasseur d'affaires qui, muni d'un téléphone dans chaque main, mène simultanément deux conversations. Notre financier gagne sa vie en touchant des commissions sur des échanges discrets qu'il se charge de mener à bien. Supposons que cet homme (A) soit en train d'expliquer à son correspondant B (par le téléphone qu'il tient de la main droite) que lui, A, doit à lui, B, une somme de $100 000, et qu'il soit aussi en train d'entendre (grâce au téléphone qu'il tient de sa main gauche) un autre correspondant C lui expliquer que lui, C, ne doit nullement $100 000 à lui, A, bien que ce dernier (A) les lui réclame (à lui, C) au titre d'une créance contestable.

Pour compliquer la situation, nous supposerons qu'en raison de la grande sensibilité des appareils utilisés, les deux conversations interfèrent, de sorte que B entend simultanément ce que lui dit A et aussi ce qui se dit dans l'autre conversation. On peut donc imaginer qu'en un point de la communication, B entende deux messages successifs : « Je vous fais immédiatement un virement de $100 000 » (dit à lui, B, par A), et aussitôt après : « Il n'est pas question que je vous fasse un virement de $100 000 » (dit à A par C). Mais, de ce que B reçoit ces deux messages par le même canal téléphonique, il ne s'ensuit pas que A se contredise, ce qui serait le cas si A avait délibérément *fait suivre* à B le message qu'il avait reçu de C.

Cette petite scène montre pourquoi on ne peut pas prétendre que « je » soit équivalent à « la personne qui est en train de parler ». Cette équivalence ne vaut que dans une conversation unique, c'est-à-dire à la fois isolée et dépourvue de toute citation d'autres discours à la première personne. Il faut bien plutôt comprendre que le mot « je » renvoie à la personne qui est en train de *vous* dire « je », de le dire *à vous*. C'est donc à vous de décider si quelqu'un s'adresse à vous. Le mot « je » ne prend

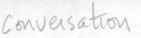

son sens primo-actanciel qu'à condition de se donner un couple d'interlocuteurs : ce mot « je » renvoie à *celui de nous deux* qui est en train de parler *à l'autre de nous deux.*

Il y a donc bien, si l'on veut, une référence à soi du sujet de l'acte de parole, mais ce sujet n'est pas moi, si je suis l'individu qui parle, c'est *moi-celui-de-nous-deux-qui-a-maintenant-la-parole*, c'est donc le couple des interlocuteurs. Or ce couple cesse d'être identifiable si l'on ignore dans quel acte d'interlocution les deux positions de locuteur et d'interlocuteur sont assignées à des individus.

Du reste, c'est exactement la conclusion à laquelle arrive Ricœur au terme de son étude consacrée à la théorie des actes de discours. Aux yeux d'une théorie (pragmatique) de l'énonciation, écrit-il, « le sujet apparaît comme le couple de celui qui parle et de celui à qui le premier parle, à l'exclusion de la troisième personne, devenue une non-personne[12] ». Cette remarque est importante pour notre enquête parce qu'elle montre que la philosophie doit faire une place à un concept de sujet qui n'est pas reconnu dans les théories classiques de la subjectivité. Il ne s'agit en effet ni d'un individu qui dit « moi », ni de plusieurs individus qui disent « nous », mais d'un couple de partenaires qui occupent l'un par rapport à l'autre des positions *complémentaires.* L'acte de discours suppose un sujet, mais ce sujet n'est pas un individu qui, sur la base d'un rapport réflexif à soi, se présente comme sujet d'une auto-désignation. Le sujet de l'acte de discours est composé de deux personnes grammaticales.

Tant qu'on raisonne sur le sujet pris comme sujet d'un acte physique, on conserve le point de vue classique de la sémantique : le sujet est toujours présenté comme une troisième personne du *singulier*, donc comme un *individu*. En revanche, le point de vue pragmatique est celui d'un acte de discours : et le véritable sujet d'un tel acte ne peut pas être un sujet individuel, c'est forcément un sujet dyadique, un couple d'interlocuteurs. Autrement dit, ce n'est pas un individu, mais une paire d'individus ou, par intériorisation dialogique, un individu qui assume les fonctions de deux partenaires (cf. *infra*, chap. 38).

XVII

Le sujet du « Je pense »

Lorsque quelqu'un dit « moi, je », il nous fait savoir qu'il va parler de lui-même, mais il n'indique nullement de qui il va parler : il nous laisse le soin d'attribuer à quelqu'un en particulier les choses qu'il veut dire à son propre sujet. Il n'y a donc aucun acte réfléchi intrinsèque au fondement de l'emploi des formes de la première personne. C'est par la diathèse réfléchie « objective » qu'il faut rendre compte de la référence à soi.

Dès lors, quelle signification reconnaître à l'argument de l'*Ego cogito* ? On se demande parfois : Descartes a-t-il déjà une « philosophie du sujet », même s'il n'use pas encore du mot « sujet » dans le sens des auteurs modernes (cf. *supra*, chap. 5) ? Lorsqu'on pose la question, c'est normalement avec l'idée qu'il y a deux lectures possibles de l'argument du *Cogito*, l'une « réaliste » qui vise à poser l'esprit comme substance, l'autre « idéaliste » qui n'accepte de le poser que dans les limites de l'acte de penser, donc sous la condition du rapport à soi établi dans cet acte. Dans ce dernier cas, on a coutume de dire que le *Cogito* m'assure de mon existence comme moi, comme sujet, et non comme substance. Penser autrement, ce serait commettre « l'erreur substantialiste[1] ».

Littéralement, Descartes n'a pas une philosophie du sujet, puisqu'il prétend prouver l'existence de l'âme (*res cogitans*) et non procéder à la position de quelque chose qui n'existerait qu'en vertu de sa réflexion sur soi dans le *Cogito*. Descartes a certainement une philosophie de l'esprit qui est une philosophie de la conscience (de l'acte mental comme acte de conscience). Il en est même l'inventeur. Reste qu'il n'a pas une philosophie de la conscience comme donatrice d'un sujet non

substantiel. Toutefois, ce n'est là qu'un fait historique, qui reste
à interpréter.

Du point de vue herméneutique d'un *héritier* de Descartes, il
est peut-être nécessaire de faire comme si le but de Descartes
avait été de fonder la science sur l'affirmation de soi comme
sujet pensant et non sur l'immatérialité de l'âme. L'herméneutique philosophique se veut appropriation d'une doctrine
qu'on a choisi d'assumer et non pure exégèse historique. Elle
ne prétend pas à une vérité positive, mais à une vérité transmise. Il est donc légitime, de son point de vue, de supposer que
Descartes a dit tout ce qu'il est nécessaire qu'il ait dit pour que
nous, ses héritiers, puissions nous réclamer de son autorité.
L'héritier concédera que Descartes croit qu'il traite de ce que la
tradition appelle l'âme, la substance spirituelle. Mais c'est parce
que le vocabulaire (traditionnel) de Descartes ne lui permet pas
de s'exprimer selon sa véritable intention (que nous devons
« construire » par interprétation, non seulement de ses textes,
mais de sa place dans notre histoire). Comme l'écrit Ricœur :

> La subjectivité qui se pose elle-même par réflexion sur son pro-
> pre doute (...) est une subjectivité désancrée que Descartes,
> conservant le vocabulaire substantialiste des philosophies avec
> lesquelles il croit avoir rompu, peut encore appeler une *âme*.
> Mais c'est l'inverse qu'il veut dire : ce que la tradition appelle
> âme est en vérité *sujet*, et ce sujet se réduit à l'acte le plus simple
> et le plus dépouillé, celui de penser[2].

De toute façon, quoi qu'ait pensé l'individu Descartes, il est
clair que son argument du *Cogito* ne permet nullement de poser
une âme subsistante, mais seulement d'assigner un acte (présent) de cogitation à celui, quel qu'il soit, dont on sait, par le
fait de cet acte, qu'il est en acte (qu'il possède l'existence
actuelle). Il n'y a donc rien d'irrespectueux ou d'arrogant à
décider que Descartes, s'il avait eu un autre vocabulaire (le nôtre), *aurait dû* préférer le terme « sujet » au terme « âme ».

Reste bien sûr à savoir si la notion d'un sujet qui se réduit à
son acte aurait pu le satisfaire. L'inférence cartésienne de « Je
pense » à « Je suis une âme immatérielle » est certainement
invalide, car elle conclut du vrai au non prouvé. Mais l'inférence de « Je pense » à « Je suis mon acte de penser » paraît
plus contestable encore, dans la mesure où elle conclut du vrai
à l'absurde. Il est bien possible que j'ignore ma vraie nature, et

que je sois quelque chose dont je n'ai pas la moindre notion, mais, dans cette nuée d'obscurité même, une chose reste certaine, c'est que je ne suis pas l'acte de penser ma pensée. Si en effet j'étais un acte de penser, et qu'un acte de penser soit quelque chose comme « penser à quelque chose », par exemple penser à ce que je ferai ce soir, alors il n'y aurait aucune différence entre la demande de quelqu'un qui me dirait : « Veuillez penser à quelque chose », et cette autre demande : « Veuillez exister. » Ou encore, entre sa question : « Pensiez-vous à quelque chose il y a un instant ? », et une autre question qui serait : « Existiez-vous il y a un instant ? » Mais je ne puis ni faire commencer mon existence avec l'événement occasionnel de telle ou telle pensée, ni me prévaloir d'un pouvoir de me faire moi-même entrer dans l'existence sur simple demande. Plus grave encore : en me demandant d'opérer divers actes de penser, on me demanderait de me multiplier, puisque chacun de ces actes poserait un sujet pensant, mais pas le même sujet, à moins qu'on ne soutienne que ces actes ne sont pas distincts au point d'être discontinus.

On dira peut-être que la formule « subjective » (anti-substantialiste) qui réduit le sujet à son acte n'a d'autre ambition que de dépouiller le penseur de tout autre attribut : nous ne voulons rien affirmer du sujet de l'acte de penser, sinon qu'il est le sujet de cet acte. Mais cet agnosticisme quant à la nature du sujet n'est pas du tout la même chose qu'une réduction du sujet à son acte. Poser le sujet du *présent acte de penser*, c'est déjà mobiliser toute la syntaxe des verbes d'action. Ce sujet, quel qu'il soit, est un premier actant, pas un verbe. C'est pourquoi, dans l'histoire des idées philosophiques, la grammaire de la phrase a toujours parlé plus fort que les bonnes intentions anti-substantialistes des philosophes du sujet : si vous dites que c'est la pensée qui est le sujet pensant ou qui pense, votre but était peut-être de rejeter la supposition d'une *chose qui pense* derrière le simple fait de la pensée, mais votre discours fait tout le contraire, il hypostasie l'acte mental lui-même en lui donnant dans la phrase la place grammaticale d'un actant.

Nietzsche, pour résister à la fausse évidence du *Cogito*, se demandait si le sujet « je » était bien la condition du prédicat « pense » (cf. *supra*, chap. 4). En fait, il ne poussait pas plus loin cette mise en question de l'analyse logique. Sous le nom de « sujet » des pensées, il mettait en doute le caractère actif du penseur, abandonnant ainsi le point de vue de l'identification d'un sujet pensant pour s'intéresser à son statut actanciel. Il avait d'ailleurs une excellente raison d'opérer ce changement de terrain, car on comprend très bien ce que demande la question : « Suis-je actif ou non quand je pense ? », alors qu'on n'est pas certain de comprendre : « Qui est le sujet pensant de la pensée que j'énonce en prononçant le *Cogito* ? »

Ce déplacement du sens de la question du sujet est fréquent. Ainsi, Étienne Balibar abandonne la question de la référence et préfère poser celle du statut actanciel de *ego* quand il explique dans quel sens Descartes parle de chose pensante. Parler ici de chose, écrit-il, ce n'est nullement chosifier la subjectivité, c'est tout au contraire se placer « du point de vue d'un sujet » :

> Dans cette méditation, le sujet (*ego*) se reconnaît comme l'auteur de toutes ses pensées. Cette « chose » qui pense en moi *n'est autre* que moi. Ainsi, la certitude est à la fois certitude que *c'est moi qui pense en moi* (personne ne pense « à ma place », pas même Dieu — peut-être surtout pas Dieu) et certitude *que je pense bien* « *ce que je pense* » (mes pensées, même si elles sont fausses, fictives, etc., « m'appartiennent »)[3].

Balibar ne s'occupe donc nullement d'établir une connexion proprement prédicative entre « Je pense » et un sujet à déterminer. Comme Nietzsche (et peut-être à la suite de Nietzsche), il revient au point de vue actanciel, c'est-à-dire qu'il cherche un auteur auquel rapporter l'événement, non pas comme à un sujet (fondement, *hypokeimenon*), mais comme à un agent.

Pourtant, cette question du *subjectum* doit pouvoir être posée si l'énoncé du *Cogito* doit être tenu pour une proposition en bonne et due forme, avec un prédicat et un sujet de prédication identifié par le sujet grammatical de la phrase. Du moins, le raisonnement qui prétend passer de « J'existe comme sujet pensant » à « Il existe une substance pensante » repose sur le présupposé qu'il existe une telle connexion prédicative. Pour saisir ce point, nous pouvons nous contenter d'une reconstitution simplifiée du raisonnement tel que le comprend la lecture « réaliste » (« substantialiste ») du *Cogito*. On aurait les étapes suivantes :

(a) L'énoncé « Je pense » rapporte un fait qui est indéniable. Le sujet qui médite sait, par la conscience, que cet énoncé est vrai. Or cette vérité, bien qu'elle soit empirique, a la vertu particulière de ne pas pouvoir être mise en doute (par le penseur au moment où il la considère).

(b) Il est donc indéniable qu'un acte de penser existe.

(c) Un principe connu par la lumière naturelle pose qu'un acte ne peut pas exister sans qu'existe un sujet de cet acte. Comme le concédait Hobbes dans ses objections aux *Méditations métaphysiques* de Descartes : on ne peut pas contester l'inférence de la proposition « J'existe » à partir de « Je pense », car il n'y a pas d'acte sans un sujet (cf. *supra*, chap. 5). En effet, ainsi que l'écrivait Hobbes, « nous ne pouvons concevoir aucun acte sans son sujet, comme la pensée sans une chose qui pense, la science sans une chose qui sache, et la promenade sans une chose qui se promène » (A.T., IX, 134).

(d) Par conséquent, le mot « je », dans l'énoncé « Je pense », indique quel est l'individu substantiel à laquelle rapporter l'accident de la pensée.

Il existe un terrain d'entente entre les deux protagonistes que sont ici Descartes et Hobbes. Ce dernier écrit, à la suite du texte cité ci-dessus, que la connaissance de la vérité de « je pense » qui suffit à garantir la vérité de « j'existe », dépend à son tour de la connaissance de la chose corporelle auquel l'énoncé « Je pense » rapporte l'acte de penser comme à son sujet au nom du principe selon lequel « nous ne pouvons concevoir aucun acte sans son sujet ».

Dans sa réponse à Hobbes, Descartes reconnaît le point d'accord : « Il dit fort bien *que nous ne pouvons concevoir aucun acte sans son sujet, comme la pensée sans une chose qui pense, parce que la chose qui pense n'est pas un rien* » (A.T., IX, 136) Mais il refuse la conséquence : ce sujet que nous devons poser pour l'acte, rien ne nous dit qu'il soit corporel.

Nos deux philosophes sont d'accord pour trouver une connexion prédicative dans « Je pense », pour y chercher un sujet de prédication et un prédicat. En effet, le prédicat « pense » n'attribue pas une forme d'être subsistante : il lui faut donc un « sujet » dans lequel exister. Sinon, on devrait dire qu'il y a des pensées existant par elles-mêmes et ce serait aussi absurde que des promenades sans promeneurs, des sciences sans savants. Mais nos deux philosophes ne sont pas d'accord sur le résultat d'une application de la question « Qui ? », au sens d'une interrogation sur le *subjectum*, à la proposition « Je pense ». Peut-être les distinctions du chapitre précédent peuvent-elles expliquer ce désaccord.

Nous sommes censés partir d'un événement de pensée. De cet événement, nous remontons à un agent, un « sujet » auquel rapporter l'acte. Ce sujet est le penseur de la pensée dont l'existence a été reconnue certaine. Le mot « penseur » fait l'effet d'un nom d'agent, comme on a les mots « chauffeur », « voleur », etc. Je peux observer les mouvements de ce véhicule (que je vous montre devant moi) et supposer qu'ils sont dus à un chauffeur (bien que je ne perçoive pas directement ce dernier). Je peux constater que le tableau du salon a disparu et attribuer cette disparition à un voleur. Dans l'un et l'autre cas, je pars d'un événement que j'ai identifié (déplacement du véhicule, disparition du tableau) en le rapportant à un objet (véhicule, tableau). Mais comment ai-je identifié l'événement de pensée ? C'est de deux choses l'une : ou bien cet événement de pensée est identifiable par lui-même (comme l'est un coup de tonnerre, un son de cloche), et, dans ce cas, il n'y a pas lieu de le rapporter à autre chose comme à son sujet ; ou bien cet événement de pensée n'est pas identifiable par lui-même, et s'il a été identifié, il l'a été par autre chose que lui-même, par exemple en le rapportant « comme à son sujet » à celui qui en a été affecté.

D'où peut-être le désaccord entre Hobbes et Descartes. Hobbes fait comme s'il allait de soi que le « je » était employé par Descartes pour que le lecteur attribue les propositions à l'auteur du livre, donc à Descartes, qui est un individu humain doté d'une identité humaine, donc une personne physique. De son côté, Descartes avait tiré parti de l'impuissance référentielle d'un « je » saisi hors contexte. L'auteur des *Méditations métaphysiques* a donc raison de dire (contre Hobbes) que la connaissance de la vérité de « Je pense » n'exige nullement qu'on sache *de quel corps* cette proposition est vraie. Ainsi, *Descartes a raison* : le mot « je » ne permet pas de faire ce renvoi à un corps plutôt qu'à un autre corps. À vrai dire, un homme qui pense à la première personne pourrait le faire alors qu'il serait entièrement paralysé et anesthésié, incapable de s'identifier physiquement (que ce soit pour nous, par exemple en levant la main, ou pour soi, par le sentiment du corps propre)[4]. Il en va autrement de la compréhension du « je » chez l'auditeur.

Pourtant, de ce que le mot « je » n'identifie nullement telle personne physique (puisque c'est seulement en troisième personne qu'on peut rapporter le discours « Je pense » à son sujet), Descartes conclut à tort que ce mot fait référence à un individu immatériel qui est suffisamment désigné par ce mot. Par conséquent, *Hobbes a raison* : si nous devons rapporter le «Je pense» à quelque chose comme à son sujet, il faut le faire «sous une raison corporelle». Il faut une description qui permette d'identifier ce dont nous parlons en termes physiques. Il en faut une, non par une décision dogmatique sur la nécessité pour ce qui existe d'être matériel, mais à partir d'une observation logique : faire référence est, à certains égards, comme coller une étiquette sur un bocal ou accrocher un bracelet avec un prénom sur le bras d'un nouveau-né (cf. *supra*, chap. 15, note 15).

XVIII

Philosophies de la conscience

Paul Ricœur, dans des pages qui allaient devenir classiques[1], a dessiné la scène d'un conflit entre *philosophes de la conscience* et *philosophes du soupçon*. Il l'expliquait ainsi : chez des penseurs tels que Marx, Nietzsche et Freud, le doute cartésien est comme redoublé à l'intérieur même de la forteresse dans laquelle le philosophe se croyait en sûreté. Descartes a trouvé des lecteurs qui poussent le doute plus loin que lui-même n'avait cru pouvoir le faire.

> Le philosophe formé à l'école de Descartes sait que *les choses* sont douteuses, qu'elles ne sont pas telles qu'elles apparaissent ; mais il ne doute pas que *la conscience* est telle qu'elle s'apparaît à elle-même ; depuis Marx, Nietzsche et Freud, nous en doutons. Après le doute sur la chose, nous sommes entrés dans le doute sur la conscience (*op. cit.*, p. 41 ; j'ai ajouté les italiques).

Dans ce texte, Ricœur indique bien en quoi les divers penseurs qui ont été invoqués dans les débats sur la « transparence » de la conscience et sur la « souveraineté » du sujet sont en réalité des philosophes formés à l'école de Descartes. Certains des élèves de cette école s'en tiennent à la leçon de Descartes : je peux douter de la chose extérieure, mais pas de la conscience. Ainsi, je peux douter qu'il y ait une lumière en face de moi, mais je ne peux pas douter qu'il y ait au moins mon expérience de voir une lumière. D'autres étendent le doute jusqu'à ces données immédiates de la conscience qui paraissaient résister aux divers arguments sceptiques : en fait, disent-ils, je peux également douter de la conscience, car il n'est pas exclu qu'une conscience soit une *fausse* conscience. Il en va de moi-même et de mes états conscients comme de l'objet de perception externe, et donc de mon accès cognitif à moi-même comme de mon accès cognitif aux autres choses hors de moi : de même qu'il arrive que je doive corriger mon jugement de perception (j'avais cru que la tour était ronde alors qu' en réalité elle est carrée, j'avais cru que le soleil était plus petit que la terre alors qu'en réalité il est plus grand), de même je ne possède à mon propre sujet qu'une connaissance incertaine, présomptive, toujours sujette à révision et à correction.

La descendance cartésienne est donc double. Les héritiers orthodoxes pensent que la conscience ne peut pas manquer de s'apparaître à elle-même telle qu'elle est. Ce sont les *philosophes de la conscience*. Les héritiers hérétiques pensent qu'elle peut s'apparaître à elle-même autrement qu'elle est. Ce sont les *critiques de la (fausse) conscience*. Mais la chose importante est que, dans cette critique, l'essentiel de la position cartésienne est conservé : *la conscience s'apparaît à elle-même*. Et c'est justement cette position que nous pouvons aujourd'hui remettre en question, non pas sur le plan de la théorie psychologique, mais sur le plan de la grammaire du verbe « s'apparaître ». Pour les partisans comme pour les adversaires du *Cogito*, il va sans dire que cette construction pronominale correspond à une forme réfléchie. Dire que X s'apparaît à lui-même, c'est dire qu'il se montre à lui-même ou qu'il se donne à voir à lui-même. Une telle réflexion s'exprime selon le schéma de la diathèse réfléchie « objective » lorsqu'on dit par exemple qu'en regardant dans le miroir, je m'apparais à moi-même (tel que je suis, ou déformé si le miroir n'est pas plat). Mais c'est parce qu'elle s'apparaît *nécessairement* à elle-même que la conscience est une conscience de soi. L'objet que saisit le regard interne du sujet ne peut être que lui-même. Nous sommes bien sur les terres de l'égologie cognitive.

Toute cette discussion qu'évoquait Ricœur entre partisans du *Cogito* (les héritiers déclarés de l'idéalisme, les phénoménologues) et négateurs du sujet (les héritiers déclarés de Hume et de Nietzsche) oppose des penseurs dont on pourrait dire qu'ils *cartésianisent* (comme on dit d'un poète qu'il pétrarquise, ou d'un philosophe qu'il platonise). En dépit de leur divergence, les uns et les autres empruntent en philosophie de l'esprit la voie de Descartes.

La marque du mental dans le sens cartésien du terme, c'est qu'on peut en tirer une prémisse pour l'argument du *Cogito*.

Puis-je dire par exemple «Je marche, donc je suis» (*ego ambulo,
ego existo*) ? Si je pouvais affirmer sans plus que je marche, il n'y
aurait pas besoin du *Cogito*, mon existence serait déjà assurée.
Ainsi, la proposition «Je marche» ne peut pas fournir une prémisse de l'argument, elle ne rapporte donc pas un fait mental.
Il en va autrement d'une expérience de marcher ou d'une
conscience de marcher. Si je crois marcher, je ne sais pas encore si je marche effectivement, mais je sais aussitôt que j'existe
en tant que sujet d'une «pensée» de ma marche.

Descartes donne lui-même cet exemple de la marche dans les
Principes de la philosophie lorsqu'il définit la «pensée» (*cogitatio*)
comme un événement conscient[2]. Il s'ensuit que le terme cartésien de «pensée» doit s'appliquer à tous les événements qui
ont ce caractère. Juger, c'est penser, mais aussi : imaginer, c'est
penser ; voir, c'est penser ; sentir, c'est penser. Il est donc possible de dire : je juge (de quelque chose), donc je suis ; j'imagine
(quelque chose), donc je suis ; je vois (quelque chose), donc je
suis ; je sens (quelque chose), donc je suis. Mais, du même
coup, il convient de redéfinir les opérations sensibles de façon
à distinguer en elles un aspect expérientiel et un aspect physique. Cette dissociation s'impose pour l'expérience perceptive
comme pour l'expérience ambulatoire[3].

Ego video, ego ambulo («Je vois», «Je marche») : ce sont les
exemples que prend Descartes. Il y a selon lui deux façons de
comprendre ces assertions. En premier lieu, dans le sens physique : je vois ce qu'il y a à voir autour de moi, je me déplace par
la marche. À supposer qu'il n'y ait pas devant moi ce que j'ai
cru y voir, je n'ai pas vu. À supposer que la marche que j'ai faite
l'ait été dans mon rêve, je n'ai pas marché. En second lieu, dans
un sens purement expérientiel ou interne, dans un sens détaché de tout comportement et de toute interaction avec le milieu
environnant : j'ai une expérience visuelle ou ambulatoire, quoi
qu'il en soit de mon activité physique. J'ai la *conscientia ambulandi* quand je marche et que j'en suis conscient. Je puis avoir
cette même conscience dans des occasions où je ne marche nullement. Dans le rêve, je suis persuadé d'être en train de marcher parce que, explique-t-on, j'ai exactement les impressions
qui sont les miennes quand je marche effectivement. La
conscience de marcher dont parle Descartes n'est donc pas à
entendre comme la conscience d'un *agent* de la marche, mais
plutôt comme une expérience subjective de marche, une expérience dans laquelle le *sujet* de cette expérience est donné à lui-

même comme s'il marchait, et cela qu'il le fasse ou pas. La conscience de marcher n'est donc ni une connaissance directe de l'action de marcher (qui n'est pas garantie par la simple conscience d'agent), ni un jugement inductif porté sur mon comportement à partir d'observations diverses : c'est une « pensée de la marche » au sens d'un vécu de marcheur.

Est-ce que je marche ou non ? Il faut le demander à l'observation du monde, pas à la conscience, car celle-ci ne saurait me donner directement accès à un événement dans le monde extérieur (quelqu'un marche, à savoir moi), mais seulement à une expérience, à un état expérientiel de moi-même : je suis dans l'état qui est le mien lorsque j'éprouve les sensations du marcheur. De façon générale, le propre d'une philosophie cartésienne de l'esprit est de distinguer le *sujet* de la pensée (ou de l'expérience) et l'*agent* du comportement. Ce dualisme place au cœur de toutes les psychologies post-cartésiennes l'énigme du rapport entre l'esprit et le corps, c'est-à-dire entre la volonté et le comportement. Comment se fait-il que, d'ordinaire, lorsque je suis conscient de marcher (et donc lorsque je marche normalement, pas comme un somnambule), l'action de marcher ait lieu dans la réalité comme elle a lieu mentalement dans ma conscience ? Le philosophe qui a commencé par dissocier le sujet de l'agent doit maintenant rétablir le lien entre la pensée (l'expérience) du premier et les actions du second. Une façon de le faire est de soutenir que les actions personnelles de l'agent ont lieu, en réalité, dans la conscience (et que les mouvements du corps n'en sont que l'effet, la traduction extérieure). On fera du sujet de conscience l'agent de pensées qui seront à leur tour les causes de ses mouvements.

Il est commode de réserver l'appellation de « philosophies de la conscience » aux doctrines qui soutiennent que le concept de conscience de soi s'applique à la façon dont *la conscience s'apparaît à elle-même*. Si un penseur estime qu'elle s'apparaît nécessairement telle qu'elle est, il professe une doctrine classique, orthodoxe. S'il émet un « soupçon », s'il soutient qu'elle peut s'apparaître sous de fausses apparences, il n'en est pas moins un philosophe de la conscience, car il formule son hypothèse dans les termes mêmes d'une philosophie de l'esprit qui identifie le mental et le conscient.

XIX

Phénoménologie de la conscience

Ainsi, le présupposé commun aux philosophes de la conscience et à ses critiques est qu'on peut appliquer à la conscience l'opposition des apparences et de la réalité. Or que recouvre une telle opposition ? Nous la comprenons quand elle s'applique à la perception de quelque chose, au sens où, par exemple, je perçois, d'ici où je suis placé, le sommet de la montagne dont nous faisons l'ascension et je me figure que nous n'avons plus beaucoup d'efforts à faire pour l'atteindre tant il semble proche. Mais comment dois-je comprendre cette même opposition du « il semble que » et du « il se trouve effectivement que » lorsqu'elle est censée être appliquée à la conscience ?

Soit cet énoncé émis par le critique des doctrines classiques de la transparence du mental : « La conscience n'est pas telle qu'elle croit être[1]. » Il y a en fait une incertitude sur ce qu'il faut comprendre par là.

1° Une première lecture vient à l'esprit : *l'individu conscient de soi n'est pas tel qu'il croit être.* Par exemple, je crois que je suis en train de marcher, alors qu'en réalité mon corps ne se déplace nullement et que cette marche que je crois faire n'est qu'un rêve de ma part.

Or cette lecture, que nous comprenons fort bien, n'est pas celle qui convient ici. Sans doute, l'argument de Descartes est qu'il m'arrive de rêver que je marche. Toutefois, marcher en rêve, ce n'est pas du tout marcher (sur un mode onirique), c'est seulement avoir la *conscientia ambulandi* alors qu'il n'y a aucune marche réelle de la part du sujet. De là, on ne peut tirer qu'une conclusion d'ailleurs triviale : l'agent croit parfois faire quelque chose alors qu'il ne le fait pas, ou il croit être dans un certain état alors qu'il n'y est pas. Cette observation n'offre aucun intérêt pour notre discussion, car nous n'étions pas en train de parler de moi (l'individu en chair et en os qui rêve ou marche), mais de la conscience. Mais nous ne voulons pas dire non plus : quand je rêve que je marche, la conscience de marcher n'apparaît pas telle qu'elle est. Si en effet la conscience de marcher n'est pas donnée au sujet conscient comme conscience de marcher, comme *conscientia ambulandi*, alors ce sujet n'a tout simplement pas l'impression qu'il marche, ce qui veut dire que le problème de la conscience fausse (comme illusion d'une marche qui n'a pas lieu) ne se pose pas.

2° Essayons une autre lecture. Considérons, non plus un marcheur qui est conscient de sa marche ou un rêveur qui marche dans son rêve, mais un sujet doté d'une *conscientia ambulandi*. Nous parlons donc maintenant, non pas de l'expérience d'un *marcheur*, mais de l'expérience d'un *sujet* qui, à tort ou à raison, s'apparaît à lui-même comme le ferait un marcheur. La conscience de ce sujet peut-elle être fausse ? L'hypothèse d'une fausse conscience est alors que *la conscience de marcher n'est pas telle qu'elle croit être*.

Or cette seconde lecture, à la différence de la première, n'est pas intelligible. Supposons qu'une *conscientia ambulandi* puisse être en réalité autre chose, par exemple qu'elle soit une *conscientia videndi* qui s'apparaît à elle-même comme une conscience de marcher. L'hypothèse est en effet que le sujet possède une conscience de voir (par exemple une lumière), mais qu'il croit être en train de marcher parce que sa conscience de voir s'apparaît à elle-même comme le ferait une conscience de marcher.

Déjà cette hypothèse est difficile à énoncer : que voulons-nous dire exactement par une conscience de X qui *croit* être une conscience de Y ? Toutefois, ce n'est peut-être qu'une figure du style philosophique. On veut dire que la conscience de voir se donne ou se présente comme une conscience de marcher. Autrement dit, la personne qui a (en fait) une conscience de voir peut prendre cette conscience de voir pour autre chose, ici pour une conscience de marcher, et cela parce que sa conscience de voir se présente comme le ferait une conscience de marcher (de même que la tour carrée se présente parfois sous les apparences d'une tour ronde, etc.). Or c'est justement cette possibilité que nous ne parvenons pas à saisir : je veux dire que nous ne parvenons pas à saisir, non pas que la conscience puisse se tromper sur de telles choses, mais plutôt quelle est la situation dans laquelle le sujet serait exposé à de telles apparences.

Du reste, ce n'est pas seulement l'hypothèse critique qui se dérobe à notre entendement, c'est aussi la thèse orthodoxe d'une garantie attachée à la conscience : pour comprendre en quoi consiste la garantie, il faudrait d'abord comprendre quels sont les risques qu'elle exclut. Ni le philosophe de la conscience, ni la critique de la conscience ne l'ont encore expliqué.

Au demeurant, la formule spéculative d'une « conscience qui s'apparaît à elle-même » est parfaitement représentative de toute une tradition qui culmine dans des livres tels que la *Phénoménologie de l'esprit* de Hegel et qui aboutit à la phénoménologie husserlienne.

Il me semble que je marche : nous comprenons cette application à moi-même de l'opposition entre l'apparence et la réalité. Le cartésien dira que les mouvements de mon corps ne sont pas comme tels des objets de conscience, des données immédiates, des opérations dont je sois immédiatement averti. Maintenant, peut-on dire : *il me semble qu'il me semble que je marche* ? C'est ici que nous avons l'impression d'être victimes d'un piège ou d'un embrouillement conceptuel, car, d'un côté, nous voudrions répondre qu'on ne le peut pas, mais, d'un autre côté, nous ne voulons pas, en répondant négativement, prendre parti dans la Querelle du sujet pour le camp des philosophes de la conscience transparente contre les « maîtres du soupçon[2] ». Car, en rejetant l'idée selon laquelle la conscience ne s'apparaît pas toujours à elle-même telle qu'elle est, autrement dit l'idée qu'il existe des formes de conscience fausse[3], nous nous prononçons sur le terrain d'une grammaire des verbes psychologiques, pas sur celui d'une théorie psychologique (cf. *infra*, chap. 23). Il me reste à expliquer en quoi la critique grammaticale n'est pas une prise de position *dans* la Querelle du sujet conscient de soi, qu'elle est un jugement *sur* cette Querelle, sur l'un de ses présupposés.

XX

La présence à soi

Une conscience cartésienne, en vertu de sa transparence, est la source d'une connaissance certaine des états du sujet. Elle procure à celui-ci des vérités indubitables. Ce point est bien connu, mais on ne saisit pas toujours le statut de ces dogmes remarquables. Il ne s'agit nullement d'une prétention excessive de la part du philosophe cartésien, d'une surestimation de nos pouvoirs (qu'on pourrait corriger en affectant la conscience d'une « ambiguïté » constitutive). Si la difficulté inhérente à la philosophie cartésienne de l'esprit avait été une affaire de prétentions abusives, on aurait pu facilement tempérer cette conscience dont elle nous dotait en la rappelant à ses limites humaines. Mais c'est *par définition* qu'une conscience cartésienne est transparente à l'égard de son contenu, si l'on entend par là ce qui fait d'elle cette forme particulière de conscience plutôt qu'une autre : par exemple, la conscience de marcher dans la forêt plutôt que la conscience de voir une lumière.

Il en résulte que le sujet d'une telle conscience est doté d'un pouvoir cognitif incompréhensible. Pour le montrer, usons d'un apologue imité des *Mille et Une Nuits* et qui s'inspire de la « philosophie de la psychologie » de Wittgenstein, c'est-à-dire de sa réflexion sur les concepts psychologiques[1]. Le conte commence ainsi :

Sachez, dit Schéhérazade, que le calife Haroun-al-Raschid avait coutume de marcher très souvent la nuit incognito, pour savoir par lui-même si tout était tranquille dans la ville, et s'il ne s'y commettait pas de désordre. Cette nuit-là, le calife était sorti de bonne heure, accompagné de Giafar, son grand-vizir. Un passant, les prenant pour deux simples marchands — car ils avaient revêtu le costume ordinaire des marchands de Bagdad — leur demanda à l'un et à l'autre s'ils connaissaient les intentions du calife...

Ce passant ne sait pas qu'il a posé sa question aux deux personnes les plus capables de lui répondre. Le fait est que le calife et son vizir sont en effet les mieux placés pour le renseigner. On notera qu'il y a pourtant entre eux une différence. Si le vizir connaît les intentions du calife, c'est parce qu'il a le privilège d'être son plus proche confident. Il est le mieux placé de tous les hommes pour savoir ce que médite de faire le calife. Mais si le calife connaît les intentions en question, ce n'est pas pour être *encore mieux placé* que son confident, ce n'est pas pour être en quelque sorte le mieux placé de tous, et donc le premier qui soit mis au courant, à la façon d'un perpétuel confident de soi-même. Le calife peut répondre mieux que quiconque parce qu'il est lui-même le sujet des intentions sur lesquelles on l'interroge. Certes, il est mieux placé *pour répondre*. Pourtant, s'il dispose d'une telle autorité, ce n'est pas parce qu'il possède une connaissance privilégiée du contenu de son esprit, comme s'il était averti avant les autres de quelque chose (tel est bien plutôt l'avantage dont jouit le vizir). Le calife peut répondre de façon décisive au sujet des intentions du calife parce qu'il est celui qui possède ou forme ces intentions, celui qui peut aussi les abandonner, les modifier. Le sujet d'une intention jouit d'une autorité discrétionnaire, et non pas épistémique, sur le contenu de ce qu'il veut faire. Nous considérons que c'est à lui de dire s'il a ou non telle ou telle intention, non pas parce qu'il *aperçoit* mieux que nous un état volitif de sa personne, mais parce qu'il est lui-même l'agent de ses propres intentions[2].

Il y a donc deux types d'autorités capables de déterminer quelles sont les intentions et les pensées de quelqu'un. « Je suis bien placé pour vous dire ce que pense N. » Voici une raison possible : je suis son associé, son plus proche témoin. Je sais donc avant les autres ce qu'il pense. Mais la façon dont je le sais est celle de n'importe qui : j'écoute ce qu'il me dit, je le regarde faire ses préparatifs, je me base sur toutes sortes d'observations. Voici une autre raison possible : N., c'est moi. Ainsi, la confusion qui nous menace est de tenir cette seconde situation pour une forme extrême de la première. Nous risquons de prendre la conscience qu'un agent a de ce qu'il fait et veut faire pour

une observation menée dans des conditions exceptionnellement favorables. C'est comme si le fait que je sois la personne
concernée, celle dont il s'agit, faisait de moi un témoin privilégié de ce qui se produit, non plus sur la scène de l'action
« extérieure », mais sur une scène « intérieure ». En réalité, le
confident est en effet dans une position de témoin privilégié,
alors que le sujet n'est pas du tout un observateur de lui-même[3].
La conscience de soi n'est pas une activité réfléchie.

Nous vérifions ainsi le diagnostic porté par Charles Taylor sur
le concept de « soi » qui émerge dans le courant de pensée
inauguré par Descartes et repris par Locke : l'agent tend à être
conçu comme un « sujet désengagé », c'est-à-dire un spectateur
pour lequel toute chose, y compris son propre comportement
et sa propre action, tend à devenir un objet d'inspection[4]. Mais
la conscience de soi que possède un agent n'est justement pas
le sentiment d'avoir devant soi, certes dans une extrême proximité à soi, un être possédant différents attributs (dont celui
d'être en train d'agir). La conscience de soi propre à un agent
est une connaissance que l'agent a de son *action* (et non la perception d'une entité dans laquelle le sujet se reconnaîtrait).
Taylor emprunte à Elizabeth Anscombe[5] cette idée que la
conscience de soi est justement cette connaissance réservée à
l'agent de ce qu'il est en train de faire. Les autres savent ce que
je suis en train de faire s'ils sont en mesure de m'observer intelligemment. Quant à moi, je n'ai pas besoin de m'observer pour
savoir ce que je fais, j'ai seulement à agir de la façon qui me paraît la bonne pour atteindre le but que je me suis fixé. En ce
sens, il est exact que la conscience de soi est un savoir privilégié.
Mais ce savoir n'a rien d'introspectif. Mon action m'est connue
en tant qu'elle *exprime* mon intention, et il me suffit donc
d'avoir une intention que j'exécute pour avoir une connaissance d'agent. « Autrement dit, la conscience de l'intention
incorpore, et ne peut être rien de plus, que la conscience de ce
que nous sommes en train de faire intentionnellement[6]. » À
partir de là, Taylor oppose deux façons de concevoir la philosophie de l'action selon la place qu'on y donne à l'agent. Si le
sujet de l'action y est déterminé comme agent de son action
elle-même (donc, selon la terminologie du présent exposé,
comme *complément de sujet d'un verbe d'action humaine*), alors sa
conscience de soi ne consiste nullement dans une donation de
soi à soi, mais dans la capacité qu'il possède de déterminer ce
qu'il fait effectivement. L'agent est conscient de soi, non parce

qu'il aperçoit ses propres états, mais parce qu'il sait à quoi tendent ses efforts. Il le sait parce que c'est à lui d'en décider. L'activité qu'il déploie exprime son intention, qui est d'atteindre un certain objectif que lui-même s'est fixé dans une délibération pratique (explicite ou implicite, c'est-à-dire restituable après coup). En revanche, dans la théorie causale de l'action, qui reprend à son compte le dualisme cartésien, le sujet de l'action n'est pas déterminé comme agent, mais plutôt comme sujet expérientiel (passif) ou comme observateur infaillible de ses propres états. Un tel sujet ne connaît pas son action, mais seulement son désir, son expérience volitive. Quant aux suites causales de cet état volitif (les mouvements et gestes qu'il fait pour satisfaire ce désir), il les connaît, comme tout le monde, de l'extérieur, dans une observation faillible des événements qui se produisent dans le monde[7].

Finalement, se dira-t-on, que conclure de toute cette discussion ? Est-ce qu'une conscience humaine est transparente ou est-ce qu'elle est toujours plus ou moins opaque, ou du moins ambiguë ? Cette question, je crois, n'a plus lieu d'être. C'était une erreur de parler de la transparence des formes de conscience comme s'il s'agissait d'une propriété *psychologique* de certains processus (ils seraient entièrement dévoilés à celui qui en est conscient). C'était encore une erreur d'en faire un privilège *épistémique* dont jouirait le sujet de ces processus (il serait placé là où il peut voir directement ce qui se produit). Les philosophes de la conscience soutiennent que celle-ci est transparente parce que, disent-ils, les apparences sont données dans des conditions telles qu'elles sont toujours égales à la réalité. Les critiques de cette philosophie de la conscience font l'objection que de telles conditions n'existent pas, puisque nous sommes des créatures compliquées, finies, sujettes à l'illusion.

L'objection grammaticale, au sens où Wittgenstein emploie ce terme, est d'une autre nature. Que la conscience soit transparente n'est pas le point disputé. Dire que la « conscience » du sujet est transparente, c'est employer un vocabulaire *perceptif* qui favorise les confusions. Qui dit transparence dit chose à inspecter et regard à diriger vers elle pour l'inspecter. Mais, si l'on veut dire seulement qu'il suffit d'être le sujet de l'intention pour être en mesure de déclarer quelles sont les intentions de quelqu'un, alors la thèse est très vraie, mais elle est vraie à la façon d'une vérité « grammaticale ». Autrement dit, cette vérité n'en est pas une, elle ne nous apprend rien sur notre esprit, mais nous rappelle seulement que c'est ainsi que nous employons (que nous *voulons* employer) le vocabulaire de l'intention. La « transparence » des faits de conscience n'est donc qu'une propriété *logique* de certaines descriptions.

L'idée que la conscience de soi est une forme réfléchie d'activité cognitive (inspecter, explorer, examiner, tâter) est profondément ancrée dans toute la tradition des philosophies de la conscience. Il va de soi, dans cette tradition, que le sujet se connaît mieux qu'il ne connaît les autres personnes, car : 1° dans les deux cas, il y a connaissance des états de quelqu'un ; 2° mais, dans le cas d'autrui, les états sont observés de l'extérieur, alors que dans son propre cas, les états sont appréhendés « de l'intérieur », dans une coïncidence avec soi qui serait comme le comble de la proximité ou de la présence à soi.

Pour être en mesure de résister à toute cette façon de penser, il faut remonter à l'identification de la pensée et de la conscience. Il faut y remonter, non pas à la façon d'un « généalogiste des idées », pour retracer une ligne de provenance, mais à la manière analytique, en demandant aux explications traditionnelles de s'expliquer et pas seulement de se raconter.

XXI

Doctrine des actes cogitatifs

S'il est un domaine où il apparaît difficile de faire la différence entre le langage ordinaire de tous les jours et l'idiome technique de certaines écoles philosophiques, c'est bien celui du vocabulaire psychologique, du moins lorsqu'on a affaire à la langue française écrite, celle qui cherche ses normes de correction dans les textes de nos classiques.

Nous savons que les contemporains de Descartes ont été surpris par l'emploi que faisait le philosophe du mot français « pensée » ou du mot latin « *cogitatio* ». Il est permis de juger qu'aujourd'hui encore, il y a quelque chose d'étrange dans l'emploi philosophique du vocabulaire de la pensée qui nous a été légué par toute la tradition issue de notre philosophe national. Il est toutefois difficile de marquer la différence entre l'idiome du philosophe et l'usage ordinaire, car la langue française elle-même, en la personne de Littré, semble avoir accepté l'autorité de la redéfinition cartésienne. Ainsi, le premier sens que donne son dictionnaire est précisément celui de Descartes dans les *Secondes réponses*[1]. C'est bien la preuve que ce texte a désormais quelque chose de canonique : il faut passer par lui, non seulement pour commenter les écrits de Descartes, mais pour dire ce que signifie le mot « pensée » en français. Voici donc le texte cité par Littré dans le *Dictionnaire de la langue française* :

> Par le nom de pensée, je comprends tout ce qui est tellement en nous que nous en sommes immédiatement connaissants[2]. Ainsi, toutes les opérations de la volonté, de l'entendement, de l'imagination et des sens, sont des pensées. Mais j'ai ajouté *immédiatement*, pour exclure les choses qui suivent et dépendent de nos

pensées : par exemple le mouvement volontaire a bien, à la vérité, la volonté pour son principe, mais lui-même néanmoins n'est pas une pensée (A.T., IX, 124).

On note que cette explication que donne Descartes remplit deux fonctions : elle *élargit* l'emploi du mot à des « opérations » que le lecteur n'aurait pas de lui-même comprises sous ce mot de « pensée », mais en même temps elle *exclut* des choses que ce lecteur aurait peut-être cru appartenir au champ d'application du terme.

Tous les commentateurs ont signalé que Descartes emploie le mot « *cogitatio* » de façon beaucoup plus large qu'on ne le ferait ordinairement. La divergence d'avec l'emploi ordinaire est encore sensible, en dépit de l'autorité reconnue à Descartes par Littré. Aujourd'hui comme hier, le verbe « penser » s'entend ordinairement de ce que Descartes appelle les « opérations de l'entendement » (*intellectus operationes*), parfois de certaines des opérations de la volonté, de l'imagination, mais pas de celles des sens. Nous pouvons dire : « Je pense que la terre est ronde », pour : « Je juge que la terre est ronde. » Nous comprenons aussi : « Je pense aller en Italie », pour : « Je veux aller en Italie. » Mais nous ne dirions certainement pas : « Je me pense mal », pour : « Je me sens mal », car dire cela, ce serait inévitablement suggérer un jugement sur mon état (jugement qu'il faudrait fonder par exemple sur le fait que je me sens mal). Nous ne dirons pas non plus : « Je pense une lumière », pour : « Je vois une lumière », ou « Je pense de la chaleur », pour : « Je sens de la chaleur. » Imaginez le dialogue : « Une pensée m'est venue. — Quelle pensée ? — J'ai senti comme une piqûre à la jambe. » Ces observations, par elles-mêmes, ne constituent d'ailleurs pas encore une objection à l'élargissement cartésien du champ cogitatif, mais elles signalent que cette redéfinition doit être justifiée par l'analyse philosophique, qu'elle ne peut pas être imposée au nom d'un usage constant depuis l'âge classique.

À d'autres égards, le mot « penser » (*cogitare*) est employé chez les cartésiens de façon plus étroite qu'il ne l'est ordinairement. Il faut en effet que ce soit un verbe d'action à part entière. Sont alors exclus tous les emplois adverbiaux du concept de penser. L'emploi du verbe « penser » est ainsi soumis à une condition restrictive d'immédiateté : est une pensée ce qui est *directement* présent à l'esprit, ce qui est *absolument* donné à la conscience.

Descartes invente ici la « théorie causale de l'action », théorie dualiste selon laquelle une action humaine se compose d'une opération mentale et d'un mouvement de corps, la première provoquant le second à la façon d'une cause. Si donc nous voyons quelqu'un qui nous paraît profondément absorbé par une tâche manuelle telle que peindre un tableau sur le motif (ou même seulement faire la copie d'une toile de maître), ou bien faire une opération chirurgicale, ou bien réparer une machine délicate, nous ne pouvons pas dire que cet agent se livre à une activité intellectuelle ou pensante, et donc qu'il pense. Il faudra en effet dissocier le mouvement extérieur et les pensées qui en sont le « principe » (au sens causal). Nous devrons donc dire, à suivre Descartes, que nous voyons cet agent *bouger*, mais pas que nous le voyons *penser* : nous supposons seulement qu'il pense, car sa pensée — par définition, si l'on peut dire — ne saurait être directement manifeste dans ses gestes. Faire attentivement différents gestes, ce n'est pas *penser* (à ce qu'on fait), c'est exécuter divers mouvements physiques et les accompagner d'une activité cogitative. Il en ira de même de quelqu'un que nous voyons écrire : sa main trace des lettres tandis que son esprit pense des significations. La même dualité se retrouvera dans le cas d'un sujet qui nous parle : il faudra distinguer l'activité physique de produire des sons et l'activité cogitative d'accompagner ces sons d'une visée signifiante. D'où le problème de la communication entre le sujet, agent des mouvements physiques (cerveau) et le sujet, agent des opérations cogitatives (esprit).

Quelle est finalement la signification de l'élargissement cartésien ? Ce point reste controversé pour les exégètes. On peut d'abord soutenir que le sens intellectuel de *cogitare* est conservé tandis que le domaine d'application de ce verbe s'élargit. Dans cette hypothèse, ce sont les autres formes de conscience qui sont intellectualisées. Loin que la pensée soit changée en une espèce de sentiment ou de vécu, c'est la perception ou l'imagination ou la volonté qui sont traitées comme des actes intellectuels. Mais on peut juger, au contraire, que la voie est ouverte à une conception expérientielle de l'acte intellectuel : penser, c'est vivre quelque chose ou éprouver quelque chose.

Le seul point commun aux actes et états que Descartes décide d'appeler « pensée » est qu'ils donnent lieu à un *acte de conscience*, ce qui leur permet de fournir une prémisse à l'argument du *Cogito*. Quand se produit en nous une *cogitatio*, nous le savons de façon immédiate. Nous en sommes immédiatement « connaissants », c'est-à-dire conscients. Mais la notion d'acte de conscience est loin d'être clairement fixée, comme l'a montré Anthony Kenny[3]. Il en va ainsi, non seulement des divers passages où Descartes s'explique, mais parfois d'un seul et même texte[4], comme dans sa réponse aux *Troisièmes objections* (celles de Hobbes) selon qu'on s'adresse à l'original latin ou à la traduction française. Le passage oppose les « actes corporels » et les « actes de pensée ». Descartes mentionne d'abord la liste (grandeur, figure, mouvement[5]) des « actes » qui sont inhérents au corps ou « chose étendue ». Pour les actes de pensée, ou actes cogitatifs, le texte français dit « acte intellectuel », ce qui est trompeur puisque la liste comprend, non seulement « entendre », c'est-à-dire « comprendre[6] », mais encore « vouloir » et surtout « sentir ».

La confrontation des deux versions latine et française du texte montre qu'il y a deux théories en cause. On doit choisir entre les deux explications (a) et (b) ci-dessous d'un acte cogitatif.

(a) Les actes cogitatifs selon le texte latin :

« *Sunt deinde alii actus, quos vocamus* cogitativos, *ut intelligere, velle, imaginari, sentire, etc., qui omnes sub ratione communi cogitationis, sive perceptionis, sive conscientiæ, conveniunt ; atque substantiam cui insunt, dicimus esse* rem cogitantem, *sive* mentem. » (A.T., VII, 176)

(b) Les actes cogitatifs selon la traduction française du texte ci-dessus :

« En après, il y a d'autres actes que nous appelons *intellectuels* (= *cogitativos*), comme entendre, vouloir, imaginer, sentir, etc., tous lesquels conviennent entre eux en ce qu'ils ne peuvent être sans pensée, ou perception, ou conscience et connaissance (= *conscientia*) ; et la substance en laquelle ils résident, nous disons que c'est une *chose qui pense* ou un *esprit*. » (A.T., IX, 137)

Le texte latin paraît bien définir l'acte cogitatif comme l'exercice d'une des facultés de l'esprit : comprendre, c'est penser ; vouloir, c'est penser ; imaginer, c'est penser ; sentir, c'est penser, etc. Tous ces actes sont cogitatifs parce qu'ils sont tous cognitifs *par eux-mêmes*. En revanche, le texte français définit l'acte cogitatif comme un acte qui ne peut manquer d'être aperçu du sujet. Selon cette explication, il y aurait donc deux actes en cause : l'acte cogitatif (« intellectuel ») qui est objet de conscience et un deuxième acte cogitatif qui consiste dans la perception ou la conscience du premier acte. Comprendre, vouloir, imaginer, sentir, etc. sont des actes de pensée parce que je ne peux pas vouloir, imaginer, etc. sans prendre connaissance ou conscience (« penser ») que je le fais. On peut montrer que ces deux doctrines, que j'appellerai respectivement « latine » et « française »[7], sont problématiques, tant en elles-mêmes que dans leur combinaison. Il n'est pas certain qu'on puisse véritablement expliquer ce que c'est que « penser » — ce que c'est qu'avoir une *cogitatio* — au sens cartésien du terme. En effet, il y a deux façons d'expliquer la propriété cognitive qui caractérise une « pensée », une *cogitatio*. Cette propriété est celle d'une conscience nécessaire et infaillible. Un acte cogitatif est un acte signifié par ce qu'on peut appeler un « verbe de cogitation » (noté ici « je Ψ ») qui satisfait à la condition suivante :

« Si je Ψ, alors je sais que je Ψ. »

Quand je fais un acte cogitatif, je sais toujours que je le fais. Comment expliquer cette lucidité ? C'est ici que les explications divergent.

Commençons par la théorie du texte français (b), car c'est elle qui s'est imposée dans la psychologie traditionnelle : la conscience donne au sujet un *accès cognitif* à ses états. Selon cette théorie, un acte cogitatif est à définir comme un acte qui ne peut se produire sans qu'il y ait une conscience de faire cet acte. Je sais que je fais l'acte cogitatif *par un autre acte*, lui aussi cogitatif. La conscience consiste ici dans l'acte de prendre connaissance (par quelque chose comme une perception interne ou un contact cognitif avec moi-même) de mon premier acte cogitatif. C'est-à-dire qu'un acte est cogitatif parce qu'il se produit en moi ou dans mon esprit, dans l'intériorité de moi-même, et que tout ce qui se produit en ce lieu m'est immédiatement connu par une perception interne. Les actes cogitatifs sont des événements mentaux qui, justement parce qu'ils sont mentaux, ne sauraient échapper à la conscience (conçue ici comme une sorte de sens intime ou de faculté d'apercevoir les épisodes de sa propre vie mentale).

Parmi ces actes cogitatifs, certains sont eux-mêmes cognitifs ou se présentent comme s'ils l'étaient (voir, toucher, se souvenir, juger). D'autres ne sont pas cognitifs (vouloir). Si les uns et les autres sont classés ensemble comme « actes intellectuels » — il faut comprendre : actes de pensée —, ce n'est donc pas en vertu de leur nature particulière, mais du fait qu'ils donnent tous lieu à une connaissance immédiate, celle que procure l'acte de conscience qui se porte sur eux. De son côté, cet acte de perception interne ou de conscience qui prend pour objet les « pensées », c'est-à-dire les états et les opérations internes, est comme tel un acte de cognition interne. L'acte de conscience me permet de savoir avec certitude que je Ψ quand je fais un tel acte. L'acte de conscience est donc un acte *réflexe*, ce que Ryle appelait un « acte de degré supérieur » : il porte sur un autre acte (cf. *supra*, chap. 12). Mais c'est aussi un acte *réfléchi* de type « subjectif » : il ne peut porter que sur le sujet lui-même, puisque la conscience ne me donne accès qu'à mes propres actes, pas aux vôtres. Je ne peux pas, par un acte de ma conscience, introspecter ou saisir immédiatement vos états mentaux.

Récapitulons : selon cette première explication, un acte est cogitatif parce qu'il se produit dans des conditions telles qu'il fait l'objet d'un second acte. Le schéma général d'un acte cogitatif sera donc :
(b1) « Chaque fois que je Ψ, je perçois immédiatement que je Ψ par un acte de conscience. »
C'est parce que cette perception est directe ou immédiate qu'elle garantit le savoir dont elle dote le sujet. Le point décisif est ici qu'*il faut deux actes cogitatifs pour faire un acte cogitatif* : d'abord, l'acte cogitatif qui s'exprimera dans l'énoncé « je Ψ », ensuite l'acte cogitatif qui prendra connaissance du premier. Nous avons alors, comme l'avait noté Hobbes, tous les ingrédients d'une régression à l'infini : si je sais que je Ψ chaque fois que je Ψ, c'est parce que je Ψ que je Ψ, et ainsi de suite à l'infini. J'aperçois (par la conscience) que j'imagine, et j'aperçois (par la conscience) que j'aperçois (par la conscience) que j'imagine, etc.

La théorie du texte latin (a) de l'acte cogitatif évite cette régression. Elle explique le savoir que j'ai de mon acte mental par le fait que cet acte est, comme tel, un acte de conscience. La définition d'un acte cogitatif se présente maintenant ainsi :
(a1) « Si je Ψ, alors je suis conscient (de quelque chose), ou je perçois (quelque chose), ou je pense (quelque chose) sur le mode Ψ. »
Un acte cogitatif est un acte par lequel je suis immédiatement conscient de quelque chose. Autrement dit, il y a une présence (mentale ou intentionnelle) du contenu de ma pensée, de ce que je pense, à mon esprit de penseur, et l'on dira plus brièvement :
(a2) « Si je Ψ, alors je sais CE QUE je Ψ et je sais QUE je m'y rapporte sur le mode Ψ. »

Nous retrouvons l'idée que la conscience est « transparente » ou « donatrice » : ma *conscientia ambulandi*, par elle-même, ne me dit pas si je marche réellement, mais elle me dit certainement que j'existe en tant que sujet d'une expérience de marcher.

Comment tous les actes réunis sont-ils cognitifs ou cogitatifs ? Percevoir, dira-t-on, est cognitif, mais vouloir est plutôt conatif. À cela, il faut répondre que tout acte de conscience procure au sujet la connaissance de l'acte particulier qu'il est. Bien entendu, il ne s'agit donc pas de connaître au sens de posséder des informations vraies sur une réalité indépendante[8]. La conscience ne donne pas immédiatement de telles informations. Selon la théorie « latine », la conscience fait savoir au sujet quel est le *cogitatum* de son acte. L'autorité de la conscience porte maintenant sur le *cogitatum*, le contenu (ou objet intentionnel) de l'acte, objet qu'il ne faut surtout pas confondre avec la chose *extra animam*.

Par exemple, si je vois une lumière, la théorie « latine » ne dira pas, comme la théorie « française », que ma vision est toujours consciente, toujours jointe à une expérience de voir, ce qui impliquerait qu'il y ait d'une part l'acte de voir et d'autre part l'acte d'apercevoir que je vois. Voir, c'est maintenant penser ou être conscient de quelque chose sur le mode visuel. La théorie « latine » dira que ma vision est une conscience visuelle de lumière, ou une expérience visuelle de lumière, qu'elle est une façon d'être conscient de quelque chose, ici d'une lumière qui m'est présente sur le mode de la vision. On pourra dire aussi que je suis présent à la lumière donnée sur le mode perceptif. Ma conscience est une façon d'être présent de façon « extatique » ou par une « transcendance » de soi à l'objet (intentionnel).

De même, on ne dira pas, comme dans la théorie « française », que ma volonté de faire un voyage est un état de moi-même que je ne puis manquer d'apercevoir en moi, puisqu'il est un état interne. On dira que ma volonté est une conscience d'un voyage possible sur le mode du vouloir. Nous reconnaissons dans cette théorie « latine » la doctrine phénoménologique selon laquelle la vie de la conscience possède une structure uniforme : *ego-cogito-cogitatum*[9].

L'idée d'une structure cogitative de l'acte mental n'est pas réservée aux doctrines qui se réclament du *Cogito*. Elle se retrouve par exemple dans la conception russellienne des « attitudes propositionnelles » (je crois que *p*, j'espère que *p*, je me souviens que *p*, etc.). Wittgenstein a lui-même longtemps repris à son compte une doctrine analogue, avant de s'en défaire laborieusement grâce à ses réflexions sur la diversité des « verbes psychologiques ». La théorie de la proposition comme « tableau » était censée fournir le schéma d'une forme commune à tous ces verbes, comme le montre ce texte où Wittgenstein souscrit encore au préjugé d'une structure générale de tous les états mentaux : « Bien entendu, l'attente n'est pas l'image (*Bild*), mais elle est l'attitude que je prends à l'égard de cette image, et c'est ce qui fait la différence entre l'attente, la peur, l'espoir, la croyance, l'incroyance[10]. »

Récapitulons la teneur de la théorie « latine ». Cette théorie a ceci de séduisant qu'elle évite la régression qui ruine la théorie « française ». Selon elle, il suffit d'un seul acte cogitatif pour faire un acte cogitatif. Les actes cogitatifs sont cognitifs en tant qu'ils sont, par eux-mêmes et non par une seconde opération concomitante, des actes de conscience. Il suffit par exemple de sentir quelque chose pour qu'il y ait conscience de sentir. Il suffit de vouloir quelque chose pour qu'il y ait conscience de vouloir. Il suffit de se souvenir de quelque chose pour qu'il y ait conscience de se souvenir. Toutefois, la théorie « latine », à son tour, éveille notre perplexité. S'il n'y a plus qu'un acte, à quoi correspond le « je sais » dans « si je vois, je sais que je vois » ? Pouvons-nous dire en quoi tous les actes cogitatifs sont cognitifs ? Quelle est exactement la connaissance procurée quand je fais un tel acte ? Qu'est-ce que l'acte m'apprend sur lui-même ?

En passant de la théorie « française » à la théorie « latine », on est passé d'un énoncé dont le « je sais » se fondait sur un acte spécial de conscience à un énoncé dans lequel le « je sais » se borne à reproduire l'acte connu par conscience. Autrement dit, on a abandonné la théorie des deux actes en un (« Je *sais* que je vois, car j'ai conscience de voir ») pour une théorie dans laquelle le savoir immédiat est donné dans l'acte conscient lui-même, de sorte que ce que je sais n'est pas *que je vois*, mais plutôt *que j'ai conscience de voir*. Il faudrait donc dire : « Je *sais* que j'ai conscience de voir. » Mais ce dernier énoncé ne peut pas nous éclairer. Comment pourrais-je avoir conscience de voir et me demander si je vois ? Que voudrait dire « J'ai conscience de voir, mais j'ignore que j'en ai conscience » ? Il apparaît donc que, dans la « théorie latine », le préfixe marquant la cognition

interne est inutile. « Je sais que je vois » n'en dit pas plus que
« Je vois ».

Qu'est-ce donc qu'une pensée au sens cartésien ? Il y a bel et
bien deux explications. La différence entre les deux théories (et
les difficultés propres à la formulation de l'une et l'autre) apparaît plus nettement encore lorsqu'on se demande comment
elles réagissent l'une et l'autre à l'« hypothèse d'un inconscient
psychique ».

XXII

Théories de l'inconscient

Demandons-nous à quoi tient la nécessité de la « transparence » de la conscience. Qu'on adopte la théorie « française » ou la « latine », l'hypothèse d'un inconscient mental est exclue. Je parle d'une hypothèse pour marquer qu'il s'agit d'une théorie scientifique, pas d'une construction philosophique. Mais si les deux philosophies de la conscience sont hostiles à cette hypothèse, ce ne sera pas pour les mêmes raisons. Dans un cas, la possibilité d'un état mental inconscient est exclue pour une raison psychologique, dans l'autre, pour une raison logique.

Considérons d'abord ce que serait un inconscient « français ». Selon la théorie « française » de la conscience, la doctrine de l'inconscient est inadmissible parce qu'elle assimile les événements mentaux à des événements extérieurs (au sens de « corporels »). Or je n'ai pas pu faire un acte mental sans l'apercevoir, ni éprouver quelque chose sans être aussitôt et fidèlement averti. Pourtant, une telle exclusion d'une « hypothèse de l'inconscient » (pour expliquer certains faits de comportement) apparaît des plus fragiles. La théorie « française » pose que tout acte mental est forcément aperçu du sujet au moyen d'un autre. Mais, s'il faut deux actes mentaux pour qu'il y ait conscience des événements internes à l'esprit, pourquoi exclure que l'un de ces actes puisse se produire sans l'autre ?

Il semble alors qu'il y ait deux façons possibles de contredire la théorie « française » de la conscience. La première serait de dire :

(b2) « Il peut arriver ceci : je Ψ, mais je ne sais pas que je Ψ. »

Si c'était possible, cela voudrait dire que la connaissance d'un état interne serait aussi faillible — et donc incertaine, au regard d'une exigence de fondation radicale et définitive du savoir — que la connaissance d'un état corporel du sujet. S'il y avait une part inconsciente du mental, il pourrait se produire en moi (au sens mental) des événements qui m'échapperaient. Par exemple, il y aurait parfois perception, mais sans conscience de cette perception. Il y aurait parfois imagination ou désir, mais sans que cette imagination ou ce désir soient portés à la connaissance du sujet par un acte de conscience. Il pourrait y avoir des événements mentaux totalement inaperçus. Ou bien, il pourrait arriver que des actes mentaux soient aperçus, mais qu'ils le soient de façon déformée. Bref, il serait concevable que la conscience ne s'apparaisse pas à elle-même telle qu'elle est.

Et, si tout cela était possible, il serait permis à la psychologie de faire, comme on dit, « l'hypothèse de l'inconscient » pour expliquer diverses aberrations dans la conduite humaine. D'où les images sans cesse reprise dans les écrits des propagandistes de cette hypothèse : s'il y a un inconscient, le sujet n'est plus « maître chez soi », il serait comme « décentré », « délogé », « subverti », il porterait en lui un domaine étranger, c'est-à-dire extérieur, comme s'il y avait une seconde personne dans sa personne.

Il est clair que la doctrine des actes cogitatifs inconscients qui se met ainsi en place descend en droite ligne de la philosophie cartésienne de l'esprit. En effet, ce qu'elle nous demande d'accepter — au moins par hypothèse — est qu'il n'y ait pas une connexion nécessaire, une liaison garantie en vertu de la nature de l'esprit, entre *deux* actes mentaux distincts, à savoir d'un côté l'acte cogitatif particulier (sensation, volition, pensée, etc.) et de l'autre l'acte de percevoir ce premier acte. Or il suffit en effet de récuser la nécessité de la connexion entre les deux actes pour introduire la possibilité *logique* (ou conceptuelle) de l'inconscient. C'est donc au sein même de la conception cogitative de l'esprit (c'est-à-dire d'une vue cartésienne du mental) qu'apparaît la théorie de l'inconscient lorsqu'elle se formule comme la possibilité que le sujet ne perçoive pas tous les actes de représentation ou de volonté qui se font dans son psychisme.

D'un point de vue purement spéculatif, il faut reconnaître que les partisans de l'hypothèse d'un inconscient ont une position plus conséquente que celle défendue par leurs adversaires « français ». Les premiers ont raison de dire que l'idée d'inconscient est parfaitement intelligible, du moins tant qu'on accepte de définir l'acte de conscience dans les termes de la théorie

« française », c'est-à-dire par la *conjonction* de deux actes cogitatifs, l'un « direct » et l'autre « réflexe ».

Autre façon de le dire : la transparence de la conscience est ici conçue comme une qualité psychologique des états mentaux, pas comme un trait logique des verbes psychologiques. Même si nous étions naturellement constitués comme des êtres transparents, l'hypothèse de l'inconscient serait pleine de sens. Dès lors qu'il faut un acte cognitif distinct pour porter à la connaissance du sujet son acte mental (de perception, de volonté, etc.), dès lors par conséquent qu'il faut deux actes pour faire une conscience, il est toujours concevable (logiquement) que l'un des deux actes se produise sans l'autre.

Ce qui nous conduit à la deuxième façon dont on pourrait rejeter l'idée qu'un acte est nécessairement conscient. Elle serait de dire[1] :

(b3) « Il peut arriver ceci : j'ai conscience que je Ψ, mais je ne sais pas si je Ψ. »

Quelqu'un qui avancerait cette thèse poserait la possibilité d'une conscience non donatrice (ou donatrice d'un faux apparaître dissocié de l'être). La conscience pourrait être une expérience livrant un contenu expérientiel, mais non la réalité d'une opération mentale. La situation évoquée est par exemple celle-ci : j'ai conscience de *vouloir* me promener, mais je ne saurais pour autant affirmer que je *veux* me promener, car il est possible d'avoir l'expérience de faire une opération cogitative sans pour autant faire cette opération. Possibilité qui est strictement parallèle à celle que la philosophie de la perception relève dans le cas d'une saisie sensible d'un objet « extérieur » : j'ai aperçu un homme, mais, à la réflexion, j'ai peut-être seulement eu l'impression d'apercevoir un homme (puisqu'il arrive que je doive parfois admettre qu'en réalité, je n'ai rien perçu du tout).

Cette seconde version de l'hypothèse — l'événement de conscience a lieu, mais pas l'acte cogitatif qui pourtant fait l'objet de cette conscience — peut sembler intelligible pour de mauvaises raisons. C'est ce qui arrive si nous tirons nos exemples d'attributs psychologiques qui, en réalité, ne sont pas à ranger parmi les *cogitationes*, c'est-à-dire les *opérations* de l'esprit et les *événements* mentaux. Par exemple, nous comprenons très bien des déclarations du genre : « Tu crois aimer cette personne, mais en réalité tu ne l'aimes pas », ou encore « Tu te crois coupable, mais en réalité tu ne l'es pas ». En fait, l'amour ou le savoir de sa culpabilité ne sont pas du tout des opérations de l'esprit. L'hypothèse de l'inconscient ne porte pas sur de tels « états », mais par exemple sur ma sensation douloureuse : il y aurait place pour la question de savoir si ma conscience d'avoir cette sensation est donatrice de ce fait que j'ai mal, ou si ce n'est pas seulement l'apparence d'une telle douleur.

Il faut donc conclure qu'au sein d'une philosophie « française » de la conscience, il est au fond inévitable d'en venir à une hypothèse de l'inconscient. Les historiens de la psychologie contemporaine ont souvent parlé d'une « révolution théorique » qu'aurait constitué cette hypothèse. Peut-être ont-ils raison sur le terrain anecdotique des conflits entre les écoles ou entre les personnes. Sur le plan des concepts philosophiques, non seulement il n'y a aucune révolution dans le fait de concevoir une conscience (« française ») fausse ou peu perspicace, mais cela témoigne plutôt d'un certain esprit de suite dans le développement d'une même idée inaugurale. Si nous concevons la conscience comme une faculté qui permet d'apercevoir, par des actes de conscience, qu'il se produit en nous d'autres actes et d'autres états, alors la porte est ouverte à de fausses aperceptions ou à des défauts d'aperception (soit parce que le sujet ne sait pas qu'un acte mental a eu lieu, soit que le sujet confond cet acte avec un autre). Qui dit *prise cognitive* sur soi par des actes de conscience dit possibilité d'une *méprise*.

Toutefois, le véritable esprit de conséquence aurait été d'accompagner la logique du concept « français » de conscience jusqu'à ses dernières conséquences : à savoir, reconnaître l'exigence absurde (notée par Hobbes) d'une infinité d'actes pour en produire un seul, et donc admettre l'incohérence de toute cette doctrine de la *cogitatio*.

De son côté, la théorie « latine » de la conscience rejette la doctrine de l'inconscient comme une simple contradiction dans les termes. Si je fais un acte cogitatif, je fais un acte de conscience. Supposer qu'un acte mental puisse se produire sans être conscient, c'est demander qu'il puisse *se produire sans se produire*. Et non plus, comme dans la théorie française, qu'il puisse se produire sans être aperçu, sans être accompagné de conscience, c'est-à-dire sans que le sujet *sache* qu'il se produit.

Il y a deux façons dont on peut essayer de concevoir un acte cogitatif inconscient lorsque la conscience d'un acte consiste dans cet acte même :

(a3) « Il peut arriver, quand je Ψ, que quelque chose soit le *cogitatum* de mon acte Ψ sans que je sache ce que c'est. »

(a4) « Il peut arriver, quand je Ψ, que quelque chose soit le *cogitatum* de mon acte Ψ, sans que je sache que l'acte par lequel je pense cet objet est un acte Ψ. »

Les deux hypothèses sont simplement contradictoires : en effet, l'acte de cogitation est défini par le fait qu'un *cogitatum* se donne sur tel ou tel mode (perceptif, imaginaire, volitif, etc.). Si aucun *cogitatum* n'est donné au sujet, ce dernier n'a pas pensé et il n'y a donc pas eu cogitation d'un *cogitatum*. Si l'objet-de-pensée s'est donné sur tel mode particulier, alors c'est sur ce mode particulier qu'il y a eu conscience.

Au fond, la doctrine « latine » de la conscience peut accepter toutes les opacités et toutes les ambiguïtés dont on voudra affliger l'acte de cogitation, à condition d'en faire des caractères du mode de donation d'un vécu de conscience. Si l'objet de ma peur se donne comme vague, diffus, étrangement familier, etc., alors, faudra-t-il dire, c'est justement ainsi que je vis ma peur. En revanche, il n'y a pas de place pour un événement de conscience qui ne serait pas un événement de conscience, ou bien qui, tout en étant un événement de conscience, serait, à l'insu du sujet, un autre événement de conscience que celui qu'il est.

XXIII

Les « verbes psychologiques »

En parlant comme je l'ai fait de « verbes de cogitation » pour exposer l'originalité des vues cartésiennes sur la pensée, j'ai déjà préparé la voie au tournant linguistique en philosophie de l'esprit. C'est ce tournant qui a permis à Wittgenstein de dénouer le nœud qui s'était formé, pourrait-on dire, entre les fils variés que sont nos concepts psychologiques, et cela justement du fait de la doctrine cartésienne de la cogitation.

Dans ses cours et ses notes sur la philosophie de la psychologie, Wittgenstein réunit certains verbes sous l'appellation de « verbes psychologiques ». Cette notion se dégage à partir de la discussion entre les philosophes positivistes de Vienne : si la psychologie doit entrer dans une *encyclopédie de la science unifiée des phénomènes naturels,* est-ce que ce sera comme science d'observation de phénomènes « en troisième personne » ou de phénomènes « en première personne » ? On se heurte donc à la vieille question : « Qu'est-ce que la psychologie ? »

Au lieu de parler directement de l'imagination ou de l'intention comme on le fait ordinairement dans les livres de psychologie philosophique, Wittgenstein emprunte le détour d'une classification des verbes. Et c'est à propos de ces verbes qu'il examine le conflit du point de vue de la troisième personne (sur le comportement de quelqu'un) et du point de vue de la première personne (du sujet sur son propre vécu). Il fait remarquer que certains verbes présentent une particularité : ils manifestent ce que l'on a pris l'habitude d'appeler une « asymétrie entre la première et la troisième personne du point de vue d'une vérification[1] ». Ils ne peuvent donc entrer dans les pages de l'encyclopédie en question, ni exclusivement « en troisième personne », ni non plus exclusivement « en première personne ». Ainsi, les verbes « sentir », « croire », « désirer », « avoir l'intention de », « imaginer », sont asymétriques. Wittgenstein choisit de les appeler « verbes psychologiques ».

Nous avons affaire ici à une application du « tournant linguistique ». Il s'agit incontestablement d'un procédé, ou, si l'on préfère d'un *jargon*. Quel est l'intérêt de ce jargon ? D'abord, notons-le, la notion de « verbe » est prise au sens syntaxique plutôt que morphologique. Par exemple, l'expression française « avoir l'intention de... » fonctionne en réalité comme un verbe et sera tenue pour un verbe équivalent de l'*intendere* latin ou du *beabsichtigen* allemand. De fait, nous pourrions avoir en français un verbe « intentionner » (qu'on emploierait comme un équivalent d'« entendre » au sens de vouloir). En second lieu, il y a bien des verbes qu'emploient les psychologues ou les psychiatres, et que pourtant Wittgenstein ne comptera pas parmi les verbes psychologiques, par exemple : « délirer », « rêver ». Il en est de même de verbes d'état et d'attributs comme « être névrosé » ou « avoir un tempérament cyclothymique ». Le terme technique « verbe psychologique » ne s'applique donc pas (et ne prétend pas s'appliquer) à tous les verbes qui servent à décrire la « psychologie » de quelqu'un.

En fait, comme on va le voir, les verbes psychologiques de Wittgenstein forment une classe grammaticale qui coïncide exactement avec la classe des actes cogitatifs de Descartes, c'est-à-dire avec le domaine sur lequel le sujet jouit de l'autorité de la première personne. On pourrait donc dire que Wittgenstein a voulu réunir toutes les manifestations d'une telle autorité, et chercher ce qui la justifiait dans chacun des cas, mais sans décider d'avance, comme le fait Descartes, que cette autorité s'attache toujours à certains actes en vertu d'un privilège cognitif. Les manifestations d'une autorité de la première personne sont, si l'on veut, autant de formes d'un « phénomène du soi ». La question à poser est à alors : est-ce que le « phénomène du soi » doit se comprendre par le privilège qu'aurait l'individu d'un *rapport cognitif à soi* et à ses états, ou est-ce qu'il doit se comprendre par le fait des *conditions de sens* fixées, dans le langage, à l'emploi de la première personne dans tel ou tel cas ? C'est sans doute pour pouvoir plus clairement poser cette question que Wittgenstein préfère traiter des mots qu'il appelle « verbes psychologiques » plutôt que de parler, comme tout le monde tend à le faire, d'état de conscience ou d'actes mentaux.

La définition des verbes psychologiques est grammaticale. Ces verbes, comme par exemple le verbe « croire », ont donc ceci de particulier : du point de vue de la langue, c'est bien le même verbe qui figure dans « Il croit que *p* » et dans « Je crois que *p* ». Pourtant, du point de vue de l'usage ou des conditions du sens (c'est-à-dire de la « grammaire philosophique »), tout se passe comme s'il s'agissait d'un autre verbe à la première personne. Tout se passe comme si le verbe « croire », à la différence des verbes « manger », « couper », « marcher », « brûler », etc., ne comportait pas, à l'indicatif présent, de première personne correspondant à la troisième. Et comme si c'était en réalité un autre verbe, utilisable seulement à la première personne du présent de l'indicatif, qui nous fournissait la forme « je crois ». Il en va de même pour les formes verbales « je sens », « je me souviens », « je désire », « je me propose de », « je vois », etc.

Notons bien qu'il ne s'agit pas d'un autre verbe du point de vue du *sens* : si quelqu'un dit « Je veux sortir », nous sommes parfaitement fondés (la plupart du temps) à dire qu'il veut sortir. Les verbes psychologiques, quand ils sont utilisés à la première personne changent, non pas de sens, mais de *grammaire*. Les règles fixant les possibilités d'emploi ne sont pas les mêmes. Ici, la différence grammaticale concerne l'emploi d'un verbe dans un contexte épistémologique. Représentons un tel contexte par le schéma interrogatif « *Comment est-ce que je sais que V (x) ?* », cette notation « V (*x*) » représentant une phrase simple quelconque avec un sujet (actant) et un verbe.

Certains verbes peuvent figurer à la place marquée « V » à toutes les personnes grammaticales. Par exemple, si nous affirmons que Pierre a gagné le gros lot à la loterie, on peut nous demander comment nous le savons. On peut aussi demander si Pierre le sait et comment il le sait. Le prédicat « (...) a gagné le gros lot à la loterie » ne contient pas de verbe psychologique.

En revanche, divers verbes se signalent ici à notre attention : dans ce contexte d'une interrogation sur ce que moi, je sais, ils peuvent être utilisés à la troisième personne, mais pas à la première personne. Ils ont donc la propriété que Wittgenstein appelle l'asymétrie épistémologique. Par exemple, si j'affirme que *vous* avez mal au pied ou que *vous* avez l'intention de sortir, on peut me demander sur quoi je m'appuie pour le dire, sur quelles observations ; en revanche, si j'affirme que j'ai mal au pied ou que j'ai l'intention de sortir, on ne demandera pas ce que j'en sais, si j'en suis certain et sur quoi je m'appuie pour le dire. On ne le demandera pas, non pas parce que ce ne serait pas poli, mais parce que la phrase interrogative serait logiquement incongrue, qu'elle ne communiquerait à l'interlocuteur aucune question déterminée. Dans l'idiome adopté par Wittgenstein, on dit que de telles questions sont exclues par la grammaire même des verbes « avoir mal » ou « avoir l'intention de ». Tout se passe donc comme si « j'ai mal » n'était pas une forme du verbe qui figure dans « il a mal », ni « j'ai cette intention » une forme du verbe qui figure dans « il a cette intention ».

Dans certains cas, le phénomène de l'asymétrie ressort clairement du fait qu'on peut envisager de fabriquer une forme du verbe psychologique qui serait symétrique. Il est possible, si l'on peut dire, de « dé-psychologiser » certains verbes psychologiques. Par exemple, le verbe « croire » est certainement psychologique. Mais nous pourrions fabriquer une première personne symétrique de la troisième : il suffirait de soumettre « je crois » aux mêmes conditions d'emploi que « il croit ». Pour déterminer si vous croyez avoir gagné le gros lot, je me demande quelle raisons je peux avoir de *juger* que vous le croyez. Ces raisons sont tirées de l'observation. Par exemple, vous envisagez de faire des dépenses extravagantes. Normalement, la forme « je crois » ne s'emploie pas ainsi. Est-ce que je crois avoir gagné le gros lot ? Quelles raisons donner pour justifier le fait de dire : « Je crois avoir gagné le gros lot » ? Ce seront évidemment les raisons de juger qu'en effet j'ai gagné le gros lot. Et non des raisons de juger que toute ma conduite indique qu'en effet je le crois. La forme normale de « je crois » est donc asymétrique. Mais supposons que je décide de faire la différence entre mes croyances officielles — celles qui s'énoncent quand je m'exprime verbalement — et mes *véritables* croyances, celles qui ne se manifestent que dans ma conduite, dans l'orientation profonde de ma vie, en dépit de tout ce que je peux professer en public ou dans le secret de mon intimité. Dans ces conditions, il pourra y avoir un conflit entre mon jugement raisonné sur l'événement (en fait, je n'ai aucune raison de juger que j'ai gagné le gros lot) et ma croyance effective (en fait, j'ai toutes les raisons de juger que je crois avoir gagné le gros lot, en vertu d'une définition pragmatique de la croyance posant que quelqu'un qui se conduit comme s'il croyait que p est, par définition, quelqu'un qui croit que p).

Grâce au jargon des « verbes psychologiques », le philosophe peut reconnaître, avec Descartes, le phénomène de l'asymétrie, mais sans accorder d'emblée — du simple fait d'employer le mot « état de conscience » ou « acte de conscience » — que ce phénomène s'explique par un privilège épistémique que posséderait le sujet, le privilège d'être en position d'*introspecter* ses propres états, là où les autres ne peuvent qu'en inspecter les effets extérieurs ou les signes conventionnels.

Mais si l'asymétrie des verbes en contexte épistémologique ne s'explique pas par la certitude absolue attachée au savoir acquis par des actes de conscience, alors comment s'explique-t-elle ? Pourquoi cette asymétrie ? Y a-t-il une explication unique ? Doit-il y avoir une explication unique ?

Il nous apparaît maintenant que la philosophie de la conscience résulte d'une décision qui a été prise sans être annoncée et encore moins justifiée. Le philosophe a décidé de traiter la classe des verbes psychologiques comme constituant *une seule et même catégorie* : tous ces verbes seraient prédiqués de leurs sujets dans la même catégorie, par exemple celle de l'état ou alors celle de l'acte. Il peut alors soutenir que tous ces verbes ont la même structure (par exemple la structure *ego-cogito-cogitatum* que veut trouver Husserl).

Pour la philosophie de la conscience[2], tous les verbes psychologiques sont des verbes de conscience, ou encore, comme dit Wittgenstein, des « verbes d'expérience » (*Erlebnisverben*). J'ai noté que Littré commençait l'article « pensée » par une citation de Descartes (cf. *supra*, chap. XXI). Plus loin, il donne une autre citation qui montre bien ce que l'élargissement cartésien du concept de pensée a de problématique. Condillac écrit en effet (et la filiation cartésienne de cet empirisme est manifeste) : « j'appelle pensée tout ce que l'âme éprouve, soit par des impressions étrangères, soit par l'usage qu'elle fait de sa réflexion » (*Essai sur l'origine des connaissances humaines*, I, III, § 16). Ainsi, le mot continue à désigner des produits de la réflexion. Mais il s'applique d'abord à des impressions. Si je me heurte contre un arbre, les sensations que j'éprouve sont une pensée. Si je sens sur mon épiderme la chaleur du soleil, cette sensation est une pensée. En vertu de cette définition, penser, c'est éprouver la présence de quelque chose, et la question se pose de savoir ce que je suis censé éprouver quand je juge par exemple que la terre est ronde.

Est-il concevable que tous les verbes présentant une asymétrie entre première et troisième personne (à l'indicatif présent) le soient en tant que verbes d'expérience ? On se demandera donc : en quoi consiste l'asymétrie d'un verbe d'expérience ? Nous pouvons dire des choses telles que :
(1) « Il a mal au dos. »
(2) « Il semble avoir mal au dos. »
Tantôt je vois que quelqu'un a mal, tantôt je le vois marcher courbé et je me demande s'il a mal au dos. Dans les deux cas, nous pouvons nous demander : qu'est-ce qui me prouve qu'il a réellement mal au dos ? Or, lorsque j'ai mal au dos, je ne peux pas me poser la question épistémologique : qu'est-ce qui me prouve que j'ai réellement mal ? Le passage à la première personne n'est donc pas simplement un changement de sujet de prédication, il affecte le sens de la prédication. Comment expliquer cette mutation ? En aucun cas, cette différence ne peut être expliquée en invoquant une « connaissance par conscience ». Considérons en effet les deux énoncés (3) et (4) :
(3) « J'ai mal au dos. »
(4) « Je sais que j'ai mal au dos. »
Y a-t-il une différence entre (3) et (4) ? Supposons qu'il y en ait une. Si c'était le cas, il serait concevable que l'un puisse être vrai, mais pas l'autre. En acceptant de traiter la conscience d'avoir mal pour une connaissance de mon état, nous acceptons de tenir pour possibles les deux situations suivantes :
(5) « Je sens une douleur inconsciente au dos. »
(6) « Je sais que j'ai mal au dos, mais je ne sens rien. »
Telles sont les deux possibilités qui s'offrent à nous dans le cas d'une connaissance que j'ai de mon état, de l'état de ma personne. On peut dire en effet :
(7) « J'avais le bras cassé, mais je ne le savais pas. »
(8) « Je savais que j'avais le bras cassé, mais je ne le sentais pas. »
La situation (5) serait celle d'une sensation sans aperception de cette sensation, la situation (6) celle de l'aperception illusoire d'une sensation inexistante. On pourrait dire qu'en parlant d'une *connaissance* de ma sensation douloureuse, nous acceptons de traiter cette sensation douloureuse comme nous traiterions une blessure. Pourtant, lorsque je sens que je suis blessé, ce que je sens est ma blessure, pas ma sensation de blessure. Comment pourrais-je sentir, non seulement que je suis blessé, mais encore que j'ai mal ?

Par conséquent, il n'y a en réalité aucune différence entre (3) et (4), de sorte qu'il n'est pas possible de tenir l'un pour le fondement épistémologique de l'autre. On ne dira donc pas : je sais que j'ai mal au dos, car je le sens. La justification annoncée se révèle tautologique : je sais que j'ai mal au dos parce que (je sais que) j'ai mal au dos. Puisqu'il n'y a pas de différence entre « j'ai une sensation » et « je sais quelle sensation j'ai », il n'y a pas en cette affaire de savoir au sens épistémologique du terme. Il ne reste que le savoir au sens d'une pure autorité, celui qui se réduit à « pouvoir dire à quelqu'un d'autre ». Notre concept de sensation est ainsi constitué qu'il n'y a pas de place pour la situation d'une sensation inconsciente.

Certaines des *cogitationes* cartésiennes peuvent être exprimées comme des *jugements*. Lorsque je crois qu'il va pleuvoir, je peux l'exprimer en disant : « Il va pleuvoir. » Lorsque j'ai l'intention de faire un voyage en Italie, je peux l'exprimer en formulant un jugement pratique : « Ce que je dois faire maintenant, c'est un voyage en Italie. » Or les verbes psychologiques qui correspondent à ces jugements (« croire » et « avoir l'intention ») ne sont pas de type expérientiel.

Formuler publiquement son jugement peut être représenté comme une façon de déclarer la position qu'on prend sur un point qui est disputé (Va-t-il pleuvoir ?) ou qui a été mis en délibération (Irai-je en Italie ?). On peut dire aussi que quelqu'un qui exprime un jugement s'attribue à lui-même une position, qu'il *se déclare* de tel avis ou de tel parti. Mais, justement, cette auto-attribution n'opère pas selon une diathèse subjective. La construction du verbe « se déclarer » est pronominale, mais elle n'est pas réfléchie. Il ne s'agit pas de se donner à soi-même une position par une opération de prédication assignant cette position à ce sujet : toute la conduite de ce sujet que je suis montre qu'il a cette croyance (cette intention). Prendre position, se déclarer, c'est seulement faire connaître à autrui son propre jugement sur le point en question. C'est pourquoi les raisons de se déclarer partisan de la prédiction qu'il va pleuvoir sont des raisons de juger qu'il va pleuvoir, non des raisons de juger que quelqu'un le croit (soi). Et, de même, les raisons de se déclarer partisan d'un voyage en Italie sont les raisons de faire ce voyage, non les raisons de juger que quelqu'un veut le faire (il a acheté des cartes routières, il a réservé une chambre d'hôtel) et que ce quelqu'un est soi.

Les verbes « croire » et « se proposer de » ne sont donc certainement pas des verbes d'expérience. De façon générale, la classe des verbes psychologiques est hétérogène. Elle comprend certes le verbe « penser » dans ses divers emplois. Pourtant, comme l'a écrit E. Anscombe[3] dans une formulation frappante :
1° Une *cogitatio* cartésienne n'est pas nécessairement une pensée au sens d'une unité logique susceptible de figurer dans un raisonnement (avant ou après la conjonction « donc »). La *cogitatio* telle que la définit Descartes n'est pas nécessairement quelque chose qui relève de l'*intelligere*, de la compréhension d'un sens ou d'un ordre intelligible. Ce peut être, mais ce n'est pas nécessairement, une chose qu'on peut identifier en se la disant à soi-même. Par exemple, je peux avoir des pensées au sujet de mes sensations, des pensées que je serais capable de formuler verbalement, mais mes sensations ne sont pas des choses que je me dis à moi-même, et pourtant ce sont des *cogitationes* cartésiennes.
2° Une pensée, au sens qui vient d'être rappelé, n'est sans doute pas une *cogitatio* au sens cartésien du terme, puisque celle-ci doit consister dans une expérience, c'est-à-dire un épisode mental par lequel le sujet passe effectivement et qu'il peut décrire dans ses caractéristiques vécues (de durée, d'intensité, de continuité ou d'intermittence). Sans doute, le fait de penser à quelque chose peut s'accompagner d'une expérience, et pourtant avoir pensé quelque chose ou à quelque chose, ce n'est pas avoir éprouvé quelque chose. Le propre d'une expérience est d'avoir un « contenu expérientiel », un *Erlebnisinhalt* (Wittgenstein). Les pensées ont un contenu intellectuel, mais pas de contenu expérientiel. C'est pourquoi on peut tirer les conséquences d'une pensée (*p*, donc *q*), mais on ne peut pas tirer les conséquences d'un vécu de conscience.

J'ai réservé le nom de « philosophie de la conscience » à une doctrine qui pose deux thèses :
1° il y a des verbes psychologiques ;
2° ce sont des verbes de conscience.
Les discussions précédentes (chap. 18-22) montrent que nous devons *concéder* la première de ces thèses, mais *rejeter* la seconde. La contribution propre des doctrines de la conscience à la philosophie de l'esprit aura donc été de remarquer le comportement spécial de certains verbes dans un contexte épistémologique et ainsi d'attirer l'attention sur les divers cas où joue

l'autorité de la première personne. Elles ont montré la nécessité d'une philosophie de la première personne pour examiner les fondements de cette autorité.

La philosophie du sujet, comme égologie cognitive, veut que cette autorité soit fondée sur une activité cognitive que le sujet dirige vers lui-même dans des conditions internes ou privées. Cette opinion s'est révélée inconsistante.

IV

LES ÉTHIQUES DU SUJET

XXIV

L'acte d'auto-position

Que faut-il entendre par une éthique du sujet ? Les dénominations sont libres, et il est donc loisible à chacun de comprendre cette étiquette dans un sens plus ou moins commandé par
l'idée d'une attitude qu'il s'agit de prendre soi-même à l'égard
de soi-même. Pour ma part, j'ai proposé de fixer le champ de
l'appellation « philosophie du sujet » à l'aide d'une caractéri-
sation de type syntaxique (cf. *supra*, chap. 13). Selon cette stipu-
lation, quelqu'un est un philosophe du sujet s'il s'efforce de
donner une valeur réfléchie à divers verbes pronominaux qu'il
retient parce qu'il lui semble possible de dévoiler, dans l'usage
de ces verbes, la référence à un acte d'auto-position de la part
du sujet. Ces verbes, par ailleurs fort divers, ont ceci en
commun : leur sens exclut que l'événement qu'ils rapportent
soit une action réfléchie au sens ordinaire, comme dans
« Alfred se rase » ou « Alfred s'arrose lui-même ». Il faudrait
donc admettre dans le tableau général des formes indiquant la
position de l'agent à l'égard de l'événement (formes qu'on
appelle « voix » ou « diathèses ») une forme spéciale, que, pour
faire bref, j'ai appelé « diathèse subjective ». On dira alors que
la philosophie du sujet veut soumettre les verbes particuliers
qu'elle considère à une « analyse subjective ».

Jusqu'ici, la philosophie du sujet s'est présentée à nous
comme une « égologie cognitive ». L'idée était qu'il manquait
quelque chose à un sujet conçu seulement comme complément de sujet d'un verbe d'action humaine : il ne pouvait pas
dire, en s'exprimant à la première personne, qu'il en est
l'agent. Pour lui donner cette capacité d'auto-désignation ou
d'auto-description, il fallait — selon cette doctrine — le doter

d'une conscience de soi de type réflexif. L'égologie tient pour acquis que les verbes exprimant une conscience de soi sont des verbes intrinsèquement réfléchis. Mais nous avons rejeté le postulat selon lequel l'usage du pronom « je » reposait sur une donation de soi à soi, laquelle supposait à son tour une activité cognitive réfléchie de soi sur soi. Puisque le mot « je » ne sert pas à identifier un sujet de prédication, notre agent peut fort bien parler de ce qu'il fait à la première personne sans avoir besoin d'un organe le mettant en contact cognitif avec sa propre personne.

Qu'est-ce maintenant qu'une *éthique du sujet*? Suffit-il d'utiliser des formules pronominales pour professer une telle éthique ? On peut évidemment décider qu'il y a un sujet en question dès qu'apparaissent les notions de souci de soi et de responsabilité de soi (autonomie). Dans ce cas, il reste à poser la question de la forme syntaxique d'expressions telles que « le souci de soi » ou « la responsabilité de soi ». De mon côté, j'ai choisi d'entendre par « philosophie du sujet » une *réponse* à cette question de la forme. Par conséquent, je dirai qu'un penseur veut élaborer une éthique du sujet s'il se propose de soumettre tel ou tel verbe emprunté au vocabulaire éthique à une « analyse subjective ». Autrement dit, il soutient que l'application de ce verbe à un individu (dans une description) a pour conséquence d'imputer à cet individu un acte d'auto-position. Supposons que le verbe « se soucier de soi » relève d'une analyse subjective : cela voudrait dire que l'individu qui se soucie de lui-même opère (à l'égard de lui-même) et simultanément subit (de son propre fait) un changement fondamental qu'on appelle chez les philosophes : « se constituer soi-même en sujet ».

J'examinerai dans les prochains chapitres divers verbes « éthiques » (en entendant par vocabulaire éthique l'appareil lexical qui nous permet de décrire et d'apprécier les manières de se comporter, ou « mœurs », des agents, du point de vue de ce qui est bon ou de ce qui fait sens pour eux) : *devenir soi-même* (comme dans la maxime freudienne « *Wo Es war, soll Ich werden* »), *se soucier de soi-même, se devoir quelque chose à soi-même, se juger soi-même*. Je me demanderai si la philosophie du sujet a raison de soutenir qu'il est possible de déceler, dans l'application de ces verbes à des individus, l'imputation d'un acte d'auto-position. Dans chaque cas, l'enjeu est le même : si cette analyse est correcte, cela veut dire que ce verbe décrit un acte (ou plus généralement un comportement, une attitude) pour lequel il y a nécessairement identité du sujet et de l'objet.

Les mêmes questions devront être posées ensuite à propos de verbes qui entrent dans le vocabulaire politique, c'est-à-dire dans le vocabulaire permettant d'exprimer des phénomènes de souveraineté (*commander, obéir*).

XXV

Devenir soi-même

Je partirai d'une observation que faisait Cornelius Castoriadis : pendant toute la Querelle du sujet, les controversistes ont eu tendance à confondre deux concepts de sujet, ou, plus précisément, deux significations de la question « *Qui ?* ». C'est ainsi qu'on a pu lire, sous la plume de philosophes pourtant de métier, que mettre en question le sujet des métaphysiciens, ou si l'on veut, le sujet du *Cogito*, c'était envisager par exemple qu'il n'y ait désormais plus d'auteurs auxquels attribuer des œuvres par eux écrites ou produites. Ou, plus subtilement, qu'il n'y en ait jamais eu autrement qu'au prix d'une imputation arbitraire par « interprétation » ou « construction » d'une instance à laquelle faire porter la responsabilité de divers faits matériels d'écriture, d'inscription de marques sur des supports. En réalité, a-t-on laissé entendre, les livres *s'écrivent*, les musiques *se composent*, les décisions *se prennent*, sans qu'on puisse imputer ces événements à qui que ce soit. Des journalistes ont alors rapporté que certains philosophes venaient d'annoncer la « mort de l'homme ». Ces reporters n'avaient pas compris qu'il ne s'agissait pas de prédire un événement futur (comme la disparition anticipée de telle espèce vivante), mais d'asserter une sorte de fait métaphysique : il n'y a jamais eu sur cette terre d'individu susceptible d'être identifié comme l'agent d'une action humaine. Mais on peut dire, à la décharge des vulgarisateurs, qu'ils avaient été induits en erreur par les penseurs dont ils reproduisaient les propos. Ces derniers n'avaient pas suffisamment indiqué qu'ils ne prenaient pas la question « Qui est l'auteur ? » au sens ordinaire. S'ils avaient signalé que cette question « Qui ? » prenait chez eux un sens spécial, leur propos aurait semblé moins renversant. Après tout, on peut très bien estimer que les livres ne s'écrivent pas tout seuls sans pour autant partager le mythe romantique du créateur. Que Monsieur N. ait écrit un livre n'exclut nullement que son ouvrage ne soit autre chose qu'un tissu de lieux communs, ou encore que son texte, aussi percutant soit-il, n'exprime pas ses idées propres, mais celles de sa corporation ou de son parti.

Castoriadis a fort bien signalé ce malentendu, et les conséquences absurdes qui s'ensuivaient, dans un exposé prononcé devant un public de psychanalystes où il défendait l'idée que le psychanalyste n'a d'autre but que d'aider son patient à *devenir un sujet*[1]. Pour lui, le but d'une cure analytique est celui qu'indique le célèbre apophtegme de Freud qu'il traduit ainsi : « où était ça, je dois devenir » (*Wo Es war, soll Ich werden*)[2]. Ce qui donne, si l'on transpose à la troisième personne : là où il y avait quelque chose, quelqu'un (un sujet) doit venir à l'existence. Ou encore : ce dont il s'agit dans une cure psychanalyse, c'est de permettre à quelqu'un de *devenir soi-même*.

En rappelant que l'enjeu d'une cure psychanalytique, tel que le définit Freud[3], relève d'une conception de l'homme comme « soi » ou comme « sujet », Castoriadis ne pouvait que s'attirer l'objection de ceux de ses confrères psychanalystes qui estimaient que la notion de sujet n'était plus recevable, qu'elle avait été définitivement invalidée par les critiques théoriques qu'on attribuait alors, à tort ou à raison, à l'anthropologie structurale. Mais il n'avait pas de peine à révéler le ridicule de ces déconstructions du sujet qui prétendent rendre suspecte ou illégitime *toute* question du sujet, *tout* emploi de la question « Qui ? ». En réalité, la question du sujet n'est nullement locale, nullement relative à des particularités linguistiques (par exemple, la présence d'un pronom personnel ou l'existence d'une flexion personnelle dans telle ou telle langue). Cette question a une signification universelle : des créatures qui ne pourraient pas la poser ne seraient pas dotées d'un langage au sens où nous entendons ce terme.

> Une langue humaine est inconcevable dans laquelle, quelle que soit la forme grammaticale de la *réponse*, la *question* ne puisse pas être posée : *qui* a fait cela ? *qui* a dit ceci ? Une langue humaine est toujours langue d'une société ; et une société est inconcevable si elle ne crée pas la possibilité d'*imputation à quelqu'un* des dires et des actes (*ibid.*, p. 190).

Autrement dit, aucune philosophie ne pourra remettre en question le concept d'agent personnel, parce que cela reviendrait à tenir les pratiques de l'imputation pour une institution facultative. Castoriadis reconnaît donc la légitimité et l'universalité d'un concept actanciel de sujet qui correspond exactement à ce que j'appelle ici *le complément de sujet*. Comme il le dit très bien, ce concept n'est pas en cause dans une discussion sur la subjectivité au sens des philosophes.

La remarque, qui vise ici les débâtisseurs naïfs de tout concept de sujet, vaut aussi pour les maladroits défenseurs du sujet tel que l'entend la philosophie moderne. Il est contradictoire de soutenir tout à la fois que la notion du sujet dont nous débattons n'est autre que celle de quelqu'un auquel nous attribuons la responsabilité d'une situation ou d'une opinion, et qu'il s'agit néanmoins d'une notion proprement moderne, inconnue des anciens, insoupçonnée dans les autres civilisations. Si la notion de sujet, prise au sens syntaxique ordinaire, était récente, cela voudrait dire que les anciens philosophes n'avaient aucune notion de l'action, de la responsabilité ou de la causalité. Rares sont les penseurs qui se risquent à assumer de telles énormités.

Mais, si ce n'est pas la notion d'agent d'une action imputable qui est pertinente pour interpréter la maxime de Freud, alors quel est le concept de sujet auquel il faut avoir recours ? La raison d'être d'une pratique psychanalytique, expliquait-il, est de soumettre systématiquement la vie, les gestes et les dires de quelqu'un à la question du sujet, c'est-à-dire à la question « Qui ? » :

> Question du sujet : *qui* vient en analyse ? *qui* raconte un rêve ? *qui* fait un lapsus, un passage à l'acte, un épisode délirant ? Et *qui* est derrière (ou devant) lui, sur un fauteuil ? (*Ibid.*, p. 190.)

Bien entendu, ce n'est pas le concept actanciel de sujet qui est en cause lorsque l'analyste se demande *qui parle*, ou encore lorsque Freud oppose le « cela » et le « je » dans la maxime citée plus haut (« Là où c'était, je dois devenir »). Pourtant, la nouvelle « question du sujet », prise dans un sens qu'il s'agit maintenant d'introduire, doit conserver quelque rapport avec la vieille question, celle que nous comprenons forcément. Lorsque le psychanalyste s'intéresse à son patient comme à un « sujet », il pose bien à son égard une question d'identité (« Qui ? »), mais il ne la pose pas parce qu'il se demanderait *qui est mainte-nant la personne sur le divan,* au sens où il peut lui arriver de se demander *qui sonne à la porte.* Autrement dit, il s'agit pour lui d'identifier quelqu'un (ce qui veut dire qu'une alternative est ouverte : il peut s'agir de *lui* ou bien d'un *autre que lui*), mais pas de l'identifier au sens de l'état civil.

L'explication de Castoriadis, dans cet exposé, est que le psy-chanalyste n'agit pas sur un patient comme le ferait un médecin ou un chirurgien, et que le patient ne se borne pas à réagir (comme il le ferait à l'administration d'un remède ou à une intervention chirurgicale). L'acte psychanalytique, commun aux deux personnes en présence, est un acte d'interprétation. Comme tel, soutient Castoriadis, c'est l'acte d'une subjectivité s'adressant à une autre subjectivité. Et c'est justement parce qu'un sujet est en cause qu'il y a lieu de poser la question « Qui est l'auteur ? Qui est l'agent ? » dans le nouveau sens.

Voici l'exemple qui nous est proposé : « Le patient N.N. éprouve la plus grande répugnance à l'idée de sucer le sein de sa mère — ce qui apparaît pourtant comme le souhait de son rêve de la nuit précédente » (*ibid.*, p. 191). Ou, du moins, le psychanalyste peut interpréter le rêve ainsi, et il lui revient d'in-tervenir, soit en faisant cette interprétation, soit en jugeant préférable de la garder pour lui. Dans le premier cas, l'acte d'interprétation que le psychanalyste choisit de faire ne s'adresse pas à cet individu N., mais à quelqu'un d'autre. En effet, le patient physiquement présent sur le divan *ne se reconnaît pas* dans le sujet désirant qui se manifeste dans le rêve. Ou, du moins, ne se reconnaît pas de « prime abord » en lui. Mais alors, demande Castoriadis, *à qui* s'adresse l'interprétation que se risque à donner l'analyste, et *de qui* parle-t-elle ? Elle ne parle pas du patient comme individu et ne s'adresse pas à lui, puisque cet individu, loin de désirer sucer le sein maternel, a horreur de cette idée. Si l'interprétation parle donc de quelqu'un d'autre, qui est ce quelqu'un d'autre (puisqu'il ne s'agit pas de la personne sur le divan) ? Si elle vise à provoquer une réaction chez quelqu'un d'autre que chez Monsieur N., à qui est-elle adressée ?

La réponse de Castoriadis est pour le moins énigmatique : « Dans les deux cas, le "qui" ne concerne pas le citoyen ou la citoyenne, l'individu social étendu sur le divan, mais quelqu'un d'invisible » (*ibid.*). Le sujet du désir exprimé n'est pas l'« indi-vidu social », c'est-à-dire la personne visible, celle qu'on peut identifier par son patronyme. En effet, cet individu visible *se refuse* à être le sujet d'un tel désir et donc il ne l'est pas. Dira-t-on qu'il y a *deux sujets* sur le divan (même si le psychanalyste ne reçoit qu'une personne à la fois) : celui qui s'exprime par la dénégation et celui qui s'exprime par le rêve ou l'acte manqué ? Et que c'est cette situation que vise la maxime prescrivant de donner à *Moi* la place qui était occupée par *Cela* ? Mais cela nous ferait poser un sujet de l'inconscient à côté d'un sujet des pensées conscientes, et Castoriadis estime (à juste titre) que cette notion d'un « sujet de l'inconscient » est obscure (*ibid.*, p. 193). Il vaudrait mieux dire qu'il y a sur le divan, outre une personne visible, de l'espace libre pour quelqu'un qui est invisible parce qu'il n'existe pas encore, parce qu'il revient à l'individu de créer ce sujet par sa façon de réagir aux actes interprétatifs.

Mais pourquoi parler de cet être à venir comme d'un sujet distinct de l'individu social ? Il faut revenir ici à l'intention plus générale qui dirige Castoriadis dans ses commentaires sur Freud. Du reste, c'est justement cette intention générale — à savoir le sens du « projet d'autonomie » — qui m'importe et non la validité de ses thèses sur la psychanalyse (point qu'il revient aux praticiens, et non à un philosophe, de discuter).

Castoriadis aimait se référer à une maxime de Freud disant qu'il y a trois professions impossibles : celle du politique qui prétend gouverner les hommes, celle de l'éducateur qui prétend les former et celle du psychanalyste qui prétend les libérer de leurs fixations infantiles[4]. Le mot est profond, expliquait-il, parce que Freud n'a pas dit banalement que ce sont des professions difficiles, opérant sur un matériau complexe dans des conditions toujours hasardeuses. Il a dit qu'elles étaient *impossibles*. Or cette impossibilité (au moins apparente) n'est bien entendu rien d'autre que celle qui nous paralyse dès que nous avons l'impression de nous heurter au cercle de l'auto-position. Qu'est-ce qui permet, en effet, de rapprocher ces trois professions ? Elles ont en commun de viser à transformer quelqu'un — donc à lui faire *subir* un changement —, mais à le transformer par un changement qui ne saurait se produire si lui-même ne l'opère pas. Il faut donc que le *patient* de ce changement en soit aussi l'*agent*[5].

Si ces trois métiers sont « impossibles », c'est qu'ils visent à changer les hommes par une action sur eux alors même qu'il ne peut pas être question de produire ce changement sans eux.

Ou encore, ils visent à les faire agir, mais en suscitant chez eux un réveil de leur activité et non en déclenchant du dehors leurs mouvements. La politique est un tel art, en vertu de l'opposition grecque entre exercer un pouvoir despotique sur des agents dépourvus de raison et exercer un pouvoir de gouvernement sur des hommes libres. Tout de même, l'idéal de la *païdeia* est d'aider un nouveau-né, c'est-à-dire, dit Freud, un *hopeful and dreadful monster*, à devenir un être humain. Castoriadis rapproche ainsi la visée pédagogique de la visée politique : « Je donne ici au terme être humain, *anthropos*, le sens (...) d'un être autonome. On peut tout aussi bien dire, se rappelant Aristote, un être capable de gouverner et d'être gouverné[6]. » Castoriadis invite donc les psychanalystes à reconnaître la portée du fait que leur activité est de type interprétatif, qu'elle consiste à essayer d'obtenir qu'une situation fasse sens pour le patient, et que cela n'est possible que si ce dernier fournit lui-même et de lui-même le sens en question, s'il se comporte comme une « source indéterminable de sens » (*ibid.*, p. 192). L'idée est donc que le psychanalyste, tout comme l'éducateur ou le gouvernant, a affaire dans son partenaire à une capacité à vivre librement. Pour Castoriadis, qui dit « liberté » dit « autonomie », dans le sens qui vient d'être spécifié et dont le modèle est politique.

Où est le paradoxe logique et pourquoi déceler, dans les changements en question, la forme d'un acte d'auto-position ? Que quelqu'un puisse être incité et formé à se faire l'agent des changements qui l'affectent n'a en soi rien de paradoxal. L'enfant doit apprendre à se lever tout seul, à se nourrir tout seul, à lacer ses chaussures tout seul, etc. Dans tous ces exemples, les activités dont l'individu doit être l'agent en même temps que le patient sont des activités réfléchies ordinaires : c'est le même individu N. qui est lavé et qui lave, qui joue les deux rôles actanciels. Nous en concluons aussitôt à une distinction entre le fait d'être l'individu N. et le fait d'agir. Or les actes correspondant aux « professions impossibles » inquiètent notre conscience logique dès qu'on veut les analyser comme des actes d'auto-position, je veux dire comme des actes par lesquels quelqu'un produirait un être capable d'accomplir l'acte même qui est requis pour une telle production. Il y aurait quelque chose comme une création de soi-même, tant dans le fait de recevoir une éducation ou de vivre en citoyen que dans le fait de participer à l'acte interprétatif (que ce soit comme « psychanalysant » ou comme « psychanalyste »).

Si l'acte psychanalytique doit être compris comme un acte interprétatif plutôt que comme une manipulation, semble nous dire Castoriadis[7], alors cela veut dire qu'un patient ne saurait réagir à une interprétation du psychanalyste — en faire quelque chose, décider de son sens — sans « se poser comme sujet », c'est-à-dire sans créer, par cet acte, l'agent même de cet acte. De sorte qu'il convient de distinguer Monsieur N., présent naturellement sur le divan, et le sujet des actes interprétatifs, lequel n'existe que dans et par de tels actes. Il y a donc bien un dédoublement de la question « Qui parle ? Qui agit ? » sans pour autant qu'on ait lieu de dénombrer plusieurs individus, plusieurs substances.

En fait, l'analyse subjective de la cure psychanalytique que recommande Castoriadis à ses confrères apparaît entièrement impossible. À la question ordinaire « Qui ? », il faut répondre en identifiant une personne particulière, donc, si l'on veut, une substance (plus précisément, un individu de l'espèce humaine). Qu'en est-il maintenant de la nouvelle question du sujet ? À ce nouvel emploi du mot interrogatif « Qui ? », pris maintenant dans le sens des philosophes du sujet, on ne saurait répondre en désignant un objet, un individu visiblement identifiable, bref une substance, car ce serait poser sur le divan deux entités individuelles appartenant au même type ontologique. Il y aurait alors deux personnes physiques sur le divan, l'une visible et l'autre invisible. Pour éviter cette méprise, Castoriadis avertit que la nouvelle question du sujet porte, non sur « le sujet comme substance », mais sur « le sujet comme capacité » (*ibid.*, p. 191). Et il est vrai qu'on ne peut pas additionner des « choses » ou des « entités » sans plus, ici une substance et une capacité. Il retrouve donc la solution classique des philosophes qui ont voulu conserver à l'*ego* du *Cogito* sa fonction référentielle, mais en lui refusant le pouvoir de désigner quelque chose en dehors de l'acte : le penseur d'un acte de penser ne serait rien d'autre qu'un actant donné dans son acte de penser (cf. *supra*, chap. 17).

Cette solution est classique, mais elle n'en est pas plus claire pour autant, et l'on peut légitimement se demander s'il ne s'agit pas d'une dénégation. Certes, le philosophe nous assure que le sujet pris dans le sens du *soi* n'est pas du tout une substance. Il nous enjoint d'éviter « l'erreur substantialiste ». Oui, mais qu'en est-il de sa pratique descriptive et des décisions conceptuelles qu'elle révèle ? En fait, ses déclarations anti-substantialistes restent sans conséquence, puisqu'il continue à employer le mot « soi » — ou, plus grave encore, les mots « le soi » — à des places syntaxiques qu'on aurait pu remplir par le nom d'un « individu social », donc d'une substance.

De fait, une capacité est, par définition, une capacité d'agir. Nous pouvons certes demander *qui est capable* d'accomplir ceci ou cela, mais non *qui est la capacité* en cause. On donne la preuve qu'une capacité existe en indiquant des actes qui sont autant d'exercices de cette capacité. Si de tels actes existent, on peut demander *qui est l'agent* de ces actes, mais non *qui sont les actes* en question, et encore moins *qui sont les puissances d'agir* exercées dans ces actes.

Mais alors, dira-t-on, est-ce le projet même d'une autonomie de chacun qui apparaît solidaire de la notion d'auto-position et de ses paradoxes ? Il me semble que ce n'est pas le cas et qu'on peut trouver, justement chez Castoriadis, les éléments d'une autre analyse.

XXVI

Exister pour soi

Wittgenstein remarquait, dans une discussion portant sur la confusion du pronom « je » avec un nom désignant une entité, que l'on pouvait donner une signification parfaitement anodine à la notion de subjectivité. Le mythe d'une entité identifiable comme un *ego* ou un soi (un « *self* ») provient d'une confusion : on dit qu'autrui a un « soi » en lui, comme on dirait qu'il a une pièce de monnaie dans sa poche. Si « avoir un soi » s'entend ainsi, l'énoncé d'une telle possession est un simple non-sens. Mais « la supposition que l'autre personne possède un soi n'est pas nécessairement un non-sens. Cela peut vouloir dire qu'elle est vivante[1] ». Je crois que c'est précisément dans ce second sens, dépourvu de tout paradoxe, qu'il faut entendre la notion de subjectivité à laquelle Castoriadis fait appel pour formuler le « projet d'autonomie », et cela conformément à certaines de ses indications[2].

Castoriadis lui-même parle de subjectivité chaque fois qu'il caractérise le changement consistant à devenir (plus) autonome. Quel est le changement recherché dans une cure psychanalytique et qu'on pourrait décrire aussi comme passage du « refoulement » à la « reconnaissance » ou passage de l'agir compulsif ou inhibé à la « délibération lucide ». Ce n'est pas, déclare-t-il, un changement qui nous permettrait de jouir désormais d'une vie psychique sans conflits, mais c'est « l'instauration d'une subjectivité réflexive et délibérante » (là où il tendait à n'y avoir que « cela », une « machine pseudo-rationnelle et socialement adaptée »)[3]. Toutefois, comme nous savons, ce qui importe n'est pas d'user du mot même de « subjectivité », mais c'est l'emploi que nous faisons de certaines formes d'expression selon tel ou tel schéma syntaxique.

Partons donc de la définition formelle que donne Castoriadis de la subjectivité propre à une « entité subjective » : il y a un sujet (ou il y a subjectivité) partout où il y a du « pour soi »[4]. Cet emploi comme substantif relève d'un jargon philosophique qui demande à être élucidé. La subjectivité, dit-on, c'est l'existence pour soi. Oui, mais l'expression d'une « existence pour soi » peut prêter à malentendu. Distinguons le sens *idéaliste* du sens *naturaliste* que peut prendre ce terme technique. On peut tirer l'idée d'un « mode d'existence pour soi » dans un sens idéaliste : par exemple, je suis souffrant si je suis conscient d'être souffrant (la souffrance n'a donc d'existence que « pour soi »). La subjectivité serait alors la coïncidence de l'apparence et de l'être. Ou bien on peut l'entendre dans un sens naturaliste, et, dans ce cas, il ne s'agit plus alors de la certitude d'être ce que je crois être, mais de la finalité de certaines opérations. J'existe pour moi si tout ce qui existe ne fait sens qu'en s'ordonnant, d'une façon ou d'une autre, autour de la visée que j'ai de mon bien propre. C'est le seul sens naturaliste qui se révélera pertinent chez Castoriadis, puisqu'il écrit : « Le premier pour soi, le pour soi archétypal, est le vivant[5]. » Or il ajoute que la subjectivité au sens fort ne se rencontre que dans les capacités (réflexives et délibératives) du sujet humain. Si l'on prend au sérieux ces explications, cela veut dire que le *vivant archétypal* est l'être humain, et que ce dernier se montre vivant, au sens humain du terme, lorsqu'il exerce sa liberté.

La locution « pour soi », bien connue des philosophes (et surtout des lecteurs de Hegel), peut se construire de deux façons. Elle peut servir d'adverbe à la copule : sa fonction est alors de changer le mode de l'attribution (on passe de la copule « est » à la copule « semble »). Elle peut aussi servir de complément du tiers actant à des verbes ou des attributs triadiques. Il est donc impossible de parler sans plus du « pour soi » et de l'invoquer pour définir la subjectivité, car il faudrait préciser lequel des deux usages est en jeu. Autre façon de dire la même chose : si la subjectivité se définit par le « pour soi », il y a en réalité deux concepts distincts de subjectivité, et il faut préciser comment le concept doit être compris.

Soit d'abord un exemple pour illustrer la différence des deux sens de la subjectivité. Comparons deux façons d'insérer la locution « pour moi » dans un énoncé disant que la fleur est rouge :

(1) « La fleur est-pour-moi rouge. »

(2) « La fleur est rouge-pour-moi. »

Le sens de l'énoncé (1) est que ma description ne porte plus sur la couleur réelle ou en soi de la fleur, mais sur ce que je perçois maintenant : la fleur m'apparaît rouge, je la vois rouge. Autrement dit, elle m'apparaît avec la couleur qui est celle des objets qui sont rouges (et, ici, je peux vous fournir un échantillon de ce que j'appelle « rouge » en vous montrant par exemple ce tapis-ci qui est rouge). Prenons garde ici de ne pas dire que la fleur m'apparaît rouge quand je la vois de la couleur que possèdent les choses qui sont rouges-pour-moi. En effet, l'énoncé (1) ne dit nullement que la fleur m'apparaît rouge-pour-moi, mais qu'elle m'apparaît tout simplement rouge. La logique de la construction du « pour moi » adverbial impose un contraste des *apparences* et de la *réalité*. Tout ce qui semble rouge n'est pas rouge, mais les choses qui semblent rouges sans l'être font justement le même effet (dans certaines conditions d'éclairage ou de contraste chromatique) que les choses qui apparaissent rouges et qui effectivement le sont. Si nous construisons ainsi la locution « pour soi », nous appliquons aux couleurs une opposition qui suppose que nous parlions de la couleur réelle de l'objet.

L'énoncé (2) veut dire tout autre chose. Il attribue à la fleur une couleur, le « rouge-pour-moi ». Cette couleur a ceci de particulier que je ne peux pas vous en montrer un échantillon. Tout ce que je peux vous montrer, c'est par exemple le tapis qui a cette couleur subjective ou privée, mais non cette couleur elle-même. On retrouve donc ici la théorie classique de la subjectivité des couleurs. Dire que les couleurs (ou les qualités sensibles) sont subjectives veut dire maintenant que ce sont des entités privées incommunicables. Ce statut subjectif peut d'ailleurs être étendu à d'autres entités : certains philosophes soutiennent que je n'ai pas affaire au tapis lui-même, mais à un tapis-pour-moi (à ma représentation du tapis). Si c'était le cas, je ne pourrais pas plus vous montrer le tapis en question que je ne peux vous montrer la couleur-pour-moi qu'il a, car il ne serait donné que dans mon expérience (privée), pas dans le monde (public).

Retenons de cet exemple que je ne peux pas savoir ce qu'est l'apparence de X si je ne sais pas ce que ce serait pour cette apparence que d'être véridique. L'application de la locution « pour moi » aux adjectifs de couleur apparaît pour le moins problématique. En revanche, dans d'autres cas, la construction de « pour moi » comme détermination d'un tiers actant de l'attribut s'impose. Considérons l'adjectif « bon » dans un énoncé tel que « ce remède est bon ». De nouveau, deux constructions de la locution sont possibles, avec la copule et avec l'attribut.

(3) « Ce remède est-pour-moi bon. »

(4) « Ce remède est bon-pour-moi. »

La différence est la suivante. L'énoncé (3) autorise qu'on demande : ce remède qui vous semble bon l'est-il réellement ? Par ailleurs, on note que l'énoncé qui dirait que le remède est réellement bon reste elliptique : un remède ne peut pas être bon sans plus, il faut qu'il soit bon pour quelqu'un, pour un type d'organisme et un type de maladie. Il ne saurait être bon universellement, quel que soit le cas considéré. C'est pourquoi, dans l'énoncé (4), il n'y a pas de subjectivation, pas de soumission de la qualification de bon à une opinion ou à une apparence. Une chose ne peut pas être bonne sans plus, il faut qu'elle soit bonne *à quelque chose* et *pour quelqu'un*. Si une chose est bonne, c'est qu'elle est bienfaisante ou bénéfique à quelqu'un. Cette fois, il ne s'agit nullement d'opposer les apparences et la réalité. On conçoit qu'une chose puisse sembler bonne à celui qui peut en bénéficier, mais qu'il soit soucieux de confirmer si elle est réellement aussi bonne-pour-lui qu'elle en a l'air.

Supposons que cette paire de chaussures soit dite bonne si elles me vont bien. On peut décider (objectivement) si ces chaussures sont à ma taille : mais c'est moi (ma personne) qui fournit la *mesure* ou le *critère*. Il n'y a pas de bonnes chaussures en soi (quant à la taille), il n'y en a que relativement aux besoins de quelqu'un. Mais, en introduisant la dimension des besoins, c'est l'être vivant qu'on introduit, c'est-à-dire l'acception naturaliste du « pour soi ».

On en arrive donc à une thèse ontologique sur le vivant : *vivre, c'est exister pour soi*. Dans un rapport sur l'état des sciences (1973), Castoriadis insistait déjà sur la rupture conceptuelle qui se produit lorsqu'on passe de l'étude de systèmes physiques à celle de systèmes vivants. De nouveaux concepts doivent être introduits. Il est certes permis au philosophe de soutenir que l'appareil conceptuel original qu'on doit poser se réduit à un ensemble de « façons de parler », d'« anthropomorphismes » commodes, qu'on peut tolérer à titre d'instruments prédictifs ou de fictions utiles. Toutefois, une telle position fait l'effet d'une position dite de principe, en réalité sans conséquence et destinée seulement à satisfaire un dogmatisme philosophique, puisque, sur le terrain d'enquête, nous constatons que ces concepts sont indispensables à la définition même d'un domaine de recherche propre aux sciences du vivant. Si ce dont je parle n'est pas un système auquel appliquer les concepts de fonction, d'organe, d'échange entre milieu interne et milieu externe, etc., donc d'individualité vivante et spécifique, alors mon objet de discours n'est pas un être vivant (ou c'est un être dont le caractère vivant ne m'intéresse pas puisque je ne le retiens pas). Or tous ces concepts spécifiques de l'ordre vivant nous renvoient à l'axiome : « être vivant, c'est être pour soi[6] ». Ce qui définit le vivant, c'est, pour employer cette fois un substantif, cette forme de « subjectivité » qu'est l'*auto-finalité*.

L'existence pour soi est donc à entendre dans le sens téléologique, pas dans le sens épistémologique. La polarité du soi et du non-soi (autre que soi) apparaît avec la vie. Castoriadis s'accorde avec Edelman pour dire que la polarité du moi et de l'autre que moi apparaît avec la vie elle-même, avec les premiers systèmes immunologiques[7].

C'est un des mérites de Castoriadis d'avoir souligné que nous reconnaissons de la subjectivité — du bon pour un X, mais pas pour un Y — dans la nature. Posons donc que l'existence pour soi, prise dans un sens naturaliste, correspond à ceci : certains concepts, comme par exemple le concept de chien, sont des concepts d'espèces vivantes ou téléologiques d'individus, en ce sens qu'une application du concept de chien à un individu entraîne qu'il y a un sens à demander quel est le bien que cet individu vise dans ses diverses opérations. De façon générale, un X *existe pour soi* dans le sens où les activités d'un X manifestent une finalité qui est de servir le bien de ce X, de procurer à ce X un bienfait quelconque, que ce soit la sécurité, la subsistance, la guérison, le plaisir, etc. (et si l'on tient compte d'un bien supra-individuel, la perpétuation de soi dans un autre X). Autrement dit, nous pouvons comprendre ce que nous disons quand nous déclarons que « un X existe pour soi » à deux conditions :

1° Il y a un sens à distinguer ce qui est bon pour un X de ce qui est mauvais pour lui.

2° La conduite d'un X manifeste que cet agent est sensible à cette différence et qu'il se guide sur sa perception de son milieu pour chercher ce qui lui convient et éviter ce qui lui est contraire.

Cette explication ne vise pas à fournir une définition stricte qui permettrait de décider, en toute circonstance, si tel individu existe ou non pour soi. On sait du reste qu'il n'y a aucune raison de réclamer une telle définition, et que la frontière entre l'inerte et le vivant n'a pas ce caractère strictement tracé. Il nous suffit de constater qu'en vertu de cette explication, l'armoire à linge ou le bateau n'existent pas pour soi, même si nous pouvons leur attribuer des états de bien-être ou de souffrance (par une « personnification » qui ne trompe personne), alors que le chien de la maison ou l'araignée existent pour soi. Je retrouve ainsi la remarque de Wittgenstein citée ci-dessus : certains diront que l'armoire n'a pas de *self*, alors que vous en avez un, que moi même en possède un, et que jusqu'à un certain point, le chien et l'araignée en ont un. Cette façon de parler est anodine tant qu'elle veut dire : l'armoire n'est pas vivante, vous êtes vivant, le chien est vivant, etc.

Ces précisions sur la logique du « pour soi », ou plutôt sur les deux logiques du « pour soi », nous permettent d'affronter finalement la question de ce chapitre : est-ce qu'il y a un *cercle de l'autonomie* et, s'il y en a un, est-il paradoxal ? est-ce un obstacle logique qui rende vain le projet de l'autonomie ?

Il faut entendre ici par un cercle paradoxal une combinaison de deux implications qui a pour effet de rendre absurde la description d'un certain acte. L'usager d'un service administratif se sent parfois menacé par un cercle de ce genre : au guichet A, avant de pouvoir faire quoi que ce soit pour lui, on exige qu'il se munisse d'un certificat qui doit lui être délivré par le guichet B ; mais, lorsqu'on interroge le guichet B, la réponse est que le certificat ne peut être donné qu'à ceux qui ont reçu le document délivré au guichet A. Il paraît donc impossible d'obtenir quoi que ce soit de cette administration. On retrouverait le même cercle dans le paradoxe de la publication du premier livre. Lorsque l'écrivain novice adresse pour la première fois un manuscrit à un éditeur, il doit affronter la question : « Qu'avez-vous déjà publié ? » Il apprend ainsi qu'il y a quelque chose de spécial à publier son premier livre : il faudrait, en principe, avoir déjà publié pour pouvoir commencer à le faire.

Il se trouve qu'il est difficile, mais néanmoins possible, de publier un premier livre. Le cercle n'est donc qu'apparent, et, s'il

semblait inéluctable, c'est parce que nous n'avions pas décrit
correctement les conditions de l'opération. La question est
donc de savoir si la notion d'un « projet d'autonomie » est réellement fautive du point de vue logique, autrement dit s'il faut
être *déjà* autonome pour pouvoir le *devenir.*

Comment devenir autonome ? En faisant preuve d'autonomie. Cela peut sembler circulaire. Castoriadis pense, à juste
titre, que cela n'est pas nécessairement circulaire : on peut en
effet comprendre cette action sur soi dans le sens d'une formation de soi-même. Devenir autonome, ce n'est pas opérer sur
soi par un agir transitif, ce n'est pas agir sur un patient, mais
c'est acquérir une capacité à l'activité délibérée. On notera que
Castoriadis, sur ce point, s'en tient à une notion grecque, plutôt
que moderne, de la *volonté.* Quelqu'un possède une volonté s'il
peut faire des actes délibérés[8]. Le modèle sera donc celui de
l'acquisition des vertus morales, c'est-à-dire des « aptitudes de
caractère », selon Aristote (*Éthique à Nicomaque,* II, 1). Pas plus
que les compétences techniques, les vertus ne sont un don de la
nature. Il n'est d'autre façon de devenir un (bon) pianiste que
de s'exercer à jouer du piano, de devenir un (bon) maçon
qu'en maçonnant, etc. Tout de même, les vertus morales, bien
qu'elles ne soient pas des compétences, s'acquièrent par la
pratique : on ne peut pas devenir courageux autrement qu'en
s'exerçant à faire preuve de courage, et de même pour les autres
vertus. Ainsi, pour devenir un citoyen accompli, c'est-à-dire apprendre à commander à des hommes libres et à obéir en homme
libre, il faut s'exercer à obéir aussi bien qu'à commander.

Castoriadis oppose cette analyse aux doctrinaires de la
« liberté pure » (il dit viser par là les héritiers de Kant).
Lorsqu'on voit dans le progrès vers l'autonomie un apprentissage comparable à la formation du caractère par l'exercice,
toute apparence d'un paradoxe logique disparaît :

> Aristote définissait la vertu comme *hexis proairétiké,* à savoir *habi-
> tus* dépendant du choix et créateur de choix. Il savait bien ce
> qu'il disait. Toutes les antinomies, vraies et apparentes, de la
> chose sont déjà dans cette phrase. L'autonomie n'est pas une
> habitude — ce serait une contradiction dans les termes — mais
> l'autonomie se crée en s'exerçant, ce qui présuppose que, d'une
> certaine manière, elle pré-existe à elle-même (*ibid.,* p. 221).

XXVII

Exister à la première personne

Au début du XXᵉ siècle s'est épanoui en Europe un mouvement intellectuel et spirituel connu sous le nom de « philosophie de l'existence ». Comme le nom l'indique, l'idée fondamentale de cette école peut être présentée comme une remarque sur les conditions d'emploi du verbe « exister » ou, si l'on préfère, du verbe « être ». Il y aurait deux sens complètement différents de ce verbe, selon qu'on l'emploie à la troisième personne ou à la première. Considérons un exemple bien connu des lecteurs de Jean-Paul Sartre[1] :

(1) « Pierre est garçon de café. »
(2) « Je suis garçon de café. »

En apparence, les deux propositions usent du même verbe « être ». Qui plus est, la règle gouvernant l'emploi de la première personne est que Pierre dit vrai en assertant l'énoncé égocentrique (2) si l'énoncé (1) se trouve être vrai de lui. Pourtant, les partisans d'une signification proprement humaine de l'existence en première personne ont soutenu qu'on ne trouvait pas véritablement le même verbe dans l'un et l'autre cas. Ils ont soutenu qu'il y avait entre les deux formes « il est » et « je suis » ce qu'on peut appeler, par analogie avec l'asymétrie *épistémologique* des « verbes psychologiques » selon Wittgenstein, une asymétrie *sémantique*.

Les logiciens analysent le plus souvent des exemples formulés à la troisième personne : on identifie un sujet par son nom et on le fait entrer dans diverses classifications et divisions conceptuelles (homme, mâle, Français, garçon de café). Il semble alors que la singularité de l'existence du sujet soit forcément méconnue. La description de Pierre à grand renfort d'attributs

généraux reste « extérieure » à son individualité, à son
« ipséité », à ce qui fait de lui l'être unique qu'il est. Cette
description tient dans un relevé de faits « objectifs » tels qu'un
observateur peut les enregistrer. Elle ne retient pas le sens que
ces attributs revêtent lorsqu'ils sont assumés « du dedans » ou
« en personne ».

D'autres penseurs ont été plus loin dans la même direction.
Dans l'énoncé descriptif parlant de Pierre à la troisième personne, ont-ils dit, il ne s'agit pas vraiment de *constater* quoi que
ce soit, mais plutôt de *construire* Pierre comme *étant de tel ou tel
type*. Les classifications qu'on lui applique sont à comprendre,
non pas comme l'expression d'un ordre naturel des choses,
mais comme un système de contrôle social, comme l'instrument
par lequel un pouvoir s'efforce de dominer les existences en
leur imposant de se couler dans ces divisions. Derrière le savoir
des classifications, il y aurait d'insidieux « rapports de pouvoir ».

S'il s'agit de constater l'état du sujet de prédication, on dira
que l'énoncé à la troisième personne vise à obtenir *l'objectivation*
de Pierre (son repérage dans le monde à l'aide de descriptions). S'il s'agit de le construire, on dira que cet énoncé
vise à rendre possible *l'assujettissement* de Pierre aux normes en
vigueur.

À la première personne, les énoncés attributifs ont un tout
autre caractère. Il n'est plus question de ranger un objet dans
un casier, mais de se placer soi-même sur une case du casier en
question. La copule ne devrait donc pas être celle de l'attribution extérieure (faite par un observateur à propos d'un objet),
mais une autre copule propre à marquer l'auto-attribution.

Il est vrai qu'on peut comprendre autrement l'opposition en
question. Il faudrait opposer, non pas deux copules d'attribution, l'une objectivante et l'autre existentielle, mais une copule
d'attribution et un verbe d'action transitive. Emmanuel Lévinas
a lumineusement donné la formule canonique de cette version
de l'existentialisme : à la troisième personne, le verbe « être »
fournit la copule des jugements d'attribution ; à la première
personne, le verbe « être » n'est plus du tout une copule qui
relie un sujet et un attribut, c'est un verbe transitif qui indique
un « acte d'existence » par lequel le sujet passe (ou « se transcende ») dans l'objet. C'est pourquoi les auteurs de la littérature existentialiste ont volontiers usé de formules d'allure
excentrique : « je suis ma douleur », « je suis mon passé », « je
suis mon monde[2] ».

Ces thèses peuvent-elles être attribuées à Heidegger ? Malheureusement, il est difficile de savoir quelles thèses attribuer à Heidegger, car ce philosophe a pratiqué ce que Ernst Tugendhat appelle la « méthode évocative »[3]. Le programme de toute phénoménologie est descriptif, mais Husserl et Heidegger ont eu tendance à chercher les « phénomènes » à décrire au niveau d'une expérience qualifiée d'« anté-prédicative », donc, du point de vue des formes d'expression, à un niveau précédant celui de la phrase complète organisée par une connexion prédicative[4]. Pourtant, ils n'ont pas dégagé non plus d'autres espèces de connexions signifiantes. Le résultat est que la description se laisse guider par la donnée d'un mot isolé, d'un simple vocable détaché de toute construction dans une phrase et de toute utilisation dans un jeu de langage, à moins de considérer des usages d'exclamation en face d'apparitions remarquables (« La mer ! », « Tiens, des poireaux ! », etc.) Finalement, c'est l'étymologie qui, souvent, est chargée de suggérer un contexte d'application (lequel ne coïncide pas forcément avec celui de l'usage ordinaire). La méthode devient donc purement évocative : l'auteur de la description est censé décrire quelque chose qu'il « voit », une structure essentielle qui s'offre à lui, et il s'efforce de susciter chez le lecteur un acte permettant à ce dernier de reconnaître qu'il en est bien ainsi.

Heureusement, Ernst Tugendhat a proposé une solution[5]. Il faut, dit-il, attirer l'attention du phénoménologue sur la réalité de son travail. Comme l'écrit Wittgenstein[6] : en philosophie, nous croyons parfois qu'il nous faut décrire des phénomènes, comme si la philosophie était une sorte de science naturelle supérieure, mais en réalité, notre recherche est dirigée vers des *possibilités* de phénomènes, c'est-à-dire que nous traitons, non pas de phénomènes, mais du genre d'énoncé (*die Art der Aussagen*) que nous faisons sur les phénomènes. Par exemple, nous n'étudions ni un « phénomène » du temps, ni les phénomènes de la conscience du temps, mais plutôt l'usage de petits mots tels que « avant », « après », « en même temps », « longtemps », etc.

Tugendhat a soutenu que l'on pouvait restituer certaines thèses de Heidegger dans un langage analytique intelligible, à condition bien sûr de renoncer à divers maniérismes inutiles (qui s'expliquent par le désir de rompre avec une tradition[7]). D'abord, explique-t-il, il est possible de retrouver une inspiration aristotélicienne chez Heidegger, car le phénomène du souci de soi nous renvoie à la question pratique posée sous sa forme générale, c'est-à-dire sous la forme d'une question « *Que faut-il faire ?* » qui n'est plus technique (que faire pour obtenir tel résultat particulier ?), mais éthique (que faire pour avoir bien agi ?). Mais alors, s'il en est ainsi, nous pouvons tirer parti du fait que plusieurs auteurs de style analytique ont eux aussi une inspiration aristotélicienne[8] et ont déjà indiqué comment transposer certaines distinctions d'Aristote en termes analytiques. Dans toute cette affaire, l'adjectif « analytique » ne renvoie donc pas à une doctrine philosophique particulière (empirisme, logicisme, etc.), mais indique seulement que la voie de l'explication conceptuelle passe par l'élucidation du « statut grammatical[9] » des mots (concepts).

Mais cette tentative d'interprétation n'est-elle pas arbitraire ? Est-ce qu'elle est fidèle à la pensée de Heidegger ? Je dirai avec Tugendhat que peu importe ici l'exégèse, le but n'étant pas de faire un exposé orthodoxe de la pensée de Heidegger, mais de discuter les thèses de la philosophie du sujet, thèses pour lesquelles on a souvent cherché un soutien dans les doctrines qui mettaient l'accent sur le souci de soi. Se soucier de soi, c'est forcément se soucier de sa propre existence. Est-ce que la bonne intelligence de cette expression « sa propre existence » n'impose pas de distinguer entre le rapport de l'individu à l'individu (objet) et le rapport à soi comme sujet ?

Heidegger, rappelle Tugendhat[10], est *parti* d'une réflexion portant sur le contraste entre « il est » et « je suis ». Comment le verbe change-t-il de sens selon qu'on l'emploie de façon « objectivante » ou de façon « existentielle » ? Selon l'école attachée à faire ressortir un mode d'expression spécifique pour l'« existence humaine », la différence est que le locuteur qui use de la troisième personne a une attitude détachée à l'égard de ce dont il parle (et de l'existence de ce dont il parle). En revanche, à la première personne, il ne se rapporte plus à l'existence dont il parle comme le ferait un esthète assistant à un spectacle, mais il s'y rapporte (ou se projette en elle) sur le mode du « souci de soi » (*Selbstbekümmerung*[11]). Ces attitudes sont aussi différentes que possible. Or c'est la description de l'attitude qui doit, en bonne doctrine phénoménologique, nous donner le sens du concept. Il y aurait donc deux sens du verbe « être », l'un qui est pertinent quand il s'agit de constater quelque chose (c'est l'être dans le sens de la « présence de fait[12] »), l'autre qui est pertinent quand il s'agit d'une existence à laquelle le locuteur se rapporte lui-même comme ce qu'il a « à être » (soit parce qu'il est destiné à l'être, soit parce qu'il est désireux de l'être, soit parce qu'il est appelé à l'être).

Tugendhat[13] fait remarquer ici qu'on peut comprendre l'idée d'une asymétrie entre « il est » et « je suis » dans le sens (heideggérien orthodoxe) d'une « thèse forte » ou dans le sens (heideggérien réformé) d'une « thèse faible ». Je me propose de rejeter, d'accord en cela avec Tugendhat, la thèse forte, mais aussi, cette fois contre Tugendhat, la thèse faible à laquelle lui-même dit souscrire.

Comparons ces deux énoncés :
(1) « Il est écrivain. »
(2) « Je suis écrivain. »
Faut-il reconnaître un sens différent au verbe « être » selon qu'il fonctionne comme outil d'attribution, comme dans (1), ou comme verbe permettant au locuteur d'assumer une qualité, comme dans (2) ?

S'il y a deux sens de « être », cela veut dire — selon la thèse qualifiée de *forte* — qu'on ne peut pas attribuer à l'homme des prédicats dans un énoncé en troisième personne sans le traiter par là même comme une chose indifférente à sa propre existence. Dès qu'on lui attribue des prédicats à la troisième personne, on fait comme s'il était une substance dotée de propriétés et de qualités, méconnaissant ainsi que l'homme se soucie de ce qu'il est et se rapporte à ce qu'il peut être sur un mode *pratique*.

Or cette thèse forte présente l'inconvénient d'entraîner diverses conséquences absurdes. L'accepter revient en effet à soutenir qu'il y a deux copules permettant d'assurer une connexion prédicative : la copule « objectivante » de l'énoncé (1) et une copule « existentielle » qu'on est censé trouver dans l'énoncé (2). S'il en était ainsi, la logique de la prédication devrait accepter de tenir ces deux types d'énoncés pour incapables de communiquer entre eux. Comparons en effet à cette autre distinction de deux copules, l'une « objective » et l'autre « subjective » :
(1) « Il est écrivain. »
(3) « Il se croit écrivain. »
En vertu de la différence sémantique entre les copules « est » et « se croit », il n'y a pas de contradiction entre l'énoncé (3) et la

négation de (1). Quelqu'un peut se croire écrivain sans être
écrivain (s'il s'imagine qu'on peut être écrivain sans satisfaire
aux conditions impersonnelles d'établissement dans ce statut),
et il peut être écrivain sans se croire écrivain (s'il a cru, en écrivant ses livres, faire autre chose que de l'écriture). Les mêmes
observations s'appliquent à la distinction entre les copules figurant dans les énoncés (1) et (2). Puisque la copule d'un énoncé
en première personne n'est pas la même que celle d'un énoncé
objectivant, on peut concevoir une situation dans laquelle N. a
raison de dire : « Je suis écrivain », alors que nous avons raison
de dire : « N. n'est pas écrivain. » Nous appliquons nos critères
à l'individu N. : n'ayant jamais rien publié, et n'ayant même
jamais composé aucun ouvrage encore inédit, N. n'est pas écrivain. De son côté, N. ne récuse nullement notre jugement
« objectivant », mais il en porte un autre en première personne : sa vie est organisée autour d'un combat contre la page
blanche, contre les conventions linguistiques et les routines littéraires, ce qui veut dire que N., sans prétendre aucunement se
voir reconnaître un statut objectif d'écrivain — statut qui, peut-
être, ne l'intéresse pas du tout —, est néanmoins fondé à donner à son existence un sens qu'il tire de son projet d'écriture.

Cette doctrine opposant la définition extérieure et l'auto-
définition de ses activités apparaît donc des plus fragiles. Sans
doute parvient-on à la charger d'une certaine épaisseur psychologique en lui imprimant un tour moral : le garçon de café est
quelqu'un que nous rangeons dans cette catégorie profession-
nelle au vu de ses activités, mais cet individu peut fort bien
développer en lui-même une distance ironique à l'égard de son
état. Il fait comme si la réalité prosaïque était un jeu amusant
qu'il pourrait interrompre à tout moment. Toutefois, ce que la
distinction gagne alors en vraisemblance humaine, elle le perd
aussitôt en pertinence logique et métaphysique. Il saute aux
yeux que la distinction proposée, si elle est celle des deux copules d'attribution, peut très bien être formulée à la troisième personne, en opposant par exemple une attribution « objective »
(4) et une attribution « existentielle » (5) :
(4) « Il est l'auteur de livres. »
(5) « Il s'interprète lui-même comme quelqu'un ayant à écrire. »

La thèse forte sur l'asymétrie du verbe « être » conduit finalement à une dualité absurde : dans une seule et même personne,
il y aurait deux sujets de prédication, le premier pour des prédicats qui seraient vrais d'une *chose*, le second pour d'autres

prédicats qui seraient vrais d'un « existant », d'un *soi-même*. Il faudrait distinguer, dans la personne de Pierre, ce qui est vrai de Pierre en tant qu'*hypokeimenon*, et ce qui est vrai de lui en tant que sujet (ou *Dasein*). Il ne s'agirait certes pas d'un dualisme des substances, comme dans la métaphysique classique, mais il y aurait néanmoins la même dualité incompréhensible de l'individu et du sujet que dans l'égologie.

Tugendhat fait ce commentaire, qui apparaît parfaitement justifié :

> (...) Il faudrait alors parler de deux sujets et élucider le rapport entre l'un et l'autre. De telles bizarreries chez Heidegger sont dues à sa tendance à creuser un gouffre infranchissable entre ses conceptions nouvelles et la tradition. Ainsi pensait-il que sa conception de l'être de l'homme comme être à accomplir contredisait celle selon laquelle cet étant est une substance ayant des qualités ou un sujet ayant des prédicats. Il semblait croire qu'un sujet ne pouvait être que l'un ou l'autre (...)[14].

Tugendhat rejette avec raison la solution offerte par la « thèse forte », mais il concède ensuite quelque chose à l'idée d'une asymétrie *sémantique* affectant la copule en prenant à son compte ce qu'il appelle la « thèse faible » sur les deux sens de l'être. Quelle est exactement cette thèse faible ? Pour l'énoncer et la soumettre à la discussion, il faut la rapporter à des différences probantes en matière d'expression langagière. Tugendhat prend donc appui sur le fait que toute cette réflexion sur le souci de soi a un caractère pratique, qu'elle porte sur un agent qui est confronté à lui-même parce qu'il lui revient de *délibérer* pour décider quoi faire.

Voici donc maintenant la « thèse faible » : ma délibération d'acteur engagé dans mon action sur ce que *je vais être* n'emploie pas le même verbe que celui dont se sert la réflexion détachée (objectivante) sur ce que *je serai* un jour. La délibération pratique use du verbe « être » au sens d'un « à être », d'un « *zu-sein* », alors que la réflexion désengagée use de l'être au sens de la « présence » des choses données (*Vorhandenheit*). Quelqu'un qui délibère sur ce qu'il fera dans l'avenir (proche) va poser deux sortes de questions. D'une part, il va chercher à savoir ce que seront les choses demain (pour pouvoir décider quoi faire). D'autre part, il lui faudra résoudre la question pratique « Que faire ? » en formant une intention. Or nous observons que, dans les deux cas, l'agent pourra s'exprimer au futur. Par exemple, ma délibération peut comporter une réflexion comme « Demain, je serai à Paris (car le train dans lequel je me trouve sera arrivé) » : il s'agit d'une prévision que j'avance en fonction de diverses données (je suis dans le train, il roule normalement, l'arrivée est prévue demain matin). Mais, à côté de ces prévisions, la délibération pourra comporter l'expression d'un projet comme « Demain, je serai au musée du Louvre (c'est mon intention de m'y rendre) ». Ces deux types d'énoncés au futur sont nécessaires à l'expression d'une délibération. Or ils sont hétérogènes. Il faut distinguer, conclut Tugendhat, deux sortes de phrases, les propositions déclaratives (vraies ou fausses) et les phrases indiquant quelles actions doivent être faites par quelqu'un (on peut qualifier ces dernières phrases de *directives*). Les énoncés qui servent à donner des directives ne sont ni vrais ni faux. L'auteur écrit :

> Si je ne fais pas ce que j'ai annoncé, mon énoncé ne s'avère pas faux — je ne me suis pas trompé —, mais je n'ai pas respecté ce que j'avais annoncé. De tels énoncés au futur ne sont donc ni des pronostics ni d'une façon générale — dans la mesure où ils ne sont ni vrais ni faux — des propositions assertoriques. Il s'agit là d'énoncés à la première personne qui correspondent aux impératifs à la deuxième personne[15].

Bien entendu, une directive comme « Fermez la porte en sortant » ou « Tournez à droite après le feu » n'est ni vraie ni fausse : il ne s'agit pas d'assentir à une description, mais d'exécuter. Mais qu'en est-il d'un énoncé dans lequel je déclare mon intention ? Faut-il y voir un commandement que je m'adresse à moi-même ? Supposons que je vous annonce (ou que je me disc à moi-même, peu importe ici) : « Demain, j'ai l'intention d'aller à la mer. » En fait, j'aurais pu aussi bien employer simplement le futur pour dire la même chose : « Demain j'irai à la mer. » Il ne s'agit évidemment pas d'un pronostic. Mais est-ce pour autant une directive que je m'adresse à moi-même (et comme telle ni vraie ni fausse) ? Impossible ! Si je dis (à vous ou à moi) que j'irai à la mer, ce n'est pas comme si je (me) disais : « Va à la mer demain. » Une chose est de produire la directive d'aller à la mer (peu importe ici qui en est l'auteur), autre chose est le fait de l'adopter, donc de former l'intention que cette directive soit exécutée. S'il fallait comparer l'intention à quelque chose, ce ne serait donc pas à la directive elle-même, mais au fait de se l'approprier, d'en faire son propre projet et d'être en mesure, sur la base de cette intention, d'annoncer au futur ce qui va se passer.

En fait, Tugendhat veut, à juste titre, attirer notre attention sur l'originalité d'un énoncé d'intention pour le futur : si je ne fais pas demain ce que j'ai annoncé aujourd'hui que je ferai, ce n'est pas à la suite d'une erreur dans l'interprétation de données présentement disponibles (comme lorsque j'annonce l'heure d'arrivée du train sachant la vitesse et la distance à parcourir et que, ayant mal calculé ou ayant bien calculé sur la base de fausses informations, j'ai donné un faux horaire). Dire quelle est mon intention, ce n'est pas déchiffrer un donné et en tirer un pronostic, comme fait le viticulteur lorsqu'il dit : les vendanges seront bonnes, si du moins le temps reste favorable. Il est parfaitement exact qu'annoncer ce que je ferai (parce que c'est mon intention), ce n'est nullement *constater* que je le ferai. Mais depuis quand *prédire* ce qui arrivera est-il constater quoi que ce soit ? Tant que la chose prédite n'est pas arrivée, on ne peut rien constater : sinon peut-être que cela est *plus ou moins* présent dans sa cause.

En fait, le futur de notre exemple est ambigu dans sa *justification*, mais pas dans sa valeur sémantique de futur. Supposons que j'annonce : « Demain, ma porte sera ouverte. » Est-ce l'énoncé d'une prévision ou l'énoncé d'une intention ? Ce peut être, selon les cas, l'un ou l'autre. Néanmoins, il s'agit bien, dans un cas comme dans l'autre, d'un futur. En aucun cas, il n'est question de constater que la porte *est* ouverte. Dans les deux cas, il est annoncé qu'on *pourra* constater qu'elle l'est. Notez du reste que la porte peut être ouverte sans que personne ne soit là pour le constater. Par conséquent, dire qu'elle *sera* ouverte n'est pas non plus dire qu'il *sera constaté* qu'elle est ouverte, mais seulement qu'il sera possible de le constater. L'équation implicite de l'être et de la présence à un observateur n'est donc qu'une source de confusion.

Comme le dit Wittgenstein[16], il y a bel et bien une *prédiction* dans l'énoncé d'une intention de ma part pour le futur, puisqu'un autre peut contredire mon énoncé et annoncer que je ne ferai pas ce que j'ai annoncé que je ferai. Par exemple, j'annonce que je quitterai la réunion à 5 heures pour rentrer chez moi, et quelqu'un peut savoir qu'en raison d'une circonstance que lui connaît, mais non moi, je serai dans l'incapacité de le faire. Dans ce cas, il y a bel et bien contradiction entre ma déclaration et la sienne[17].

En fait, lorsque j'annonce ce que je ferai, je déclare mon intention, mais cette prédiction ne repose pas sur les mêmes fondements (et n'a pas les mêmes conséquences) que si elle était un pronostic. Supposons que je n'exécute pas mon intention, pour une raison quelconque (je change d'idée, ou bien j'ai un empêchement). Mon futur prochain (« Je vais me baigner ») est un énoncé faux. Certes, ce n'est pas une erreur inductive, une erreur dans l'interprétation des données. Mais c'est pourtant une erreur de prédiction (ou, si l'on préfère, une erreur de pré-diction, une erreur sur le futur). L'opposé n'est pas « Ne va pas te baigner ! », mais c'est « Non, tu ne vas pas te baigner »[18].

Par conséquent, c'était une mauvaise idée de chercher à inclure dans le sens du verbe « être » le type de justification que l'on pourrait donner à sa déclaration[19]. *La porte sera ouverte* : une telle déclaration est vraie selon qu'il en sera ainsi ou non. Qu'un tel énoncé soit vrai ou faux n'a rien à voir avec la façon dont nous pensons *savoir* que la porte sera ouverte (par pronostic ou par une intention de l'ouvrir et de la garder ouverte, comme nous jugeons pouvoir le faire). Ces remarques se transposent à la première personne. *Je vais écrire une lettre* : cette déclaration ne repose pas sur une constatation que j'aurais faite à mon propre sujet (comme si, par exemple, j'avais observé que, chaque fois que j'ai entendu telle pièce de musique, j'ai toujours écrit une lettre dans l'heure qui a suivi). Ce n'en est pas moins une déclaration que je fais, non pas sur mon état d'esprit présent, mais sur ce qui sera bientôt le cas parce que je suis résolu à faire que cela soit. S'il y a une place pour des propositions fausses dans les prédictions fondées sur la conscience d'agent, ce n'est pas parce que l'agent d'une action humaine est simultanément l'observateur faillible de ses états internes, mais c'est parce que les résolutions humaines, aussi fermes soient-elles, ne sont pas des prédéterminations inexorables du futur.

Il n'y a donc lieu de dédoubler, ni bien sûr les sujets de prédication (« il » et « moi », l'homme comme substance chosifiée et l'homme comme sujet d'attributions « existentielles »), ni même les significations du verbe « être ».

Tugendhat a reformulé la thèse (forte) des deux significations (« objective » et « existentielle ») du verbe « être » en une
thèse (faible) sur la dualité sémantique des prédicats. Cela revient à reconnaître que ce n'est pas le verbe « être » qui est en
cause, mais plutôt les verbes d'action humaine. Il faut reconnaître à ces derniers une asymétrie analogue à celle dont a parlé
Wittgenstein à propos des « verbes psychologiques » (tels que
« croire », « sentir », « vouloir »). Quelqu'un qui écrit une
phrase destinée à figurer au commencement du roman qu'il
veut composer sait ce qu'il fait, et il le sait sur la base d'un rapport pratique à son propre futur. La conscience de soi du sujet
d'une action humaine (comme d'écrire un roman) n'est pas un
rapport cognitif à un état *donné* de soi-même. Les autres peuvent constater que notre homme écrit (en le regardant), ils peuvent prendre connaissance de ce qu'il écrit (en regardant par-
dessus son épaule ce qu'il a inscrit sur la feuille), ils peuvent
peut-être deviner qu'il s'agit d'un roman. L'auteur est dans une
position différente. Il sait ce qu'il est en train de faire parce que
c'est lui qui a décidé de consacrer du temps et des forces à
écrire avec ce stylo sur cette feuille de papier des phrases qui
sont ainsi composées parce qu'elles sont destinées à entrer dans
un ouvrage d'ensemble dont la production définit le présent
objectif de l'agent. L'asymétrie entre la troisième et la première
personne n'est pas dans le contenu sémantique du verbe
« écrire », elle est dans le mode de justification des énoncés où
figure ce verbe.

XXVIII

La confrontation à soi

Que penser de cette idée qu'il y a deux façons de comprendre l'existence même de quelque chose selon qu'on adopte une attitude *détachée*, impartiale, ou une attitude *préoccupée*, engagée ? Et que, dans le cas d'une attitude engagée, le rapport à une existence quelle qu'elle soit s'enracine, en définitive, dans un rapport à sa propre existence ? Autrement dit, que faire de l'idée selon laquelle l'existence humaine est caractérisée par une relation à soi de type pratique qu'on appelle le *souci de son existence* ou le souci de soi ?

Ici, il y a lieu de distinguer, comme l'a fait Castoriadis (cf. *supra*, chap. 26), l'existence pour soi de tout être vivant et la forme que prend cette téléologie chez l'être capable de raisonner son action, c'est-à-dire de délibérer, de chercher à agir au mieux après avoir considéré sa position. Tugendhat[1] rappelle que la notion d'un souci de soi comme souci de sa propre existence est bien connue de la philosophie grecque, et en particulier d'Aristote, qui y voit le trait le plus caractéristique du vivant. Exister ou être, pour le vivant, c'est vivre. Mais vivre, autrement dit *être en vie*, c'est chercher à conserver la vie et s'organiser pour se maintenir en vie. Le souci de soi n'est donc qu'un autre nom pour la téléologie propre à la vie. En ce sens, rien n'interdit d'attribuer un souci de soi à la plante. Toutefois, la volonté de vivre ne prend un caractère que nous appellerions psychique que chez les animaux. Et elle ne prend une forme articulée en raisons variées (de faire ceci plutôt que cela) que chez le vivant doté du *logos*, c'est-à-dire chez l'homme. Ce dernier ne se distingue donc pas des autres animaux par le simple fait d'être soucieux de son existence, mais par le fait que ce souci prend chez lui la forme d'une interrogation sur le *bien vivre*, sur le sens de toute existence. On peut donc considérer que la « compréhension de l'être » dont parlent les phénoménologues (pour en faire un trait distinctif de la conscience humaine) peut se comprendre sur le terrain de la question éthique, laquelle porte sur toute chose (ce qui correspond à l'universalité de l'être) *sub specie boni*.

De nouveau, il convient de chercher l'élucidation d'un concept, non dans les associations d'idées qu'on peut faire sur un mot isolé, mais dans le statut grammatical des formes langagières permettant d'exercer la capacité conceptuelle en question. Nous devons donc nous demander comment se marque, dans notre langage, la différence entre une attitude « dégagée » et une attitude « engagée », « préoccupée ». Quelle différence faire entre l'expression d'une existence selon la première attitude et son expression selon la seconde attitude ? Il semble bien qu'on trouve une telle différence dans la façon dont sera exprimée l'existence dès qu'on fait intervenir la perspective du temps. Le passé et le futur peuvent s'exprimer, soit sous une forme indéfinie et détachée, soit sous une forme rapprochée et par là rattachée au présent. La *Grammaire de Port-Royal* fait à ce sujet des réflexions qui nous sont précieuses.

Pour indiquer le temps du passé, nous disposons en français de deux formes : *j'écrivis, j'ai écrit*. Sont-elles équivalentes ? Non, selon les auteurs de Port-Royal, qui voient dans ces deux « prétérits » deux façons de parler du passé selon qu'on veut ou non marquer son rapport au présent. La forme *j'ai écrit* est le prétérit de la chose précisément faite : par cette forme, on marque que « la chose ne vient que d'être faite ». La forme *j'écrivis* est le prétérit de la chose « indéterminément faite »[2], ce qui veut dire que quelqu'un qui use de cette forme se borne à marquer « indéfiniment » que la chose a été faite, sans se prononcer sur la proximité au présent de la chose faite.

Les auteurs de Port-Royal estiment qu'il serait incorrect de dire en français : *J'écrivis ce matin*. « Notre langue est si exacte dans la propriété des expressions, qu'elle ne souffre aucune exception en ceci, quoique les Espagnols et les Italiens confondent quelquefois ces deux prétérits, les prenant l'un pour l'autre[3]. » À les en croire, ce qui a été fait ce matin vient d'être fait et reste encore trop proche du présent de notre parole pour qu'une langue exacte puisse accepter de l'exprimer

comme une chose entièrement accomplie et détachée de nous.
Pourtant, ce chauvinisme linguistique paraît mal placé. Nos
auteurs croient apparemment que la division du temps en jours
de la semaine suffit à établir cette coupure. Peut-être y a-t-il ici
la trace d'une conception propre à l'« âge classique » selon
laquelle l'unité de temps — celle qu'exige la représentation
d'une seule et même action — est la journée de vingt-quatre
heures.

Le passé de la chose qui vient d'être faite est certes un passé
prochain, mais à quoi tient cette proximité qui fait obstacle au
détachement ? Est-ce une affaire de distance temporelle mesurable à l'aide d'une horloge (selon le « temps objectif ») ? Il
semble bien que ce soit plutôt une affaire (« subjective ») de
motivation et d'engagement. Le passé de la chose qui vient
d'être faite reste proche de nous, non pas selon l'échelle du
calendrier, mais selon l'échelle du souci, de l'affairement, de la
préoccupation, des urgences de la vie active. Nous restons
concernés par ce qui est arrivé, car nous avons encore à en répondre, à tirer parti de ce qui a été acquis ou conquis, à réparer ou
corriger les erreurs. Lorsque j'ai fini de répondre à mon cour-
rier, j'ai fini l'une des choses à faire pendant la journée et je
peux passer à la chose suivante. En faisant ce que je viens de
faire, je me suis donné à moi-même d'autres possibilités et
d'autres engagements vers lesquels je dois maintenant me tourner. En ce sens, les choses faites pendant l'unité du temps de
cette action qu'est mon programme pour aujourd'hui sont toutes présentes, mais pas toutes actuelles : il y a les choses déjà faites, mais qui restent des parties de la journée présente. Or la
différence entre les deux formes d'expression du passé ne tient
pas au fait qu'une journée doive succéder à la journée qui la
précédait, mais au fait que les affaires *en cours* ne peuvent pas
être aussi passées (ou dépassées) — du point de vue de la préoccupation — que les affaires *classées*.

Ainsi, le passé composé du français n'indique pas le passé
comme tel ou absolument, mais le passé du présent, le passé
dont notre présent est le résultat. De sorte qu'on pourrait rendre le passé de *J'ai écrit* (quelle que soit sa distance à nous sur
une échelle du temps) par une forme telle que : *je suis-mainte-
nant-ayant-écrit.* Par cette forme, il est suggéré qu'on trouvera un
trait présent qui est le résultat de cette action antérieure. Le
passé prochain fait encore partie d'une totalité diachronique
dans laquelle nous nous situons nous-mêmes. Il s'agit donc

pour nous de rapporter l'événement à nos pouvoirs et à nos responsabilités[4].

Or les auteurs de Port-Royal nous invitent à transposer cette distinction des deux formes de passé à l'expression du futur :

> Le futur peut aussi recevoir les mêmes différences ; car on peut avoir envie de marquer une chose qui doit arriver bientôt : ainsi nous voyons les Grecs ont leur *paulopost-futur*[5], μετ᾽ ὀλίγον μέλλων, qui marque que la chose se va faire, ou qu'on la doit tenir comme faite, comme πεποιήσομαι, je m'en vas faire, voilà qui est fait ; et l'on peut aussi marquer une chose comme devant arriver simplement, ποιήσω, je ferai ; *amabo*, j'aimerai (*ibid.*, p. 119).

Dans diverses langues (dont d'ailleurs le grec ancien), le futur prochain peut s'exprimer au moyen d'un verbe auxiliaire. Ce verbe peut signifier aussi bien l'imminence que l'intention ou l'obligation. Ainsi, on dit *je vais écrire* (*I am going to write*) et *je dois écrire* (*I shall, I have to write*). De nouveau, Arnauld et Lancelot cherchent à trouver un fondement « objectif » à la différence : si la chose est prévue pour bientôt, et « qu'on la doit presque tenir comme faite », on usera du futur prochain ; si la chose doit arriver sans plus, on usera du futur lointain. Transposant au futur leur leçon de bon usage, il faudrait alors condamner « Demain, je vais faire une promenade » ainsi que « Je ferai cela dans un instant ». Mais les mêmes objections se présentent : le temps qui marque la proximité à l'agent n'est pas le temps mesurable des horloges, mais un temps qui rapporte *tout* à nos intérêts et à nos préoccupations de l'instant présent.

Quand le discours marque le rapport au présent de la chose déjà faite, il s'agit d'être attentif aux *effets* de l'événement passé sur le présent. Quand c'est du futur qu'il est question, il ne s'agit évidemment plus de s'occuper d'effets, mais des *conséquences* de ce qui va se faire sur ce qui est à faire *maintenant*. De même que la forme *j'ai écrit* marque que je viens d'écrire et que j'assiste aux suites de mon acte (par exemple, j'attends encore une réponse), la forme *je vais écrire* (dans son contraste avec *j'écrirai*) indique que la chose est imminente, soit parce que l'état présent des choses la rend plus ou moins inévitable, soit parce que je suis en train de me préparer à la faire et que cette chose va donc se faire puisqu'elle ne tient plus qu'à moi. On peut comparer de ce point de vue le futur anticipé dans un souhait enfantin (« Un jour, je serai écrivain ! ») et le futur anticipé dans l'expression d'un projet en cours d'exécution (« Aujourd'hui, je vais écrire »). De même que la journée, comme unité d'action, inclut encore (à midi) les choses déjà faites ce matin (qui sont parties intégrantes de ce qui constitue le présent sans être pour autant actuelles), de même elle inclut les parties du programme de la journée qui restent à exécuter (cet après-midi). Et, par conséquent, on devra dire *je suis-devant-écrire-cet-après-midi,* exactement comme le passé proche pouvait se rendre par *je suis-ayant-écrit-ce-matin.*

La différence sémantique entre les deux futurs est donc bien celle qu'on trouve entre une attitude « détachée » ou « désintéressée » et une attitude « engagée » ou « affairée ». Sans doute, la forme du futur prochain n'est nullement réservée à l'expression d'une attitude pratique. On peut décrire un phénomène naturel en usant des deux futurs pour marquer dans un cas l'imminence (« Il va pleuvoir »), dans l'autre le caractère indéfini du futur (« Il pleuvra »). Mais la différence semble bien tenir au fait que, en usant du futur prochain, nous voulons indiquer que nous nous sentons concernés et donc que nous le sommes. Dans le cas d'un processus naturel que nous observons, le futur prochain marque la place d'une intervention possible qui pourrait interrompre ou modifier le cours des choses : *l'eau va bouillir* (il faut la retirer du feu), *l'objet va tomber* (on peut encore le rattraper), *la bombe va exploser* (que peut-on faire ?), *il va pleuvoir* (on ne peut pas l'empêcher, mais on peut rentrer le linge).

De façon générale, les choses que je décris au futur prochain me concernent : soit parce que je peux intervenir pour les empêcher de se faire, de sorte que la question se pose de savoir si je vais faire qu'elles se fassent ou pas, soit parce que, comme on dit, je dois *me faire* à l'idée qu'elles vont se produire. Et quand je dois *me faire à l'idée que...,* il ne s'agit pas seulement pour moi de prédire des événements futurs, mais il me faut *faire quelque chose qui me concerne,* comme par exemple de réviser mes plans, de renvoyer certains de mes désirs au rang de simples souhaits sans suite, de prendre des mesures appropriées de précaution, et, de toute façon, de me préparer à réagir comme il convient.

Ainsi, il n'est pas jusqu'aux événements qui vont se produire inévitablement qui n'appellent une réaction pratique de la part de l'agent. Lorsque l'agent reconnaît qu'un événement va se produire parce que rien ne peut désormais l'empêcher, qu'il est *trop tard* pour faire quoi que ce soit, il lui faut en quelque sorte renoncer au projet de s'y opposer (s'il avait formé ce projet). Et ce renoncement peut passer pour une action délibérée, non pas pour assurer que l'inévitable ait lieu, mais pour consentir à ce qu'il ait lieu. Une telle action se joue évidemment entre soi et soi.

On peut donc voir dans la forme du futur prochain un temps verbal qui permet à un locuteur d'exprimer un rapport à soi qui est quelque chose comme une *confrontation à soi*. Il se pourrait que Heidegger ait eu en vue précisément ce phénomène. Si un événement se présente à quelqu'un comme imminent, comme une chose qu'il faut presque tenir comme déjà faite, cet agent est renvoyé à lui-même : dans l'espace de ce « presque » qui sépare la chose qui *vient de se faire* de celle qui *va se faire*, il y a peut-être le lieu d'une intervention possible, de sorte que l'agent, en se mesurant à l'événement, se mesure à lui-même. Que *peut*-il faire ? Ce qu'il peut faire, *veut*-il le faire ? Ce qu'il veut faire, est-il vraiment *décidé* à le faire ?

Pourtant, le rapport « existentiel » à soi comme rapport de quelqu'un à son futur prochain, au futur de son présent, n'est pas du tout un rapport de sujet à objet, de sorte que la question ne se pose nullement de distinguer une action réfléchie extérieure et une action réfléchie intrinsèque. La confrontation à soi requiert seulement de s'exprimer au passé prochain et au futur prochain. Il n'y a, dans une telle expression, aucune diathèse subjective.

XXIX

Le choix de soi-même

« Certes, Adam a choisi de prendre la pomme, mais il n'a pas choisi d'être Adam[1]. » Et si Adam n'a pas choisi librement d'être Adam, s'il ne s'est pas choisi lui-même, son choix de prendre la pomme n'est pas vraiment libre.

Cette objection que Sartre oppose à Leibniz nous rappelle comment, dans le climat du rationalisme théologique des Lumières, chaque individu tend à être conçu comme une « essence singulière » — une substance possible avec tous les accidents qui lui sont inhérents, ou, si l'on préfère, avec tous les événements contingents de sa biographie — à laquelle Dieu a décidé d'accorder l'existence. Les philosophies de l'existence humaine ont souvent conservé cette notion d'une essence singulière, mais cherché à restituer à l'individu la responsabilité de son être. S'il y avait pour Adam un moyen de choisir d'être Adam, cette auto-position le rendrait responsable de lui-même. Bien évidemment, la difficulté est de trouver un sens à l'idée d'un choix par lequel quelqu'un, Adam, se choisit lui-même, ce qui veut dire qu'Adam choisit d'être Adam plutôt que quelqu'un d'autre. Comment explique-t-on qu'il ait le choix ?

Ce choix par lequel il reviendrait à Adam, et non à la puissance divine, de poser l'essence d'Adam dans l'existence serait un choix entre plusieurs destinées possibles : être intégralement Adam, être à peu près Adam (à quelques épisodes près), être vaguement Adam. On nous parle donc ici d'une forme d'élection qui consiste à retenir une option parmi plusieurs qui se présentent à nous. De ce point de vue, le choix imaginé par Sartre a la même forme qu'un choix ordinaire entre plusieurs partis : voter pour le candidat de gauche ou pour celui de droite, prendre au menu le poisson du jour ou alors les côtes d'agneau, etc. Même si le choix qu'Adam ferait d'être Adam paraît engager la vie entière d'Adam, il ne s'agit nullement du *choix radical* que veut mettre en évidence la philosophie de l'existence humaine. En effet, le choix dont elle nous parle ne doit pas s'offrir au sujet dans une situation mythologique où l'individu aurait à décider de sa réincarnation, mais il doit s'offrir dès maintenant, chaque fois qu'il prend une décision quelconque.

Sur le terrain des décisions particulières dont la vie est faite, on imagine facilement une situation dans laquelle je puis avoir à choisir entre moi et d'autres. Par exemple, nous sommes vous et moi devant une porte étroite : il faut que l'un de nous deux passe le premier. Il m'est possible de me choisir, comme bénéficiaire de ce privilège, plutôt que vous. La logique d'un tel acte d'élection d'une personne (moi) parmi plusieurs n'offre aucune difficulté. *Se choisir soi-même* est, dans cet exemple, un verbe réfléchi ordinaire : j'aurais pu choisir de vous laisser passer le premier, ou bien le privilège de passer le premier aurait pu m'être accordé par une autre puissance.

La morale janséniste enseigne qu'il est toujours injuste de se choisir soi-même. Du coup, une part de culpabilité paraît attachée au fait d'être soi, de vouloir et d'agir, car nous constatons que les êtres dotés d'une volonté manifestent une préférence pour leur bien propre au détriment du bien général. « Car tout tend à soi : cela est contre tout ordre », ainsi que l'écrit Pascal[2]. Ici, la préférence marquée à l'égard de soi-même fait sens parce qu'elle s'oppose à l'autre préférence, celle qui serait conforme à l'ordre parce qu'elle irait vers le bien supérieur qui doit avoir la préséance sur le bien particulier.

Mais un sujet capable de choisir peut-il jamais tendre au bien supérieur ? Non, s'il y a, dans le simple fait d'être l'auteur d'un choix ou le sujet d'une volonté libre, un rapport volitif ou électif à soi. Pour le dire autrement : l'*égoïté* comme telle (le fait d'être soi, la *Ichheit*) serait le principe d'un égoïsme au sens moral du mot. On ne pourrait donc plus opposer la pente de chacun vers soi (contraire à l'ordre) et l'orientation, qui seule serait conforme à l'ordre naturel, vers le bien général.

On trouve chez Merleau-Ponty une telle transition d'un rapport à soi inscrit dans la logique même de la conscience de soi à un rapport à soi susceptible d'une évaluation morale. Tout projet que je peux former est *mon* projet et représente donc une affirmation de moi-même, quand bien même ce serait le projet de me sacrifier ou de travailler au bien général. « Il y aurait de l'hypocrisie à croire que je veux le bien d'autrui *comme le mien*, puisque même cet attachement au bien d'autrui vient encore de moi[3]. » Il est remarquable que Merleau-Ponty, dans la suite de son texte, rattache lui-même cette vue sur l'égoïsme insurmontable des projets humains à un principe posé par la philosophie du *Cogito*, dont résulte l'impossibilité de surmonter complètement le solipsisme. Lorsque je pense à vous plutôt qu'à moi, c'est malgré tout d'abord à moi que je pense, puisque c'est moi qui pense à vous et que je ne puis penser ma pensée vous concernant qu'en la rapportant d'abord à moi, premier sujet et même finalement unique sujet auquel sont consacrées toutes mes pensées. Je suis donné à moi-même, écrit-il, avant toute donation d'autre chose. « C'est ce fond d'existence donnée que constate le *Cogito* : toute affirmation, tout engagement, et même toute négation, tout doute, prend place dans un champ préalablement ouvert, atteste un soi qui se touche avant les actes particuliers dans lesquels il perd contact avec lui-même[4]. »

Cette interprétation du *Cogito* conduit directement à la thèse « existentialiste » selon laquelle toutes les conduites humaines sont « ambiguës », impossibles à qualifier en bien ou en mal. Merleau-Ponty commente lui-même cette thèse dans un texte dont le raisonnement ne laisse pas de surprendre :

> La mauvaise foi, l'inauthenticité sont essentielles à l'homme parce qu'elles sont inscrites dans la structure intentionnelle de la conscience, à la fois présence à soi et présence aux choses. La volonté même d'être bon falsifie la bonté, puisqu'elle nous tourne vers nous-mêmes au moment où il faudrait nous tourner vers autrui. La décision même de respecter autrui ramène l'égoïsme, puisque c'est encore à ma générosité qu'autrui doit d'être reconnu par moi, et que je m'en sais gré (*Sens et non-sens*, p. 128).

Le philosophe trouve de l'*égoïsme* partout où quelqu'un délibère, se demande ce qu'il va faire (c'est lui qui se le demande), ce qu'il doit décider (c'est à lui de décider), etc. L'a-t-il détecté par un examen, comme le ferait le moraliste ? Non, il s'est contenté de souligner la nécessité d'une « présence à soi ». Mais la « présence à soi » qu'on va dès lors trouver dans la décision, la volonté, etc., a-t-elle le sens de l'injustice que comporte la « préférence accordée à soi » ? En vertu du même raisonnement, on dirait aussi bien que l'amour est logiquement impossible, car c'est de deux choses l'une : ou bien cet amour est le mien, je suis le *sujet* de l'amour et donc je ne peux donc aimer quelqu'un d'autre qu'en vertu de la présence à moi-même que je trouve dans cet amour (c'est donc moi que j'aime tout d'abord) ; ou bien l'amour qui me saisit porte bel et bien sur quelqu'un d'autre que moi, mais alors ce n'est plus mon amour, c'est une dépossession de moi-même (on pourrait dire, à l'imitation des troubadours, un mal d'amour, une folie d'amour).

Le raisonnement visant à dévoiler l'égoïsme inhérent à toute attitude morale quelle qu'elle soit ne paraît pas solide. On demandera : l'égoïsme imputé au sujet de conscience est-il moral ou est-il métaphysique ? L'égoïsme au sens moral correspond à la première alternative mentionnée dans le texte : se tourner vers soi plutôt que vers autrui. Dans une telle situation, il y a lieu d'évaluer une décision de ma part, puisqu'il y avait deux possibilités : par exemple, je passe le premier par la porte, ou bien je m'efface pour vous laisser passer. Peut-être est-il juste ou même seulement « convenable » que je passe le premier. Ou bien, à l'inverse, il se peut qu'en passant le premier je montre un attachement « désordonné » à ma propre personne.

En revanche, l'égoïsme métaphysique ou structurel a ceci de particulier qu'on ne voit pas à quel désintéressement on pourrait l'opposer. Aucune alternative ne s'offre au sujet, lui imposant de choisir entre se tourner vers autrui ou se tourner vers soi. Quoi qu'il fasse, il ne peut le faire qu'en étant celui qui le fait. Le sujet pourrait évidemment décider de ne rien décider du tout, ni dans le sens égoïste, ni dans le sens altruiste, évitant ainsi la forme métaphysique de l'égoïsme. Mais qui soutiendra qu'il est plus moral de ne jamais rien décider soi-même ? Qui plus est, c'est pour sa propre satisfaction qu'un tel agent aurait décidé de ne pas décider, et cela veut dire qu'il aurait choisi *soi* du simple fait d'avoir choisi quelque chose.

On pourrait, il est vrai, concevoir une situation dans laquelle le sujet pratique aurait le choix entre choisir soi-même et ne pas choisir soi-même. Supposons qu'une situation se présente qui m'invite à choisir entre deux options, l'une qui m'est avantageuse et l'autre qui va dans le sens de vos intérêts. Je peux décider dans un sens ou dans l'autre, et ma décision sera juste ou injuste selon les circonstances du cas considéré. Supposons maintenant qu'aucune option ne s'impose au nom de la règle de justice. Néanmoins, il m'appartient de décider. Dans ce cas, il sera peut-être plus courtois de ma part, voire plus habile, de vous laisser le choix. Je choisis de ne pas choisir moi-même, de vous laisser trancher. Ce qui suppose, bien entendu, que j'accepte d'avance les termes de votre décision. Et cela veut dire que je n'ai renoncé à choisir entre les termes A et B de l'alternative immédiate qu'en reculant d'un cran, en me reportant en amont de ma propre décision, en décidant qu'il y avait lieu pour moi de déterminer d'abord qui, de vous ou de moi, serait chargé de choisir entre A et B.

L'argument veut prouver que quiconque prend une décision tend à soi, et cela quoi qu'il en soit de la décision prise. Mais puisque cet argument prend la notion de présence à soi ou d'orientation vers soi dans deux significations différentes, le raisonnement existentialiste que reproduit Merleau-Ponty doit être qualifié de sophistique.

L'auto-position que Merleau-Ponty croit déceler dans le fait pour quelqu'un de décider quelque chose ou de vouloir quelque chose est une opération purement « métaphysique », au sens péjoratif du terme, c'est-à-dire qu'elle est un faux mouvement dont rien ne résulte. On pourra dire, avec Wittgenstein, qu'il s'agit d'une simple manœuvre interne au langage, d'un échange de formules, sans conséquence pour notre description des choses ou notre conception de nos devoirs[5].

D'après Tugendhat, il en va autrement chez Heidegger. En effet, ce dernier envisage une alternative entre deux possibilités qui sont pour lui réelles : il est dans le pouvoir d'un sujet d'être lui-même, et il est aussi en son pouvoir de ne pas l'être. En vertu du sérieux de cette alternative, il n'est pas absurde de dire : ayant fait tel choix, je ne suis pas moi-même. Et, du coup, la question existentielle « Suis-je moi-même ? » est pleine de sens. Quelle est cette alternative ? Bien entendu, le choix ne se fait plus entre des destinées individuelles (comme lorsqu'on se représente le choix d'être Adam ou d'être Napoléon comme le choix que fait un acteur de jouer tel ou tel rôle, de revêtir les formes de tel ou tel personnage). Il est entre des manières d'exister.

Tugendhat nous invite à comprendre ce point en réinterprétant la « question de l'existence » dans le sens d'une « question pratique » radicalisée. D'après lui, la question de Heidegger est la question pratique au sens ordinaire, à savoir une question de forme : « Que faut-il que je fasse maintenant pour agir au mieux ? » Mais cette question est devenue question radicale ou « principielle », une question portant sur l'ensemble de la vie et, cela, non pas parce qu'il faudrait prendre une décision d'une importance exceptionnelle (chose rare), mais parce que toute décision, si minime soit-elle, comporte en elle un moment de choix radical. Tout choix comporte, à titre de moment, un choix de soi-même. Ce choix est réel parce qu'il correspond à une alternative bien réelle entre deux manières d'exister, ce que Tugendhat récapitule ainsi :

> (...) La question pratique, posée de façon principielle, me confronte à moi-même. C'est pourquoi esquiver la liberté revient à fuir devant moi-même (*Être et temps*, § 40). Selon Heidegger, la conscience de soi — le rapport à soi[6] — a par conséquent « d'abord et le plus souvent » le mode d'une fuite devant soi. Le choix qui est visé dans la question pratique a le caractère d'un « se choisir[7] », dans un double sens : d'un côté, l'acte qui consiste à questionner et à choisir doit être effectué par moi-même — personne ne peut le faire à ma place —, de l'autre, ce que je choisis dans cet acte, c'est moi-même : à travers cet acte, je détermine le sujet (le mode) de mon être à venir[8].

Le sujet se choisit lui-même en choisissant sa manière de choisir. Quelles sont donc les deux manières de choisir entre lesquelles il lui faut choisir ? Que veut dire « Je choisis de choisir » ? Il ne s'agit évidemment plus de l'option suggérée par la courtoisie (ou l'habileté dans les relations personnelles) qui a été évoquée ci-dessus, comme lorsque je peux choisir de choisir moi-même ou je peux choisir de ne pas choisir moi-même, mais d'accepter votre décision. Dans ce cas, en effet, le caractère propre de mon choix (le fait qu'il est *mon* choix) est simplement déplacé d'un niveau à l'autre. C'est encore moi qui décide de vous laisser le choix (puisque j'aurais pu ne pas vous le laisser). Mais alors, comment se peut-il que mon choix ne soit justement pas mon choix ? La réponse paraît être : je choisis de ne pas choisir chaque fois que je prends ma décision en appliquant les normes conventionnelles. En choisissant de cette façon, je choisis de laisser le choix à « on » (au sens du pronom qu'on trouve par exemple dans « *on ne doit pas* parler la bouche pleine »).

Pourtant, supposons que je choisisse, après mûre réflexion, de me montrer conservateur ou conformiste : il faudra dire que j'ai faites miennes les normes conventionnelles. En quoi le choix n'aurait-il pas été *mon* choix ? Il l'aurait certainement été. En effet, dans ce cas, je peux dire que j'ai choisi d'exister selon les manières qui conviennent à « on » plutôt que de faire valoir mes propres normes, celles que j'aurais pu adopter. Tel a été mon choix. Et il faut alors qu'on puisse dire quelle était l'autre possibilité. Dans une morale classique invitant chacun à suivre sa propre nature, cette alternative aurait un sens : mais être soi voudrait dire ici être ce que la nature a fait, et nullement être responsable de soi. Il s'agirait seulement de suivre ses propres goûts et non ceux de ses voisins. Dans un tel art de vivre selon soi, on pourrait bien dire que j'ai choisi et même, si l'on veut, que j'ai choisi d'être moi, mais cela voudrait dire en fait que j'ai choisi de ne pas m'embarrasser de l'opinion des autres, et non que je suis moi-même au principe de moi-même.

À vrai dire, Heidegger n'avait peut-être pas le projet de donner à ses lecteurs une éthique du soi. Tugendhat rapporte l'anecdote (fameuse) de cet étudiant qui, sortant du séminaire de Heidegger, s'exclame : « Je suis résolu, mais je ne sais pas à quoi[9]. » L'exaltation du choix de soi-même ne fournit nullement un principe pratique. Finalement, la conclusion que le lecteur tire de la discussion de Tugendhat est que Heidegger n'a pas posé la question pratique sous une forme pratique. La question dite du sens de l'existence touche de près à la question pratique, mais elle n'a pas un caractère pratique. Si Heidegger avait directement posé la question du sens de l'existence sous la forme d'une question pratique, donc dans le cadre d'une analyse philosophique de la délibération pratique, il n'aurait pu s'en tenir aux formules « choisir d'être soi-même » ou « se choisir soi-même », car il aurait fallu, pour que ces formules ne restent pas vides, indiquer quel critère de décision elles nous procuraient.

Le défaut de l'expression « se choisir soi-même » est par conséquent, selon Tugendhat, de suggérer qu'on va fournir un critère du choix alors que ce critère ne viendra pas. « Ce concept d'un choix de soi-même (...) donne à croire que l'homme, dans ce qu'il est "lui-même" (...) aurait un critère substantiel du choix de ses intentions et de ses activités » (*ibid.*, p. 158). Il n'en est rien.

Il reste donc à se demander si le moment d'un choix radical, qui fait la différence entre la téléologie d'une vie seulement animale et la téléologie consciente d'une vie humaine, a été reconnu à la place qui est la sienne dans une délibération pratique.

XXX

La racine de la liberté

Une grande question a divisé les philosophes, d'abord à l'âge scolastique, puis à l'âge moderne : qu'est-ce qui constitue la racine de la liberté (*radix libertatis*) ? Est-ce qu'il faut la chercher dans les conditions d'une rationalité pratique, ou bien plutôt dans la nature même de la volonté ? Or c'est au fond cette même question qui se pose lorsqu'on demande, comme le fait Tugendhat : qu'est-ce qui fait qu'une décision (et donc qu'une délibération) est la mienne ? Ou, si l'on préfère, en quoi en suis-je le sujet ?

Dans cette affaire, Tugendhat est d'abord tenté par la thèse volontariste et semble même l'adopter. Mais, par la suite, il s'avoue perplexe. Dans les raisons qu'il donne de son embarras, il fournit, je crois, l'ébauche d'une autre réponse plus satisfaisante.

On appelle ici « délibération pratique » le raisonnement de quelqu'un qui se demande : « Que dois-je faire ici et maintenant ? » Ce n'est donc pas la question d'un théoricien (quels sont mes devoirs sur cette terre ?), mais celle d'un agent qui doit déterminer, par le raisonnement, une ligne de conduite particulière dans une situation particulière. Dans cette situation, que dois-je faire, étant entendu que je veux faire ce qu'il convient de faire pour agir au mieux ? La délibération pratique n'est donc pas du tout une réflexion théorique (ou contemplative) sur le souverain bien. Elle est quelque chose de plus ordinaire, à savoir un raisonnement qui est pratique parce que, comme le dit Aristote (*De l'âme*, 433a15), le sujet qui délibère tire la conclusion en agissant. La conclusion d'un raisonnement pratique n'est pas une simple proposition sur ce qu'il faudrait faire, proposition qui pourrait être encore examinée, scrutée, contestée, avant qu'on ne passe à l'exécution. Tant que l'agent ne passe pas à l'action, c'est qu'il n'a pas conclu *sa* délibération. Il convient de retenir ce point capital, puisqu'il indique déjà où chercher ce qui fait que la délibération de l'agent est la sienne : elle est un raisonnement qu'il lui revient de faire parce que c'est sa propre conduite qu'il veut déterminer.

D'après Tugendhat, il y a deux aspects dont toute analyse de la délibération devra tenir compte[1] :

1° D'une part, délibérer un exercice de rationalité pratique : on pèse le pour et le contre, on cherche les meilleures voies à suivre, on prend conseil, etc. Cet aspect rationnel tend à prendre une forme impersonnelle. « La délibération vise un choix objectivement fondé. C'est la raison pour laquelle, là où l'on délibère, on peut également conseiller. Lorsque nous conseillons une personne, nous délibérons sur ce qu'il est, pour des raisons objectives, préférable de faire dans sa situation » (*ibid.*, p. 197). Et, s'il en est ainsi, ce n'est pas de ce côté qu'on trouvera ce qui constitue le caractère *mien* de la délibération, ce qui fait qu'elle est bel et bien *ma* délibération, que j'en suis responsable.

2° D'autre part, le but de l'exercice est de déterminer, parmi les lignes de conduite possibles qu'on passe en revue, quelle sera finalement celle de l'action accomplie. Il semble alors à Tugendhat que la question pratique ordinaire (discerner la meilleure conduite) devient la question « principielle » (autrement dit la question « existentielle »), parce que celui qui agit doit assumer le passage de « Ceci est bon » (pour telle raison objective) à « Je le ferai maintenant ». Il doit donc, si l'on veut, *décider de ses valeurs*, non pas sur le terrain théorique de la profession de foi, mais dans l'acte de tirer les conséquences pratiques de son exercice rationnel.

Tugendhat imagine ici un dialogue entre quelqu'un qui doit décider (dans une situation concrète de sa vie) et son ami à qui il demande conseil. L'ami commence par s'exécuter : tu peux faire ceci, qui présente tel avantage, ou bien alors cela, etc. Mais, si notre sujet hésite encore et persiste à demander des raisons vraiment décisives, le conseiller finira par lui dire : « C'est ta vie, toi seul peux décider de ce qui est le mieux pour toi et qui tu veux être » (*ibid.*, p. 198). Ce serait donc le signe que la délibération a désormais atteint un niveau qui permet au moment radical, inhérent à toute décision, de venir au grand jour. Tugendhat conclut que nous atteignons ici la limite au-delà de laquelle les raisons ne peuvent que manquer : c'est maintenant à la volonté d'intervenir. S'il n'y avait pas cette limite et cette répartition des tâches entre les deux facultés, la délibération n'aurait pas le caractère approprié à un sujet particulier qui en fait sa délibération, celle dans laquelle il se détermine lui-même :

> Il existe donc, dans la délibération, un point limite où, précisément, il ne nous est plus possible de fonder objectivement la décision, mais où ce qui est le mieux pour moi ne se constitue de son côté que dans ma volonté (...) S'il n'en était pas ainsi, la volonté pourrait encore en dernière instance s'appuyer sur des raisons, si bien qu'elle perdrait pour ainsi dire sa pesanteur, son sérieux, autrement dit il ne s'agirait plus de *ma* prise de position (*ibid.*, p. 198).

Selon cette analyse, il appartient au concept même de délibération que le sujet doive être, en fin de compte, confronté à ce qu'on peut appeler un abîme pour la raison, je veux dire un point où le raisonnement m'abandonne et me laisse « face à moi-même », « seul avec moi-même » : il n'y a pas de raison de faire une chose plutôt qu'une autre quand les deux sont possibles, c'est *à moi* qu'il appartient de trancher sans que je puisse m'abriter derrière une autre autorité. Je crois qu'il y a là en effet une caractéristique des conditions de toute action délibérée en ce monde. Mais à quoi tient plus précisément ce moment abyssal ?

Tugendhat tend à figurer le jeu des deux facultés que met en œuvre une délibération par un dialogue entre moi, qui suis le sujet cherchant à prendre une bonne décision, et un conseiller plein de bon sens qui m'indique des raisons de faire ceci plutôt que cela. Dans ce dialogue, mon interlocuteur incarne la raison alors que j'incarne la volonté. Autrement dit, le lieu de la subjectivité (au sens du « mien ») est dans la volonté parce que la racine de la liberté de mon action délibérée est dans la volonté. Tugendhat adopte donc ici la position qu'on qualifie traditionnellement de « volontariste ».

Et, pourtant, lui-même se fait l'objection : si le choix délibéré devient le mien avec ce pas irrationnel par lequel ma volonté détermine le meilleur, il ne se distingue pas d'une décision aléatoire, d'un coup de dés. Je jette les dés et ma décision se limite à m'en tenir au résultat du sort.

Un choix qui, même après coup, ne peut être justifié, n'est pas une décision. Un choix qui n'est pas délibéré et qui ne se fonde pas sur des raisons, est un choix dans lequel j'abandonne au hasard la manière dont je choisis, et où nous devons dire par conséquent que ce n'est pas moi qui ai choisi (*ibid.*, p. 200).

Cela revient à dire que la conception volontariste de la délibération a l'inconvénient d'éliminer toute rationalité pratique : les actions que nous faisons ont toutes sortes de justifications, mais, hélas, les justifications que nous pouvons en donner sont en fin de compte inopérantes. Ce n'est pas parce que ces actions nous *apparaissaient* bonnes que nous les avons faites, c'est parce que nous avons *décidé* de les tenir pour bonnes, parce que nous avons, par un acte d'autodétermination du vouloir, choisi de nous tenir pour satisfaits. Un abîme séparait encore la conclusion du raisonnement et l'action. L'acte par lequel la volonté s'est déterminée elle-même est la décision radicale qui a franchi cet abîme.

La conception volontariste juge nécessaire de placer une volition souveraine entre les conclusions du raisonneur et le passage à l'action de l'agent. Mais pourquoi cela semble-t-il nécessaire ? C'est parce que, dans le petit scénario de l'homme qui s'interroge et de son ami, la délibération a été confiée au conseiller. Comme l'écrit Tugendhat : « Lorsque nous conseillons une personne, nous délibérons sur ce qu'il est, pour des raisons objectives, préférable de faire dans sa situation » (cité *supra* p. 245). En séparant le sujet délibérant de l'agent, Tugendhat révèle le défaut de toute cette analyse : si nous nous donnons un conseiller pour incarner le rôle du raisonneur pratique, nous sommes bien prêts de remplacer l'agent qui raisonne par le couple d'un théoricien et d'un pur sujet de volonté.

S'il a semblé nécessaire d'inclure un moment de pure volition dans le processus conduisant des prémisses de la délibération à l'action qu'il s'agit d'en tirer, c'est parce qu'on a détaché cet examen des raisons du contexte pratique. Et, pourtant, l'agent pose telle et telle prémisse pratique, non pas pour se livrer à un pur exercice inférentiel, mais parce qu'il veut savoir quoi faire, autrement dit parce qu'il a déjà des buts (si indéterminés soient-ils, comme de se protéger contre des dangers mal définis), qu'il est déjà pourvu d'un bien propre du fait d'exister pour soi, c'est-à-dire d'être en vie (cf. *supra*, chap. 26). Le sujet prétendument pratique dont l'analyse volontariste fait le portrait n'est pas quelqu'un qui cherche à spécifier ce qu'il veut (dans telle situation particulière), mais c'est un sujet quiétiste qui se demande s'il doit sortir de son repos en se donnant des buts et des objectifs.

Je n'en conclus nullement qu'il n'existe pas une indétermination, donc une racine de la liberté, et donc, si l'on veut, un point limite (abyssal) sur lequel vient buter le raisonnement pratique, mais je crois que ce point doit être compris autrement. Modifions légèrement le scénario de l'homme qui se demande quoi faire et qui s'adresse à un conseiller. Notre homme demandera des conseils, non pas pour disposer de plusieurs opinions, peut-être pour essayer d'éviter d'avoir à décider, mais pour bénéficier des conseils bien avisés de quelqu'un dont il reconnaît l'expertise ou la qualité de jugement et donc en vue de les suivre. Même dans le cas où notre homme serait décidé d'avance à exécuter les conseils venant de son interlocuteur, il pourrait se faire que sa décision soit encore entre ses mains, donc qu'il y ait dans le conseil cette indétermination qui, en le plaçant devant une alternative réelle, constitue la liberté du vouloir. Il suffirait, pour qu'une telle situation s'instaure, que le conseiller ne lui dise pas : « Dans votre situation, il vous faut adopter la ligne de conduite A », mais qu'il lui dise : « Dans votre situation, vous avez le choix entre la ligne de conduite A et la ligne de conduite B, l'une et l'autre présentant des avantages et des inconvénients variés, mais somme toute équivalents. Mon conseil est donc de faire A (renonçant ainsi aux avantages de B) ou bien de faire B (vous privant ainsi des avantages de A). »

Pour apprécier ce point, et ses conséquences pour une philosophie de la liberté, il faut se souvenir qu'un raisonnement pratique n'est pas une inférence théorique aboutissant par définition à une conclusion nécessaire.

Dans l'ordre du raisonnement théorique, nous ne pouvons pas arriver à deux propositions théoriques incompatibles sans devoir admettre notre impuissance à déterminer ce qui est. Par exemple, si l'on nous dit qu'il y a des raisons de croire que Pierre est au four, mais aussi des raisons de croire qu'il est au moulin, le résultat est que nous ne savons pas où est Pierre. Ces raisons nous laissent dans l'indécision *théorique*. En revanche, dans l'ordre pratique, il peut y avoir pour moi une bonne raison d'aller maintenant au four et également une bonne raison d'aller au moulin. Je ne peux certes pas aller à la fois au four et au moulin, mais cela ne veut pas dire que je sois plongé dans une indécision *pratique*, ni que mon action d'aller au four soit irrationnelle si je décide d'aller maintenant au four alors qu'il aurait été également sensé d'aller au moulin. Qu'il y ait d'autres choses urgentes à faire n'affecte en rien, dans cet exemple, la rationalité pratique d'une action ainsi délibérée : pour agir au mieux maintenant, je puis aller au four et je puis aller également au moulin, donc j'irai au four. Quelle que soit celle des deux possibilités retenues, j'agirai bien en me déterminant comme je le fais.

Par conséquent, il y a bien un rôle pour la volonté, mais cela ne fait pas que le raisonnement s'achève sur un saut irrationnel. Il n'y a ici que l'apparence d'un saut irrationnel. S'il a semblé que le sujet devait, en un point de son raisonnement, tirer de lui-même un acte souverain qu'aucune raison ne pouvait éclairer, c'est parce que l'analyse de la délibération avait délaissé le terrain pratique des choses à faire et était revenue sur celui d'une spéculation sur les possibles.

XXXI

Le souci de soi-même

La philosophie idéaliste place au centre de l'histoire universelle un épisode qu'elle appelle la « découverte de la subjectivité » ou encore l'« émancipation du sujet ». *L'homme devient sujet.* Ainsi, pour Hegel, cet événement se produit une première fois dans l'élément de la « représentation », c'est-à-dire de la conscience commune. Par le terme de « représentation », le philosophe désigne ici la religion[1]. Il soutient donc que l'idée de subjectivité est d'origine chrétienne[2]. L'événement se produit à nouveau, cette fois dans l'élément du « concept » ou de la pensée philosophique : la découverte coïncide alors avec l'affirmation de la pensée moderne et trouve sa formulation paradigmatique dans le *Cogito* de Descartes. Ce schéma de l'historiographie hégélienne a été largement repris par de nombreux auteurs qui ont cru pouvoir le détacher du système général dans lequel il figurait à l'origine.

Dans ses derniers travaux, Michel Foucault a repris cette idée d'une histoire *philosophique* du sujet, mais il a voulu corriger la façon dont on la racontait communément. Il estime que la *question du sujet,* au sens même que la philosophie donne aujourd'hui à cette expression, a déjà été posée explicitement sous l'Antiquité[3]. Foucault prend ici très consciemment une position hétérodoxe, puisqu'il n'associe pas le fait de poser la question philosophique du sujet à l'émergence des idées et des valeurs modernes. Je ne veux pas discuter maintenant de ce point d'histoire pour lui-même, seulement prendre appui sur un témoignage particulièrement autorisé pour fixer le sens que reçoivent aujourd'hui ces mots « la question du sujet » chez les philosophes[4]. Certainement, ce que Foucault appelle « question du sujet » est précisément ce que nous devons entendre par là quand nous rencontrons cette formule dans un texte philosophique contemporain.

Foucault a longuement commenté la célèbre formule des anciens philosophes : *Il faut se soucier de soi.* Il y voit l'apparition de notre propre question du sujet ou de notre conception de la subjectivité. En effet, explique-t-il, le problème qui se pose au disciple qui veut suivre ce conseil est de savoir *de quoi* quelqu'un doit se soucier quand il veut se soucier *de soi.* Foucault se tourne alors vers l'*Alcibiade* de Platon. Ce dialogue a reçu pour soustitre « De la nature humaine », et pourtant, dit-il, la question qu'il pose n'est pas celle de l'homme, mais celle du sujet.

> (...) La question que pose Socrate (...) n'est pas : tu dois t'occuper de toi ; or tu es un homme ; donc je pose la question : qu'est-ce que c'est qu'un homme ? (...) Elle est : tu dois t'occuper de toi ; mais qu'est-ce que c'est que ce soi-même (*auto to auto*), puisque c'est de toi-même que tu dois t'occuper ? Question par conséquent qui ne porte pas sur la nature de l'homme, mais qui porte sur ce que nous appellerions, nous maintenant — puisque le mot n'est pas dans le texte grec —, la question du sujet. Qu'est-ce que c'est que ce sujet, qu'est-ce que c'est que ce point vers lequel doit s'orienter cette activité réflexive, cette activité réfléchie, cette activité qui se retourne de l'individu à lui-même ? Qu'est-ce que c'est que ce soi[5] ?

En quoi Platon a-t-il déjà posé notre question du sujet ? En ce qu'il a fait la différence entre demander ce que je suis quand je suis *homme* et demander ce que je suis quand je suis *moi.* Nous sommes ainsi invités à faire la différence entre une interrogation *anthropologique* et une interrogation qu'on peut qualifier d'*égologique* (cf. *supra,* chap. 14). L'enquête sur la nature humaine doit nous apprendre ce que c'est que Socrate ou ce que c'est qu'Alcibiade en tant qu'ils sont des êtres humains. Mais la question du sujet est celle qui est posée à chacun d'eux, Socrate, Alcibiade, en tant qu'ils doivent s'occuper, chacun pour sa part, de soi : puisque tu dois t'occuper de toi, qu'est-ce que c'est que toi, qu'est-ce que tu es en tant que tu es toi ? Heidegger, qui pourrait bien être ici l'interlocuteur implicite de Foucault, dirait qu'on doit distinguer deux questions, l'une portant sur la quiddité humaine, l'autre portant sur l'ipséité (*Selbstheit*), c'est-à-dire sur « qui je suis quand je suis moi »[6].

Qu'est-ce que ce passage de l'*Alcibiade* a de remarquable ? Si l'on suit le commentaire de Foucault, ce texte définit une question portant sur le sujet (au sens des philosophes modernes) par deux conditions.

1° La réponse doit être tirée, du point de vue syntaxique, de la construction des verbes réfléchis. Ce que tu es quand tu es toi-même, c'est cela même sur quoi porte l'activité « réfléchie » ou « réflexive », une activité « qui se retourne de l'individu à lui-même » : s'occuper de soi, prendre soin de soi, veiller sur soi, etc. Pour expliquer la question de Socrate dans l'*Alcibiade*, Foucault se borne donc à expliciter le schéma réflexif qui est mobilisé : *x opère sur x*. C'est donc bien le système actanciel des verbes transitifs qui sert de point de départ à l'introduction du concept philosophique de sujet.

> Tu as à t'occuper de toi-même : c'est toi qui t'occupes ; et puis tu t'occupes de quelque chose qui est la même chose que toi-même, la même chose que le sujet qui « s'occupe de », c'est toi-même comme objet (…) Qu'est-ce que c'est que cet élément identique, qui est en quelque sorte présent de part et d'autre du souci : sujet du souci, objet du souci ? (*L'herméneutique du sujet*, p. 52).

2° Socrate fait la différence entre le fait d'être soi et le fait d'être ce corps — un corps dont l'âme se sert, non pas d'ailleurs comme d'un instrument inerte, mais en se faisant obéir de lui. Et si être *ce corps*, c'est être *cet individu humain*, il faut en conclure qu'être soi se distingue d'être homme (à moins de décider que je puis être l'homme que je suis autrement qu'en étant tel être vivant particulier). Par conséquent, le point décisif n'est pas de demander : « Qu'est-ce que c'est qu'être toi ? » C'est de le demander dans des conditions telles qu'il n'est pas permis de donner pour réponse le fait que mon humanité existe, sur le mode individuel, dans un être particulier, à savoir le sujet de mes opérations vitales. Par contraste, on observe qu'Aristote peut donner comme exemple d'une question ontologique : *Qu'est-ce que c'est qu'être toi ?* (littéralement : qu'est-ce que c'est que l'être-toi, *to soi einai*[7] ?). On répondra, dit-il, par la forme substantielle et non par l'accident : être toi, ce n'est pas par exemple être musicien (même si tu es musicien), mais c'est être un homme (lequel, éventuellement, se trouve être musicien).

La question du sujet, prise dans son acception proprement philosophique, vient de se préciser ainsi : elle est la question de savoir « ce qui est désigné par la forme réfléchie du verbe "s'occuper de soi-même"[8] ». Nous sommes invités à déterminer la référence du mot « soi » dans l'expression « se soucier de soi », sachant que la réponse n'est pas : soi, l'homme qui pose la question. Tant que le problème de cette référence nouvelle n'est pas posé, nous n'avons pas la question philosophique du sujet, mais seulement la question ordinaire. Aussi longtemps que la personne dont je dois m'occuper est *moi-même*, cela ne nous fait pas sortir du point de vue « anthropologique » (par opposition au point de vue « égologique »). En disant qu'il s'agit de moi-même, j'indique seulement qu'il ne s'agit pas de telle ou telle autre personne, mais de moi. Par conséquent, l'objet du souci est, dans ce cas, non pas *un autre homme* que moi, mais *le même homme* que moi, et donc moi en tant que *cet homme* que je suis.

On pourrait imaginer qu'Alcibiade passe trop de temps à s'occuper de son cheval ou de ses amours, et que le conseil donné serait de se soucier, non pas de ces objets, mais d'Alcibiade, c'est-à-dire de la perfection humaine d'Alcibiade. Ou bien on pourrait imaginer un Alcibiade qui serait sous tutelle et qui aurait un jour l'occasion de s'émanciper : le conseil serait alors de ne pas laisser le soin d'Alcibiade, de sa vie et de ses biens à un autre sujet du souci qu'Alcibiade lui-même. Dans l'un et l'autre cas, l'individu dont l'activité se réfléchit serait quelqu'un dont l'activité est tout simplement tournée vers un homme, vers cet homme qu'il est lui-même. Et il faudrait par conséquent entreprendre une enquête sur ce que c'est *pour un homme* que de prendre soin de soi, par opposition à ce que c'est *pour un chat* que de prendre soin de soi.

Si le souci de soi était à prendre au sens réfléchi ordinaire, il porterait sur un objet de souci, et non sur le sujet même du souci. Il faudrait que l'objet du souci soit tel individu (moi) et non tel autre (mon cheval, mon amour). Ou bien, selon l'autre interprétation selon laquelle c'est *à moi* de prendre soin de moi, il faudrait que le sujet du souci soit tel individu (moi) et non tel autre (mon tuteur). Nous n'aurions pas un souci dont *l'objet* est moi comme *sujet* du souci. Autant dire que nous n'avons pas encore réussi à introduire la question que formule ainsi Foucault : « Qu'est-ce que c'est que le soi-même[9] ? » Nous étions censés la comprendre à partir de la structure des verbes réfléchis, mais il apparaît que ces verbes réfléchis ne nous livrent le *rapport à soi* comme *rapport au soi* (ou rapport du sujet au sujet) que si nous les prenons dans un sens nouveau, philosophique. Or ce sens philosophique n'a toujours pas été expliqué.

Faut-il en conclure que l'invitation socratique à se soucier de soi est incompréhensible ? Je crois que cette invitation est tout à fait compréhensible. Elle nous invite en effet à faire la différence entre les soucis d'une vie affairée et le souci propre à une vie philosophique. Mais rien ne nous impose d'expliquer cette différence par un dédoublement de la fonction du pronom réfléchi (renvoyant tantôt Alcibiade à lui-même, tantôt le renvoyant à son « soi »). La différence passe entre deux formes possibles de souci ou de la préoccupation. Il y a des choses dont je peux prendre soin moi-même au lieu d'en laisser la charge à d'autres : par exemple, la gestion de mes affaires, le choix de mes lectures, etc. Ces choses miennes dont je peux confier la sauvegarde à d'autres que moi sont de même nature que les choses qui me sont étrangères, mais dont je peux recevoir la charge, à titre de tuteur, d'intendant ou de mandataire. De même que le sujet du souci de mes affaires peut être *moi* ou *un autre*, de même l'objet de mon souci peut être *mon* affaire ou celle *d'un autre*. Par opposition à cette forme du « souci » qui reste pré-philosophique, un penseur socratique dira qu'il y a des soins que je suis le seul à pouvoir donner, que je suis aussi le seul à pouvoir recevoir : ce sont les soins que je suis le seul à pouvoir me donner à moi-même. Je ne puis déléguer ce type de soins à un représentant de mes intérêts, ni faire pour quelqu'un d'autre ce que lui seul peut faire pour lui-même. Ce serait une erreur que de chercher à caractériser ces soins qui ne peuvent venir que de moi en hypostasiant un objet immanent du souci de soi, une entité privée à laquelle le sujet du souci serait seul à pouvoir accéder. Le souci dont parle Socrate n'est pas une forme d'attention qu'on pourrait accorder, tantôt à des choses étrangères, tantôt à soi. Il n'y a qu'une analogie entre les formes transitives du souci humain (celles d'un souci qui peut se porter sur les autres ou se réfléchir sur ses propres affaires) et la forme qui est en cause dans le précepte socratique. Mais cela veut dire qu'il n'y a pas lieu de se demander par quelle auto-position *l'objet* du souci peut en être simultanément le *sujet*. Notre question doit être plutôt de savoir à quoi il faut prendre garde pour avoir véritablement soin de soi.

Pour être équitable, il faut reconnaître que les difficultés qui nous arrêtent ne sont nullement propres à la démarche de Foucault. Elles sont celles de toute une tradition de philosophie réflexive à laquelle Foucault emboîte ici le pas. Nul ne contestera que Foucault ait perçu mieux que beaucoup d'autres, et en tout cas avant beaucoup d'autres, l'épuisement d'une tradition philosophique qui célébrait l'émancipation du sujet à travers les progrès de la conscience occidentale. À ce premier mérite s'ajoute celui d'avoir remis en question cette opposition naïve entre antiquité et modernité qu'on croit pouvoir faire en décrétant que les modernes ont découvert (ou inventé) la réflexion sur soi, le retour philosophique à soi.

Pourtant Foucault reste fidèle à toute une philosophie héritée quand il persiste à chercher le rapport à soi dans une réflexion de l'activité, au sens de ce qu'indique « la forme réfléchie du verbe », et c'est pourquoi il retrouve aussitôt les formules énigmatiques des philosophies réflexives du sujet : il s'agit de prendre soi pour objet, mais de faire que cet objet ne soit pas seulement l'objet, mais qu'il soit aussi le sujet. Pourtant, il n'en conclut pas au caractère dialectique de sa formule (le sujet est et n'est pas à lui-même son propre objet). En fait, Foucault ne pose nulle part pour lui-même le problème *conceptuel* du sujet. Toutefois, il se pourrait qu'il l'ait rencontré en élaborant une théorie des « modes de subjectivation » vers laquelle nous devons donc nous tourner.

XXXII

La subjectivation de soi par soi

Foucault conclut son cours de 1982 sur l'herméneutique du sujet par une référence à la *Phénoménologie de l'esprit* de Hegel[1]. C'est à juste titre, déclare-t-il, que l'ouvrage de Hegel apparaît comme un « sommet » de la philosophie occidentale, car le monde y apparaît aussi bien comme un « objet » à maîtriser, face à un « sujet de connaissance », que comme un « lieu d'épreuve » pour un sujet qui y fait « l'expérience de soi ». En effet, que je doive me représenter tout à la fois comme un sujet de connaissance et comme un sujet d'expérience de soi, c'est là selon lui le problème central de la philosophie occidentale. Foucault avait déjà fait référence à ce livre de Hegel au début du cours, pour expliquer comment la philosophie, bien qu'elle ait eu tendance à se réduire à une épistémologie, a toujours comporté une dimension spirituelle. Ces indications témoignent de ce que Foucault veut prendre les termes de « sujet » et d'« objet » dans la signification que leur donne la philosophie moderne[2]. Toutefois, au lieu d'en traiter par la voie d'une théorie de la connaissance ou d'une phénoménologie des figures de la conscience, Foucault choisit la voie d'une « histoire du sujet ». Cette histoire, il la conçoit comme une étude d'un processus par lequel un individu se constitue comme sujet. Il donne à cette transformation le nom de « subjectivation », ce qui semble bien être le nom qu'il donne à l'acte d'auto-position. Il écrit par exemple que, pour analyser une morale particulière dans ses traits distinctifs, on ne peut pas se contenter d'examiner les règles qu'elle énonce et les actions qu'elle prescrit. En effet, la moralité d'une action ne se réduit pas à une simple conformité à telle ou telle prescription. En agissant selon la règle, un agent prend position, assume une position de soi à l'égard du précepte à suivre. Foucault retrouve donc une distinction que le kantisme a rendu familière : la conformité à la règle n'est pas encore la moralité, ce qui veut dire que, pour avoir une conduite morale, il faut se constituer en « sujet moral ».

> Il n'y a pas d'action morale particulière qui ne se réfère à l'unité d'une conduite morale ; pas de conduite morale qui n'appelle la constitution de soi-même comme sujet moral ; et pas de constitution du sujet moral sans des « modes de subjectivation » et sans une « ascétique » ou des « pratiques de soi » qui les appuient. L'action morale est indissociable de ces formes d'activité sur soi qui ne sont pas moins différentes d'une morale à l'autre que le système des valeurs, des règles, des interdits[3].

Si le changement par lequel l'individu devient sujet résulte d'une activité exercée sur lui-même, il semble que la subjectivation doive être une transformation de soi par soi, une mutation de soi-même dont l'individu est l'auteur. Toute subjectivation serait-elle une auto-subjectivation ? Ou bien l'auto-subjectivation est-elle un mode particulier de subjectivation ? Y a-t-il des subjectivations libres et d'autres qui soient subies par les individus ? Un texte comme celui qui vient d'être cité ne permet pas de répondre. À cet égard, on notera que le mot « subjectivation » — simple forme nominalisée du verbe « subjectiver » — est employé par Foucault de façon inhabituelle, de sorte qu'il y a aujourd'hui deux notions de subjectivation en circulation : la notion commune, dérivée de l'adjectif « subjectif », et la nouvelle notion forgée par Foucault à partir du substantif « sujet ».

Selon la notion commune du verbe, déjà enregistrée par Littré, *subjectiver quelque chose* consiste à le *rendre subjectif,* c'est-à-dire à le considérer (à tort ou à raison) comme existant dans la dépendance du sujet (ou de son expérience). Inversement, l'objectivation de quelque chose consistera à lui donner (ou à lui rendre) son indépendance. Par exemple, on pourra dire qu'en adoptant une théorie « critique » des qualités sensibles ou des valeurs morales, les idéalistes anglais ont donné à des choses telles que la couleur bleue ou l'honnêteté un statut subjectif : ils en ont fait de simples « idées » du sujet, donc des entités purement représentées dans l'expérience, mais sans contrepartie réelle dans l'objet. Ils ont, dira-t-on, *subjectivé* les qualités sensibles et les attributs de valeur.

258 Les éthiques du sujet

Foucault choisit de dériver le verbe « subjectiver », non plus de l'adjectif, mais du substantif. L'opération de subjectivation consiste maintenant à conférer à quelqu'un un statut ontologique de sujet qu'il n'avait pas auparavant. Autant dire que Foucault présuppose chez son lecteur une compréhension préalable de ce que c'est qu'*être un sujet* et de ce que c'est que *devenir sujet*. Il fait porter l'enquête sur les voies de ce devenir, mais semble tenir pour suffisamment clair le terme auquel il conduit.

Et, pourtant, justement, nous sommes immobilisés, dès nos premiers pas dans cette histoire du sujet, par un obstacle conceptuel : il apparaît que le rapport à soi par lequel Alcibiade se fait sujet n'est pas un rapport qui ait pour terme Alcibiade (l'homme). C'est un rapport à Alcibiade comme *soi*, au *soi* d'Alcibiade. Il nous reste à comprendre cette transition qui fait passer d'un *rapport à soi* (au sens ordinaire qui nous est familier) à un *rapport au soi*. On voit mal comment un historien qui se voudrait pur historien pourrait consentir à faire de lui-même cette transition. Il demanderait évidemment au philosophe de la lui expliquer. Autant dire que le philosophe qui se fait historiographe et généalogiste ne saurait se dispenser d'une explication purement conceptuelle ou métaphysique de ses termes. Comme on va le voir, cette notion de « subjectivation » n'est pas seulement une innovation terminologique, elle procède d'une décision philosophique qui apparaît problématique : tenir les verbes pronominaux « se soucier de soi » ou « s'occuper de soi » pour des verbes impliquant une auto-position de l'agent.

Foucault écrit que le processus de subjectivation est une mutation qui peut s'accomplir de différentes manières. Il distingue des « modes de subjectivation », et oppose à cet égard la pratique de la *confession* chez les chrétiens et la pratique de l'*ascèse* chez les Stoïciens. La fin visée par l'ascèse chrétienne est la renonciation à soi. C'est pourquoi la confession culmine dans le moment de l'aveu, « c'est-à-dire le moment où le sujet s'objective lui-même dans un discours vrai[4] ». Or le but de l'ascèse païenne est différent : il n'est pas de « s'objectiver » pour renoncer à soi, mais au contraire d'être soi. Foucault aperçoit cette différence entre la conversion chrétienne et la conversion (à soi) stoïcienne : dans le premier cas, une rupture doit être introduite « à l'intérieur du soi » (entre le vieil homme et l'homme nouveau), alors que, dans le second cas, il s'agit d'établir « un rapport adéquat et plein de soi à soi ». La conversion chrétienne vise à opérer une « trans-subjectivation », la conversion philosophique une « auto-subjectivation »[5].

Foucault estime que, du Socrate qui figure dans l'*Alcibiade* de Platon aux Stoïciens, il y a un progrès dans la concentration sur soi. Alcibiade doit s'occuper de soi de façon à se préparer à faire ensuite autre chose, par exemple à jouer un rôle dans la vie publique. Chez le Stoïcien, s'occuper de soi n'est plus seulement une étape dans la vie, c'est une forme de vie. « Il s'agit maintenant de s'occuper de soi, pour soi-même. On doit être pour soi-même, et tout au long de son existence, son propre objet[6]. »

On a vu que Foucault veut dériver son concept de sujet de la syntaxe des verbes réfléchis. Le concept de sujet est cela qui est désigné par le pronom dans un verbe réfléchi comme « s'occuper de soi-même[7] ». Foucault explique comment l'ascète stoïcien doit instaurer en lui-même divers rapports qui vont de soi à soi.

> (...) Avec ce moi auquel on fait retour, ou vers lequel on se dirige, il s'agit d'établir finalement un certain nombre de rapports qui caractérisent, non pas le mouvement de la conversion, mais du moins son point d'arrivée et son point d'accomplissement. Ces rapports que l'on a de soi à soi, ils peuvent avoir la forme d'actes. Par exemple : on protège le soi, on défend le soi, on l'arme, on l'équipe. Ces rapports peuvent aussi prendre la forme de rapports d'attitudes : on respecte le soi, on l'honore. Et enfin, ils peuvent prendre la forme d'un rapport d'état, en quelque sorte : on est maître de soi, on l'a à soi (rapport juridique). Ou encore : on éprouve à soi-même un plaisir, une jouissance ou une volupté[8].

D'après ce texte, un rapport de soi à soi est instauré dans un individu chaque fois que nous avons l'occasion de mentionner cet individu deux fois, comme le sujet, et aussi comme l'objet, de ce qu'il fait ou de ce qu'il est : 1° soit en parlant d'une *action* sur soi (soins, façonnage, protection) ; 2° soit en parlant d'une *attitude* envers quelqu'un (souci, attention) ; 3° soit en parlant d'un *état* transitif (contrôle de soi, possession de soi, plaisir pris à soi). Il y a donc trois catégories susceptibles d'accueillir le rapport à soi : l'acte, l'attitude, l'état.

De nouveau, nous nous heurtons à l'obstacle signalé ci-dessus : de tous les exemples que mentionne Foucault, on peut dire que ce sont des rapports *à soi*. On ne saurait dire que ce sont des rapports *au soi*, sauf à concéder que la différence entre rapport à soi et rapport au soi soit purement stylistique. Il est évidemment tentant de procéder à une perpétuelle retranscription et de lire « on se protège, on se défend » là où le philosophe a pourtant écrit « on protège le soi, on défend le soi ». D'ailleurs, Foucault lui-même donne parfois l'impression de glisser de la forme réfléchie ordinaire à la forme réfléchie inexpliquée comme si cette dernière n'était qu'un maniérisme. On lit par exemple que « s'imposer à soi-même beaucoup de peines et de labeur pour mener ses affaires », c'est « imposer à son soi toute cette série d'obligations qui sont celles de la vie active »[9]. Mais, si nous faisions cette lecture, nous viderions le concept de subjectivation de tout contenu. Il n'y aurait plus lieu de parler d'un point — le *soi* — vers lequel s'orientent toutes les activités réfléchies, avec pour effet de constituer en ce point le sujet. Il nous reste donc à examiner ce que chacune des catégories mentionnées rend possible en fait de réflexion sur soi.

1° L'action sur soi

Nous ne pouvons pas invoquer sans plus la syntaxe du verbe réfléchi pour comprendre l'action sur soi comme sujet. Le rapport à soi qui s'instaure dans une action transitive réfléchie sur soi est celui qui correspond à la diathèse active du verbe : rapport de sujet à objet, avec les deux places actancielles de *l'agent*, origine ou principe du changement, et du *patient*, sujet de ce changement. Pour pouvoir être qualifiée de réfléchie, l'action dont il s'agit doit commencer par être transitive (cf. *supra*, chap. 12). Si quelqu'un s'arme, s'équipe, se protège, il faut d'abord que quelqu'un soit armé, équipé, protégé, et il faut ensuite qu'il le soit par sa propre action. C'est pourquoi ces actions réfléchies partagent le sort de toutes les actions transitives : elles réussissent ou elles échouent selon que le monde extérieur le permet ou non. Le rapport établi est un rapport à soi (l'individu humain) et non au soi, car c'est un rapport établi en passant, si l'on peut dire, par l'extérieur.

Mais le rapport *au soi*, à la différence du rapport *à soi*, ne saurait dépendre du monde extérieur. Il apparaît une fois de plus que le philosophe du sujet voudrait définir un acte qui serait une action transitive (pour être réfléchie), mais qui pourtant ne mobiliserait qu'un seul actant (pour atteindre un sujet, pas un objet).

2° *L'attitude envers soi*

Qu'en est-il maintenant de ce changement dans l'attitude à l'égard de soi qu'on appelle « retournement » ou « conversion » ? Il est frappant que Foucault tienne à concevoir la conversion à soi comme une espèce d'action réfléchie.

Comment faire pour être pour soi-même et sans interruption son propre objet ? Ici, le modèle est celui d'une conduite qui consiste à porter son attention sur un objet dont on puisse dire : *c'est moi.* Pourtant, il est facile de se mirer dans une glace, alors qu'il est difficile, voire surhumain, d'organiser toute sa conduite selon le principe suprême du souci de soi. Foucault va expliquer pourquoi, en bonne doctrine stoïcienne, il est impossible à un individu de se constituer en sujet tout seul et par ses propres forces. Il lui faut trouver autour de lui un « maître spirituel » pour établir le rapport convenable de soi à soi.

Pour notre propos, il est remarquable que Foucault explique d'abord la difficulté en cause sans faire le moins du monde appel au schéma syntaxique des verbes réfléchis. Il commente une lettre de Sénèque qui oppose l'état de stupidité (*stultitia*) d'un individu ordinaire à l'état du sage, de façon à faire ressortir le besoin d'un maître en philosophie pour passer du premier de ces états au second : « Ce vers quoi l'individu doit tendre, c'est un statut de sujet qu'il n'a jamais connu à aucun moment de son existence. Il a à substituer au non-sujet le statut de sujet, défini par la plénitude du rapport de soi à soi[10]. » Comme on le voit, il n'est pas question ici d'une *entité* appelée le sujet ou le « soi », mais plutôt d'un *statut de sujet.* Ce statut, comme tout statut, consiste dans une certaine position de l'individu au sein de son monde, position marquée par diverses possibilités et impossibilités. Dans ce texte, le mot « sujet » est donc un terme attributif qui s'emploie comme on le ferait de « citoyen », « bachelier », « psychanalyste », « chevalier de Malte ». Le terme fait sens avec des verbes de type copulatif : l'individu *devient* sujet, *est fait* sujet, *se fait* sujet, *se croit* sujet, *est reconnu* sujet, etc.

Mais comment un individu peut-il accéder au statut de sujet ? L'entreprise semble impossible. En effet, sortir de la *stultitia*, ce serait établir en soi le seul rapport à soi qui conserve sa liberté à l'individu. Et, pour avoir la force d'instaurer ce rapport, ne faudrait-il pas être déjà libéré de la sottise ? C'est donc apparemment l'impasse : pour devenir un sujet, il faudrait être déjà un sujet, mais, justement, on ne peut être un sujet qu'après s'être fait soi-même sujet. Pour que quelqu'un soit ainsi capable de concentrer sa volonté sur ce qui dépend entièrement de soi au lieu de la laisser se disperser entre les choses qui se présentent à lui de tous côtés, il faudrait qu'il soit déjà sage, qu'il ait déjà établi en lui-même ledit rapport à soi. Ainsi, les Stoïciens ont déjà aperçu le danger d'un cercle vicieux qui va réapparaître dans toutes les pensées de l'émancipation de soi par soi[11]. La solution qu'offre Sénèque dans sa lettre est de recourir aux services d'un philosophe qui, comme directeur de conscience, permettra à son disciple de revenir à soi.

Le trait propre de l'homme dépourvu de sagesse est l'inconstance : il s'ensuit que sa volonté de devenir sage est elle-même inconstante et irrésolue. Sans un maître pour lui rappeler à tout instant le but et l'exhorter, il n'y parviendra pas. Sénèque fait un portrait du *stultus* qui met l'accent sur l'éparpillement et l'inconsistance de son vouloir. Nous sommes dépourvus de sagesse parce que cela même que nous voulons, nous ne le voulons pas *librement* (mais sous l'emprise de sollicitations extérieures fortuites), nous ne le voulons pas *absolument* (car nous voulons aussi d'autres choses), nous ne le voulons pas *une fois pour toutes*. *Nihil libere volumus, nihil absolute, nihil semper*[12]. Foucault prend appui sur cette formule bien frappée de Sénèque pour conclure que la théorie stoïcienne de la volonté sage est une théorie réflexive. La sagesse est dans une attitude consistant à *vouloir le soi*.

> Or, quel est l'objet que l'on peut vouloir librement, absolument et toujours (…) Quel est l'objet que la volonté pourra vouloir d'une façon absolue, c'est-à-dire en ne voulant rien d'autre ? Quel est l'objet que la volonté pourra, quelles que soient les circonstances, vouloir toujours, sans avoir à se modifier au gré des occasions et du temps ? L'objet, le seul objet qu'on peut vouloir

librement, sans avoir à tenir compte des déterminations extérieures, cela va de soi : c'est le soi[13].

Ainsi, Foucault revient dans son explication au schéma syntaxique du verbe transitif réfléchi : il s'agit pour le sujet de se donner un objet, ou plutôt de donner un objet à sa volonté. Dans une formulation quasi hégélienne, il définit la volonté sage comme la volonté de soi[14]. Malheureusement la formule « vouloir le soi » est deux fois obscure.

D'abord, les philosophes qui parlent ainsi de donner un objet à la volonté, et de savoir si cet objet sera moi ou un autre que moi, paraissent oublier que « vouloir » est un verbe auxiliaire. Ce mot « vouloir », comme tous les verbes auxiliaires, doit opérer sur un verbe principal. On peut donc vouloir *faire quelque chose*, vouloir *avoir quelque chose*, vouloir *être quelque chose*, mais pas vouloir *quelqu'un*. Aucun substantif, aucun nom ne peut donner l'objet du vouloir. Certes, nous parlons volontiers de « vouloir la santé » ou de « vouloir la gloire », mais ce sont là des raccourcis : en réalité, nous voulons jouir d'une bonne santé, nous voulons que le public nous reconnaisse et nous admire.

D'ailleurs, c'est exactement ainsi que l'entend Foucault lui-même dès qu'il revient de la formule ci-dessus à des explications compatibles avec la grammaire de notre verbe « vouloir » : l'individu *stultus* est quelqu'un « qui ne veut pas son propre soi », autrement dit c'est quelqu'un qui est incapable de « vouloir se soucier de soi »[15]. La formule philosophique « vouloir le soi » serait donc une façon lapidaire de désigner l'attitude de quelqu'un qui veut (et peut) vouloir se soucier de soi. Il s'ensuit que la philosophie du sujet n'a toujours pas réussi à introduire son vocabulaire conceptuel. Considérons les deux énoncés que voici :
(1) « Le sage se veut lui-même. »
(2) « Le sage veut se soucier de lui-même. »
Puisque « vouloir » est un auxiliaire, ce n'est pas la formule ésotérique (1) qui éclaire la formule ordinaire (2). L'ordre de l'explication est inverse. En fait, nous espérons comprendre ce que c'est que « se vouloir soi-même » en traduisant implicitement ce jargon spéculatif en un « vouloir *être* soi-même quelque chose » ou « vouloir *faire* soi-même quelque chose ». Autant dire que notre explication tourne en rond, puisque le rapport à soi qu'il fallait instaurer a été d'abord expliqué par une attitude

définie comme « vouloir le soi », et que cette dernière formule ne s'éclaire qu'en revenant à une volonté d'instaurer le rapport à soi qui nous permettra *d'être* « un soi », « un sujet ».

Mais cela nous fait passer à une seconde source d'obscurité : la notion d'être soi, pris comme objectif d'une visée, ne détermine rien. Que dois-je vouloir pour que ma volonté soit d'être moi ? Que dois-je faire pour faire que je sois moi ? De fait, si c'est l'énoncé (2) qui explique l'énoncé (1), alors il reste à déterminer ce que fait le sage lorsqu'il s'applique à se soucier de soi-même. On ne peut plus répondre en disant que tout ce qu'il fait, c'est se vouloir lui-même ou *vouloir le soi*. Nous ne savons toujours pas en quoi Alcibiade se souciant de soi fait autre chose qu'Alcibiade se souciant d'Alcibiade, en quoi le bien d'Alcibiade comme sujet est distinct du bien d'Alcibiade comme individu humain. Le formalisme de l'être soi-même ne procure aucun principe de choix entre diverses possibilités qui s'offrent dans une situation particulière (cf. *supra*, chap. 29).

3° Le rapport à soi comme état

D'après l'explication citée ci-dessus, le rapport propre à produire une subjectivation peut encore s'instaurer dans la catégorie de l'état. Les exemples qui illustraient cette possibilité étaient tirés d'un modèle juridique (l'état transitif de propriétaire) et d'un modèle psychologique (l'état vécu).

En réalité, le premier modèle s'élimine de lui-même : il n'est pas exact qu'on puisse trouver l'analogue d'un « rapport juridique » dans le rapport à soi d'un agent qui est « maître de soi ». Lorsqu'on dit qu'un homme est maître de lui-même, on vise une capacité à se contrôler : la maîtrise de soi tient à la présence d'esprit, à la possession que l'agent a de ses moyens, au fait d'être au mieux de sa forme. L'idée est alors, tout simplement, qu'il m'arrive parfois de ne pas avoir immédiatement à ma disposition des pouvoirs que pourtant je possède (connaissances, souvenirs, art), exactement comme je peux ne pas avoir en main des biens qui pourtant m'appartiennent. C'est évidemment à tort que Foucault donne pour modèle à cette maîtrise de soi le « rapport juridique ». Pour parler d'un rapport juridique de propriété entre un bien et une personne, il faut plus qu'un rapport de contrôle physique de ce bien par cette personne, il est nécessaire de pouvoir indiquer un troisième terme en vertu duquel le rapport est validement établi (le titre de propriété). Il en va ainsi même lorsque, comme le veut l'adage, « possession vaut titre ». Bornons-nous ici à noter l'absence d'une réflexion plus poussée sur le sujet des institutions (cf. *infra*, chap. 50-51).

Reste l'autre modèle, celui d'un plaisir pris à quelque chose qui ne saurait me faire défaut : moi. Dans son livre *Le souci de soi*, Foucault illustre cette forme d'un rapport à soi par l'idée d'un état qui consiste en « un plaisir qu'on prend à soi-même[16] ». Car il y a un plaisir à tirer du fait d'être soi-même : il ne s'agit pas seulement pour le sage de s'accepter tel qu'il est, avec ses limitations, mais de se plaire à soi-même. Foucault cite une lettre de Sénèque qui enjoint à Lucilius de se tourner vers lui-même : « Tourne ton regard vers le bien véritable ; sois heureux de ton propre fonds ? Mais ce fonds, quel est-il ? Toi-même et la meilleure partie de toi[17]. » Le commentaire de Foucault met l'accent sur un aspect du raisonnement de Sénèque : il est sage de renoncer à chercher le plaisir dans des objets extérieurs à soi, car ces derniers, qui procurent un plaisir violent (*voluptas*), ne sont pas en notre pouvoir. Nous pouvons en être privés. « À ce genre de plaisirs violents, incertains et provisoires, l'accès à soi est susceptible de substituer une forme de plaisir que, dans la sérénité et pour toujours, on prend à soi-même[18]. »

Pierre Hadot juge que ce commentaire est un contresens[19]. D'abord, explique-t-il, il aurait fallu distinguer entre le plaisir et la joie (*gaudium*). Ensuite, le sage n'éprouve pas cette joie dans la fréquentation de sa propre personne telle qu'elle est donnée avec ses insuffisances. Pour trouver la joie, il faut s'attacher à la « meilleure partie » de soi. Foucault, à force d'insister sur le parti pris d'immanence des Stoïciens, n'a pas tenu compte du fait que la concentration sur soi doit nous attacher à l'*optima pars* en nous. Hadot reproche donc à Foucault de tirer l'éthique stoïcienne du côté d'un égotisme, d'une esthétique du rapport à soi. Le sage stoïcien fait figure de dandy hellénistique.

Malheureusement, pour expliquer ce qui fait l'excellence de cette partie et du plaisir dont elle est la source, Hadot applique une formule du « double moi » qui, pour être traditionnelle, n'en est pas moins mystérieuse. Il écrit en effet : « Le bonheur ne consiste donc pas à prendre du plaisir en soi-même, mais à s'élever du "moi" individuel à un "moi" transcendant et universel qui n'est autre que la raison elle-même, partie de la Raison universelle, qui est aussi bien intérieure à tous les hommes qu'immanente au cosmos (...) Le vrai "moi" de l'individu transcende l'individu » (*ibid.*). Cette explication évite certes le contresens qui est reproché à Foucault, mais elle fait appel à des hypostases du langage philosophique moderne (« le moi », « le vrai moi », « le moi transcendant et universel ») pour les appliquer au texte de Sénèque, avec pour conséquence que s'y trouve projetée l'énigme du sujet philosophique moderne dans sa version rationaliste. Comment peut-on me demander de m'élever, non pas d'un point de vue local à un point de vue global, mais d'un moi à un moi ? *Qui* doit s'élever d'un moi à l'autre ? Est-ce encore *moi*, l'individu particulier que je suis ? Ou est-ce que ce serait *moi* en tant que je suis le représentant, dans mon raisonnement, de tous les individus rationnels ? Comment l'individu peut-il, justement en se rapportant à soi, se libérer de son individualité et voir les choses d'un point de vue « universel » ? Je n'entends nullement contester qu'il y ait une sagesse dans cette élévation de la pensée, mais je ne vois pas pourquoi il ne faudrait pas dire, tout au contraire, que la sagesse est de se libérer du « moi », des servitudes de l'individualité, et d'apprécier les choses d'un point de vue impersonnel. L'expression de « moi universel » suggère qu'il faut s'attacher à un « moi » capable d'englober le « non-moi », comme si l'on pouvait pratiquer un renoncement à soi qui serait simultanément un triomphe du moi.

En fait, comme il l'a indiqué lui-même, Hadot a choisi d'appliquer aux Stoïciens un langage plus récent : c'est chez Kant que cette idée d'une participation, par notre raison, à la puissance providentielle qui gouverne l'univers prend la forme d'un dédoublement du moi[20]. Hadot ajoute aussitôt qu'un Stoïcien aurait pu dire, comme Kant, qu'il trouvait admirables le ciel étoilé et la loi morale, mais il n'aurait pas opposé la petitesse de sa personne matérielle dans ce monde (sensible) et la dignité infinie de sa personne morale dans un autre monde (intelligible)[21]. Pour les Stoïciens, la raison universelle, dont je puis trouver une étincelle dans mon propre pouvoir de contrôler mes pensées, est une raison « immanente au cosmos ». C'est là une différence qu'on risque de manquer en usant, pour énoncer la position stoïcienne, du langage du sujet et de l'objet.

On retiendra plutôt des analyses de P. Hadot l'idée que les Stoïciens ont pratiqué diverses techniques d'«expansion du moi» dont nous avons héritées. L'individu, dans un exercice imaginatif, se figure doté d'une double localisation : comme individu particulier à son poste (infime) dans le monde, mais, comme porteur d'un intellect au niveau du principe même de toutes choses.

Ainsi, nous n'avons pas trouvé chez Foucault l'explication annoncée de ce qui constitue le rapport *à soi* pris dans le sens d'un rapport *au soi*. Le nouveau concept de subjectivation qu'il a forgé ne paraît pas décrire quelque opération que ce soit : comment quelqu'un pourrait-il devenir, par un acte tourné vers soi, le sujet de cet acte même ? Ce n'est donc pas la syntaxe du verbe réfléchi qui peut nous livrer le secret du rapport à soi, que ce soit dans la pensée stoïcienne ou chez qui que ce soit.

Mais cela ne veut évidemment pas dire que les idées du *souci de soi* et du *retour à soi* soient privées de sens. Tout ce qu'on doit dire, c'est qu'elles deviennent absurdes quand on veut les formuler dans un idiome dont la syntaxe est celle du verbe réfléchi, car il faudrait alors parler de quelqu'un qui « veut le soi » ou qui « possède le soi ». En fait, la notion de rapport à soi n'est pas en cause, car nous avons reconnu qu'elle est vague et indéterminée puisqu'elle peut s'exprimer, non seulement dans les formes de la diathèse réfléchie, mais dans celles de la diathèse moyenne ou de la diathèse récessive (cf. *supra*, chap. 11). Il nous appartient donc de proposer une autre manière — et donc un autre langage — pour parler du retour à soi.

Qui plus est, il y a un moment partiel de vérité, que nous voudrions conserver, dans la distinction que fait la doctrine égologique entre *l'humain* et *le moi* en moi. Il se pourrait bien en effet que le message du sage antique soit de s'occuper d'un bien personnel qui ne se confond pas d'emblée avec un bien humain. Foucault a eu raison de souligner ce point : lorsque la philosophie m'invite à m'occuper de moi-même, il n'est pas évident que ce soit d'un homme particulier que je doive prendre soin. De fait, il apparaît vite que l'on devait s'attacher, non pas à soi, mais à la « meilleure part » de sa personne, ce qui, dans certaines doctrines au moins, ouvre la porte à une identification panthéiste : « La conscience du moi devient conscience du monde, conscience de la Raison divine qui dirige le monde[22]. » Nous sommes loin de l'homme particulier, de l'agent individuel.

Le moment de vérité que comporte la philosophie du sujet est que certaines écoles philosophiques ont diffusé l'idéal d'une transformation de soi qui, à certains égards, peut être qualifiée comme un *renoncement à sa propre humanité* au profit d'un autre bien ou d'une autre vérité de soi-même. Il y a donc quelque chose à retenir de l'insistance à faire la différence entre ce que je suis en étant moi et ce que je suis en étant humain. L'*ego* des cartésiens, le *soi* des idéalistes n'ont pas d'état civil, pas de parents, pas de descendance, pas d'alliés, pas de bouches à nourrir, pas de fêtes à donner, pas de gouvernement à former, bref ils n'ont pas les travaux et les jours des êtres humains.

J'ai noté ci-dessus que le philosophe du sujet se laisse aller parfois à retranscrire son idiome opaque (dans lequel il parle du rapport au soi) dans la langue de tout le monde (qui ne connaît que le rapport à soi). Au lieu de dire qu'il faut *armer le soi* ou *équiper le soi*, on se contentera de s'armer soi-même ou de s'équiper soi-même. Cette transcription a l'heureux avantage de rendre le propos parfaitement clair, mais elle a l'inconvénient de rendre triviale l'opération inouïe dont le philosophe voulait parler. Nous perdons de vue le caractère renversant, paradoxal, de la conversion qui est demandée au disciple. Il est vrai que, si l'on insiste pour parler du retour à soi en termes d'auto-position, nous sommes dans une impasse, car nous ne parvenons pas à dégager une forme syntaxique pour les verbes qui doivent l'exprimer. Toutefois, je crois qu'il est possible de procéder à une transcription qui ne nous fasse pas perdre de vue la mutation que veut désigner la philosophie du retour à soi.

Je vais donc maintenant introduire les éléments nécessaires à une traduction d'un idiome philosophique qui nous égare — l'idiome du sujet qui se veut lui-même — dans un idiome philosophiquement plus satisfaisant, à savoir l'idiome d'un agent qui choisit de vivre pour soi en *individualisant* les fins de son agir.

XXXIII

L'individu hors du monde

Le point fort des analyses de Foucault dans *L'herméneutique du sujet* est de replacer ce qu'il tient à appeler « la question du sujet » dans le contexte historique d'un ensemble de pratiques qu'on peut qualifier d'exercices spirituels. Dans son livre *Le souci de soi*, il s'est demandé si le développement d'une « culture de soi » pouvait s'expliquer, comme on le dit souvent, par une « poussée individualiste » qui se produirait dans les sociétés de l'antiquité tardive[1]. Cette poussée résulterait elle-même des transformations politiques et sociales survenant à cette époque. L'absorption des petites cités indépendantes dans un vaste empire aurait eu pour effet d'éteindre dans les anciennes classes dominantes le sentiment civique et le sens de l'action politique. D'où une tendance au repli « individualiste » sur ses propres affaires (*ibid.*, p. 112). Foucault juge que cette explication est peu éclairante. Il note que le mot « individualisme » n'a pas un sens constant d'un auteur à l'autre. La « culture de soi » est-elle comme telle individualiste ? Il propose de distinguer trois phénomènes (*ibid.*, p. 59) :
1° l'exaltation de la singularité individuelle par l'assignation d'une valeur absolue à l'individu, qu'on oppose alors au groupe et aux institutions ;
2° « la valorisation de la vie privée » ;
3° « l'intensité des rapports à soi, c'est-à-dire des formes dans lesquelles on est appelé à se prendre soi-même pour objet de connaissance et domaine d'action, afin de se transformer, de se corriger, de se purifier, de faire son salut ».
Ces trois phénomènes sont distincts, ils peuvent se produire indépendamment les uns des autres. Dans une société aristocra-

tique militaire, les seigneurs et les barons seront normalement très soucieux de leur indépendance individuelle (mais, voudrait-on ajouter, peut-être plus soucieux encore de leur rang et de l'éclat de leur maison). Pourtant cet esprit d'insubordination n'a rien à voir avec un quelconque souci de soi au sens spirituel. De même, l'accent mis sur la vie privée et les valeurs domestiques est compatible avec un conformisme social des individus : c'est d'ailleurs ainsi que l'on caractérise volontiers les mœurs bourgeoises. Or le phénomène que Foucault veut isoler sous le nom de la « culture de soi » ne se confond ni avec l'exaltation de l'indépendance individuelle, ni avec la primauté des valeurs domestiques sur les valeurs civiques. Il consiste dans une conversion à soi par laquelle l'individu fait de soi, et non de telle ou telle chose extérieure, l'objet principal de son attention et de ses soins.

Ces distinctions sont utiles et marquent bien qu'on ne peut pas en rester à la notion superficielle de l'individualisme conçu comme « repli sur soi[2] ». Une telle acception du terme, la seconde dans la liste de Foucault, est au fond celle du vocabulaire des militants politiques : quand un camarade cesse de venir régulièrement aux réunions du groupe ou de participer aux actions communes, que ce soit pour rester avec sa famille ou s'occuper de sa carrière, il lui est reproché de faire preuve d'« individualisme ».

Foucault définit donc l'individualisme par l'affirmation de certaines valeurs, et il distingue trois assignations possibles de la valeur, selon que la « valorisation » porte sur l'indépendance individuelle, sur la vie privée, ou sur les rapports à soi. La culture de soi chez les Stoïciens répond à la troisième définition. Pourtant, Foucault n'en conclut pas que les Stoïciens sont individualistes dans ce troisième sens du terme, mais plutôt que l'intensification des rapports à soi ne requiert aucune opposition frontale de l'individu et du groupe, ce qui serait donc le seul et unique sens à retenir d'une affirmation des valeurs individualistes[3]. Le lecteur a ici le sentiment que l'auteur hésite entre deux positions. D'une part, l'individualisme s'entend en plusieurs sens, parmi lesquels il en est un qui permet de dire que le développement d'une culture du soi est individualiste. D'autre part, ce développement sous l'antiquité ne s'accompagne pas d'une rébellion contre les normes communes et les institutions, de sorte qu'il est malgré tout difficile de parler d'une émancipation de l'individu à l'égard du groupe.

Il est regrettable que Foucault n'ait pas poussé pas plus loin sa remarque sur les divers sens que prend, d'un auteur à l'autre, l'imputation d'individualisme à une école de pensée ou à un groupe. Quand il s'agit de l'esprit d'indépendance individuelle, on voit que l'opposé est le fort sentiment d'appartenance au groupe et l'exaltation de tout ce qui marque cette appartenance. Quand on observe un repli sur la vie privée, on voit bien que cela s'oppose à une attitude de participation active aux affaires publiques. Mais à quoi s'oppose l'intensification des rapports à soi ? Est-ce seulement à une absence d'intérêt pour ces rapports ? Ou bien la culture des rapports à soi s'oppose-t-elle à l'intensification d'autres rapports ? En somme, Foucault voit bien que l'attitude individualiste est une manière de poser les valeurs, mais il ne donne pas un nom à l'attitude de celui qui pose les valeurs contraires. Ayant constaté le côté équivoque du terme, il ne se préoccupe pas de comprendre le pourquoi de cette confusion, de sorte que son essai de clarification tourne court. En effet, la première définition proposée ne permet pas de décider entre deux conceptions possibles des valeurs individualistes. Si le nom de l'attitude opposée est « conformisme », alors l'individualisme n'est pas seulement une affirmation de valeur, mais c'est la seule affirmation recevable. En revanche, si l'opposé est le *civisme* ou une forme quelconque d'abnégation méritoire, alors c'est l'individualisme qui devient problématique. En quoi l'individualiste qui « valorise » sa propre singularité face au groupe n'est-il pas tout simplement un mufle, ou bien un individu prétentieux et infatué de lui-même ?

Il manque donc à cet essai de clarification les termes mêmes d'une perspective comparative, de façon à pouvoir opposer une situation (historique et culturelle) dans laquelle l'assignation de la valeur se fait sur le mode individualiste et une situation dans laquelle cette assignation se fait sur le mode opposé, qu'avec Louis Dumont on peut appeler *holiste*[4]. Il est du reste inévitable que le monde des valeurs holistes fasse l'effet d'un conformisme quand il est jugé du point de vue individualiste, mais il va sans dire que le monde des valeurs individualistes paraît tout aussi inadmissible quand on l'interprète du point de vue holiste. C'est pourquoi le point de vue comparatiste est nécessaire si l'on veut échapper à ce malentendu mutuel.

Déjà, Max Weber notait que le mot « individualisme » demandait à être clarifié et qu'une étude historique de ses emplois

rendrait de grands services. Dumont, qui cite cette observation,
a entrepris cette « analyse radicale » des notions réunies confu-
sément sous ce terme[5]. D'après lui, la première chose à faire est
de ne pas confondre le fait de l'indépendance individuelle et le
fait d'élever cette indépendance à la hauteur d'une valeur car-
dinale ou d'un principe normatif. Il y a en réalité *deux* concepts
d'individu en jeu dans notre discours sur l'homme en société.
Nous devons en effet distinguer l'individu *empirique,* c'est-à-dire
l'échantillon du genre humain, de l'individu *normatif,* l'être qui
se suffit à lui-même, c'est-à-dire justement le « sujet » des philosophes qui fait l'objet de la présente enquête. Dumont écrit :

> Nous désignons couramment par l'expression l'« homme indivi-
> duel » (ou l'« individu ») deux choses fort différentes qu'il faut
> de toute nécessité distinguer :
> 1) le sujet *empirique* de la parole, de la pensée, de la volonté,
> échantillon indivisible de l'espèce humaine, tel qu'on le rencon-
> tre dans toutes les sociétés ;
> 2) l'être *moral,* indépendant, autonome et ainsi (essentiel-
> lement) non social, tel qu'on le rencontre avant tout dans notre
> idéologie moderne de l'homme et de la société[6].

Le premier concept d'individu permet de désigner des individus donnés comme distincts dans notre expérience. Si je vous
parle de Pierre, je vous parle d'un individu humain qui existe
indépendamment de Paul. L'indépendance ontologique de l'individu qui est requise pour la référence ne dépasse pas ce
niveau élémentaire : que Pierre soit un autre homme que Paul
est une pure affaire de dénombrement, rien n'est encore dit sur
les liens sociaux éventuels ou l'absence de liens entre ces deux
êtres humains. Mais il y a un second concept d'individu qui
permet de fixer un idéal d'autonomie, et pas seulement un fait
empirique d'individuation : concevoir Pierre (ou Paul, ou moi-
même) comme un individu, c'est le concevoir comme un être
autosuffisant du point de vue des valeurs et des significations
que lui-même reconnaît. D'après Dumont, ce second concept
s'applique à des représentations, mais pas à des êtres empiriques : on peut rencontrer des *idées* individualistes et des *principes*
individualistes (dans les discours), et donc aussi des sociétés et
des hommes dont les *valeurs* sont individualistes. Mais on ne
peut certainement pas rencontrer dans le monde des êtres qui
parviendraient à exister à tous égards en conformité avec de

telles idées. Cela ne veut d'ailleurs pas dire que ces valeurs et ces principes soient vains ou mensongers. Il n'y a en effet aucune raison de s'attendre à ce qu'une « idée » (prise dans ce sens d'un idéal normatif) puisse se réaliser intégralement.

Foucault n'évoque aucune de ces analyses sociologiques, et, pourtant, ce qu'il décrit abstraitement comme une intensification des rapports de soi à soi est un phénomène que le sociologue des religions appellera un « ascétisme extra-mondain », s'il use du vocabulaire de Max Weber, ou encore une « discipline du salut », une « religion individuelle », selon les expressions de Louis Dumont[7]. Toutes ces étiquettes visent à saisir une orientation que Dumont qualifie d'« individualisme hors-du-monde ».

Le type social de l'*individu-hors-du-monde* est celui d'un ermite indien ou d'un anachorète des premiers temps du christianisme. Or Foucault n'accepterait sans doute pas de comparer les Stoïciens à des ermites indiens puisqu'il insiste pour sa part sur la différence entre la sagesse stoïcienne et la spiritualité chrétienne des Pères du désert. Les Stoïciens, à la différence des Cyniques, n'ont pas disqualifié la vie dans la cité.

Il semble que Foucault ne se soit pas posé la question de savoir s'il pouvait surgir, dans une société traditionnelle, une « poussée individualiste » dans le premier sens noté par lui : « L'attitude individualiste caractérisée par la valeur absolue qu'on attribue à l'individu dans sa singularité, et par le degré d'indépendance qui lui est accordé par rapport au groupe auquel il appartient ou aux institutions dont il relève[8]. » Comment une telle attitude est-elle seulement concevable dans un monde traditionnel ? En réalité, elle ne l'est pas du tout. Qui en effet doit *attribuer* la valeur et *accorder* l'indépendance à quoi que ce soit ? Ici, c'est évidemment le groupe, la société. Mais si cette société n'est pas déjà elle-même individualiste, si elle ne possède pas dans ses représentations collectives l'idéal de l'autonomie personnelle, elle ne comprendra même pas ce que revendique un particulier quelconque qui voudrait adopter une attitude individualiste. À supposer que quelqu'un émette une telle prétention et qu'il décide de s'attribuer à lui-même cette valeur absolue et cette indépendance, tout le monde le jugera ridicule ou fou, personne ne lui reconnaîtra un tel statut.

C'est donc seulement sous la forme de la troisième sorte d'individualisme — les exercices spirituels du rapport à soi — qu'on peut s'attendre à voir apparaître pour la première fois une affirmation de l'individu comme *valeur*. « Si l'individualisme doit apparaître dans une société de type traditionnel, holiste, ce sera en opposition à la société et comme une sorte de supplément par rapport à elle, c'est-à-dire sous la forme de l'individu-hors-du-monde[9]. » Du coup, l'individu dont nous parlons est un « type sociologique » puisque son individualité tient compte de la société existante en s'assumant comme extra-mondaine (*ibid.*, p. 37). Et, de ce point de vue, la grande différence entre les formes d'individualisme (ou, dans le vocabulaire de Foucault, entre les « modes de subjectivation ») n'est donc pas celle qu'aperçoit Foucault entre sagesse antique et ascèse chrétienne. Elle est bien plutôt celle que met en évidence Louis Dumont entre l'individualisme *hors-du-monde* (commun aux écoles de philosophie hellénistique et aux premiers chrétiens) et l'individualisme *dans-le-monde* (commun aux chrétiens puritains et à l'idéologie moderne).

Max Weber a tenté de reconstituer la genèse d'un ascétisme hors du monde, Dumont a mis l'accent sur l'individualisme hors du monde. Où est la différence entre ces deux approches ?

Weber avait cherché à définir des types d'attitudes propres aux religions du salut *individuel* (ce qui laisse de côté d'autres formes de religion, comme la religion civique ou la religion des ancêtres). Ces religions présentent une différenciation entre le gros des fidèles (peuple des laïcs) et les « virtuoses », les individus qui se consacrent exclusivement à la tâche de la délivrance personnelle. Le sociologue va construire sa typologie en posant deux critères qu'il s'agit d'appliquer à l'attitude envers le monde du fidèle (virtuose) : 1° cette attitude envers les biens et les fins de ce monde peut être active (ascétisme) ou contemplative (mystique) ; 2° si elle requiert une retraite hors du monde, elle est caractérisée par l'orientation extra-mondaine (*außerweltlich*), si elle s'accommode d'une présence dans le monde, elle est mondaine (*innerweltlich*).

En tout cela, le mot « monde » est pris par Weber au sens de la spiritualité chrétienne[10]. Le monde, c'est d'abord la « communauté sociale », les valeurs de la famille et du groupe, les relations sociales, les soucis propres à la vie dans le monde (avoir des enfants, prospérer), les « vertus » naturelles, « bref tous les intérêts de la créature en général[11] ». Il ne s'agit donc ni du monde au sens des philosophes traitant de l'existence du

« monde extérieur », ni du monde au sens de l'ensemble des choses physiques, ni enfin du monde visible opposé à un autre monde invisible. Le « monde » au sens spécifiquement religieux est l'ensemble des *intérêts* de la créature en général, c'est-à-dire de tout ce qui pourrait détourner l'homme de suivre les voies de Dieu en l'attachant à l'une ou l'autre des créatures.

La typologie de Weber permet donc de prévoir qu'une religion du salut pourra prendre, de façon prédominante, une des quatre formes qui viennent d'être construites abstraitement : l'*ascétisme hors du monde* du moine, l'*ascétisme dans le monde* du serviteur de Dieu qui accomplit sa mission (*Beruf*) là où il est appelé à le faire, le *mysticisme hors du monde* du contemplatif, enfin le *mysticisme dans le monde*. Comme on sait, Weber a surtout traité de la transformation qu'accomplit la Réforme protestante et par laquelle un ascétisme extra-mondain (monachisme) a été métamorphosé en un ascétisme intra-mondain (puritanisme). En fait, Weber n'a pas étudié d'aussi près ces formes mystiques de religion personnelle. Qui plus est, l'ascèse et la contemplation apparaissent comme deux formes de « refus du monde » tel qu'il existe[12].

Dumont remplace la catégorie de l'ascète-hors-du-monde par celle de l'*individu-hors-du-monde*[13]. L'accent n'est plus sur l'ascétisme, mais sur le fait que l'individualisme religieux suppose le renoncement au monde. Quant à la signification de l'éthique protestante dans la formation de l'esprit moderne, elle est plutôt à chercher dans l'individualisme intra-mondain que dans l'ascétisme. « En supprimant la vie monastique, Luther a en fait transformé en *moines* les hommes dans le monde[14]. » L'accent ne porte plus sur le combat ascétique, mais sur l'influence de l'idée extra-mondaine sur la vie dans le monde.

Les attitudes que Weber oppose sous les noms d'approbation du monde et de refus du monde correspondent chez Dumont à deux types de religions qui se distinguent par leurs sujets, c'est-à-dire par l'homme auquel elles s'adressent : la religion mondaine est la religion du groupe, la religion extra-mondaine est une religion individuelle[15]. En vertu de cette dualité, on comprend que puisse apparaître un type social complexe combinant une position mondaine et une position extra-mondaine : quelqu'un peut continuer à se comporter comme le fidèle de la religion de son groupe et en même temps *superposer* à ces pratiques rituelles un culte personnel choisi par lui. C'est ce qui arrive, par exemple, en Inde avec les pratiques de la dévotion (*bhakti*), en Grèce avec les religions à mystère, en Occident chrétien avec les mouvements de la mystique et ceux de la dévotion piétiste.

Comment comprendre le phénomène d'une superposition de deux religions (ou, si l'on préfère, de deux attitudes religieuses, l'une collective et l'autre individuelle) ? On peut partir ici de l'institution sociale du *renoncement,* dont l'analyse est la clé de la description que donne Dumont du système indien. Au lieu de mettre l'accent, comme Max Weber, sur l'opposition d'une attitude active et d'une attitude passive (en fait inactive) envers le monde, Dumont part de l'opposition entre les sociétés dont les valeurs sont sociales (holistes) et celles dont les valeurs sont individualistes. Cette opposition est définie par une comparaison des « idéologies », c'est-à-dire des représentations communes majeures qui gouvernent la vie d'un groupe. Faut-il en conclure qu'une société traditionnelle ne connaît que des valeurs holistes et n'a jamais affaire à des phénomènes individualistes ? Ce serait simpliste. En réalité, aucune société n'est entièrement gouvernée par un seul type de valeurs. On trouvera, dans nos sociétés individualistes, des valeurs collectives traditionnelles (mais sous une forme subordonnée ou indirecte). De même, il y a une place pour une vie régie par des valeurs individualistes dans une société organisée par le principe hiérarchique. Telle est justement la leçon de l'étude que Dumont a faite de la société indienne : il s'agit certes d'une société organisée par l'institution des castes, donc d'une société qui pousse à l'extrême la valeur holiste de l'interdépendance (entre les composantes, elles-mêmes holistes, de la totalité sociale), mais cette société fait pourtant place à l'institution du renonçant (*sannyasi*). Ce type social, qui relève de ce que Weber appelle « ascétisme extra-mondain », est plus complètement saisi quand on y voit un échantillon du type social à définir par l'individualité hors-du-monde.

> Par le renoncement, un homme peut mourir au monde social, échapper au réseau de stricte interdépendance que nous avons retracé, et devenir à lui-même sa propre fin comme dans la théorie sociale de l'Occident, à ceci près qu'il est coupé de la vie sociale proprement dite. C'est pourquoi j'ai appelé ce personnage, ce renonçant, un individu-hors-du-monde[16].

Soulignons les traits comparatifs de ce portrait du renonçant indien. Tout comme l'individu tel que le conçoit « la théorie

sociale de l'Occident[17] », ce renonçant recherche une indépendance, il devient à lui-même sa propre fin, mais la différence est
qu'il est « coupé de la vie sociale proprement dite ». Ainsi, il développe (comme nous le faisons) une « pensée d'individu »,
mais il le fait après avoir quitté le monde, alors que nous le faisons « dans le monde ». La différence entre le *sannyasi* et nous
n'est donc pas dans le fait même de l'individualisation, c'est
dans la condition qu'il faut remplir chez lui et chez nous pour
s'individualiser. Le renonçant doit quitter la vie sociale (le
monde) pour exister comme être indépendant, l'homme moderne estime pouvoir vivre comme un individu en compagnie
de ses semblables. Il croit que, grâce à un bon arrangement politique (un « contrat social »), il est possible à des individus (qui
se conçoivent comme des entités auto-suffisantes) de vivre
ensemble. Dumont pose ce contraste en ces termes :

> L'homme qui cherche la vérité ultime abandonne la vie sociale
> et ses contraintes pour se consacrer à son progrès et à sa desti-
> née propres. Lorsqu'il regarde derrière lui le monde social, il le
> voit à distance, comme quelque chose sans réalité, et la décou-
> verte de soi se confond pour lui, non pas avec le salut au sens
> chrétien, mais avec sa libération des entraves de la vie telle
> qu'elle est vécue dans ce monde. Le renonçant se suffit à lui-
> même, il ne se préoccupe que de lui-même. Sa pensée est sem-
> blable à celle de l'individu moderne, avec pourtant une diffé-
> rence essentielle : nous vivons dans le monde social, il vit hors
> de lui (*Essais sur l'individualisme*, p. 35).

Il y a donc une condition à la « découverte de soi » dans le
contexte de la société holiste : abandonner la vie sociale. Est-ce
que vivre hors du monde social, c'est vivre tout seul ? Dumont
se fait l'objection sociologique qui vient immédiatement à l'esprit : est-ce que le renonçant est véritablement « hors du
monde » ? N'a-t-il pas une place dans la société puisqu'il vit
d'aumônes, que sa présence est reconnue, qu'il y a un nom
pour l'état d'ermite ou de moine mendiant ? Il répond que le
sociologue doit tout d'abord accepter ce que les intéressés lui
disent : le renonçant est sorti de la vie sociale. Il doit ensuite
constater que la société contient tout à la fois le système d'interdépendance et l'institution qui en est la négation. Cette objection a le mérite de rappeler que l'homme est un animal social
jusque dans ses pratiques de désocialisation : toute chose (et
donc aussi la décision de se retirer du monde) doit prendre une

place ou une autre dans un espace qui est celui de la société. Le monachisme, l'érémitisme, le cénobitisme sont aussi des phénomènes sociaux pour autant que la société les reconnaît et leur assigne un rang et une valeur dans sa représentation des choses. Du reste, l'institution du renoncement donne naissance à des formes originales d'organisation : l'ordre monastique, la secte, ou encore l'affiliation des laïcs par le biais des pratiques de dévotion. Ce dernier phénomène illustre la possibilité d'une superposition de l'adhésion à une religion individuelle sur la fidélité à la religion du groupe.

Weber avait souligné qu'aucun renonçant ne peut choisir totalement d'être inactif. En théorie, il le faudrait sans doute. Dans un monde parfaitement conforme à l'idéal de libération, les aumônes viendraient d'elles-mêmes au renonçant, sans qu'il ait à demander quoi que ce soit. En fait, d'un point de vue empirique, l'individu n'a pas vraiment quitté la société, il vit seulement à l'écart. C'est pourquoi, selon Dumont, le secret de l'hindouisme est dans un dialogue entre le renonçant et l'homme dans le monde[18], dont le fruit est d'offrir aux hommes restés dans le monde la possibilité de pratiquer, à côté des rituels coutumiers du groupe, une « religion individuelle » sous la forme d'une *dévotion* (*ibid.*, p. 349). C'est, dit Dumont, le cadeau du renonçant à l'homme resté dans le monde. La dévotion est une religion d'amour qui permet au fidèle de s'émanciper sans avoir à passer par l'ascèse et la méditation. « Tous peuvent devenir des individus libres par la soumission aimante. »

Il est donc possible, par relativisation ou hiérarchisation, de superposer deux religions, d'observer les rites du groupe tout en adoptant (à titre personnel) une religion individuelle, de participer à l'affirmation de l'individualité extra-mondaine sans pourtant quitter le monde et renoncer à la vie sociale.

Dans l'histoire religieuse de l'Occident, on parlera de dévotion pour caractériser des mouvements tels que la religiosité mystique de la Renaissance ou le piétisme allemand. Le *piétisme* — qui est aussi une *dévotion*[19] — apparaît comme un individualisme intérieur : la religion luthérienne, qui reste celle d'une minorité (il faut pouvoir lire la Bible), se diffuse ou se « démocratise » sous la forme d'une attitude religieuse dans laquelle l'élément affectif domine l'élément doctrinal ou rituel.

Dans les *Essais sur l'individualisme*, Dumont cite un auteur qui décrit Zénon comme étant plutôt un prophète qu'un philosophe et les Stoïciens comme formant une secte. Si l'on prend ces termes au sens sociologique qui vient d'être introduit, on tient sans doute la clé de l'énigme qui a exercé la perspicacité des historiens de la pensée hellénistique : comment les Stoïciens proposent-ils simultanément une éthique du détachement radical et une morale de la participation active aux affaires du monde ? C'est là l'une de ces « contradictions des Stoïciens » dont on disputait déjà dans les écoles de la philosophie antique. La réponse est que le procédé de l'intériorisation d'une position extra-mondaine rend possible la superposition des deux attitudes du détachement et de l'engagement, de l'inaction et de l'action.

Comment apprécier, de ce point de vue, le moment stoïcien dans l'histoire des philosophes qui ont développé une pensée de l'individu ? On pourrait dire que les Stoïciens ont affronté un problème : comment est-il possible à un *individu* d'agir dans le *monde humain* ? comment pourrait-il accomplir quoi que ce soit par une action qui serait entièrement individuelle, en ce sens que lui seul en serait responsable et qu'il devrait n'attribuer qu'à lui-même la satisfaction d'avoir bien agi ou le mécontentement d'avoir manqué son but ? L'homme qui adopte l'idéal philosophique d'une vie entièrement individualisée est menacé par le quiétisme. À ce problème, les Stoïciens ont apporté une solution dans laquelle on a pu voir l'invention de notre propre notion de l'éthique.

On peut parler, pour cette solution stoïcienne au problème posé par l'action d'un *individu* dans le *monde humain,* d'une invention de l'éthique dans notre sens du mot. Mais, avant d'examiner cette solution stoïcienne (cf. *infra,* chap 35), il convient de préciser la notion de « monde humain » telle qu'elle doit être entendue dans la perspective d'une philosophie sociale de l'individu.

XXXIV

L'esprit du monde

Bossuet, dans le *Panégyrique de saint Sulpice prêché devant la reine mère*[1], commente le texte de saint Paul : « Pour nous, nous n'avons pas reçu l'esprit de ce monde, mais un esprit qui nous vient de Dieu, pour connaître les choses qu'il nous a données » (I Cor., II, 12). Ce sermon est prononcé devant la cour et il vise à imprimer une idée dérangeante dans l'esprit des auditeurs : la cour est la quintessence de l'*esprit du monde*, c'est-à-dire qu'elle est ce qu'il y a de plus opposé à l'*esprit du christianisme* (ce sont les termes mêmes de Bossuet).

Le plan du sermon qu'annonce Bossuet dans son préambule est tiré de la vie même de saint Sulpice, lequel a été successivement un *courtisan*, un *évêque* et un *ermite*. Bossuet schématise ainsi sa vie : « Il l'a commencée à la cour, il l'a finie dans la solitude : le milieu a été occupé par les fonctions ecclésiastiques. Courtisan, il a vécu dans le monde sans être pris par ses charmes : évêque, il en a détaché ses frères : solitaire, il a désiré de finir ses jours dans une entière retraite » (*ibid*, p. 132). À chacun de ces états correspond un degré de perfection (du point de vue de l'excellence humaine) et un type de grâce surnaturelle. En fait, Bossuet va parler d'abord des vertus chrétiennes de Sulpice courtisan, puis de celles de Sulpice évêque. Au moment de parler de Sulpice solitaire, il saisira l'occasion que lui fournit le motif de la retraite pour changer son sermon en une admonestation adressée à l'auditoire : il appartient à chacun des chrétiens, surtout à ceux qui sont les plus menacés par les dissipations de l'esprit du monde, de faire comme Sulpice et de se préparer à l'événement de la mort et à celui du jugement par une retraite accomplie sur le mode intérieur.

Le sermon commence en posant le conflit de l'*esprit du monde* et de l'*esprit du christianisme*. Le mot « monde », dans ce contexte, désigne une communauté ou une compagnie qui se caractérise par l'« esprit » qu'elle favorise chez ses membres. Bossuet explique cela en comparant l'esprit du monde à un « esprit de corps ». Le sermon commente ainsi le texte de saint Paul :

> Chaque compagnie a ses lois, ses coutumes, ses maximes et son esprit ; et lorsque nos emplois ou nos dignités nous donnent place dans quelque corps, aussitôt on nous avertit de prendre l'esprit de la compagnie dans laquelle nous sommes entrés. Cette grande société, que l'Écriture appelle le monde, a son esprit qui lui est propre ; et c'est ce que saint Paul appelle, dans notre texte, l'esprit du monde (*ibid.*, p. 130).

À cet esprit du monde s'oppose l'esprit du christianisme, c'est-à-dire d'autres lois, d'autres coutumes, d'autres maximes pour se diriger. Bossuet retrouve ainsi le thème augustinien des deux cités : chacun doit choisir d'appartenir à l'une ou à l'autre.

Il est clair que le concept théologique du monde est beaucoup plus proche de l'emploi sociologique (lorsqu'un « monde » est pris au sens d'un milieu particulier, caractérisé par ses manières, ses usages) qu'il ne l'est de l'emploi des philosophes qui parlent du « monde extérieur » ou du « monde des objets ». Du point de vue spirituel, le fait d'être-au-monde signifie, comme d'ailleurs pour la philosophie herméneutique de l'existence humaine, le fait d'avoir son esprit tourné vers les affaires du monde, d'être jeté hors de soi par le souci ou la préoccupation des choses qui vont survenir, tantôt dans une attente anxieuse, tantôt avec confiance dans le cours naturel des choses. Quand on parle d'une telle relation au monde, il ne s'agit donc ni de perception des choses (de la « transcendance immanente » selon Husserl et Merleau-Ponty), ni d'une attitude consistant à appréhender la chose comme étant présente « à portée de main », pour ainsi dire prête à un emploi. Il ne s'agit pas non plus du fait que l'existence est toujours finie, incarnée, perspectivale. Toutes ces acceptions du mot « monde » laissent de côté le fait que le monde possède un « esprit » parce qu'il fonctionne comme un corps social, comme une compagnie. L'esprit du monde désigne, dans le lexique spirituel, la façon dont l'individu s'intègre au groupe dans lequel il se reconnaît comme ayant telle ou telle place. L'esprit du monde, ce sont les coutumes, ou, comme dirait Durkheim, les *habitudes collectives* de l'homme social.

En fait, le thème existentiel de l'« être-au-monde » apparaît foncièrement équivoque. La puissance de ce concept spirituel de monde est inséparable du contexte dans lequel il prend son sens : celui d'une individualisation du sujet de la religion, je veux dire du sujet auquel s'adresse la religion. Il se produit une telle individualisation lorsqu'un être humain décide, soit d'abandonner toute participation aux cérémonies de ses parents et compatriotes (pour se retirer « au désert » et y vivre en « solitaire »), soit de superposer une discipline de salut personnel aux pratiques traditionnelles que lui commandent sa position dans le groupe. La phénoménologie existentielle a cherché à tirer parti de ce concept spirituel de monde pour récuser la position de l'idéalisme réflexif dans la théorie de la connaissance : loin qu'on puisse poser le sujet face aux objets et les considérant à distance, il faut concevoir ce sujet comme étant d'abord perdu dans les choses et comme ne revenant à lui-même qu'au prix d'une conversion. Mais dans cette transition de la discipline spirituelle à la théorie de la connaissance, le système conceptuel (monde, être hors de soi, être auprès de soi, etc.) se vide en réalité de tout ce qui faisait son contenu propre et sa richesse. Ainsi, l'aliénation spirituelle n'est plus le trait d'un perpétuel divertissement propre à la vie d'un courtisan, c'est seulement le fait pour un observateur d'être plongé dans son observation ou le fait pour un artisan d'être absorbé par l'ouvrage qu'il est en train d'exécuter.

Dans le discours *spirituel,* le monde apparaît comme un « esprit », une source de motifs d'agir, d'intérêts à défendre, de buts à atteindre, de tâches urgentes qu'il faut accomplir, de responsabilités qu'il faut assumer. Car le monde ne se réduit pas aux plaisirs des sens, aux délices de la chair et de la table, il y a aussi les « obligations mondaines », dont un modèle pourrait être l'obligation de rendre ce qu'on a reçu, de participer aux civilités, d'assurer le rang de sa maison et le futur de ceux dont a la charge.

Saint Sulpice, explique Bossuet, a reçu les trois grâces qui permettent de surmonter le monde, car il a connu successivement les trois états : vivre dans le monde sans être du monde, vivre dans le monde pour le combattre et en détacher les autres, se retirer du monde. Mais, pour expliquer cette hiérarchie des trois états, Bossuet part du dernier état, celui du solitaire. Le solitaire est quelqu'un qui fait son salut en se détachant du monde. Bossuet présente ensuite le chrétien dans le monde comme quelqu'un qui, à la différence du solitaire, se détache du monde sur place, par le combat et non par la fuite.

> Il y a des saints solitaires qui se sont tout à fait retirés du monde ; il y en a d'autres, non moins illustres, lesquels y vivant sans en être, l'ont, pour ainsi dire, vaincu dans son propre champ de bataille. Ceux-là, entièrement détachés, semblent désormais n'user plus du monde ; ceux-ci, non moins généreux, en usent comme n'en usant pas, selon le précepte de l'apôtre [I Cor., vii, 31] (*ibid.*, p. 131).

On pourrait donc dire, en reprenant le vocabulaire introduit au chapitre précédent, que Bossuet nous fait passer d'abord de l'*homme-dans-le-monde* (celui qui en a l'esprit, exactement comme le membre d'une compagnie prend l'esprit qui lui permet d'en être) au *renonçant*, puis du renonçant *extérieur* (le solitaire) au renonçant *intérieur* (le chrétien simple fidèle). C'est seulement au terme de son parcours que Bossuet retrouve l'évêque, l'apôtre, c'est-à-dire l'individu qui ne se contente pas de se détacher de l'esprit du monde, mais qui aide les autres à s'en libérer.

Dans la conclusion de son sermon, s'adressant à la reine et aux courtisans, l'orateur rappelle que, si la grâce du troisième état (retraite) est réservée à quelques saints, la pensée qui occupe les solitaires vaut également pour les hommes dans le monde. C'est l'occasion pour lui d'opposer l'expérience de l'homme qui use du monde à l'expérience de l'homme qui s'est détaché du monde (sur le mode intérieur). D'abord, Bossuet évoque la sérénité d'un homme qui, dans sa retraite, obtient d'être en paix avec lui-même.

> C'est dans la solitude que l'âme, dégagée des objets sensibles qui la tyrannisent, délivrée du tumulte des affaires qui l'accablent, peut commencer à goûter, dans un doux repos, les joies solides, et des plaisirs capables de la contenter (*ibid.*, p. 143-144).

Bossuet renvoie ensuite le courtisan à l'expérience de sa propre aliénation : « Vous sentez-vous dans ce tumulte, dans ce bruit, dans cette dissipation, dans cette sortie de vous-même ? » (*ibid.*, p. 144). La vie mondaine est une vie distraite d'elle-même, une perpétuelle « sortie de soi » qui empêche l'âme de se sentir elle-même, et surtout de se tourner vers l'«auteur de tout bien». On note que cette sortie hors de soi — littéralement, cette *extase* — ne consiste nullement à se projeter vers l'objet de perception (vers le pommier en fleur ou l'arbre le long de la grand-route, comme dans les scènes d'une phénoménologie de la conscience), mais à s'intéresser aux affaires urgentes qui nous sollicitent de tous côtés.

Bossuet esquisse enfin le portrait d'un homme de cour au faible caractère. Ce personnage sent bien qu'il se perd, mais ne parvient pas à échapper à la pression du monde, laquelle s'exerce sous la forme d'*obligations* mondaines. Voici ce texte remarquable :

> Mais l'on craint de passer pour un homme inutile, et de rendre sa vie méprisable (...) Il faut faire quelque figure dans le monde ; y devenir important, nécessaire, servir l'état et la patrie : *Patriæ et imperio, reique vivendum est.* Ainsi le temps s'écoule sans s'en apercevoir. Sous ces spécieux prétextes, on contracte chaque jour de nouveaux engagements avec le monde, loin de rompre les anciens. L'unique nécessaire est le seul négligé : tous les bons mouvements, qui nous portaient à nous en occuper, se dissipent ; et enfin, après avoir été le jouet du temps, du monde et de soi-même, on est surpris de se voir arrivé, sans préparation, aux portes de l'éternité (*ibid.*, p. 144).

L'attachement au monde se présente ici sous les « spécieux prétextes » de motifs qui paraissent éminemment respectables : *servir l'État, servir la patrie*. Quand un sermon nous parle de l'attachement au monde, nous nous attendons sans doute à ce qu'il évoque ce lien sous l'aspect des plaisirs sensibles ou des satisfactions de l'ambition. Mais, au-dessus de la vie de plaisir, il y a la vie consacrée aux autres, voire au bien public, dont la récompense est dans la réputation ou dans les honneurs civiques. Ces deux formes de vie sont ici condamnées. L'individualisme chrétien, qui éclate dans ce texte, enseigne une complète révolution dans les valeurs.

Ainsi, le monde pris au sens spirituel ne se limite pas aux objets sensibles d'une appétition, aux plaisirs de la bonne vie. Un homme qui vit dans le monde *selon l'esprit du monde* n'est pas seulement quelqu'un qui s'y complaît, ce peut être aussi quelqu'un qui remplit les obligations rituelles, cérémonielles, liturgiques, domestiques, tous les *devoirs* auxquels on ne saurait manquer sans heurter l'opinion humaine. C'est pourquoi il ne suffit pas de vivre dans l'austérité et le dévouement pour se détacher du monde, car les devoirs mondains nous détournent, eux aussi, de *l'unique nécessaire,* c'est-à-dire de ce qui est exigé de chacun par le souci de son salut. D'où le problème qui se pose à quelqu'un qui doit vivre dans le monde sans y vivre comme un homme vit normalement dans le monde, c'est-à-dire en « usant du monde », en adoptant l'« esprit du monde ». Comment faire pour « user du monde comme n'en usant pas » ? Comment départager ce qui est dû au monde et ce qui est dû à Dieu ?

Nous pouvons maintenant donner un sens plus précis à la notion d'une individualisation de l'être humain. Il ne s'agit pas pour lui d'acquérir l'individualité au sens de l'*individuation,* car il possède déjà cette sorte d'« être soi » du fait qu'il existe comme être humain, qu'il vit, et que, par conséquent, il « vit pour soi » comme le fait tout être vivant. L'individualité qu'il recherche suppose une modification de sa façon d'exister dans le monde, c'est-à-dire d'exister avec les autres qui, eux, agissent selon l'esprit de la compagnie qu'ils forment ensemble. Cette *individualisation* équivaut donc à une désocialisation.

L'homme devient individu (au sens normatif) quand il parvient à se désocialiser dans tel ou tel domaine (par exemple, par l'affirmation de la liberté de conscience contre une orthodoxie imposée par l'« esprit du monde »). Nous avons vu en quel sens la désocialisation de l'être humain était possible : même chez le renonçant, il n'est pas question d'une abolition de la vie sociale et de ses contraintes. De fait, renoncer à quelque chose, c'est en reconnaître la réalité, mais en modifier la signification du point de vue d'une appréciation de ce qui vaut. Le renonçant se désocialise, mais il ne le fait pas en abolissant, de façon imaginaire, la réalité de la vie sociale. Il choisit de s'en détacher, soit matériellement, comme le solitaire, soit « en esprit », comme celui qui vit dans le monde sans en user (tel le saint selon Bossuet ou le sage selon les Stoïciens). La vie pour soi — au sens de l'individualisme, pas au sens de la simple vitalité — n'est pas possible à l'homme-dans-le-monde. C'est pourquoi le renonçant accepte de n'être rien (du point de vue mondain), puisque c'est en somme le prix à payer pour *être soi* dans le sens individualiste.

Comment un renonçant (autrement dit un individu-hors-du-monde) peut-il se doter d'une morale active, c'est-à-dire trouver dans le monde des choses à faire ou à défendre ? Il me semble que la raison pour laquelle plusieurs philosophes d'aujourd'hui se sont tournés vers les Stoïciens (entre toutes les sectes de l'âge hellénistique) est qu'ils ont voulu leur demander le principe de leur solution. Ainsi, Foucault se demande pourquoi les diverses tentatives de « reconstituer une éthique et une esthétique du soi » qui ont été faites au XIXᵉ et au XXᵉ siècle n'ont pas donné les résultats qu'on escomptait (il cite les figures de Stirner, Schopenhauer, Nietzsche, le dandysme, Baudelaire, les penseurs anarchistes, etc.). Le langage de ces pensées individualistes s'est diffusé dans la culture générale, mais Foucault juge (à juste titre) qu'il reste vide. Toutes ces injonctions (« revenir à soi, se libérer, être soi-même, être authentique, etc.[2] ») déçoivent. Il semble bien que le problème que se pose Foucault soit de trouver le moyen d'échapper au formalisme vide du « Tu dois choisir d'être toi-même ». C'est une tâche urgente, dit-il, de « constituer une éthique du soi » parce que c'est seulement dans « le rapport de soi à soi » que nous pouvons trouver la base ou le point d'appui d'une *politique* (qu'il définit, de façon étroite mais somme toute traditionnelle dans la France d'Alain, par « la résistance au pouvoir »)[3].

Dans le langage qui vient d'être introduit, la question qui a conduit Foucault à relire les textes stoïciens pourrait se formuler ainsi : comment le changement des valeurs que constitue la définition du bien en termes de rapport à soi ou d'accord rationnel avec soi n'empêche-t-il pas les Stoïciens de développer une morale pratique, c'est-à-dire d'avoir le moyen de concevoir et d'assigner une signification aux institutions sociales de la vie humaine ? Quel est le secret de la conciliation stoïcienne entre accomplir ses devoirs et conserver sa liberté intérieure ? Ce secret, nous dit l'histoire de la philosophie, c'est l'invention du bien en un sens spécial du terme qui pour nous définit ce que nous appelons « le point de vue moral ».

XXXV

L'invention du bien
au sens moral

L'idée neuve et féconde de Louis Dumont est que le renonçant, qui fait retraite hors de la société holiste, et en ce sens la « refuse » ou la « nie », est un individu comme nous, à cette différence près qu'il n'est pas un révolutionnaire : il laisse en place cette société dont il se retire, il ne cherche pas à la reconstruire. Qui plus est, cette société lui assigne une place : le renoncement est lui-même une institution sociale, c'est-à-dire que cette conduite possède une signification sociale reconnue.

Dumont, comme Foucault, s'est appuyé sur les travaux de Pierre Hadot pour refuser une interprétation simplement politique de l'apparition, à l'âge hellénistique, des écoles de sagesse qui ont diffusé l'idée de la philosophie comme « art d'existence »[1]. Si l'on est tenté de voir dans la concentration sur soi du sage stoïcien un phénomène de repli plutôt qu'une invention, c'est par un anachronisme qui s'explique par notre sociocentrisme spontané. On croit pouvoir expliquer l'émergence d'un individualisme antique par la ruine de la cité grecque et l'unification du monde sous le pouvoir d'Alexandre parce qu'on pense, en somme, que l'individu était déjà là, qu'il était seulement empêché de se manifester à l'époque classique par la vigueur de la vie publique. En fait, l'individu n'était pas déjà là. Pour qu'il apparaisse progressivement, il a fallu que soit formé l'idéal du « sage détaché de la vie sociale ». Il faut donc parler d'une « émergence » et même d'une « création *ex nihilo* de l'individu comme valeur »[2]. Sans doute, la première mondialisation antique a pu créer un climat favorable à la diffusion de cet idéal. Mais ce processus d'unification géopolitique ne suffit pas à expliquer le surgissement d'une valeur radicalement nouvelle.

Les sectes hellénistiques enseignent des doctrines qui tranchent sur celles de la philosophie grecque classique (Platon, Aristote) par leur caractère individualiste. Parmi ces écoles de l'antiquité, les Stoïciens se signalent par leur effort pour concilier l'idéal de détachement et l'incitation à agir dans le monde. Comme l'écrit Victor Goldschmidt, tout le problème pour un interprète du système stoïcien est d'expliquer que, d'un côté, le stoïcisme « justifie et fonde la vertu active », « accepte et même ratifie tous les devoirs particuliers et concrets », mais que, d'un autre côté, il « réserve la liberté intérieure »[3]. L'énigme de cette philosophie est dans cette « conciliation », comme disent les historiens qui défendent la cohérence du système, ou dans ce « paradoxe », comme disaient déjà les adversaires du stoïcisme sous l'antiquité. Le stoïcisme enseigne à l'homme qu'il doit jouer son rôle dans le monde, mais l'idéal reste celui de l'indifférence. De là deux questions : *comment l'individu stoïcien (le sage) peut-il être détaché de la vie sociale, puisqu'il agit dans le monde ? comment peut-il agir dans le monde, puisqu'il en est détaché ?* Pour tenter de répondre à ces questions, le mieux est de revenir sur la façon dont ce problème s'est posé dans l'école stoïcienne elle-même dès la seconde génération succédant à celle de Zénon de Citium, le fondateur.

Les historiens parlent d'Ariston de Samos, élève de Zénon, comme d'un « dissident du stoïcisme[4] ». Cicéron nous rapporte sa position en ces termes :

> Ariston, après avoir été disciple de Zénon, soutint réellement la thèse que Zénon ne soutenait que verbalement : « Il n'y a de bien que la vertu, de mal que ce qui est contraire à la vertu » ; quant aux intermédiaires entre le bien et le mal, il pense, malgré Zénon, qu'ils n'ont aucune valeur ; pour lui, en cette matière, le souverain bien consiste à ne prendre parti ni d'un côté ni de l'autre, et c'est ce qu'il nomme [en grec] *adiaphoria*. Pyrrhon pense que le sage ne les sent même pas ; c'est ce qu'il nomme [en grec] *apatheia*[5].

Le mot grec *adiaphoria* veut dire : indifférence. La position d'Ariston est donc celle de l'« indifférentisme[6] » ou, comme on dit aussi, du « quiétisme[7] ». Sa thèse est dissidente pour deux raisons. D'abord, elle réduit la philosophie à la seule éthique, récusant ainsi le dogme stoïcien d'une unité nécessaire des trois parties de la philosophie (logique, physique, éthique). On verra plus loin l'importance de ce point pour le sens même de la doctrine stoïcienne. Ensuite, elle réduit cette éthique à l'énoncé d'un seul précepte général qui s'adresse au sage, éliminant ainsi la partie « parénétique » et « casuistique » de la morale, celle qui formule des préceptes particuliers pour des hommes placés dans des situations particulières. C'est pourquoi, du point de vue de l'orthodoxie stoïcienne, la position « quiétiste » d'Ariston se rapproche dangereusement de celle d'un sceptique comme Pyrrhon (ainsi que le rappelle Cicéron).

Ariston a contesté l'idée même de développer une morale pratique destinée à diriger les hommes dans des circonstances particulières. Nous connaissons par une lettre de Sénèque certains de ses arguments, parmi lesquels on retiendra celui du caractère indéfini et inépuisable d'une doctrine des « préceptes particuliers ». Une telle éthique est comme un gardien veillant au détail de la conduite qui dirait : « Marche ainsi, mange ainsi, voici qui convient à un homme, à une femme, à un mari, à un célibataire[8]. » Ariston, tel que Sénèque le fait parler, juge que le philosophe qui veut donner des conseils circonstanciés n'en finira pas : il faut une éthique de l'usurier, une éthique du cultivateur, une du marchand, une du courtisan, une de la jeune fille, une de la mère de famille, une de la veuve, etc. (*ibid.*, p. 15). L'enjeu est donc celui d'un code moral capable d'embrasser la diversité des situations humaines dans la vie sociale. Mais on n'en finira pas d'ajouter des préceptes particuliers à d'autres, sans parvenir à tout régler. Soit par exemple la morale domestique. « Penses-tu qu'il n'y ait pas de différence entre une femme stérile et une féconde, entre une vieille et une jeune, entre une mère et une marâtre ? Nous ne pouvons embrasser tous les aspects (*species*), et pourtant chacun veut une conduite différente. Or les lois de la philosophie sont brèves et englobent tout » (*ibid.*).

Ariston soutient que le sage doit, tel l'acteur, se plier aux circonstances, mais il n'est pas le personnage qu'il joue. Tel un bon acteur, il doit pouvoir jouer le rôle d'Agamemnon ou celui de Thersite (Diogène Laërce, VII, 160). Il n'a aucun motif de préférer le premier rôle au second. Le but de la philosophie n'est pas de guider quelqu'un dans le détail de sa conduite. Il est de libérer l'esprit de ses fausses opinions et de provoquer ainsi, d'un seul coup, la transformation libératrice (ou, comme on est tenté de dire : l'*illumination*). Par conséquent, Ariston aboutit à l'indifférentisme ou « adiaphorie » : il n'y a pas véritablement de différence en valeur entre une situation et une autre.

Chrysippe a rétabli l'orthodoxie stoïcienne en restaurant la solution de Zénon au problème qui se pose si l'on accepte les deux dogmes suivants : d'une part, il est indifférent au bonheur véritable du sage d'être en bonne santé plutôt que malade ; d'autre part, l'être vivant ne tient pas naturellement pour équivalent d'être en bonne santé plutôt que malade. Le problème qui se posait à Chrysippe demandait de sa part un effort dialectique, car, comme l'explique P. Hadot, il s'agissait en somme de ceci : comment compléter le précepte unique, qui ne peut être que formel, par une morale pratique qui permettra « de faire des différences dans les choses indifférentes et d'accorder une valeur relative aux choses en principe sans valeur[9] ». La doctrine des choses « préférables » va donner le moyen de définir, dans chaque cas, un *kathèkon*, c'est-à-dire une « action appropriée », ou encore, comme on peut traduire aussi, « ce qui incombe à tel ou tel », « ce qui est l'affaire de l'agent »[10].

Zénon avait distingué deux sortes d'indifférence (cf. Diogène Laërce, VII, 104). Il y a d'abord l'indifférence du point de vue des impulsions naturelles : par exemple, il nous est indifférent d'avoir ou non un nombre pair de cheveux sur la tête. Ensuite, il y a les choses qui répondent aux fonctions du vivant (organisées autour de la conservation de soi) et qui suscitent des impulsions d'appétence ou de rejet.

En partant de ce fait que certaines choses sont naturellement préférables, bien qu'intrinsèquement indifférentes à la satisfaction du sage, il est possible de fixer ce que chacun doit faire dans tel ou tel cas : il doit rechercher ce qui est préférable, *à condition* que l'événement qui apparaît préférable (du point de vue de l'impulsion naturelle) soit celui que lui assigne le destin (autre nom de la Providence). Le sage stoïcien va donc rechercher les mêmes biens que les hommes insensés, mais il les recherchera autrement, parce qu'il ajoutera à son projet une « clause de réserve » (*hypexairesis, exceptio*) qui lui permettra de rester en accord avec l'événement, et donc avec sa propre visée, au cas où la chose préférable (mais en soi indifférente) lui serait refusée par un concours de circonstances extérieures à sa volonté. La métaphore de l'archer illustre le sens qu'il faut donner à cette « réserve ». Le sage est comme un archer qui aurait simultanément un objectif (*skopos*), à savoir tel but à atteindre de sa flèche, et une fin véritable (*telos*), à savoir la satisfaction de soi dans un exercice impeccable de son art. Grâce à la clause de réserve, il peut dire : « Je me propose d'atteindre tel but (*skopos*) au moyen de ma flèche, mais ma véritable intention (*telos*) est que la flèche aille là où le destin a déterminé qu'elle doit aller. » Ou encore, pour prendre une autre métaphore, le sage stoïcien agit, mais comme un acteur qui serait le spectateur de son propre jeu[11].

C'est pourquoi le sage stoïcien ne se distingue pas du non-sage par le contenu et l'étrangeté de sa conduite (comme c'est le cas du philosophe cynique), mais plutôt par le style. J. Brunschwig explique le principe de la solution stoïcienne par une comparaison :

> La façon de donner, dit-on, vaut mieux que ce qu'on donne. Il serait à peine excessif de dire que c'est en poussant à ses dernières conséquences ce « principe » de civilité puérile et honnête que les Stoïciens ont inventé l'éthique, grâce à la définition d'un sens spécifiquement moral des mots « bien » et « mal »[12].

Cette remarque est très éclairante, à condition d'en saisir toute la portée. Brunschwig ne veut pas dire, bien entendu, que les Stoïciens ont été les premiers à traiter de l'éthique ou de la morale[13], mais plutôt qu'ils ont été les premiers à en traiter dans des termes qui nous paraissent aller de soi, alors qu'il s'agit en fait d'une création de leur part. Il ne veut pas dire non plus qu'aucun auteur stoïcien ait jamais enseigné qu'il fallait distinguer entre un sens « moral » et un sens « non moral » de l'évaluation. Au contraire, il explique que les Stoïciens ont eu beaucoup de mal à se faire comprendre de leurs contemporains, car le mot grec *agathon* n'est pas spécialisé dans l'un ou l'autre sens, de sorte qu'une bonne action est à la fois une action qui est bonne à quelque chose et une action qui a en elle-même un caractère qui la rend honorable ou « belle » (*kalon*), caractère que nous avons tendance aujourd'hui à appeler sa « moralité », sa bonté « du strict point de vue moral ». Ainsi, nous avons les moyens de comprendre la distinction des Stoïciens, car nous faisons nous-mêmes, grâce à notre conception de la « moralité » au sens de la « valeur intrinsèque » de quelque chose, une distinction analogue à celle qu'ils font entre le bien au sens de l'utile et le bien au sens du « beau » ou de l'« honnête » (donc de l'estimable).

Il s'ensuit qu'Ariston avait au fond raison de penser que le précepte du sage stoïcien se réduit à une injonction purement formelle. Goldschmidt explique ainsi ce qui arrive à la morale stoïcienne quand on croit pouvoir l'isoler du système pris dans son ensemble. Si nous l'isolons, l'impératif catégorique des Stoïciens se ramène à un précepte qui paraît formel et banal : « À chaque heure, applique-toi de tout ton soin (…) à faire ce que tu as sur les bras[14]. » C'est par la doctrine des préceptes particuliers que les Stoïciens échappent à ce vide et qu'ils peuvent exercer des fonctions parénétiques. Mais cela suppose en effet que l'éthique ne soit pas séparée du système, car c'est finalement la *physique* qui vient donner un contenu particulier au précepte universel qui nous dit de faire ce qu'il nous incombe de faire. Bréhier a souligné que Chrysippe n'avait pu repousser l'argument « intransigeant » d'Ariston qu'au prix d'un certain « opportunisme ». Ariston n'a fait que pousser jusqu'à ses dernières conséquences le principe enjoignant de s'occuper de soi. Pour pouvoir ajouter des conseils pratiques au « soin exclusif des choses de l'âme », il lui faut les tirer d'un principe normatif. Or, la simple position du « bien absolu » ne le lui fournit nullement un principe permettant de faire une différence entre des actions qui, au regard des valeurs absolues, sont justement indifférentes.

> Ces règles d'action, les Stoïciens n'ont su les trouver qu'en justifiant l'attachement de l'homme aux objets naturels de ses inclinations : lui-même, corps et âme, et les milieux dont il fait partie, famille, cité ou groupement d'amis. C'est la théorie des *préférables* et c'est sur elle qu'est fondée toute la parénétique : le conseil ne fait que formuler le parti le plus conforme aux inclinations naturelles[15].

La morale pratique est donc tirée, non pas d'un principe philosophique formel, mais de l'ensemble donné, et accepté, des « inclinations naturelles » de l'être humain. Or les Stoïciens comprennent dans ces inclinations non seulement des instincts, mais aussi la sociabilité : l'homme se retrouve dans sa famille, ses enfants, ses semblables, etc., et il étend ainsi autour de lui l'amour naturel qu'il se porte à lui-même.

La solution stoïcienne tient donc dans un dédoublement de l'évaluation sur l'action, de manière à pouvoir porter sur elle deux jugements, l'un qui en évalue la véritable bonté du point de vue de la liberté de l'agent, l'autre qui en évalue le bien fondé du point de vue des inclinations naturelles, lesquelles sont acceptées sous réserve d'un accord avec le Destin. C'est donc la morale elle-même qui se dédouble, le problème posé au philosophe étant de maintenir leur articulation. D'après les historiens, cette structure dédoublée a été reprise par les théologiens lorsqu'ils ont eu à compléter les commandements évangéliques (valeur absolue) par une morale sociale (loi naturelle). Dumont s'appuie sur les travaux historiques d'Ernst Troeltsch pour retracer la filiation qui conduit des Stoïciens à la doctrine jusnaturaliste de l'Église. Elle réapparaît encore, selon lui, dans la distinction que fait Hegel entre une moralité subjective (dignité de toute personne, impératif catégorique de Kant) et une éthique sociale (*Sittlichkeit*) propre à une société particulière et à un milieu particulier[16].

Les Pères de l'Église ont trouvé dans la doctrine stoïcienne « un outil intellectuel permettant de penser les institutions terrestres à partir de la vérité extra-mondaine[17] ». Dumont donne à cet outil le nom de *relativisation hiérarchique*[18].

> L'emprunt semble tout à fait naturel dès qu'on admet que le stoïcisme et l'Église étaient tous deux attachés à la conception extra-mondaine et à la relativisation concomitante de la vie dans le monde. Après tout le message du Bouddha à l'homme-dans-le-monde comme tel était de même nature : la moralité subjective et l'éthique constituent l'articulation entre la vie dans le monde et les commandements sociaux d'un côté, la vérité et les valeurs absolues de l'autre (*Essais sur l'individualisme*, p. 44-45).

Avec cette conclusion, j'ai atteint le terme du programme qui avait été fixé plus haut (cf. *supra*, chap. 32) : introduire un idiome conceptuel permettant de formuler les thèmes du « rapport à soi » de façon à en retenir le caractère *paradoxal*, au sens de contraire au simple sens commun et aux opinions du vulgaire, mais sans les difficultés, ou paradoxes logiques, cette fois au sens de contradictions ruineuses, qu'y produit l'emploi d'un idiome philosophique qui est censé s'appliquer à un sujet réflexif.

Il nous reste maintenant, pour compléter cette enquête sur le concept de sujet, à nous tourner vers le type anthropologique de l'*individu-dans-le-monde*. Ici encore, l'idiome hérité de la théorie de la connaissance (avec le sujet qui doit s'identifier à l'objet auquel il s'oppose) fait obstacle à la compréhension des problèmes que veulent poser les philosophes. Je chercherai à montrer que ces problèmes — discutés dans ce qui s'est fait connaître sous le nom de « philosophie moderne du sujet » — sont souvent ceux d'un individu-dans-le-monde. Nous savons maintenant en quoi ce personnage se distingue de son ancêtre le renonçant, ou individu-hors-du-monde. L'un et l'autre obéissent à un précepte qui ne peut être exprimé que par une injonction formelle. Or l'individu-hors-du-monde, ayant reconnu qu'il ne pouvait acquérir l'individualité qu'en renonçant à la vie dans le monde, accepte du même coup, soit de ne pas agir (et c'est l'indifférentisme d'Ariston), soit de recevoir les normes d'une action particulière *de l'extérieur* (et c'est la conciliation de Chrysippe). En revanche, l'individu-dans-le-monde se définit comme un individu qui n'accepte pas cette solution, qui ne reconnaît pas la légitimité, même relative, d'un ordre simplement donné de fait. La question qui se pose à lui est par conséquent d'échapper à l'indifférence en dérivant une morale pratique, et même une politique, à partir de son principe absolu. Tel est le problème posé par l'idéal d'une vie individualisée dans le monde.

XXXVI

Se contraindre soi-même

Kant définit ainsi le *devoir* (*Pflicht*) : « Le *concept du devoir* est déjà en lui-même le concept d'une *coercition* (contrainte) exercée sur le libre arbitre par la loi ; or, cette contrainte peut être une contrainte *extérieure* ou au contraire une contrainte exercée *par soi-même*[1]. »

Ainsi, l'explication du concept de devoir passe par un emploi du verbe « contraindre » à la forme réfléchie. Si quelqu'un a un devoir, il est astreint à faire quelque chose ou bien à éviter de faire quelque chose. Si ce devoir procède d'une loi morale (que pose la raison), alors il s'agit d'une contrainte que l'individu exerce sur lui-même. Il existerait donc quelque chose comme la contrainte exercée par soi-même sur soi-même (*Selbstzwang*). Bien plus, c'est seulement parce qu'un agent peut se contraindre lui-même qu'il peut avoir des devoirs.

Et, pourtant, est-il certain que la notion d'une contrainte réfléchie ait un sens ? Pour qu'elle en ait un, il faudrait que la construction pronominale « se contraindre soi-même » puisse s'entendre dans le sens d'une diathèse réfléchie.

Au moins à première vue, l'ordre d'analyse que fixe Kant consiste à poser successivement deux questions à propos d'une action faite par un agent, par exemple Pierre. Première question : Pierre a-t-il agi sous la contrainte ou non ? Supposons qu'il ait agi sous la contrainte. Nous demandons alors : s'agissait-il d'une contrainte extérieure ou d'une contrainte exercée par l'agent sur lui-même ? Cette question suppose qu'on puisse user du prédicat « contraindre quelqu'un à faire quelque chose » sous la forme réfléchie. Sachant que l'agent n'agit pas de lui-même, mais sous la contrainte, il reste à savoir si cette contrainte vient de lui ou d'un autre.

Mais que veut dire : l'agent s'est contraint lui-même à faire ce qu'il a fait ? Le tortionnaire peut contraindre son prisonnier à boire, mais un individu peut-il se contraindre lui-même à boire, par exemple, le verre d'huile de foie de morue que réclame son état anémique ? On a envie de dire que quelqu'un qui s'impose une tâche pénible parvient à exécuter celle-ci, bien qu'elle lui répugne, en *faisant un effort.* Or ce dernier verbe ne peut pas être compris comme un verbe réfléchi : s'efforcer, ce n'est pas faire par rapport à soi quelque chose qu'on pourrait faire par rapport à quelqu'un d'autre. S'efforcer, c'est travailler à accomplir quelque chose *de toutes ses forces,* ou du moins mobiliser toutes ses propres forces dans une tentative de faire quelque chose. Il est bien impossible que je fasse un effort en mettant à contribution *vos* forces et *vos* énergies au lieu des miennes. Il y a donc deux notions incluses dans le concept d'effort : celle de la modalité conative de l'agir (l'agent est entièrement engagé dans sa tâche, il y consacre toutes ses énergies) et celle du caractère incertain, parce que difficile, de cet acte dont le succès n'est pas garanti. On peut donc parler d'une présence personnelle de l'agent dans son action (ce sont *mes* forces que j'utilise), mais pas d'une action réfléchie, pas d'un rapport à soi au sens d'une réflexion de l'action sur l'agent. L'individu qui s'efforce de faire quelque chose a certainement un « rapport à soi ». Par exemple, il lui faut vaincre sa propre résistance, sa propre opposition à ce projet qu'il veut accomplir. Mais l'effort qu'il fait ne consiste pas à se faire faire la chose qui est à faire, comme il pourrait forcer quelqu'un d'autre à faire quelque chose de pénible en lui faisant violence. La diathèse causative exige non seulement qu'il y ait deux agents (l'actant de « forcer » et l'actant de l'action qu'il s'agit d'imposer), mais elle exige que ces agents soient des individus distincts.

Mais peut-être ne fallait-il pas entendre la contrainte exercée sur soi-même au sens réfléchi ordinaire, mais dans un autre sens qui serait d'ordre moral. « Moins l'homme peut être contraint physiquement, et plus il peut l'être moralement (par la simple représentation du devoir), plus il est libre[2]. » Il y aurait donc quelque chose comme une « contrainte morale », laquelle pourrait jouer lorsque la situation physique laisse l'agent libre de faire ou non quelque chose.

Kant donne un exemple : quelqu'un avait résolu d'employer

son temps à quelque chose de plaisant, par exemple d'aller à l'Opéra, et il était tellement décidé à y aller que rien ne semblait pouvoir l'en détourner (car il maintenait son projet en dépit des inconvénients qui en résultaient pour lui), mais nous le voyons renoncer aussitôt à cette sortie quand il découvre qu'il doit choisir entre aller à l'Opéra et consacrer sa soirée à prendre soin de son vieux père malade. Kant écrit que cet homme « témoigne au plus haut degré de sa liberté dans la mesure précisément où il ne peut résister à la voix du devoir (*die Stimme der Pflicht*) ». L'exemple de Kant met en scène quelqu'un que les difficultés et l'inconfort ne suffisent pas à détourner d'un projet. En revanche, la conscience de son devoir suffit à lui faire changer ses plans. Cet exemple suggère une distinction. Pour contraindre *physiquement* quelqu'un à agir, on exerce sur lui une pression physique, de façon à lui imposer de faire cette action bon gré mal gré. Pour contraindre quelqu'un à agir *de lui-même*, on exerce sur lui une « contrainte *morale* », c'est-à-dire qu'on agit sur sa liberté en lui « représentant » quelque chose qui a pour effet de le déterminer à agir. On le contraint donc à *vouloir faire* quelque chose. On lui impose d'avoir cette volonté.

Or cette distinction est certainement impossible et témoigne d'une confusion. Elle suppose qu'un être humain présente deux points faibles par où il est *contraignable* : on peut s'emparer de lui (de son corps) et lui faire exécuter des mouvements sans qu'il puisse s'y opposer ; ou bien on peut agir sur sa volonté (de ne pas faire quelque chose) par le moyen de « représentations ». Autrement dit, une puissance extérieure pourrait prendre le contrôle d'une personne, soit physiquement (en lui imposant des mouvements physiques), soit moralement (en lui imposant des mouvements de l'âme, à savoir des volitions). Mais cette conception des moyens de contrainte est fausse. Sans doute, il est fréquent qu'on fasse faire à quelqu'un ce qu'il répugne à faire en le menaçant, c'est-à-dire en lui représentant les conséquences qui s'ensuivraient s'il n'agissait pas comme on le lui demande. La conséquence pourra être, dans certains cas, qu'il sera puni. Elle pourra être aussi, lorsque c'est la « représentation du devoir » qui doit agir, que l'homme aura transgressé la loi morale et que sa conscience le condamnera. Pourtant, il y a cette différence que, dans le cas d'une contrainte physique, l'homme est contraint d'aller là où il ne veut pas aller parce qu'*il n'a plus les moyens* de faire ce qu'il veut (sa volonté s'entend maintenant de ce qu'il désirerait ou souhaiterait s'il le pouvait),

298 *Les éthiques du sujet*

alors que, dans le cas d'une contrainte dite morale, l'homme dit agir « contraint et forcé » parce qu'il lui a fallu *décider* de se soumettre ou alors de subir les conséquences.

Si l'on manque à distinguer ces deux situations, c'est en général parce qu'on adhère au mythe des volitions internes, c'est-à-dire qu'on cherche à rendre compte du caractère volontaire de l'action par la présence, dans l'agent, d'un état mental volitif, d'un événement vécu qui serait responsable des mouvements effectués par l'agent. Ces volitions internes sont des mythes enfantés par la philosophie, car elles reproduisent la difficulté qu'elles devaient résoudre. La question était de savoir en quoi une action volontaire se distingue d'une action involontaire. On répond que l'action volontaire est celle qu'engendre l'événement volitif, qui est un acte de vouloir. Mais cet acte de vouloir est-il volontaire ? Si l'événement volitif se produit involontairement, comment peut-il rendre volontaire l'action du sujet ? S'il se produit volontairement, qu'est-ce qui le rend volontaire ?

En fait, la notion d'un caractère *volontaire* de l'action n'est pas aussi univoque que le donne à donner le mythe mentaliste des volitions. En un premier sens de l'adjectif, il faut admettre qu'il y a des degrés du volontaire. En un second sens, on doit poser que le volontaire est une affaire de tout ou rien.

En un premier sens du mot, tout ce qui est fait volontairement n'est pas également volontaire. Aristote distingue deux cas (cf. *Éthique à Nicomaque*, III, 1) : d'une part, on doit parfois qualifier un comportement de purement et simplement involontaire (par exemple, celui de l'homme emporté par le courant ou par la foule) ; d'autre part, on trouve les exemples de quelqu'un qui agit à contrecœur, comme l'homme qui subit un chantage de la part du tyran (sa famille sera massacrée s'il ne commet pas tel acte déshonorant) ou celui du capitaine qui doit jeter la cargaison pour sauver le bateau pris dans la tempête. Dans de pareils cas, on dira que la conduite est involontaire lorsqu'elle est prise hors contexte, mais volontaire lorsqu'elle est prise dans son contexte.

Pourtant, dans un autre sens du mot, il faut trancher : il y a eu ou il n'y a pas eu une volonté de faire ce qui a été fait. Un adage du droit romain pose que : *coacta voluntas tamen voluntas est*[3]. La peur (*metus*) ne supprime pas la volonté, n'empêche pas d'avoir une volonté, mais elle détermine seulement la volonté que l'on a. On pourrait dire qu'une action visant à *déterminer* la volonté d'un agent (plutôt qu'à la supprimer) consiste à modifier la situation dans laquelle il se trouve (telle qu'il la perçoit). Agir sur sa volonté, c'est lui fournir des prémisses pour sa délibération, des raisons puissantes d'agir dans tel sens (qui ne serait pas celui qu'il retiendrait s'il n'y avait pas la menace ou la représentation d'une nécessité supérieure).

Or il existe une doctrine confuse du vouloir qui mélange les deux situations qui viennent d'être évoquées : l'individu n'aurait pas le choix, mais il aurait malgré tout une volonté. Il n'aurait pas le choix parce qu'on l'aurait contraint à avoir telle volonté déterminée plutôt qu'une autre. La théorie empiriste des volitions permet de rendre plausible cette idée d'une production (de l'extérieur) d'un état volitif dans le flux vécu de l'individu. Selon cette théorie, on pourrait légitimement demander si quelqu'un qui est sorti volontairement était libre ou déterminé dans sa volonté de sortir, autrement si sa volonté de sortir était bien sa propre volonté ou si elle n'était pas plutôt celle qu'un autre l'avait contraint d'avoir.

Il me semble qu'on trouve plus loin, dans le texte même de Kant, tout ce qu'il faut pour écarter cette conception d'une dynamique psychique confrontant les appétits sensibles à la « voix du devoir », et dont résulterait la détermination du vouloir. Prenons la volonté, non plus dans le sens empiriste d'un état volitif, d'une attitude s'exprimant dans le souhait que quelque chose se produise, mais bien dans le sens où vouloir obtenir quelque chose, c'est faire des efforts pour l'obtenir[4]. La volonté est alors cette recherche par l'agent vivant pour soi de son propre bien ou la poursuite de ses propres fins qui s'exprime dans sa conduite. Peut-on contraindre l'individu à vouloir, dans le sens d'avoir un but ou de se donner un but ? Peut-on contraindre quelqu'un à se fixer un but ? Kant soutient que non :

> Un autre peut certes me *contraindre* à faire quelque chose qui n'est pas ma fin (mais uniquement un moyen en vue de la fin d'un autre), mais non pas à *m'en faire une fin*, et en tout cas je ne peux me proposer aucune fin sans la faire mienne (*doch kann Ich keinen Zweck haben, ohne ihn mir zu machen*). Cela reviendrait à se contredire soi-même : ce serait un acte de la liberté (*ein Akt der Freiheit*) qui pourtant, en même temps, ne serait pas libre. Mais se donner à soi-même une fin qui est en même temps un devoir, ce n'est pas une contradiction, parce que je me contrains alors moi-même (*weil ich da mich selbst zwinge*), ce qui est parfaitement compatible avec la liberté (*ibid.*, p. 220).

Il y aurait contradiction à ce que je *me propose* un but qui *ne serait pas le mien* puisqu'il me serait imposé. L'impossibilité que relève Kant n'est pas physique, elle est logique.

Il convient ici de distinguer la fin qui est celle *de l'action* de celle *de l'agent*. Il est possible de me contraindre à faire quelque chose dans un but qui n'est pas le mien. Cela peut arriver de plusieurs façons, qui se répartissent entre deux cas extrêmes : une situation de totale aliénation à l'égard des fins de mon action (si je travaille en vue d'un but qui n'est pas le mien, soit que je ne le connaisse pas, soit que je ne puisse rien faire pour empêcher l'utilisation de mes travaux par quelqu'un d'autre), ou bien un rapport dans lequel je mets délibérément mes forces et mon jugement au service d'un projet qui est celui de quelqu'un d'autre (le donneur d'ordre ou le maître). Par exemple, le salarié travaille normalement dans un but qui lui est propre (à tout le moins gagner un salaire) et dans un but étranger (fixé par l'employeur). Pour exprimer de tels partages de l'agir, il convient d'avoir recours à la diathèse *causative* (cf. *supra*, chap. 10) : le jardinier plante des fleurs dans le jardin de son maître, le maître fait planter des fleurs dans son jardin. La même action est présentée deux fois : d'abord, comme l'action d'un agent immédiat (l'employé), ensuite, comme l'action d'un agent réel (l'employeur). Or la diathèse causative peut couvrir tous les degrés d'un partage de l'agir. L'agent immédiat est-il un pur « instrument vivant » (c'est-à-dire un esclave) ou un collaborateur ? La forme syntaxique ne suffit pas à l'indiquer. « Contraindre » apparaît alors comme le verbe auxiliaire causatif que nous employons pour dire que l'agent immédiat n'avait pas le choix, que tout le principe de l'agir était dans l'agent principal[5].

Soit une action signifiée par un verbe « Φ » et supposons qu'il s'agisse d'une action qu'on puisse contraindre quelqu'un à faire dans le seul sens à retenir du verbe « contraindre à », qui est le sens d'une nécessitation physique. On peut me forcer à Φ, je peux m'efforcer de Φ, mais quand je m'efforce de Φ, je ne le fais pas en me forçant à Φ dans le sens où je peux forcer quelqu'un d'autre à Φ, autrement dit je n'exerce pas sur moi une contrainte qui ait pour effet de nécessiter mon acte de Φ.

Kant écrit qu'il n'y a pas de contradiction à dire que quelqu'un s'est librement donné pour fin de faire ce qu'il était dans son devoir de faire. Il écrit que « ce n'est pas une contradiction parce que je me contrains alors moi-même, ce qui est parfaitement compatible avec la liberté ». En effet, cela n'est pas contradictoire, car le terme « devoir » est pris ici au sens d'une nécessitation *déontique*, pas physique. C'est seulement librement que quelqu'un peut agir par devoir. Autant dire que, dans cette construction pronominale, le verbe « contraindre » n'a plus le sens d'une action par laquelle l'agent exerçant la contrainte prive un autre agent de la liberté de ses mouvements. Par conséquent, la forme « se contraindre soi-même » ne peut absolument pas être comprise dans le sens (impossible) qu'il faudrait lui trouver si elle correspondait à une diathèse réfléchie.

XXXVII

S'obliger soi-même

Kant, après une introduction générale, commence sa *Doctrine de la vertu* par l'observation suivante : « Le concept de devoir envers soi-même (*Pflicht gegen sich selbst*) contient (en première apparence) une contradiction[1]. »

L'homme a des devoirs à l'égard de lui-même. Plusieurs philosophes l'ont enseigné. Mais ils entendaient en général par là des devoirs concernant sa propre personne qui faisaient partie de ce que l'homme doit aux autres, ou bien à son Créateur : par exemple, le devoir de se conserver en bonne santé ou de se cultiver. Plus rares sont ceux qui, comme Wolff, ont conçu ces devoirs comme procédant d'une obligation de viser sa propre perfection et non d'une dépendance à l'égard d'une instance normative extérieure à l'individu[2]. Dans ce cas, le devoir envers soi-même est quelque chose que l'individu se doit à lui-même, une obligation qu'il a envers sa propre personne. Pour sa part, Kant doute si peu qu'il y ait de tels devoirs qu'il va même pousser l'intériorisation des obligations jusqu'à sa conséquence ultime : les devoirs *envers les autres* sont des choses que l'on se doit *à soi-même* de reconnaître et de faire. « Je me le dois à moi-même[3] » est pour lui la formule génératrice de toute obligation concevable.

Kant admet néanmoins qu'à première vue les verbes « devoir quelque chose à quelqu'un » ou « obliger quelqu'un à faire quelque chose » n'ont pas d'usage réfléchi. Il donne deux versions de la contradiction qu'il aperçoit.

Selon la première version de la contradiction, on ne peut pas concevoir que le même individu soit à la fois le premier actant et le second du verbe « obliger quelqu'un à faire quelque chose ». Kant écrit que dans le devoir à l'égard de soi-même « le moi qui oblige est aussi le moi qui est obligé ». Qui sont ces personnages du « moi qui oblige » et du « moi qui est obligé » ? Cet emploi substantivé du pronom (« le moi ») n'a pas d'autre fonction, semble-t-il, que de marquer une position dans un système de relations. On demande : qui demande que quelque chose soit fait ? qui doit le faire ? Dans les deux cas, la réponse est : moi. Et, par conséquent, il suffirait que je cesse de demander pour que je cesse d'être obligé. C'est pourquoi le concept paraît contradictoire.

La contradiction ne vient pas, bien entendu, de ce qu'un même individu est à la fois actif et passif : c'est en effet ce qui se produit dans n'importe quelle action réfléchie de l'agent. Kant explique ainsi la contradiction (apparente) : Pierre, lorsqu'il a un devoir envers lui-même, est *obligé de s'obliger*. « La proposition qui exprime un devoir envers soi-même (je *dois* m'obliger moi-même) contiendrait une obligation d'être obligé » (*ibid.*). Il veut dire peut-être : si Pierre est obligé de faire quelque chose, et si c'est Pierre qui réclame ce quelque chose, il suffit que Pierre renonce à sa réclamation pour que l'obligation disparaisse. À moins, dira-t-on, que Pierre ne puisse pas renoncer à réclamer ce qui lui est dû. Mais, alors, il est obligé d'obliger, c'est-à-dire qu'il n'est plus celui qui oblige. Dans ce dernier cas, il y a deux obligations distinctes en jeu, comme lorsque le capitaine reçoit de ses supérieurs l'ordre de commander le départ de ses troupes.

Cette première explication de Kant reste obscure parce qu'elle cherche à énoncer une relation d'obligation comme une relation de contrainte, donc une relation dyadique entre un sujet actif et un sujet passif. On se heurte alors de nouveau aux difficultés logiques d'une notion réfléchie de la contrainte.

La seconde version que donne Kant de la contradiction est bien plus éclairante : « Celui qui oblige (*auctor obligationis*) peut toujours libérer de son obligation (*terminus obligationis*) celui qui est obligé (*subjectum obligationis*) ; par conséquent (si tous deux sont un seul et même sujet[4]) celui qui oblige n'est nullement lié à un devoir qu'il s'impose à lui-même — ce qui contient une contradiction[5]. » Dans cette seconde explication, Kant use d'un schéma syntaxique trivalent. En effet, le verbe « obliger » est triadique : il faut identifier le premier actant (à savoir l'auteur de l'obligation), le second actant (ce qui fait l'objet de l'obligation), et enfin le tiers actant (celui à qui l'obligation est faite).

La personne obligée n'est plus représentée comme un objet sur lequel un agent exerce une contrainte (sur le modèle physique d'une poussée exercée sur une masse inerte ou sur un adversaire), mais comme un attributaire. La réflexion qui est ici en jeu ne va donc pas de l'objet au sujet, mais du tiers actant au premier actant.

On pourrait dire qu'avec cette seconde explication, Kant échange une notion indéterminée de devoir contre celle, plus précise, d'un *debitum*, de ce qui est dû en vertu d'une obligation ou d'une dette. La difficulté logique devient alors flagrante, car la structure triadique du concept de dette est claire : il y a la personne du créancier, la personne du débiteur, et enfin l'objet de la dette. La contradiction s'explique maintenant ainsi : avoir une obligation à l'égard de quelqu'un, c'est dépendre de lui comme le débiteur est lié à son créancier. Or il n'y a que deux façons de se libérer de sa dette : on peut la payer, ou bien on peut prier le créancier de la remettre. Mais si mon statut d'obligé peut être levé par moi, c'est que je ne suis pas vraiment obligé. Je ne peux pas être en dette (*schuldig*) à l'égard de moi-même.

Kant attire donc notre attention sur la logique du concept d'obligation. Le verbe « obliger » est triadique : il doit relier un objet (*terminus obligationis*) à un couple de personnes. Et, par conséquent, si un individu a des obligations à l'égard de lui-même, il faut que l'individu soit représenté comme un couple de personnes.

Selon la définition classique de la notion juridique d'obligation, il ne peut y avoir une obligation que s'il est possible de déterminer un « lien de droit » (*juris vinculum*) entre deux personnes[6]. Dans le droit romain, explique Michel Villey, l'*obligatio* n'est pas conçue du point de vue de l'obligé, donc comme une charge ou un état d'astreinte. On y voit plutôt une *chose* qui peut être répartie, transmise, divisée, etc.[7]. « On ne parle d'obligation en droit romain que lorsque existe ce que nous appelons aujourd'hui un *droit personnel* ou, pour parler comme les Romains, chaque fois qu'un créancier dispose contre un débiteur, ou la caution d'un débiteur, d'une *actio in personam* (plus tard de voies de contraintes analogues, et quelquefois moins efficaces tendant au même but) » (*ibid.*, p. 206). Toutes ces notions ne trouvent à s'appliquer que dans le contexte d'une vie sociale.

On retrouve quelque chose de cette notion romaine dans

l'explication du civiliste Pothier. Après avoir mentionné un usage plus étendu du terme, usage qui est au fond étranger au droit, il dit ce que sont les obligations proprement dites, ou « obligations parfaites » :

> Le terme d'obligation dans un sens plus propre et moins étendu ne comprend que les obligations parfaites, qu'on appelle aussi engagements personnels, qui donnent à celui envers qui nous les avons contractés le droit d'en exiger de nous l'accomplissement (...) Les jurisconsultes définissent ces obligations ou engagements personnels un lien de droit qui nous astreint envers un autre à lui donner quelque chose ou à faire ou à ne pas faire quelque chose (...)[8].

On voit alors d'où vient l'apparence d'une contradiction : si nous désirons parler d'une obligation parfaite, il faut que nous puissions indiquer un lien social entre celui qui a contracté l'obligation et celui qui détient le droit d'en exiger l'accomplissement. Si nous prenions le terme au sens vague de l'« obligation imparfaite », nous aurions justement affaire à un « devoir » du sujet auquel ne correspond aucun droit chez un autre. Tel est, dit Pothier, le « devoir de charité » : lorsque je remplis ce devoir, je n'accomplis pas quelque chose à quoi l'autre personne aurait droit de quelque façon. Il n'y a pas un droit du malheureux voyageur à être secouru par le bon Samaritain, seulement une situation de détresse de sa part, à laquelle répond le Samaritain par un devoir d'humanité et non pas du tout en vertu d'une obligation à l'égard de cet inconnu. Sans doute peut-on prétendre que ce devoir, qui est unilatéral du point de vue humain, n'en est pas moins une obligation que lui fait la Loi divine. Il serait donc bilatéral, comme doit l'être une obligation en bonne et due forme. Mais, même s'il en était ainsi, il manquerait la sanction du droit (*actio in personam*). C'est donc la pseudo-obligation, ou « obligation imparfaite », qui ressemble le plus à un devoir envers soi-même.

Ces remarques sur la logique du concept d'obligation doivent nous porter à tenir en suspicion les usages irresponsables qui sont souvent faits du prédicat « avoir l'obligation de (...) », je veux dire les usages qui ne permettent pas de concevoir un espace suffisant pour son application métaphorique. Les livres de morale nous parlent abondamment de nos obligations (morales). Mais comment peut-il y avoir une *obligation* morale ? Où est le lien social, le « lien de droit » entre l'équivalent d'un créancier et l'équivalent d'un débiteur ? En quoi autrui dispose-t-il d'un pouvoir de coercition ? Et, si je suis l'auteur de mes obligations morales, quelles sont mes voies de contrainte à l'égard de moi-même ? Ces livres le disent-ils ?

Kant est, bien évidemment, tout le contraire d'un penseur irresponsable, et il n'est donc pas surprenant qu'il se soit demandé comment donner à ce concept d'obligation une forme réfléchie. Kant a posé un problème *logique*, et pas seulement un problème *moral*, lorsqu'il a cherché à déterminer le devoir moral comme étant une obligation en bonne et due forme. Sa solution est exactement à la mesure de la difficulté rencontrée : pour qu'on puisse dire que je me dois certaines choses à moi-même, il faut et il suffit de définir un lien de droit entre moi-même et moi-même. D'après lui, la conscience commune témoigne de ce que nous admettons un tel lien, car nous disons : *Je me le dois à moi-même.*

Pour comprendre la teneur de sa solution au problème qu'il a posé et être en mesure d'en apprécier la portée, il nous faut passer par le détour d'une remarque sur ce que je propose d'appeler la « philosophie des verbes sociologiques ».

XXXVIII

Philosophie des verbes
sociologiques

Les actes de discours, comme déclarer, demander, poser une
question, y répondre, avertir, promettre, féliciter, etc., peuvent
être accomplis sous une forme explicite : « je déclare que… »,
« je demande si… », etc. Ils sont nécessairement accomplis à la
première personne. Ce ne sont donc pas les actes d'un locuteur
simple (comme est censé l'être le sujet philosophique qui se
pose lui-même dans son ipséité singulière en disant « je »). Le
locuteur qui parle ici est un sujet double : *moi-celui-de-nous-deux-
qui-a-présentement-la-parole* (cf. *supra*, chap. 16). Toutefois, un tel
sujet double ne requiert pas toujours la réunion de deux individus distincts, de deux personnes physiques. Pour avoir les deux
personnes grammaticales (*moi, toi*), il suffit qu'un individu
puisse intérioriser la relation dialogique entre locuteur et interlocuteur et jouer tour à tour le rôle d'un auteur de l'acte et
celui d'un destinataire. Wittgenstein observe qu'il existe un
usage « monologique » (*monologisch*) du langage. Il est concevable que quelqu'un parle tout seul, et même qu'il ne fasse usage
du langage — du même langage que nous — que pour se parler à lui-même. « Un être humain peut s'encourager lui-même,
se donner à lui-même des ordres, obéir à lui-même, se blâmer
et se punir lui-même, il peut se poser à lui-même une question
et y répondre lui-même » (*Recherches philosophiques*, § 243).
   On peut tenir de tels échanges discursifs avec soi-même pour
une *variante*, un cas particulier, d'un échange entre deux personnes distinctes. C'est justement ce que fait Wittgenstein au
cours de sa discussion du concept d'intention (*ibid.*, § 630) :
pour fixer le statut de l'intention, il compare deux jeux de langage (commander à quelqu'un de faire un mouvement, prévoir

que quelqu'un fera un mouvement). Le premier jeu de langage (commandement) peut se jouer à plusieurs ou en solitaire : l'écolier peut se donner à lui-même des ordres (au lieu de les recevoir du professeur de gymnastique) et les exécuter. Wittgenstein parle alors d'une *variante* du jeu consistant à donner un ordre et à l'exécuter.

Comment se fait l'intériorisation d'un rapport dialogique ? En quoi l'usage monologique est-il une variante de l'usage dialogique commun ? Soit l'acte consistant à poser une question (à quelqu'un). Il y a mille raisons possibles de poser une question à quelqu'un : ce peut être par exemple pour lui faire sentir qu'il est ignorant, ou encore pour lui faire passer un examen scolaire. Mais supposons que je pose une question à quelqu'un d'autre parce que je me figure qu'il possède la réponse que je cherche. Et supposons aussi que mon interlocuteur ne possède pas cette réponse et qu'il doive travailler pour la trouver. Alors on peut concevoir que je me charge moi-même de ce travail au lieu d'avoir recours à ses bons soins.

Le point décisif est qu'une question posée par moi est *adressée* à quelqu'un en particulier, mais qu'en principe cette question est intelligible comme la question qu'elle est par n'importe qui. Et, si n'importe qui peut comprendre quelle est la question et éventuellement donner la réponse, alors je peux le faire aussi, moi qui suis l'auteur de la question. Imaginons en effet que je veuille interroger mon collègue de bureau sur un point de fait qu'il connaît, et que, voyant qu'il n'est pas là, je lui laisse une note manuscrite avec ma question, par exemple : « Quelle est la capitale de l'Uruguay ? » Le lendemain, je constate que ma note est restée là où je l'avais placée (car mon collègue est en vacances). La question inscrite sur la note s'adresse aussi bien à quiconque lit cette note et désire, pour une raison quelconque, y répondre. Le fait que je sois l'auteur de la note ne change rien au fait que la feuille de papier est porteuse d'une interrogation en bonne et due forme. Il ne me reste plus qu'à chercher par moi-même dans une encyclopédie la réponse à ma question.

Si le monologue est une variante du dialogue, c'est parce que les verbes utilisés dans le dialogue pour marquer les actes de discours (ou « verbes dialogiques ») restent tels quand ils figurent dans cette variante. Le rapport de soi à soi qu'instaure un acte monologique de discours est encore un rapport dialogique ou, si l'on préfère, un acte « intersubjectif » : il va du sujet d'un acte au sujet d'un *autre* acte, sans qu'il y ait une condition de différence entre ces deux sujets. Seuls les deux actes doivent être distincts. Se poser une question à soi-même est possible parce qu'on a bien les deux composantes de l'acte de discours interrogatif : une question a été posée, quelqu'un qui prend connaissance de cette question accepte d'y répondre. Toutefois, l'individu ne peut pas jouer les deux rôles sans faire ce qu'il faut pour *remplacer* l'interlocuteur absent. Par exemple, il doit chercher dans un livre la réponse à la question. Sinon, le sens du verbe « questionner » se modifie en passant à la forme réfléchie. Ainsi, je peux utiliser dans mon discours les mots « Je me demande quelle est la capitale de l'Uruguay ». Mais si je réponds immédiatement : « C'est Montevideo », la preuve est faite que j'avais employé la forme d'un acte interrogatif de façon purement rhétorique, pour mettre en valeur la réponse que j'avais déjà à ma disposition. Ma forme interrogative réfléchie ne conserve un sens interrogatif que s'il y a une distance suffisante entre l'auteur de la question et l'auteur de la réponse, un intervalle qui permette à l'individu de se rendre capable de répondre à sa propre question.

Wittgenstein fait justement une remarque en ce sens à propos du verbe « se parler à soi-même ». Quand on dit que quelqu'un se parle à soi-même, on veut dire normalement qu'un individu est en train de parler et qu'il est la seule personne en train d'écouter. Mais que se dit cet individu dans son monologue ? Est-il possible qu'il se *dise* des choses à soi-même, dans le sens de *faire savoir* ? « Si je regarde quelque chose de rouge et que je me dise "Ceci est rouge", est-ce que je me donne par là une information ? Suis-je en train de me communiquer une expérience personnelle[1] ? » Puis-je me transmettre à moi-même une information ? Le verbe « informer » est le causatif du verbe « savoir » : *informer, c'est faire savoir*, c'est faire que quelqu'un sache quelque chose. Par conséquent, il est impossible de se faire savoir quelque chose à soi-même si la chose à découvrir est une chose déjà connue de soi. Aucun changement n'a lieu dans le statut du destinataire. On peut certes *rappeler* quelque chose à quelqu'un (qui ne peut pas être soi), mais c'est parce qu'il l'avait perdu de vue ou oublié. On peut également organiser son carnet personnel de façon à se faire savoir quelque chose dans le futur, par exemple la date d'un rendez-vous. En revanche, il n'y a pas de communication de soi à soi dans le présent, comme l'exigerait une construction réfléchie du verbe « informer ». Si l'on tenait à utiliser une forme réfléchie de ce verbe, il prendrait aussitôt une valeur récessive, à la façon des verbes « s'aviser », « s'apercevoir », etc.

Qu'en est-il maintenant d'un *ordre* que je me donne à moi-même ? Ici encore, soumettons cet acte de discours à l'épreuve de l'extériorisation. Pour me donner un ordre à moi-même, je procéderai ainsi : je coucherai par écrit cet ordre sous la forme d'une phrase impérative écrite sur une feuille de papier, par exemple « Cesse de fumer à partir de cet instant même et pour toujours ». Ensuite, je glisserai la feuille dans une enveloppe, je me ferai parvenir cette enveloppe (par exemple par la voie postale). En ouvrant l'enveloppe, je tombe sur la feuille de papier et j'y lis une phrase à l'impératif. Est-ce un ordre que je reçois ? Mais, tout ce qu'il y a sur la feuille, c'est une phrase à l'impératif. Or un énoncé à l'impératif n'est pas comme tel un ordre : c'est tout au plus une demande. Pour que cette demande ait la force d'un commandement, il faut qu'elle soit faite en vertu d'une autorité que l'auteur de la demande possède sur le destinataire.

Pour que je puisse me donner à moi-même des ordres, et pas seulement des demandes ou des directives, il faut que je sois subordonné à moi-même. Mais depuis quand suis-je placé sous l'autorité de moi-même ? Par conséquent, je peux bien me parler à moi-même en usant de la forme impérative, mes commandements cessent aussitôt d'avoir valeur de commandement et deviennent des exhortations. Le verbe « commander » ne paraît pas pouvoir conserver son sens quand on le construit avec le pronom réfléchi.

On peut bien entendu concevoir toutes sortes de situations dans lesquelles un individu a reçu une fonction d'autorité qui s'exerce sur diverses personnes, dont lui-même. Ainsi, le maire du village a pris un arrêté fixant les conditions dans lesquelles se fera le stationnement des voitures le samedi, jour du marché. S'il doit lui aussi se conformer à ce règlement, ce n'est pas parce qu'il possède une autorité spéciale sur lui-même, mais plutôt parce qu'il lui appartient, comme maire, d'édicter ce règlement général et qu'il lui faut, comme habitant du village, en respecter les articles. Ou bien le capitaine peut donner un ordre : tout le monde à bord doit porter sa ceinture de sauvetage. Puisque l'ordre vise quiconque se trouve à bord, il s'applique également au capitaine. Dans de telles situations, on peut en effet parler d'un lien de subordination à soi. Comme on le voit, l'expression de ce lien n'exige aucune diathèse réfléchie subjective. De même que le barbier du village rase toutes les barbes du village, y compris la sienne, le maire du village limite le stationnement en ville de toutes les voitures du village, y compris de la sienne.

Il apparaît ainsi que certains verbes dialogiques peuvent être construits selon la diathèse réfléchie et conserver leur sens (ainsi, « poser une question »), alors que d'autres verbes dialogiques ne le peuvent pas. Est-il possible d'indiquer ce qui fait qu'un verbe dialogique peut ou ne peut pas devenir monologique ? Ou, si l'on préfère, peut-on dire ce qui fait qu'un acte dialogique peut, ou ne peut pas, s'intérioriser, c'est-à-dire être accompli par un et un seul individu ?

Pour poser cette question sous une forme générale, je prends la liberté d'ajouter quelques termes au « jargon », déjà introduit ci-dessus, des « verbes psychologiques » (cf. *supra*, chap. 23). Je me propose de définir, parmi les verbes dialogiques, une sous-classe des « verbes sociologiques ».

Wittgenstein a forgé l'étiquette de *verbe psychologique* pour une classe de verbes dont il a donné un signalement en termes de grammaire philosophique. Ces verbes ont en commun le trait d'une asymétrie entre la première et la troisième personne de l'indicatif présent du point de vue épistémologique. La « philosophie de la psychologie », titre que donne Wittgenstein à plusieurs ensembles de notes, est donc une réflexion sur cette particularité *grammaticale*. Elle explique par ce trait des concepts psychologiques le statut particulier parmi les sciences de la discipline qu'on appelle « psychologie ».

Sur ce modèle, je propose d'appeler *philosophie des verbes sociologiques* l'analyse de certains verbes dialogiques présentant le trait grammatical suivant : ils ne comportent pas véritablement de forme réfléchie. Lorsque ces verbes sont construits avec un pronom réfléchi, ils changent de sens. Et la raison de cette mutation sémantique est que ces verbes expriment des concepts sociaux, des concepts qui ne sauraient s'appliquer qu'à l'homme social, pas à l'Homme naturel dont les théories artificialistes de la société ont posé la figure.

Je ne sais pas si Wittgenstein a jamais employé le mot « sociologie ». Il est clair que ce terme ne figure pas dans son vocabulaire habituel, ni dans celui des divers milieux philosophiques qu'il a traversés. Pourtant, c'est à une de ses analyses que j'emprunterai l'exemple qui permettra de définir cette notion d'un « verbe sociologique ».

Au cours de sa discussion des conceptions philosophiques qui font appel (consciemment ou non) à quelque chose comme une langue privée que construirait le sujet, Wittgenstein applique le procédé réfutatif qui consiste, comme il dit, à révéler le non-sens latent ou caché d'une expression en la réduisant au non-sens évident d'une autre expression qui lui est parallèle (*Recherches philosophiques*, § 464). Ici, l'expression dont il s'agit de dévoiler le non-sens est : « se donner à soi-même une explication privée du sens d'un mot désignant une sensation ». Une telle explication voudrait fixer le sens d'un nom de sensation en associant deux opérations : d'une part, proférer ce mot ; d'autre part, diriger son attention vers une sensation présente. Par exemple, le sujet dirait : « j'appelle "sensation de rouge" la sensation que j'ai présentement ». Il ne va pas de soi qu'un tel acte serait nul et sans effet, puisque bien des théories ont voulu fonder le langage et la connaissance sur des opérations privées de ce genre, dans une relation d'*ego* à ses vécus.

Wittgenstein fait alors cette comparaison : il est aussi impossible de donner en privé un nom à une sensation qu'il est impossible à ma main droite de faire un cadeau à ma main gauche et à la main gauche d'accuser réception (*Recherches philosophiques*, § 268). Le non-sens d'une opération de « don privé » est patent. Quels que soient les gestes effectués par un individu, ce que la main droite dépose dans la main gauche n'a pas le statut d'un don, ni le papier que signe la main gauche le statut d'un reçu, car ce transfert matériel n'a pas les conséquences d'une donation, et le papier signé ne peut pas être traité comme étant un reçu. Pourtant, les gestes ont été effectués. Oui, mais ils ont été effectués entre un individu et lui-même, ce qui veut dire dans ce cas qu'il n'en résulte rien. Si l'on demande : « Et maintenant, qu'est-ce qui s'ensuit ? », la réponse est que les choses sont comme avant. Rien n'a été donné. Mais c'est pour la même raison que l'idée même d'un sujet donnant des noms privés à des sensations est absurde. L'opération d'association d'un signe et d'une sensation n'a rien engendré. Rien n'a reçu un nom. Le signe n'a pas du tout été imposé. En effet, la définition ostensive privée ne fixe aucune règle pour les utilisations ultérieures du signe à d'autres occasions. Faute d'une règle gouvernant l'usage du signe et déterminant son statut de nom, l'opération privée n'a produit aucun effet. Le sujet a cru identifier la sensation à nommer en concentrant sur elle l'attention de son regard mental, mais il n'a rien identifié de tout, et c'est pourquoi *rien* n'a reçu pour nom le signe qu'il avait sélectionné à cet effet.

Ainsi, le verbe « donner » ne conserve pas son sens ordinaire lorsqu'il est employé sous une forme réfléchie. Quelqu'un qui se donne à lui-même quelque chose ne se fait pas, à proprement parler, un cadeau. Donner à dîner à quelqu'un est un acte typiquement social. Pourtant, nous savons qu'il peut arriver ceci : ce soir, *Lucullus dîne chez Lucullus*. Ce fait explique, certes, les préparatifs d'un festin qui, chez d'autres, signaleraient qu'on attend des invités à dîner. Lucullus est un gourmet qui tient à faire un aussi bon repas que s'il devait honorer des hôtes. Il est donc possible d'être aussi bien traité chez soi qu'un invité de marque, mais cela ne fait pas, malgré tout, que Lucullus puisse s'inviter lui-même à dîner. On ne saurait dire que Lucullus entretient des rapports d'hospitalité avec lui-même.

Les paradigmes d'un verbe sociologique sont à chercher dans les deux listes que donne Tesnière dans son chapitre sur les verbes trivalents[2] : d'un côté les « verbes de don », comme par exemple « rendre », « procurer », « attribuer », « demander », « promettre », « payer », etc. ; de l'autre, les « verbes de dire », comme par exemple « énoncer », « rapporter », « affirmer », « communiquer », « permettre », etc. Certains de ces verbes trivalents peuvent s'employer à la forme réfléchie : rien ne s'oppose à ce que l'individu qui joue le rôle du tiers actant *attributaire* soit aussi le premier actant. Ou plutôt, il suffit qu'il s'adresse à lui-même comme il s'adresserait à quelqu'un d'autre, et éventuellement pour remplacer un interlocuteur absent. Je dirai que ces verbes qui peuvent être réfléchis posent un lien d'*intersubjectivité* entre le locuteur de l'acte dialogique et son interlocuteur. Lorsque le sujet s'adresse à « soi-même comme un autre », il établit avec lui-même un lien d'intersubjectivité.

Mais nous avons reconnu que d'autres verbes trivalents ne peuvent pas se construire selon la diathèse réfléchie. Si nous leur donnons une construction pronominale, ils changent de sens. Tout se passe donc comme s'ils devenaient d'autres verbes, comme s'il y avait une « asymétrie » entre la diathèse active du verbe et sa diathèse réfléchie. La raison est qu'il faut un *lien social*, par exemple un lien d'obligation, entre le locuteur de l'acte dialogique et son interlocuteur. Et c'est pourquoi ces verbes peuvent être qualifiés de « sociologiques ».

Munis de ces distinctions, nous pouvons revenir à l'expression par laquelle un individu peut faire valoir une exigence personnelle là où les autres ne lui réclament rien, ou du moins ne sont pas fondés à lui réclamer quoi que ce soit : « *Je me le dois à moi-même.* »

Supposons que quelqu'un nous dise en effet : « Je me dois à moi-même de faire telle chose. » Ce propos n'est pas nécessairement le fait d'une personne qui se ferait une conception kantienne de son statut personnel d'autonomie. Imaginons que ce soit un personnage mis en scène par le duc de Saint-Simon qui explique ainsi sa conduite dans une société de cour. Dans sa bouche, cela voudrait dire qu'il lui appartient de soutenir son rang, l'éclat ou les prétentions de sa maison, et qu'en vertu de cette responsabilité il n'est pas libre de faire ce qui lui plaît, comme par exemple d'éviter de faire telle dépense ou de prendre part à telle campagne militaire. Les devoirs à l'égard de soi-même sont donc, dans cette hypothèse, des devoirs à l'égard d'un tout plus large (sa famille, son camp) dont on se trouve être le représentant dans la situation présente. Dans un tel cas, c'est une médiation sociale qui permet à un individu particulier d'être soumis à des obligations réfléchies : entre celui qui doit faire quelque chose et celui au bénéfice duquel il s'agit d'agir, on trouve un ordre social qui est le fondement normatif de l'obligation. Kant, bien entendu, ne l'entend pas ainsi. Pour lui, toutes les obligations extérieures qui incombent à quelqu'un ont pour fondement un rapport de subordination de soi à soi. Que l'homme ait des devoirs envers lui-même veut dire au moins deux choses : d'abord que l'homme est originairement soumis à sa propre autorité, ensuite que c'est dans cette subordination primordiale que toutes les autres obligations trouvent leur fondement. Notre problème est ici de savoir si une telle relation d'autorité sur soi-même est tout simplement concevable.

On croit peut-être pouvoir répondre facilement en invoquant le fait qu'un agent personnel, par définition, possède un contrôle ou une maîtrise de sa conduite. Cette réponse ne résout rien, car la notion de contrôle est ici indéterminée : vise-t-on une relation de *pouvoir* par laquelle l'agent maîtrise les mouvements de certains de ses organes, ou bien une relation d'*autorité* ?

Une remarque de Littré à l'article « autorité » permet de mettre en lumière le point essentiel. Certes, Littré semble d'abord inclure l'autorité dans le pouvoir puisqu'il définit ce qu'on appelle de ce mot comme « le pouvoir de se faire obéir » (sens n° 1). Il donne pour exemples l'autorité paternelle, l'autorité des magistrats. L'autorité serait donc une espèce particulière de pouvoir sur autrui. C'est seulement en fin d'article qu'il mentionne des acceptions plus éloignées de la notion d'un pouvoir exercé par quelqu'un sur la conduite de quelqu'un d'autre : « crédit, considération, poids » (4°) et « créance qu'inspire un homme, une chose » (5°). Toutefois, Littré apporte un correctif dans sa discussion des synonymes. Même si autorité et pouvoir sont proches, ils ne sont pas équivalents.

> Pourtant, comme autorité est ce qui autorise, et pouvoir ce qui peut, il y a toujours dans autorité une nuance d'influence morale qui n'est pas nécessairement impliquée dans pouvoir. La locution : de son autorité privée, le fait sentir ; c'est un droit qu'on s'arroge : de son pouvoir privé n'irait pas aussi bien ; car qu'importerait que le pouvoir fût privé, s'il était réel ?

À première vue, l'explication donnée fait l'effet d'être une lapalissade : *autorité est ce qui autorise, et pouvoir ce qui peut.* Elle diffère pourtant de celle par laquelle Littré avait commencé : l'autorité est le *pouvoir de se faire obéir.* Ces deux explications amorcent deux philosophies possibles de la relation d'autorité. Si avoir de l'autorité, c'est *pouvoir se faire obéir,* la preuve qu'on possède une autorité est dans le fait de l'obéissance. Le critère de l'autorité dont jouit quelqu'un est alors précisément celui que nous appliquons pour savoir s'il a tel ou tel pouvoir. Nous sommes bien près d'adopter une conception positiviste du pouvoir, et donc de confondre d'emblée les autorités légitimes avec les puissances de fait. Car il est exact que le critère d'un pouvoir est à chercher dans son exercice : quelqu'un montre qu'il peut faire quelque chose si, lorsque le moment est venu de le faire, il le fait. *Hic Rhodus, hic saltus !* Maintenant, si avoir une autorité à tel ou tel égard sur quelque chose, c'est *être en position d'autoriser,* il ne s'agit plus tant de posséder un pouvoir à exercer que de conférer le statut de choses permises à divers comportements dans le domaine de compétence qu'on a défini. On peut imaginer qu'un agent A ait le pouvoir de faire sortir l'agent B (en le chassant) sans que A ait pour autant le pouvoir d'autoriser B à sortir. Et, si A ne peut pas autoriser B à sortir, il ne peut pas non plus lui interdire de sortir ou le lui commander.

Littré commente avec finesse la locution française : « faire quelque chose *de son autorité privée* ». Dans le corps de l'article, il avait donné l'explication suivante : *Faire une chose de son autorité privée, la faire sans en avoir le droit.* Par conséquent, cette locution n'ajoute nullement une source de droit (l'autorité privée) à celles qu'on connaissait déjà, mais elle rend manifeste l'arbitraire de la conduite qui est en cause : celui qui agit ainsi s'est arrogé le « droit » de faire quelque chose. Ce faisant, Littré met en évidence un point capital pour toute philosophie pratique, tant juridique que morale et politique : personne ne peut se conférer à lui-même une autorité. L'autorité que possède un sujet, il faut qu'il l'ait reçue d'ailleurs, il faut qu'elle trouve son fondement en dehors de la personne de son détenteur.

Littré rappelle donc que le concept de pouvoir peut être dépouillé de toute nuance « morale », de tout renvoi à une justification, alors que, par définition, le concept d'autorité introduit cette dimension de la justification. Quelqu'un peut-il ou ne peut-il pas faire quelque chose ? Pour le savoir, on ne cherche pas s'il en a reçu le pouvoir, mais on le met à l'épreuve. Maintenant, quelqu'un est-il en position d'autoriser ou non ? Il est possible qu'un agent présente comme un exercice d'autorité ce qui n'est en réalité qu'un exercice de pouvoir. Dans ce cas, son autorité était privée, c'est-à-dire inexistante.

Il s'ensuit que le verbe « autoriser » est un verbe sociologique, tout comme « obliger », « interdire », etc. Le critère proposé pour reconnaître si un verbe dialogique est sociologique était qu'il change de sens dès qu'on prétend lui donner une construction réfléchie. C'est ainsi que *se donner à soi-même une chose* (qu'on possède), c'est tout simplement *la garder pour soi*, autrement dit ne pas la donner. Tout de même, s'autoriser soi-même à faire quelque chose, ce n'est pas en recevoir l'autorisation d'une instance particulièrement habilitée (à savoir de soi), mais c'est prendre sur soi de la faire sans y avoir été aucunement autorisé.

Dire qu'une chose a été faite par l'individu « de sa propre autorité » ne veut d'ailleurs pas forcément dire qu'il a eu tort de la faire, comme si nous ne pouvions rien faire sans avoir d'abord reçu l'autorisation de le faire. La rationalité pratique d'une action individuelle ne se confond pas avec son statut déontique au regard d'un système normatif permettant de répartir les qualités du « défendu » et de l'« autorisé ». Que l'agent n'ait pas été autorisé ou habilité à faire quelque chose n'implique pas qu'il ne doive pas le faire pour *bien agir,* car le verbe « doit » du raisonnement pratique ne se réduit nullement au « doit » qui correspond à une logique déontique de l'obligation. Si la maison est en feu, je *dois* sortir, et cela que je sois ou non autorisé à le faire. Le théoricien des normes pourra certes soutenir que cette possibilité est prévue et que les individus ont autorité pour juger qu'ils doivent, dans des situations exceptionnelles, transgresser les normes. Mais cette clause, loin d'assurer la réduction de toutes les nécessités pratiques au « doit » d'une logique de l'obligation, ne ferait qu'avouer l'impossibilité d'assurer la stricte équivalence de « Je dois sortir » et de « Je suis soumis à l'obligation de sortir » (cf. *infra,* chap. 55).

XXXIX

Se juger soi-même

Quel rapport à soi doit-on poser chez l'individu auquel on reconnaît une conscience morale ? C'est la question que pose Kant au § 13 de la *Doctrine de la vertu.*

La conscience morale se manifeste par des *jugements* que l'agent porte sur sa propre conduite, et qu'il peut se formuler à lui-même de façon articulée, mais aussi se signifier à lui-même dans des sentiments de mécontentement de soi ou au contraire de satisfaction d'avoir agi comme il le devait. Kant estime que l'analyse porte ici sur un fait connu de chacun par sa propre expérience et par le témoignage de l'humanité entière : tout homme a une conscience morale. Il interprète cette conscience morale comme un exercice de la faculté de juger qui applique la Loi morale à l'être humain. À cette occasion, il fait référence au texte de l'apôtre (*Épître aux Romains*, II, 15) : la loi est inscrite dans le cœur humain, comme le montre le fait que des reproches surgissent dans la pensée de celui qui agit en contravention avec ce qu'il sait devoir faire. C'est alors sa conscience — la *conscientia* selon le texte de la Vulgate, le *Gewissen* selon la traduction de Luther — qui témoigne contre lui.

Il est courant d'assimiler la conscience morale à une forme de « tribunal intérieur » : le sujet s'adresse à lui-même des reproches, il juge sa conduite, comme s'il avait dans son cœur un juge. Mais cela n'est encore qu'une image pour indiquer que cette conscience s'exprime dans des jugements, des accusations, etc. Lorsque je me reproche quelque chose, tout se passe comme si c'était un juge clairvoyant qui portait sur moi un jugement. Kant ne s'en tient pas à cette phénoménologie des manifestations de la conscience morale. Il veut donner à la conscience morale le statut d'un rapport de soi à soi qui serait l'équivalent d'une véritable juridiction intérieure. Il faut donc que soient remplies, dans l'individu, les conditions d'application d'un concept dont le modèle est juridique. Reprenant ici les distinctions introduites au chapitre précédent, nous dirons qu'il s'agit de savoir quel est le caractère des reproches que se fait l'homme par la voix de sa conscience morale. Si le verbe dialogique « reprocher (quelque chose à quelqu'un) est pris comme un verbe possédant une forme monologique réfléchie (« je me reproche à moi-même d'avoir agi comme je l'ai fait »), l'image d'un tribunal devant lequel un accusateur me met en cause reste une image. Mais si ce verbe dialogique doit servir à accomplir un acte juridique d'accusation, alors il devient l'équivalent d'« accuser », verbe sociologique, ce qui veut dire qu'un individu ne peut pas être à lui-même son propre accusateur et son propre juge. En revanche, il peut être à lui-même son propre représentant, autrement dit se passer des services de l'avocat auquel pourtant il a droit.

Kant se fait l'objection : si l'accusé est en même temps le juge, alors l'accusateur perdra toujours. On ne saurait être juge et partie. Personne ne peut être le juge de sa propre cause[1].

> (...) Bien que ne soit en jeu dans cette affaire que le rapport de l'homme avec lui-même (*ein Geschäft des Menschen mit sich selbst*), il se voit pourtant forcé par sa raison d'agir comme sur l'ordre d'*une autre personne*. Car il s'agit ici de conduire une *cause judiciaire* (*causa*) comme devant un tribunal. Mais considérer celui qui est *accusé* par sa conscience comme ne faisant qu'*une seule et même personne* avec le juge, c'est se forger une représentation absurde d'une cour de justice, dans la mesure où dans ce cas, l'accusateur perdrait toujours[2].

Le problème que pose Kant n'est pas une affaire de psychologie ou de morale. C'est un problème logique puisqu'il porte sur la possibilité d'appliquer, sans tomber aussitôt dans la contradiction et le non-sens, à un individu seul avec lui-même un système conceptuel qui requiert une diversité des personnes. Il ne s'agit donc pas de savoir si le juge sera aussi impartial qu'il doit l'être, mais s'il est tout simplement habilité à juger du cas qu'on est censé lui soumettre.

Il y a une contradiction. Nous ne pouvons l'éviter, dit Kant,

qu'en tenant un double langage. D'une part, la conscience
morale est la manifestation même d'un statut d'autonomie
compris dans le sens d'une capacité à être à soi-même son propre législateur et son propre juge. La conscience morale est une
affaire entre l'individu humain et lui-même. D'autre part, il est
indispensable que ce rapport à soi soit représenté comme un
rapport de l'individu à quelqu'un d'autre. Ainsi, l'autonomie,
non seulement n'exclut pas, mais impose la représentation
d'une surprenante altérité interne à l'individu. Le paradoxe est
flagrant : nous savons que le jugement porté par la conscience
est le jugement de l'homme sur lui-même, et pourtant il est
nécessaire de se représenter ce jugement comme venant d'un
autre que lui.

Kant tire sa solution de l'idée d'un *homo duplex* : il y a
l'homme sensible et l'*homo noumenon*. On ne peut reconnaître
une conscience morale à l'homme qu'en lui attribuant une
« personnalité dédoublée », un « double soi » (*ein doppeltes
Selbst*)[3]. La raison pratique se donne donc à elle-même la représentation d'une personne idéale, elle l'identifie comme le juge
autorisé de la conscience (*der autorisierte Gewissensrichter*), capable de sonder les cœurs et de créer les obligations[4]. Il n'est pas
demandé à l'homme de *croire* que cette personne divine existe,
mais plutôt d'agir en conformité avec l'idée d'un tel juge.

Avoir une conscience morale, écrit Kant, c'est avoir une *religio*
(*ibid.*). D'abord, le lecteur a l'impression que Kant vise à intérioriser la pratique religieuse, qu'il pousse jusqu'à l'extrême
limite la métamorphose de la religion (« extérieure ») en pur
moralisme. Et, pourtant, il est remarquable que l'idiome du
Dieu transcendant apparaisse indispensable à une explication
(peut-être populaire) de ce que c'est que la conscience et la loi
morale.

Le dédoublement du « moi » débouche sur une forme de
théologie désenchantée. Est-ce que Kant n'aurait pas préfiguré
la solution « symboliste » qui sera celle des théologiens du pro-
testantisme libéral et après eux des lacaniens ? On ne peut pas
se passer de la fiction du « grand Autre[5] », semble-t-il dire, et
c'est pourquoi il y a pour le philosophe une vérité précieuse du
langage de l'hétéronomie. Bien entendu, ce que le populaire
prend pour une réalité (désignée par les mots du langage religieux et plus généralement du langage des grands interdits
fondateurs), le sage le reconnaît comme une fiction engendrée
par la nécessité d'inclure certains « signifiants » dépourvus d'un

signifié déterminé, et donc d'un référent, mais affectés à des fonctions décisives comme de représenter par exemple les obligations qui incombent d'emblée à un individu avant tout engagement personnel de sa part dans un sens ou dans un autre.

On a l'impression que Kant cherche sa solution dans une construction réduplicative de la proposition qu'il s'agit d'analyser[6] : « L'individu a une obligation à l'égard de lui-même. » Il écrit en effet que les deux sujets qui fournissent les deux termes de cette relation d'obligation ne sont pas identiques, car l'un est pris dans un sens (*homo phaenomenon*) et l'autre dans un autre sens (*homo noumenon*). Il y aurait donc une relation entre, d'un côté, l'individu pris comme homme sensible et, de l'autre, l'individu pris comme homme nouménal.

Il est exact que la construction réduplicative permet de lever des contradictions apparentes : par exemple de comprendre comment une chose peut être bonne et mauvaise (ce breuvage est bon en tant que remède, mauvais en tant qu'apéritif), grande et petite (cet édifice est grand pour une résidence principale, petit pour un palais). Je peux être, en tant que député, l'auteur d'une loi de finances et être, en tant que contribuable, assujetti à cette loi. On peut imaginer aussi que Pierre, en tant que bailleur d'un logement, soit le créancier de son locataire Jules, et que, en tant client de l'estaminet que tient Jules, il en soit le débiteur.

Toutefois, la construction réduplicative ne produit pas un dédoublement de l'individu concerné. On ne saurait distinguer deux sujets de prédication là où il n'y a qu'un individu pris sous deux descriptions (« en tant que X », « en tant que Y »). L'homme sensible et l'homme nouménal sont-ils un seul individu humain ou deux ? S'ils sont deux individus (humains), ils se distinguent comme Pierre de Jean, pas comme la statue de la déesse en tant que morceau de marbre se distingue du morceau de marbre en tant que statue de la déesse.

Kant semble dire : il n'y a qu'un individu en cause, et pourtant on peut considérer qu'il y a deux personnes. Il est vrai que le concept de personne ne se confond pas avec celui d'individu humain (cf. *supra*, chap. 3). Toutefois, on ne peut pas retenir la solution qui nous invite à tenir les diverses facultés d'un seul et même homme pour autant de « personnalités », en vertu d'un parallèle qui serait : de même que le lien d'autorité entre un homme et un autre homme soumet la volonté du subordonné à

celle de son supérieur, de même il y aurait une relation d'autorité entre la volonté inférieure de l'individu (appétit sensible)
et sa volonté supérieure (raison pratique). En effet, la personnification des facultés humaines ne peut être qu'une image, une
façon de parler. Elle ne procure nullement la diversité réelle
des personnes qui est requise pour qu'on puisse concevoir que
soit instauré entre elles un *vinculum juris*.

La seule façon de se donner un individu soumis à des obligations envers lui-même, c'est de le concevoir comme une
petite société hiérarchisée. Les verbes « autoriser » et « obliger »
sont irréductiblement sociologiques. Pour que l'individu ait une
autorité sur lui-même, il faut qu'il soit subordonné à lui-même
par une relation d'ordre qui confère à cet individu précisément
cette autorité sur lui-même. La difficulté que nous éprouvons à
comprendre une telle relation n'est autre que le problème logique de l'autonomie.

V

LES POLITIQUES DE L'AUTONOMIE

XL

L'autorité sur soi-même

Existe-t-il quelque chose comme une philosophie *politique* du sujet ? Est-ce que la Querelle du sujet, dont nous avons déjà rencontré divers épisodes, comporte une version politique ? S'il faut s'en tenir au témoignage des controversistes contemporains, la chose ne fait aucun doute. Mieux, c'est sur le terrain politique que se révélerait, pour bien des observateurs, le véritable sens de ladite Querelle. « L'homme devient sujet quand il décide d'être à lui-même son propre fondement dans la science comme dans l'action. » Il semble que, sur la scène politique, cette formule énigmatique prenne soudain une signification plus parlante : l'homme comme sujet, c'est avant tout l'homme qui fait des révolutions au nom des droits de l'homme. Et, s'il en est ainsi, les choses sont claires : nous connaissons bien ce que les philosophes appellent la Querelle du sujet, puisque ce n'est rien d'autre qu'une version ésotérique (ou « métaphysique ») du grand combat entre le parti ci-devant révolutionnaire (et, depuis que la révolution a eu lieu, « moderne ») et le parti qui n'a pas cessé d'être contre-révolutionnaire (c'est-à-dire désormais « anti-moderne »).

Pourtant, nous n'avons cessé de constater qu'il était vain de prétendre prendre un parti *dans* la Querelle du sujet avant d'avoir pris parti *sur* le sens précis de la Querelle. Je veux dire que tant qu'on ne nous dit pas dans quelle acception (syntaxique) nous devons entendre le terme « sujet », l'enjeu des discussions reste indéterminé.

Supposons un instant que cet enjeu soit donné par la question suivante : la philosophie politique présuppose-t-elle qu'une philosophie de l'action ait éclairci les notions d'*agent*, de *volonté*, de *responsabilité*, etc. ? Il semble alors qu'il n'y ait pas lieu de poursuivre plus loin, car la réponse va de soi : toute philosophie normative (et donc aussi la philosophie politique) présuppose une philosophie descriptive de l'action, et nous savons comment celle-ci peut rendre compte du sujet comme complément actanciel du verbe d'action humaine (cf. *supra*, chap. 7-12). Mais, bien sûr, nous découvrons qu'ici non plus il ne s'agissait pas de cette sorte de sujet, qui n'a rien de spécialement moderne, mais de quelque chose qui ne saurait être mis en évidence que par un argument philosophique.

Ce qui est en cause est le « concept philosophique de sujet ». Or nous avons reconnu que ce concept n'était pas encore déterminé par l'idée d'un « rapport à soi » (ou encore d'une « existence pour soi »), puisqu'il y a plusieurs schémas syntaxiques susceptibles d'exprimer un rapport à soi. Il faut donc, ici aussi, revenir à la définition syntaxique du sujet philosophique : le rapport à soi est constitutif s'il s'instaure dans un acte d'autoposition, c'est-à-dire, comme nous le savons maintenant, un acte qui suppose une identité nécessaire de l'être qui est l'agent de l'acte et de l'être qui en est le patient.

S'il y a une philosophie politique du sujet, elle consistera donc en pratique à faire ce que j'ai proposé d'appeler une « analyse syntaxique subjective » des verbes fondamentaux du vocabulaire politique. Ces verbes qui sont nécessaires à la définition d'un régime politique sont « commander » et « obéir ». La philosophie du sujet soutient que ces verbes peuvent être employés dans un sens réfléchi qui correspond à un régime politique de l'autonomie, c'est-à-dire au système dont se dotent les citoyens lorsque qu'ils se conçoivent eux-mêmes comme des sujets et parce qu'ils se conçoivent comme des sujets.

Qu'il y ait une philosophie politique du sujet ainsi entendue, cela paraît indéniable. Il existe en effet un concept d'autonomie qui est justement celui d'un sujet qui, lorsqu'il obéit, n'est en rapport qu'avec lui-même puisque c'est de lui que procède l'autorité publique. On se souvient de l'énoncé que donne Jean-Jacques Rousseau du problème posé à la philosophie politique : « Trouver une forme d'association qui défende et protège de toute la force commune la personne et les biens de chaque associé, et par laquelle chacun s'unissant à tous n'obéisse pourtant qu'à lui-même et reste aussi libre qu'auparavant » (*Contrat social*, I, chap. VI). Quand Rousseau écrit : « auparavant », il veut dire que le problème est censé se poser à des gens qui vivaient jusqu'ici dans un état de nature, sans lien social, et qui envisagent de s'associer.

Toutefois, on ne saurait se contenter d'invoquer sans plus le rapport à soi qu'on trouve dans « s'obéir à soi-même » pour déclarer qu'il y a une subjectivité en cause. Nous savons que cette notion d'un rapport à soi est vide si on ne précise pas quelle sorte de diathèse verbale va l'exprimer. À en croire Jean Humbert, le fait de l'autonomie politique telle que les anciens Grecs la concevaient s'exprime mieux par la voix moyenne que par la voix active réfléchie (cf. *supra*, chap. 11). Le peuple libre ne *s'impose* pas des lois à lui-même. Vivre d'après ses propres lois, ce n'est pas subir des lois et accepter de les subir parce qu'on se les impose à soi-même.

Le mot « autonomie » vient du vocabulaire politique, mais il est également employé dans bien des contextes où il ne conserve rien de politique. L'idée générale semble être celle-ci : un être est plus (ou moins) autonome selon que son intégration à une totalité supérieure qui l'englobe lui laisse (ou le prive de) la liberté de fixer ses propres buts et de contrôler ses propres parties constitutives. Il convient néanmoins d'expliquer ce mot en partant de l'application qu'il a dans le domaine politique.

J'ai cité l'une des explications que donnait Castoriadis de son propre emploi du terme « autonomie » (cf. *supra*, chap. 25). Il disait : « Je donne ici au terme être humain, *anthropos*, le sens (...) d'un être autonome. On peut tout aussi bien dire, se rappelant Aristote, un être capable de gouverner et d'être gouverné[1]. » Il est remarquable que Castoriadis n'ait pas dit, comme l'aurait fait tout naturellement un partisan de l'autonomie au sens moderne, « un être capable de se gouverner soi-même »[2]. Autant dire que Castoriadis adopte, avec l'idée d'Aristote, une notion politique ou civique de la liberté plutôt qu'une notion purement libérale. Le bon citoyen est quelqu'un qui est tout autant capable de commander que d'obéir[3]. Malheureusement, dans l'état présent de l'opinion, une telle conception de l'autonomie, justement parce qu'elle passe par les anciens Grecs, peut sembler rétrograde. Il vaut la peine de s'y arrêter un instant.

Comme l'explique Tocqueville dans son article de 1836[4], nous nous faisons une tout autre idée de la liberté que les hommes de l'Antiquité ou même que ceux de l'Ancien Régime. Pour nous, la liberté n'est plus « jouissance d'un privilège », mais « usage d'un droit commun ». L'article esquisse une version de ce parallèle classique des deux formes de liberté dans les termes suivants. La notion « aristocratique » de la liberté reproduit la conception romaine : un Romain ne croit pas tenir son droit d'être libre de la nature, et donc d'un « droit général à l'indépendance », mais bien de son statut de citoyen romain. La notion « démocratique » (c'est-à-dire moderne) de la liberté est que chacun possède « un droit absolu sur lui-même », car chaque homme est « présumé avoir reçu de la nature les lumières nécessaires pour se conduire », de sorte qu'il « apporte en naissant un droit égal et imprescriptible à vivre indépendant de ses semblables, en tout ce qui n'a de rapport qu'à lui-même, et à régler comme il l'entend sa propre destinée » (*op. cit.*, p. 62).

On remarquera que Castoriadis ne parle nulle part de la liberté comme d'un privilège réservé à quelques peuples d'élite, mais qu'il pourrait pourtant retenir quelque chose de cette « notion romaine » de l'homme libre. Pour lui, il est évident que la liberté effective, ou même la volonté d'être libre, n'est pas un bien assuré par la *nature* à tous les hommes. En ce qui concerne chacun de nous, le degré de liberté dont nous nous trouvons jouir est effectivement un privilège immérité, en ce sens que nous le devons aux luttes qu'ont menées d'autres hommes avant nous contre diverses formes d'oppression et de barbarie.

Pierre Manent, pour commenter ce texte de Tocqueville, renvoie à ce même chapitre de la *Politique* d'Aristote dont Castoriadis tirait sa définition de l'être capable d'autonomie. Si la liberté dont parle Aristote est politique, puisqu'elle suppose l'alternance possible du commandement et de l'obéissance, alors la liberté selon la notion moderne est celle d'une créature apolitique.

> La définition aristocratique est immédiatement politique, puisque c'est comme citoyen romain que Brutus ou Cassius se sent et se veut libre (...) En revanche, la définition démocratique de la liberté n'a rien de spécifiquement politique (...) Elle s'adresse au citoyen comme s'il était sans concitoyens. La vie civique suppose la communication permanente entre des individus que l'idée démocratique de la liberté commence par séparer. Dès lors, commandement et obéissance, qui sont le thème même de l'existence politique, ne peuvent être rapportés qu'à l'individu supposé solitaire. Vivre démocratiquement avec ses concitoyens, c'est n'obéir qu'à soi et donc ne commander qu'à

soi : n'obéir qu'à ce qu'on a voulu et aussi faire tout ce que sa propre volonté a ordonné[5].

Les verbes « obéir à soi-même » et « se commander à soi-même » paraissent donc indispensables à la définition d'un citoyen membre d'un régime démocratique au sens moderne du mot. Manent fait allusion ici au célèbre énoncé du problème politique par Rousseau dont je suis parti ci-dessus. Cet énoncé mentionne les deux verbes fondamentaux d'un vocabulaire politique, c'est-à-dire d'un idiome capable d'exprimer l'aspect proprement politique d'un phénomène de *souveraineté* (par opposition à son aspect que nous dirions *religieux*) : il s'agit soit de commander, soit d'obéir. Puisque la liberté selon la notion moderne est celle d'un individu qui possède un « droit absolu sur soi-même » en vertu duquel il peut « vivre indépendant de ses semblables » (tant qu'il n'a pas d'affaires communes à gérer avec eux), le vocabulaire politique, qui semblait pourtant irréductiblement social, doit s'appliquer à l'« individu solitaire ». Manent signale alors la difficulté proprement morale qui va résulter de cette redéfinition de l'existence humaine : il faudra que chacun de nous se surveille afin de n'agir qu'en exécution de sa propre volonté. Si je cesse un seul instant de vérifier que le commandement à exécuter correspond bien à ce que ma volonté a ordonné, je tombe dans la servitude et dans une complaisance abjecte envers les puissances de ce monde. Il n'est pas certain que nous puissions soutenir longtemps l'effort qu'exigera de nous une telle conception de l'autonomie.

Mais derrière la difficulté *morale*, on retrouve le problème proprement *logique* : que faudra-t-il que l'agent fasse pour qu'on puisse dire qu'en effet il obéit, mais uniquement à lui-même ? ou qu'en effet il commande, mais qu'il n'adresse ses commandements qu'à lui-même ? Que faut-il faire pour obéir à soi-même ? Comment faire pour s'adresser à soi-même des commandements ? Bref, comment exerce-t-on un *droit sur soi-même* ?

L'homme qui accomplit dans sa vie la notion démocratique de liberté peut dire : je n'obéis à un commandement que s'il m'enjoint de faire ce que précisément, de moi-même, je voulais faire. Mais nous demandons à cet homme démocratique : comment as-tu fait pour faire ce que tu voulais faire et pourtant obéir ? Il ne suffirait pas de se conduire comme le personnage de Wittgenstein qui fait ce que nous lui avons ordonné de faire, mais qui le fait parce qu'il en avait envie et non parce que nous lui en avons donné l'ordre (*Recherches philosophiques*, § 487). Cet homme dira : « Je sors, mais c'est parce que j'en avais l'intention, pas du tout pour obéir à l'ordre qui a été donné. » Un tel homme ne remplit que la moitié du programme de la liberté moderne : il n'est pas soumis à une volonté extérieure, il est insubordonné. Mais *ne pas obéir à un autre* est une chose, *obéir à soi-même* en est une autre. Comment pourra-t-il remplir l'autre moitié du programme ?

Pour jouir de la liberté moderne, il devra sortir, non pas parce qu'il en avait envie, non pas parce qu'il l'aurait fait de toute façon, mais uniquement parce qu'il en avait reçu l'ordre et que l'ordre venait de la seule autorité légitime à ses yeux : lui-même. Or nous demandons : quelle différence y a-t-il entre quelqu'un qui décide de sortir (sans que personne ne le lui ait demandé et encore moins ordonné) et quelqu'un qui se donne à lui-même l'ordre de sortir (et qui ne serait pas sorti de lui-même s'il n'avait reçu cet ordre) ? Nous nous heurtons ici aux difficultés d'un emploi réfléchi de verbes sociologiques (cf. *supra*, chap. 38). De même qu'il ne semble pas y avoir de différence entre *se donner à soi-même* et *garder pour soi*, par conséquent ne pas donner, ou entre *être invité à dîner par soi-même* et *ne pas avoir été invité à dîner*, de même il est difficile de dire en quoi *faire ce que je me suis prescrit à moi-même de faire* se distingue de *faire ce que j'ai moi-même décidé de faire*. Dans tous ces exemples, la forme pronominale n'est pas véritablement réfléchie.

À ces perplexités, on répondra peut-être que la réponse tient dans la question : pour n'obéir qu'à soi-même, il faut et il suffit de faire quelque chose uniquement parce qu'on s'en donne l'ordre et non, par exemple, parce que c'est plaisant. Par conséquent, il suffit de se donner un ordre et de l'exécuter. Hélas, cette réponse ne nous avance en rien, et nous tournons en rond. Je peux certainement user de l'impératif pour m'adresser des directives : « Fais ce que je te dis ! Sors immédiatement ! » Je peux ensuite m'exécuter. Mais il est bien clair que ce n'est pas le mode impératif du message qui en fait formellement un commandement, mais que c'est le statut d'autorité du locuteur. Le problème qui nous arrête est de savoir comment un individu peut posséder un tel statut à l'égard de lui-même. Or c'est à condition d'avoir ce statut qu'il pourra exister sur le mode de l'individualité-dans-le-monde (cf. *supra*, chap. 35).

Et c'est justement ici qu'entre en scène la *philosophie du sujet* dans sa version politique. Elle dira, comme le faisait Kant à propos du devoir, quelque chose qui ressemblera à ceci : ce qu'un *individu* ne peut pas faire sans contradiction, un *sujet* (ou un *soi*) peut le faire. La solution du mystère du « droit absolu sur soi-même » suppose que nous parvenions à nous élever d'une pensée de l'individu à une pensée du sujet. Ce sujet, personne n'a jamais supposé qu'on pouvait le rencontrer dans l'expérience. C'est un être qu'il s'agit de « présumer », comme dit Tocqueville, ou, comme on dirait peut-être aujourd'hui, de « construire » à partir du postulat que chacun possède « les lumières nécessaires pour se conduire », autrement dit que chacun possède, avec la faculté de la raison, le moyen de juger de toute chose *par lui-même.*

Tocqueville a fait allusion aux « lumières » dont chacun dispose, à égalité avec ses semblables, au titre de la « lumière naturelle » présente en nous sous les espèces d'une puissance de juger. Cette référence implicite à Descartes suggère que la réponse est dans un travail d'explicitation des conséquences proprement politiques du *Cogito* (cf. *infra*, chap. 43-46).

Toutefois, avant d'explorer cette voie, je dois considérer une objection contre le bien-fondé de la référence à Tocqueville dans une enquête sur le « sujet moderne », expression étrangère à la langue excellente, mais encore classique, de l'auteur de *L'Ancien Régime et la Révolution.*

XLI

La liberté comme indépendance
et comme autonomie

C'est un lieu commun de la philosophie politique d'inspiration libérale que d'opposer une « liberté des anciens » à une « liberté des modernes ». On sait que cette opposition prend son sens dans une réflexion sur les suites de la Révolution française, dans un effort pour reconnaître dans cet événement une rupture irréversible avec les anciennes institutions, rupture en elle-même bénéfique, et, simultanément, pour affronter la question politique véritablement difficile qui se pose dès lors au philosophe ami de la liberté : comment a-t-on pu voir naître, sur la base des principes de la liberté moderne, un despotisme de type inédit (l'Empire) qu'avaient d'ailleurs préparé des innovations politiques inouïes, telles que le gouvernement du pays par la terreur et la levée en masse de la nation contre les autres puissances européennes ?

Se référer à Tocqueville, c'est dépasser le caractère circonstanciel de l'opposition des deux libertés. La référence ajoute en effet l'idée que la Révolution française doit se comprendre comme un épisode d'un mouvement qui affirme des valeurs auxquelles Tocqueville donne le nom de *démocratie* et qu'il caractérise par l'*individualisme*. Dans un texte célèbre[1], il explique lui-même comment ce mot « individualisme », nouveau à l'époque où il écrit, répond au besoin d'exprimer une idée nouvelle. Nos pères, écrit-il, appelaient « égoisme » le défaut moral qui consiste pour un homme à se préférer à tout. Le « sentiment » que nous appelons « individualisme » leur était inconnu. C'est seulement chez nous qu'on trouve cette idée, communément partagée, qu'un homme ne doit pas son existence même et tout ce qui fait sa valeur à la « grande société » dans laquelle il occupe un rang déterminé, mais qu'il ne tient que de lui-même ce qu'il est et ce qu'il vaut, de sorte qu'il peut se suffire à lui-même dans la « petite société » qu'il va former librement avec sa famille (conjugale) et ses amis.

À la suite de Raymond Aron, puis de Louis Dumont, il est devenu courant de se référer à ces analyses de Tocqueville. C'est d'ailleurs ce que j'ai fait moi-même, implicitement, en introduisant ci-dessus l'idiome de l'individualisme pour rendre compte des éthiques du sujet. Alain Renaut parle d'une « perspective néo-tocquevillienne[2] », à laquelle il rattache, à juste titre, l'opposition que fait Dumont entre les valeurs « holistes » des sociétés traditionnelles et les valeurs « individualistes » des sociétés modernes. Or, explique Renaut dans son livre *L'ère de l'individu[3]*, cette perspective fausse les choses. Elle repose sur une erreur philosophique. Elle conduit en effet à inclure la philosophie moderne du sujet dans le mouvement historique par lequel progresse l'individualisme. Contre une telle inclusion, Renaut élève deux objections. D'abord, il n'y a pas une et une seule notion moderne de la liberté, mais deux, à savoir la liberté comme *indépendance* et la liberté comme *autonomie*. Ensuite, et c'est une conséquence de ce premier point, il est exact que le rêve d'indépendance individuelle conduit à un « individualisme désocialisant » (*ibid.*, p. 92), mais on ne peut pas faire ce reproche à la visée d'autonomie, car elle n'est justement pas le fait d'un *individu* qui se met à part, mais bien d'un *sujet* qui ne se conçoit qu'en relation de communication intersubjective avec d'autres sujets. C'est donc une erreur de traiter le sujet autonome comme un individu et de lui donner ce nom. Les deux concepts de sujet et d'individu appartiennent à des problématiques différentes.

Renaut émet des réserves sur l'emploi même du mot « individualisme » lorsqu'il s'agit de comprendre ce qu'il appelle « la modernité », et en particulier les philosophes modernes (*ibid.*, p. 69-71). Ce mot, rappelle-t-il, appartient à un vocabulaire *politique* qui remonte à l'époque de la Restauration. Comment pourrait-il prendre une portée plus générale ? Nous avons fini par reconnaître qu'il ne fallait pas donner à l'histoire économique le rôle privilégié de déterminer, en dernière instance, toutes les mutations historiques. Tout de même, il faut éviter aujourd'hui de faire de l'histoire politique la *vérité* de l'histoire des valeurs modernes, comme si les événements politiques étaient l'infrastructure dont les doctrines philosophiques seraient les épiphénomènes. C'est pourquoi on ne peut pas se servir de ce vocabulaire politique pour comprendre le travail accompli par la philosophie du sujet. Ce serait vouloir comprendre l'histoire de la métaphysique par l'histoire politique, alors qu'elle a sa consistance propre.

Renaut estime que la perspective tocquevillienne adoptée par Dumont ne permet pas de faire la différence entre deux idées également modernes de la liberté humaine. Un homme qui se pense comme un *individu* est quelqu'un qui se veut indépendant et peut s'imaginer asocial. En revanche, l'homme qui se conçoit comme un *sujet* se veut discipliné par une raison impersonnelle. Il accepte d'être subordonné à une loi rationnelle qui lui fait un devoir de vivre honnêtement avec ses semblables. Parler d'individualisme à propos du droit moderne ou de l'éthique du sujet, c'est ne pas voir qu'un être défini par l'autonomie n'est pas indépendant à tous égards : il est certes indépendant à l'égard de tout ce qui se présenterait comme une puissance étrangère, mais il est subordonné à une loi rationnelle. Seule est donc exclue l'« altérité radicale » d'un législateur divin, puisqu'elle engendrerait une situation d'hétéronomie (*ibid.*, p. 84).

Pour introduire cette distinction des deux concepts modernes de liberté, Renaut passe par un texte de Rousseau auquel Dumont s'était référé, mais dont il n'aurait pas aperçu la signification pour une philosophie de l'autonomie. Dans un commentaire sur Rousseau et la signification véritablement *sociologique* de sa pensée, Dumont[4] citait le texte sur le droit naturel qui forme un chapitre de la première version du *Contrat social* :

> (...) cette parfaite indépendance et cette liberté sans règle, fût-elle même demeurée jointe à l'antique innocence, aurait eu toujours un vice essentiel, et nuisible au progrès de nos plus excellentes facultés, savoir le défaut de cette liaison des parties qui constitue le tout[5].

Faute de communication entre des hommes dispersés à la surface de la terre, il n'y aurait pas de sentiments humains dans les cœurs ni de moralité dans les actions. D'où l'opposition entre la liberté naturelle de l'homme à l'état de nature et la liberté civile du citoyen. Cette dernière forme de liberté va se définir, par opposition à l'indépendance, comme la soumission aux

règles et aux nécessités de la vie commune. Ce texte illustre
bien deux grandes idées de Rousseau : d'abord, l'Homme naturel n'est pas un homme comme nous qu'on aurait seulement
dépouillé de son statut de membre d'un État, c'est à peine un
homme puisqu'il n'a pas pu développer ses facultés ; ensuite, la
« société du genre humain » n'est pas véritablement une société
puisqu'il manque « cette liaison des parties qui constitue le
tout »[6].

À son tour, Renaut se réfère à ce même texte pour opposer
deux conceptions de la liberté en fonction de l'attitude prise
par l'agent à l'égard des règles d'une vie commune[7]. L'homme
qui se veut libre au sens de l'indépendance refuse les règles, car
il voit en elles une discipline qui réprimerait sa fantaisie ou son
désir. Cet homme est menacé de s'adonner au « pur et exclusif
souci de soi, narcissique et hédoniste » (*ibid.*, p. 83). Autant dire
que le terme d'individualisme est pris, non au sens de Tocqueville pour marquer les valeurs de l'esprit démocratique, mais
justement au sens moral qu'écartait l'auteur de *De la démocratie
en Amérique.*

L'homme qui se veut libre au sens de l'autonomie ne refuse
pas l'ordre et la discipline. Il refuse certes de recevoir des règles
d'un autre, d'une puissance supérieure, mais il ne refuse pas de
les recevoir de lui-même. Telle est donc la leçon à tirer de
Rousseau : la liberté véritable n'est pas dans la liberté naturelle,
mais dans « la soumission à des règles librement acceptées ».
C'est cette solution que reprendront Kant, puis les post-
kantiens, dans une philosophie de l'« autonomie de la volonté »
(*ibid.*, p. 84).

De cette erreur philosophique sur le concept de la liberté
(qui vient de ce qu'on n'a pas compris à quoi tendait l'effort de
la « philosophie de la liberté »), il résulte selon Renaut une
erreur d'appréciation sur la modernité. Dans tout son livre, il
combat les philosophies de l'histoire qui assignent un sens unique à l'époque moderne. Il assimile donc la mise en perspective
comparative tentée par Dumont à une historiographie philosophique, et il la met d'ailleurs en parallèle avec celle de Heidegger. De même que Heidegger ne voit dans la modernité qu'un
triomphe de la subjectivité, de même, écrit-il, Dumont y voit un
« triomphe sans partage de l'individu » (*ibid.*, p. 81). Alors que
Heidegger met surtout l'accent sur la démesure technologique
de la civilisation moderne, Dumont s'attache à pointer son

instabilité politique. Les deux penseurs font, écrit-il, la même erreur : ils parlent comme si la modernité était homogène, et c'est pourquoi ils la jugent incapable de trouver en elle-même les remèdes à ses maux, incapable de se corriger à partir de ses propres ressources. Pour eux, le problème moderne ne comporte aucune solution. Or ces lectures sont « unilatérales », elles ne voient pas que la modernité n'est pas d'un seul tenant, qu'elle comporte aussi bien les pathologies de l'individualisme que les ressources d'un humanisme juridique.

Renaut estime que le sociologue s'est enfermé dans une impasse en posant ainsi la prémisse de son raisonnement : l'unité sociale suppose que toute la société adhère à des valeurs holistes. Il faut alors reconnaître que nous ne pouvons plus avoir de telles valeurs, puisque ce sont celles d'une organisation sociale inégalitaire ou hétéronome. Par conséquent, nous ne pourrons jamais trouver l'unité pourtant nécessaire. Nous savons trop bien, par l'expérience des totalitarismes du XXe siècle, que les tentatives pour rétablir cette unité sont vouées par principe à l'échec. La conclusion d'une telle analyse ne peut donc être que « pessimiste ». Renaut lui oppose une solution à tirer de la philosophie moderne : « Entre le holisme et l'individualisme, pourrait devoir être situé l'humanisme ; entre le tout et l'individu, le sujet » (*ibid.*, p. 80).

En quoi le mot philosophique de « sujet » apporte-t-il la solution au problème posé par Rousseau : comment vivre *librement* dans *le monde*, c'est-à-dire avec les autres hommes selon une discipline commune ? Renaut répond que la philosophie du sujet permet de concevoir un rapport social dépourvu d'interdépendance, c'est-à-dire de toute subordination à quelque chose d'extérieur à soi (*ibid.*, p. 94). Je crois qu'on peut reconstituer son raisonnement de la façon suivante.

Qui dit « sujet » dit « intersubjectivité ». En effet, on admet sous le nom de « sujet » l'être qui s'instaure dans le rapport à soi. Or le rapport à soi est précisément le rapport du sujet à un sujet (puisque c'est soi) et non pas à un objet, donc à autre chose, ou à sa personne en tant qu'objet. (Dans la terminologie introduite précédemment, on dira que les actes du sujet s'expriment selon une diathèse réfléchie subjective, pas objective.) Maintenant, une doctrine empiriste de la conscience close ne peut pas rendre compte du rapport de soi à autrui, car l'autre conscience reste à jamais étrangère à celle du sujet qui vit ses propres impressions. Une conscience empiriste ne peut pas reconnaître une autre conscience, elle ne peut qu'émettre des hypothèses à son sujet. En revanche, une philosophie du sujet n'éprouve ici aucune difficulté, justement parce que le rapport à soi comme sujet n'est pas un rapport à *tel individu* (ma personne matérielle), mais au pur sujet de l'auto-position. Dès lors, il est tout autant un rapport à soi *en la personne de l'autre* qu'un rapport à soi *en sa propre personne*. En ce sens, c'est un rapport au « Soi », à l'unique « Soi », et ce « Soi » posé dans l'auto-position n'est pas soumis au principe d'individuation.

Selon l'une des interprétations possibles de l'*Ego* du *Cogito*, le sujet de la pensée est justement cette instance impersonnelle[8]. Renaut l'explique ainsi : « Le sujet de la connaissance est à la fois identique à lui-même (la continuité du *Cogito* fondant cette identité à soi) et identique à tous les "autres" sujets, dont l'"altérité" tend d'ailleurs à ce niveau, où règne l'unité de la raison, à n'être en toute rigueur qu'une imprécision de langage » (*ibid.*, p. 107). Je suppose que Renaut fait sienne, non pas forcément cette interprétation « universaliste » du *Cogito* cartésien contre la lecture « individualiste » qu'autorisent d'autres textes de Descartes, mais bien la doctrine du sujet qui correspond à la lecture d'un *Cogito* impersonnel. En effet, on ne saurait mieux dire ce qui distingue l'homme comme individu de l'homme comme sujet : l'*individu humain* n'est qu'un exemplaire du genre, l'homme comme *sujet* n'est pas tel ou tel homme, mais plutôt quelque chose comme la faculté rationnelle qu'on trouve chez les individus humains, partout identique à elle-même.

Le point disputé entre l'anthropologue et le philosophe relève donc finalement de la philosophie sociale. Il s'agit de déterminer ce qui constitue la *socialité* de l'être humain.

Pour Louis Dumont, qui s'appuie sur Rousseau, l'homme du droit naturel, tout comme l'*ego* des philosophes, n'est pas encore social. En revanche, l'homme moderne, bien qu'il tende à se concevoir comme un individu (normatif), n'en est pas moins un homme social, comme tel membre d'une totalité sociale particulière. Il y a donc inévitablement un conflit parfois douloureux entre la réalité vécue par les hommes démocratiques et leurs principes individualistes.

Pour Renaut, l'individu, en effet, n'est pas social (il est même anomique), mais le sujet est social. Le premier croit pouvoir être libre dans l'indiscipline : il fait de son désir la « loi » de sa conduite (*ibid.*, p. 92). Le second sait que la liberté suppose une discipline rationnelle des inclinations : il se donne pour loi la prescription issue de la raison. Cette prescription, étant rationnelle, vaut pour tous. Le sujet est donc social en vertu même de son autonomie. Par sa soumission rationnelle à la loi (morale), « le sujet moral s'accorde idéalement à d'autres sujets possibles avec lesquels il se conçoit solidairement comme membre du règne des fins » (*ibid.*, p. 93).

On pourrait dire : il est vrai que le problème politique est insoluble dans une *société des individus*, mais ce problème est susceptible de solution dans une *société des sujets*. Il est vrai que la visée d'indépendance conduit à une désocialisation. Mais la visée d'autonomie n'implique aucune désocialisation, en vertu de la relation interne entre subjectivité et intersubjectivité. Si quelqu'un prétend n'obéir qu'à lui-même, à savoir *cet homme* en particulier, il se désocialise. Mais s'il veut obéir à ce que lui commande sa raison pratique, il est d'emblée d'accord avec « d'autres sujets possibles ».

Mais, en répondant ainsi, le philosophe du sujet a modifié sa doctrine de l'intersubjectivité. Il nous parle en effet d'*autres sujets* avec lesquels le sujet va entrer en rapport ! C'est oublier la raison qui avait permis d'opposer l'individu anomique et le sujet intersubjectif : selon une lecture « universaliste » du sujet pensant, l'*ego* ne doit pas être individué. Nous avons appris qu'il n'y a pas lieu de parler d'autres sujets, mais seulement, par abus de langage, d'« autres » sujets. Les guillemets indiquent qu'il s'agit en réalité d'autres individus dans lesquels le même sujet se retrouve identique à lui-même.

Renaut, en opposant l'individu au sujet, s'est privé lui-même de la possibilité même de poser un rapport entre un sujet et un *autre* sujet. Lorsque l'homme « comme être raisonnable » s'accorde avec d'autres hommes en tant qu'ils sont raisonnables, ce n'est pas un individu doué de raison qui s'accorde avec d'autres individus humains, mais c'est l'*ego* qui s'accorde avec lui-même partout où il se pose lui-même. Il est donc tout simplement impossible de mettre le mot « sujet » au pluriel si l'on veut conserver son statut impersonnel. Le mot « sujet » est ici la forme substantivée du pronom « Moi », lequel n'a pas de pluriel, et non le synonyme d'un « agent » ni non plus d'un « individu » au sens du *subjectum* (*hypokeimenon*). Sinon, il faudrait expliquer comment on peut distinguer *ce sujet* de *cet autre sujet*, ce qui imposerait le recours à un principe d'individuation.

Il s'ensuit que le rapport de soi à l'autre sujet n'est justement pas un rapport à autre chose que soi, mais une autre forme du rapport à soi. Pour exprimer un tel rapport de soi à soi, le terme « intersubjectivité » est parfaitement justifié. Mais cela veut dire que l'intersubjectivité ne constitue nullement une forme de socialité. De même que la rigueur du langage interdit qu'on parle d'*autres sujets*, elle exclut qu'on puisse évoquer une *société des sujets*. Le problème du lien social ne saurait se poser à un sujet. Ce problème est d'emblée résolu puisque c'était une erreur de le poser : le rapport du sujet à l'autre sujet est en réalité un rapport du sujet à lui-même.

Si le rapport que je peux avoir comme sujet à vous comme sujet n'est qu'un rapport du *Moi* au *Moi*, et donc à *Moi*, sans passage possible à un pluriel, il s'ensuit que ce n'est pas un rapport de reconnaissance entre moi et un autre agent indépendant de moi. Et, si le sujet autonome n'est pas social au sens d'une authentique socialité (c'est-à-dire d'une interdépendance), mais seulement au sens d'un rapport intersubjectif à lui-même, le problème reste entier : comment lui appliquer des verbes sociologiques tels que « légiférer », « commander », « obéir », « contracter » ? La philosophie du sujet n'a pas apporté la solution qu'elle annonçait à la question du sociologue : *comment y aura-t-il un lien social entre les individus modernes ?* Elle n'a pas accepté de poser sérieusement cette question de philosophie sociale.

XLII

Légiférer pour soi-même

Comment appliquer à un individu pris isolément les verbes « commander » et « obéir », c'est-à-dire les mots qui posent la relation politique comme telle entre des hommes ?

À nouveau, on se reportera à l'énoncé que Jean-Jacques Rousseau a donné du problème qui se pose à l'homme : « Trouver une forme d'association qui défende et protège de toute la force commune la personne et les biens de chaque associé, et par laquelle chacun s'unissant à tous n'obéisse pourtant qu'à lui-même et reste aussi libre qu'auparavant » (*Contrat social*, I, chap. VI). Autrement dit : comment s'unir aux autres sans tomber dans une dépendance à leur égard ? Comment, en se montrant soumis aux lois communes, n'obéir qu'à soi-même ? Ou encore, en prenant le mot « individu » au sens normatif, comment est-il possible de vivre comme un *individu-dans-le-monde* ? Être un individu, en ce sens normatif du terme[1], suppose qu'on ne relève que de soi-même. Être dans le monde, c'est vivre dans la compagnie des autres hommes, donc participer à leurs formes de vie et à leurs institutions. Il y a donc une contradiction que le philosophe veut lever.

Le problème est posé au premier Livre du *Contrat social* en termes politiques, au prix d'une double réduction. D'abord, l'interdépendance qui définit la vie sociale (à savoir la complémentarité des fonctions que nous exerçons les uns à l'égard des autres) est réduite à la seule relation qui lie le membre d'un État à son souverain, à l'exclusion (peut-être provisoire) des autres dimensions de la vie sociale. Ensuite, le rapport de souveraineté s'exprime dans le seul exercice de la puissance législative (l'exécution des lois étant confiée à un organe subalterne).

On sait comment Rousseau offre, pour solution de ce problème, la formule d'un « acte d'association » par lequel « chaque individu, contractant, pour ainsi dire, avec lui-même, se trouve engagé sous un double rapport ; savoir, comme membre du Souverain envers les particuliers, et comme membre de l'État envers le Souverain » (*ibid.*, I, chap. VII). Lorsque Rousseau écrit « chaque individu », il ne s'agit d'abord que d'un individu au sens de la logique (Pierre ou Jean), donc seulement d'un exemplaire empirique du genre humain, pas de l'individu au sens normatif. Toutefois, cet individu contracte avec lui-même : il semble donc avoir trouvé le moyen, grâce à cet acte d'engagement réfléchi sur son auteur, de se donner une *individualité politique,* par conséquent de se faire l'auteur de ses propres obligations en matière civique.

Avant de prendre cet engagement, l'individu jouit d'une « liberté naturelle », laquelle est en principe illimitée. Après avoir contracté cet engagement, il jouit d'une « liberté civile » : sa liberté est maintenant limitée par la « volonté générale ». Du point de vue moral, cet échange est un progrès, en vertu de cette maxime dont le sens est loin d'être clair : « l'impulsion du seul appétit est esclavage, et l'obéissance à la loi qu'on s'est prescrite est liberté » (*ibid.*, I, chap. VIII). De nouveau, Rousseau a recours à la construction réfléchie.

On sait comment la philosophie du sujet autonome a trouvé dans cette singulière construction théorique de Rousseau un modèle conceptuel pour sa définition de la liberté personnelle. En soulignant le progrès moral que constitue l'acquisition d'une « liberté civile », Rousseau esquissait déjà l'intériorisation de la relation politique de législateur à citoyen assujetti. Mais que l'autonomie soit présentée sur la scène politique du contrat social ou sur la scène intérieure du rapport des facultés supérieures du sujet à ses facultés inférieures, le même problème doit être posé : en quoi un agent qui se donne à lui-même un commandement est-il obligé de faire ce qui a été commandé ? En quoi ce que prescrit le sujet a-t-il force de loi, si cette prescription s'adresse à lui ? Quel est donc le rapport à soi qui rend possible de tels actes normatifs ? Bref, en termes syntaxiques, quelle valeur donner à la construction pronominale des verbes « prescrire », « légiférer », « contracter », etc. ?

Rousseau souligne que, dans sa version de la production contractualiste du lien social, on ne trouve plus l'épisode d'un pacte de soumission par lequel un peuple se donne un roi.

L'acte d'association soumet une foule d'individus (les particuliers) à un tout constitué par les citoyens. C'est pourquoi chacun ne contracte *pour ainsi dire* qu'avec lui-même. Mais, s'il insiste sur le caractère réfléchi du contrat, acte social s'il en est, c'est justement pour affronter aussitôt l'objection selon laquelle un engagement pris envers soi-même ne saurait créer à proprement parler une obligation. Sa réponse est de type *holiste*, c'est-à-dire qu'elle fait appel à la relation de la partie au tout : « Mais on ne peut appliquer ici la maxime du droit civil que nul n'est tenu aux engagements pris avec lui-même ; car il y a bien de la différence entre s'obliger envers soi, ou envers un tout dont on fait partie » (*ibid.*, I, chap. VII). Notre problème devient donc celui-ci : quelle sorte de syntaxe donner à l'acte par lequel la partie s'engage envers le tout ? S'agit-il d'une relation d'un premier actant à un second actant, donc d'une diathèse réfléchie objective (le médecin se soigne lui-même), ou bien d'une autre sorte de relation ? Et, dans ce dernier cas, est-ce qu'on aurait cette énigmatique relation de premier actant à premier actant que les philosophes veulent introduire au titre de l'auto-position du sujet ?

Comment se fait-il que chacun, pour ainsi dire, contracte avec soi ? En quoi le contrat crée-t-il une obligation s'il est un engagement de l'individu (empirique) envers lui-même ? Rousseau répond en faisant appel à une construction réduplicative des propositions prédicatives (cf. *supra*, chap. 39). Comme membre de l'État, chacun est soumis à l'obligation. Comme membre du souverain, chacun reste libre, car il va de soi que le souverain, lui, n'est pas tenu par ses lois, qu'il ne peut pas s'engager envers lui-même. C'est pourquoi Rousseau écarte toute possibilité de restreindre la souveraineté législative par une constitution intangible ou par des lois fondamentales. « (...) il est contre la nature du corps politique que le Souverain s'impose une loi qu'il ne puisse enfreindre » (*ibid.*, I, chap. VII). Ce n'est pas là une opinion juridique sur l'opportunité d'avoir des lois fondamentales, c'est une remarque logique sur le prédicat « s'imposer à soi-même une loi qu'on ne puisse enfreindre ». C'est ainsi que le souverain peut, s'il le souhaite, rompre le contrat social lui-même.

On ne peut prendre d'engagement qu'envers autrui. C'est la réponse de Rousseau lui-même à notre question : quelle est la syntaxe des verbes « s'obliger », « s'engager », etc. ? Mon acte d'engagement ne crée une obligation pour moi que si cet engagement est accepté par quelqu'un d'autre. *La syntaxe de ces verbes ne peut jamais être réfléchie.* Le rapport de la partie au tout n'est donc pas, selon Rousseau, un rapport de l'individu avec lui-même. Le souverain peut s'engager, par des traités internationaux, envers d'autres puissances. Il ne peut pas s'engager à l'égard de lui-même, par exemple en adoptant une constitution. En effet, commente Rousseau, le corps politique face à une puissance étrangère n'est alors qu'un « être simple », un « individu » face à d'autres individus. Le principe de sa solution est clair : pour qu'on puisse appliquer un prédicat posant une relation d'obligation ou d'engagement entre deux sujets, il faut qu'il y ait entre eux une altérité d'individu à individu. Il est donc nécessaire d'individuer ce sujet envers lequel le particulier s'engage, sinon comme un *autre homme,* du moins comme une *autre personne,* de façon à pouvoir poser le rapport d'une volonté soumise à une autre volonté qui a force de loi. Il faut donc donner un principe d'individuation pour des personnes.

La solution de Rousseau est alors de placer de part et d'autre de l'acte de contracter, d'une part chacun des particuliers, d'autre part la « personne morale » du corps politique[2]. Toutefois, on se heurte alors à un paradoxe : l'engagement n'est valide que s'il va d'une personne à une autre, mais, justement, la personne morale envers laquelle chacun doit s'engager n'existera que si chacun s'engage. La procédure imaginée par Rousseau se heurte donc au cercle logique de l'auto-position. Ce cercle consiste dans un système de conditions dont chacune présuppose la satisfaction de l'autre, comme par exemple lorsque A ne fera un geste que si B fait d'abord un geste, et que B ne fera un geste que si A fait d'abord un geste.

Ainsi, Rousseau évite que l'engagement ne soit purement apparent en posant qu'il se fait avec un autre que soi. Mais il ne veut pas que cet autre que soi ait une existence indépendamment de la volonté des parties contractantes, car ce serait retomber dans la théorie du *pactum subjectionis* qu'il a condamnée. L'engagement est pris envers le tout qu'on veut construire avec d'autres. Comme le note Robert Derathé : « Chacun s'engage, en réalité, avec un tout ou une collectivité dont il fera partie, mais qui, au moment du pacte, n'a encore qu'une existence virtuelle[3] ». Par conséquent, tant que ce tout n'existe que virtuellement, les obligations à son égard sont elles-mêmes virtuelles. Le passage du virtuel à l'actuel semble devoir être indéfiniment différé, en vertu du défaut logique de toute la construction.

Il ne semble pas possible de résoudre le problème dans les termes où il a été posé jusqu'ici sans se heurter à des difficultés logiques insurmontables. Mais la difficulté vient de ce que les individus (empiriques) qui cherchent ici à fabriquer une société doivent le faire alors qu'ils sont encore dans l'état de nature, ce qui veut dire qu'ils sont aussi des individus au sens normatif, donc qu'ils ont des volontés indépendantes les unes des autres. Il est impossible de les faire entrer sous cette forme dans le lien social. Rousseau exprime précisément cette difficulté quand il écrit :

> Celui qui ose entreprendre d'instituer un peuple doit se sentir en état de changer, pour ainsi dire, la nature humaine ; de transformer chaque individu, qui par lui-même est un tout parfait et solitaire, en partie d'un plus grand tout dont cet individu reçoive en quelque sorte sa vie et son être ; d'altérer la constitution de l'homme pour la renforcer ; de substituer une existence partielle et morale à l'existence physique et indépendante que nous avons tous reçue de la nature (*ibid.*, II, chap. VII).

Cette fois, le mot « individu » doit être entendu au sens normatif. Les termes du problème politique ont été modifiés. Il n'est plus question ici, pour l'homme qui doit contracter, de conserver son indépendance naturelle tout en entrant dans le lien social. Bien au contraire, il lui faut perdre cette indépendance qu'il avait quand il se suffisait à lui-même (tel un « tout parfait et solitaire ») et se concevoir désormais comme la partie d'un « plus grand tout », donc d'un tout qui n'est pas seulement plus massif, mais plus imposant, plus digne d'affirmer ses propres fins. Il ne s'agit donc plus tant de passer un libre engagement avec un tout virtuel que de consentir à échanger, comme nous dirions aujourd'hui, une identité purement singulière contre une forme d'identité collective : de transporter son *moi* personnel dans l'unité du *moi* commun[4].

On pourrait dire qu'en adoptant cet idiome holiste, Rousseau parvient à échanger le cercle logique insoluble de la création d'une obligation réfléchie contre le cercle moral de l'autonomie (cf. *supra*, chap. 26). Il écrit en effet, dans ce même chapitre sur la fonction de l'indispensable Législateur, que ce dernier va se heurter à un obstacle en apparence insurmontable :

> Pour qu'un peuple naissant pût goûter les saines maximes de la politique et suivre les règles fondamentales de la raison d'État, il faudrait que l'effet pût devenir cause, que l'esprit social qui doit être l'ouvrage de l'institution présidât à l'institution même, et que les hommes fussent avant les lois ce qu'ils doivent devenir par elles (*ibid.*, II, chap. VII).

Rousseau poursuit en disant comment l'obstacle sera surmonté : ces lois que le peuple doit faire siennes lui seront présentées comme sages parce que d'inspiration divine. De nouveau, les voies de l'autonomie passent apparemment par le mythe et la théologie (cf. *supra*, chap. 39). Quoi qu'il en soit de ce dernier point, la différence entre les deux « cercles » est claire : tout à l'heure, le problème était de produire des obligations dans un contexte qui les annulait aussitôt, alors que le problème est maintenant d'acquérir progressivement un « esprit social » par la participation à une société dotée d'institutions qui en soient l'expression. Tout comme l'acquisition d'une vertu morale, le progrès en sagesse politique peut se concevoir comme l'œuvre d'un exercice qui renforce le pouvoir même dont il est l'exercice.

Les lecteurs libéraux de Rousseau ont souvent jugé inquiétants ces textes où Rousseau décrit complaisamment l'« aliénation » que représente l'entrée dans le lien social. Ils ont vu dans l'exaltation de la volonté générale la préfiguration d'une forme de « démocratie totalitaire » qui devait s'actualiser avec le despotisme jacobin et les programmes totalitaires du siècle dernier. Que peuvent bien être une « volonté générale », une « conscience collective », sinon des puissances artificielles qu'incarneront l'État ou le Parti ? La solution de la volonté générale paraît bien exiger la production violente d'une unanimité mensongère et oppressive. Et nous retrouvons ici la critique que faisait Alain Renaut à la sociologie holiste. Cette sociologie qui refuse l'« individualisme méthodologique » ne trouve de valeurs sociales que dans une société holiste, donc une « société fermée » comme pouvait l'être un groupe traditionnel, mais elle voit bien qu'une « société ouverte » comme la nôtre ne saurait réaffirmer de telles valeurs sans choisir de se fermer (ce serait le

totalitarisme). Le lien social paraît donc voué à se dissoudre
sans qu'on puisse y remédier. Cette critique me paraît reposer
sur un malentendu portant sur les raisons qu'a le sociologue de
concevoir sa discipline comme l'étude de totalités sociales et
non de simples interactions individuelles.

Il se trouve que Louis Dumont a pris sur ce point la défense
de Rousseau contre ces lectures critiques[5]. Si le traité de
Rousseau évoque pour certains un projet totalitaire, cela vient
de ce que la totalité sociale, au lieu d'être seulement reconnue
comme étant en fait *déjà donnée*, est présentée par lui comme
une construction artificielle que les individus peuvent réaliser
aujourd'hui ou demain s'ils le souhaitent. Ainsi, les critiques
libéraux ont une excuse : Rousseau est lui-même responsable de
l'obscurité de son traité, car il a employé le vocabulaire politique (artificialiste) de son temps pour exprimer une vue de
l'homme en société qui est incompatible avec les représentations individualistes dont ce vocabulaire est l'expression. Il est
parti de l'individu isolé pour essayer de retrouver l'homme
social par une « étrange alchimie[6] » qui devait changer la pluralité des volontés en « volonté générale ».

Rousseau a repris le mode de raisonnement artificialiste des
auteurs qu'il veut critiquer, et, ce faisant, il a dû inventer une
construction qui paraît mystifiante, et qui, d'ailleurs, à bien des
égards, est mystifiante. Mais il est possible de comprendre sa
pensée autrement, à condition de distinguer chez lui le théoricien politique du philosophe social. Il faut donc traduire les
énoncés de la langue qu'utilise Rousseau — celle de la philosophie politique individualiste — en énoncés de philosophie
sociale.

Le point le plus obscur de la construction de Rousseau, si l'on
veut y trouver une théorie politique, est le statut de la volonté
générale. Comment se fait-il que cette volonté générale puisse
se détacher des volontés particulières qui la composent et dont
elle devrait être la résultante ? Comment comprendre qu'on
puisse opposer à une volonté particulière, non seulement le
résultat d'une procédure de consultation du peuple assemblé,
mais bien la volonté générale telle qu'elle préexistait à son
expression dans le vote majoritaire ? Tant qu'on a une conception *procédurale* de la démocratie, ces idées sont non seulement
inquiétantes, mais surtout difficilement saisissables. Dumont
admet qu'il en est bien ainsi, mais approuve l'interprétation de
Durkheim. Nous ne pouvons pas comprendre ce que veut dire

Rousseau parlant de la volonté générale « si nous demeurons confinés au plan purement politique[7] ». Il faut retrouver, derrière la construction artificielle du corps politique, l'idée proprement sociologique : la volonté générale qui préexiste est la « conscience collective » au sens durkheimien.

Durkheim souligne qu'on s'est trompé quand on a cru que Rousseau justifiait le « despotisme des majorités » : la volonté générale n'est pas une affaire de majorité des voix ni même d'unanimité, car « ce qui généralise la volonté est moins le nombre des voix, que l'intérêt commun qui les unit » (*ibid.*, II, chap. IV). Si la volonté générale doit toujours être obéie, ce n'est pas principalement parce qu'elle *commande* et qu'elle est habilitée à le faire par la procédure du contrat social. Mais c'est parce qu'elle commande le *bien commun*[8]. Il y a donc un bien commun. L'expression de cette visée par le corps politique de son bien dans des résolutions majoritaires n'est qu'un phénomène superficiel. La volonté générale ne doit pas être comprise comme un « acte du vouloir collectif » (seul concept recevable tant qu'on se tient sur le terrain politique ou juridique). Il faut chercher la réalité de la volonté générale « dans les sphères moins conscientes et atteindre les habitudes, les tendances, les mœurs[9] ». Rousseau explique en effet que les lois les plus importantes de l'État sont des lois non écrites : « Je parle des mœurs, des coutumes, et surtout de l'opinion ; partie inconnue à nos politiques, mais de laquelle dépend le succès de toutes les autres » (*ibid.*, II, chap. XII). Autrement dit, la volonté générale est le nom donné par Rousseau à ce que les sociologues de l'école durkheimienne appellent les habitudes collectives, ou institutions de la vie sociale.

En fait, conclut Dumont, « les critiques qui accusent Rousseau d'avoir ouvert les portes aux tendances autoritaires le blâment pour avoir reconnu le fait fondamental de la sociologie, une vérité qu'ils préfèrent quant à eux ignorer[10] ». Dumont ne nie d'ailleurs pas que cette vérité puisse sembler mystérieuse et même mystifiante aux yeux d'un lecteur qui partage avec le public de son temps les représentations individualistes de l'homme. On peut même trouver que cette vérité est dangereuse. En un sens, il est exact qu'elle l'est, du moins tant qu'elle n'est pas reconnue comme une *observation* sociologique sur la réalité de la vie humaine, tant qu'on y voit un *programme* politique ou encore l'expression d'un vain regret du monde ancien que nous avons perdu. La vérité en question est que l'homme social n'existe qu'en tant que partie d'un tout qui lui préexiste. Lorsque cette vérité est exprimée en termes d'un intérêt commun que le gouvernement doit viser, on peut avoir le sentiment qu'il s'agit de « créer » un consensus, de « fabriquer » une totalité. Mais Rousseau veut dire autre chose : dire qu'il y a un intérêt commun qui forme le lien social, c'est dire seulement que la société existe[11].

Dumont conclut en indiquant ce qui fait la grandeur philosophique de l'auteur du *Contrat social* : « Ainsi, Rousseau ne fut pas seulement le précurseur de la sociologie au sens plein du terme. Il posa du même coup le problème de l'homme moderne, devenu individu politique, mais demeurant comme ses congénères un être social. Un problème qui ne nous a pas quittés[12]. » Pour accepter de juger que ce problème se pose, il faut avoir reconnu que le lien social, puisqu'il est fait d'obligations et de dettes, ne peut pas être instauré entre l'individu et lui-même : ni entre l'individu empirique et de nouveau lui-même (diathèse « objective »), ni entre l'individu empirique et l'individu normatif (diathèse « subjective »), mais seulement entre des individus empiriques *distincts* qui possèdent l'« esprit social » nécessaire.

Que la leçon de Rousseau soit plus sociologique que politique (au sens restreint du terme « politique ») permet de répondre à l'objection qu'opposait Renaut aux auteurs qui avaient adopté une « perspective tocquevillienne » sur l'histoire moderne et qui parlaient donc d'individualisme plutôt que d'auto-affirmation du sujet. Renaut a raison de souligner que l'histoire politique n'est pas l'infrastructure de l'histoire des idées. Si nous voulons saisir une « configuration d'ensemble » des valeurs modernes, il faut un regard d'ensemble. Par conséquent, le mot « individualisme » ne doit pas être pris dans le sens politique (où il sert à incriminer le manque de civisme, le défaut d'un esprit de solidarité). D'après Dumont, le terme reçoit son acception sociologique chez Tocqueville. Tocqueville, comme Montesquieu, a vu qu'il fallait déborder le pur politique[13]. C'est ce qui se produit chez lui lorsque le mot « démocratie » désigne, non plus seulement un *régime* de gouvernement, mais un *état social* : celui qui tend à l'égalité des conditions et correspond donc aux valeurs individualistes. Déborder le politique veut dire ici : passer d'une réflexion sur la distribution du pouvoir, la constitution, etc., à une réflexion sur les mœurs et sur l'ensemble de la vie sociale.

On retrouve le même mouvement qui conduit Rousseau à placer la constitution politique dans les *mœurs* plutôt que dans un texte. Je conclus donc au bien-fondé d'une « perspective tocquevillienne » sur les idées démocratiques, et même à la supériorité de cette perspective sur celle d'une philosophie du sujet lorsqu'il s'agit de se demander, comme je vais le faire dans ce qui suit (cf. chapitres 43-47), s'il y a des conséquences politiques du *Cogito*.

Rousseau exclut que le souverain puisse prendre des engagements à l'égard de lui-même. Pour autant que le sujet des philosophes doit trouver sa figure politique de citoyen sous la forme d'un rapport de souveraineté intériorisé, rapport entre un homme et lui-même, il faut en conclure qu'on ne peut pas extraire du *Contrat social* une philosophie politique du sujet. Certes, Rousseau parle de subordonner en chacun la volonté particulière à la volonté générale, mais le sujet de cette volonté générale est l'État. L'individu humain ne participe à cette volonté générale qu'après avoir été « dénaturé » : de totalité parfaite et auto-suffisante, il est devenue une partie d'un plus grand tout. Et, point décisif, il ne l'est pas devenu *par lui-même* (ce qui serait une auto-position), mais *par les lois*.

Il faut donc chercher ailleurs une auto-position politique du sujet en tant qu'*ego*. En fait, comme on sait, ce langage philosophique du « sujet » ne vient pas de la philosophie politique ou même de la morale, mais d'une théorie de la connaissance opposant le sujet de la représentation à son objet. À son tour, cette théorie de la connaissance dérive d'une philosophie réflexive de l'esprit (Locke) qui hérite de Descartes la conception des verbes psychologiques comme étant des verbes de conscience. Et c'est donc de ce côté qu'il faut chercher.

XLIII

La légende française du sujet
moderne

Un individu peut avoir une autorité sur lui-même à condition
de l'avoir reçue d'une instance elle-même habilitée à la lui
conférer. Si le capitaine est responsable de la sécurité de tous
les passagers du navire sans exception, alors il est responsable
de sa propre sécurité. C'est ce qui permet à des verbes sociologiques comme « commander » ou « autoriser » de prendre
une forme réfléchie tout à fait ordinaire, c'est-à-dire allant d'un
premier actant à un tiers actant. Il en va de ces verbes comme
de « donner » : certes, je ne peux pas me donner de l'argent à
moi-même, et, pourtant, si je suis chargé de distribuer les parts
de la galette des Rois, je dois m'en attribuer une à moi-même
en tant que convive.

Il appartient à la philosophie politique de s'interroger sur le
fondement de toutes les relations d'autorité qui relèvent de la
fonction politique de souveraineté. Lorsque cette philosophie
est une doctrine du sujet, elle soutiendra que toute autorité est
conférée par un supérieur, jusqu'à ce qu'on arrive à un souverain ultime qui ne peut être, en ce qui concerne chacun de
nous, que *soi-même*. Une telle thèse ne résulte pas, on s'en
doute, d'une analyse des relations qui constituent, parmi les
domaines de l'homme, celui qui relève de la catégorie du politique. Il ne s'agit pas, à proprement parler, d'une thèse de philosophie politique, mais plutôt d'une conséquence politique à
tirer d'une thèse de philosophie universelle, c'est-à-dire de
métaphysique. Cette métaphysique est celle de l'existence en
première personne, ou philosophie du *Cogito*.

Comment se fait-il qu'on puisse tirer des conséquences politiques du *Cogito*, argument qui devait fonder l'édifice de la

science ? La raison est que cet argument du *Cogito* ne vise pas seulement à établir une vérité de fait (l'existence du penseur). Il a également une portée normative. En fait, le *Cogito* doit être compris, selon cette philosophie du sujet, comme enregistrant la reconnaissance par la philosophie de ce qui marque l'entrée dans les temps modernes : l'affirmation d'une « compétence normatrice de la libre subjectivité[1] ».

Que cherchent à faire les philosophes qui soutiennent que l'idée de « sujet » est spécifiquement moderne ? Il est vraisemblable que beaucoup d'entre eux partent de l'observation suivante : l'homme contemporain reconnaît principalement deux autorités. Il y a d'abord l'autorité de la science naturelle. Il y a ensuite l'autorité de la morale individuelle, qui est une morale de la conscience et dont les idées démocratiques ne constituent, aux yeux de beaucoup, que la traduction collective. Personne n'imagine véritablement que ces autorités puissent être ébranlées. Le philosophe va donc chercher sur quoi repose ce remarquable consensus. Parmi les réponses qui s'offrent à lui, il y a l'idée que la révolution intellectuelle et morale — je veux dire la révolution dans les représentations et les valeurs — qui fait entrer l'humanité dans les temps modernes peut s'exprimer en des termes empruntés à la philosophie de l'esprit : le sujet qui pense une pensée est placé, par cet acte cogitatif, dans un rapport réfléchi avec lui-même. Et c'est ce rapport réfléchi à lui-même qui fonde ce qu'on peut appeler *compétence normatrice de la libre subjectivité,* puisqu'il suppose une auto-position du sujet. C'est du moins ce que cette philosophie du sujet se propose d'établir.

Appelons *raison individuelle* le pouvoir qui permet à un individu, non seulement de formuler des jugements (c'est-à-dire des opinions pour lesquelles on peut donner ou du moins chercher des raisons), mais de les formuler à la première personne (et donc pour des raisons qui sont celles du sujet qui juge). La thèse subjectiviste est alors qu'avoir une raison individuelle, c'est nécessairement se conférer à soi-même une autorité judicative. Autrement dit, c'est prendre sur soi de juger « de sa propre autorité », donc sans y avoir été autorisé par une instance compétente. En effet, cette instance compétente n'existe pas puisque, si elle était extérieure au sujet, il lui faudrait se faire reconnaître de lui et donc en appeler à sa « compétence normatrice » ultime.

S'il en est bien ainsi, la souveraineté de l'individu qui se découvre « sujet » ne commence pas avec sa participation à une libre association politique. Elle s'exerce chaque fois que cet individu est amené à se prononcer sur un point normatif quelconque. Lorsqu'il est demandé à l'individu de professer certaines vérités (par exemple en récitant un Credo), c'est à lui qu'il est demandé de les professer. Puisqu'il doit dire « je crois » et pas seulement « on croit » ou « l'Église croit », il est censé assumer en première personne le dogme et donc jouir de l'autorité nécessaire à cette proclamation. De même, lorsqu'il lui est demandé de reconnaître la validité de certains commandements venant de son Prince (en y obéissant), alors cet individu ne peut éviter de produire des énoncés en première personne (« je reconnais avoir reçu un ordre », « j'obéis aux ordres reçus »). Mais, s'il lui appartient de reconnaître la validité de l'ordre, cela veut dire qu'il possède l'autorité nécessaire à cet acte.

La philosophie trouve dans le concept de sujet doté d'une compétence normatrice le moyen de se faire historiographie métaphysique. Elle pourra dépasser des sujets d'enquête encore spécialisés, en dépit de leur ampleur, tels que « Qu'est-ce qui distingue la science moderne de la science antique ? » ou « Qu'est-ce qui distingue la morale moderne de la morale antique ? ». L'idée directrice d'une histoire philosophique des temps modernes est non seulement qu'il doit y avoir un lien entre l'attitude qui a rendu possible la science moderne et l'attitude qui a rendu possible les révolutions politiques modernes, mais que ce lien qui permet de parler d'une époque moderne a trouvé son expression la plus propre ou la plus adéquate dans la philosophie. Le philosophe nous dit : sans le concept philosophique de subjectivité (développé par les philosophes modernes), vous ne pouvez pas expliquer ce qui fait l'autorité de la science et ce qui fait l'autorité de la conscience (individuelle).

De fait, on appelle parfois « philosophie du sujet » cette thèse qui identifie le sujet de conscience (*ego* cartésien) et la personne juridique conçue comme titulaire de « droits subjectifs ». Si j'ai des droits subjectifs que je peux opposer aux autorités extérieures, c'est parce que je suis (et que je sais être) un sujet, pas un simple objet ou une simple chose. Il y aurait donc coïncidence entre la polarité philosophique du *sujet* et de l'*objet* et la polarité juridique de la *personne* et de la *chose*. Le kantisme et l'idéalisme post-kantien auraient eu pour mission, dans l'économie de l'histoire métaphysique, de fonder cette coïncidence sur une métaphysique de l'esprit.

Cette thèse, dogme central de la « pensée du sujet », est-elle remise en question lorsque les historiens font remarquer qu'on ne peut pas imputer à Descartes la paternité des « droits subjectifs » ? Tout d'abord, c'est un fait que Descartes n'en a pas parlé. Ensuite, on ne peut méconnaître que Grotius, qui est le véritable penseur de cette notion, a publié son traité *De jure belli ac pacis* en 1625, date à laquelle Descartes n'a encore rien publié et n'a d'ailleurs pas encore beaucoup écrit. En fait, l'objection historique n'a pas toute la portée qu'on lui attribue[2]. Elle serait décisive si les tenants de la « métaphysique du sujet » étaient des historiens de la philosophie soucieux de reconstituer la doctrine effectivement professée par Descartes. Mais ce n'est pas leur but. Ils ne s'occupent pas, tels des exégètes, de ce que Descartes a dit, mais de ce que son système ou son principe aurait dû le conduire à dire. Autrement dit, ils se considèrent comme des *héritiers* de la philosophie cartésienne, pas comme des antiquaires, et c'est pourquoi ils trouvent légitime de corriger le Descartes littéral pour lui substituer un Descartes interprétatif.

Tout le monde sait bien que le récit philosophique qui assigne à Descartes la place du fondateur de tout ce qu'il y a eu de moderne après lui n'est pas littéralement vrai. Il suppose une interprétation. Bien entendu, Descartes n'a ni découvert ni imaginé des choses telles que le droit de propriété fondé sur le fait d'être le premier acquéreur, le suffrage universel (en dépit de ce qu'il a pu dire à propos du « bon sens »), la définition de la liberté par la « négativité », la subjectivité des valeurs, etc. Personne ne soutient qu'il l'a fait. Il s'agit seulement de savoir si toutes ces idées sont cartésiennes par construction interprétative, autrement dit si elles sont dérivables de l'auto-affirmation d'une conscience.

Le point à discuter n'est pas foncièrement historique, puisque le caractère interprétatif de toute cette historiographie philosophique est admis. Il ne s'agit donc pas pour moi d'opposer à cette construction historique d'autres constructions possibles. Néanmoins, je crois qu'il est juste de parler ici d'une *légende du sujet* pour souligner le caractère irréel de toute la construction. La chose est particulièrement sensible lorsqu'on constate que la référence à Descartes est conservée alors même que les faits parlent dans un autre sens. Par exemple, il est frappant de suivre les aventures de l'idée selon laquelle toute la science moderne aurait trouvé son principe dans Descartes. À l'époque des *Femmes savantes*, cette idée pouvait être soutenue dans son sens littéral. Ensuite, on persiste à faire procéder la science moderne du sujet cartésien, mais on ne retient plus sa physique, seulement l'idée d'une physique mathématique. Oui, mais la physique cartésienne ne comporte que peu d'équations. Il ne reste bientôt plus que l'idée d'une méthode inspirée de la pratique des mathématiques et qui assure à l'homme la domination de la nature. Le rapport avec le *Cogito* devient des plus vagues, à moins de revenir à cette idée que Descartes a découvert que l'exercice individuel de la raison suppose une auto-position de soi en sujet doté d'une autorité souveraine, non pas bien entendu sur la nature ou sur les autres hommes, mais sur lui-même. Et ce sont les conséquences politiques de cette idée qu'il s'agit maintenant d'examiner.

En parlant de *légende* plutôt que d'une simple construction, je veux attirer l'attention sur le fait qu'il s'agit d'une élaboration historiographique qui séduit et dont le succès se nourrit de sa propre transmission. Elle tire de sa résistance aux faits une autorité qu'on peut dire idéologique, laquelle est évidemment nulle et non avenue dans une discussion philosophique. Enfin, je qualifie cette légende de *française* parce qu'elle tend à trouver dans une histoire nationale les épisodes décisifs d'une modernité universelle, comme le suggère le titre que donne Condorcet à sa neuvième époque : « Depuis Descartes jusqu'à la formation de la République française ».

XLIV

La révolution privée de Descartes

François Azouvi et Jean-Marie Beyssade, dans leur article
« Descartes » du *Dictionnaire de philosophie politique*[1], posent fort
bien la question : comment se fait-il que, dès le XVIIIe siècle, on
ait continuellement invoqué Descartes comme un auteur politique progressiste, lui qui n'a pas composé de traité politique,
lui qui n'a jamais projeté d'écrire sur l'État ? On a de fait attribué à Descartes une pensée politique qu'il n'a nulle part exprimée. Dira-t-on que cette attribution repose sur une méprise ?
Parlons plutôt d'un acte herméneutique : l'acte de se donner,
par une interprétation, un ancêtre dont on se déclare l'héritier,
une figure d'autorité dont on puisse se réclamer. Tout le problème est alors de savoir si une telle interprétation est, non pas
positivement correcte (ce qui n'a plus grand sens d'un point de
vue interprétatif), mais possible et éclairante. N'y a-t-il pas une
filiation spirituelle qui unit les révolutionnaires de 1789 à
l'exemple donné par le philosophe ? Ou bien le « cartésianisme
putatif » des idées égalitaires relève-t-il du mythe ? Les auteurs
de l'article « Descartes », qui soutiennent pour leur part que la
filiation est mythique, expliquent que l'interprétation progressiste était au fond inévitable pour deux raisons.

D'abord, l'entreprise cartésienne de reconstruction rationnelle est radicale, donc générale. Comment soustraire au programme général d'examen et de fondation tel ou tel domaine ?
Descartes s'est abstenu de soutenir publiquement des idées sub-
versives en matière de politique et de religion, mais c'est peut-
être parce qu'il a préféré garder pour lui les opinions qu'il avait
sur ces questions. Le lecteur est tenté de comprendre ainsi la
lacune que présente le système, surtout s'il croit pouvoir recons-

tituer ce que Descartes pensait à ce sujet, mais n'a pas dit. Ou encore, faisant un pas de plus dans une herméneutique constructive, s'il se fait fort de déterminer ce que Descartes *aurait dû* penser au sujet de la vie civile et de l'État « pour suivre ses propres principes ». En effet, connaissant les idées que Descartes a effectivement soutenues sur d'autres sujets, connaissant la manière dont il a prescrit d'aborder ces sujets, nous apercevons les conséquences que Descartes n'a pas pris la peine de tirer ou n'a pas voulu tirer ou, peut-être, n'a tout simplement pas aperçues. Et l'on dira ici : peu importe au fond la biographie intellectuelle de Descartes, ce sont les exigences du système qui doivent prévaloir pour ce qui est de fixer une position « cartésienne » sur quelque sujet que ce soit.

La deuxième raison de compléter la doctrine cartésienne tient au désir de trouver une cohérence, non plus chez le seul Descartes, mais dans la pensée d'une époque caractérisée par l'affirmation de plus en plus résolue des pouvoirs de la raison humaine. Si Descartes a été tout naturellement inclus dans le panthéon républicain, s'il a été tenu pour avoir préparé 1789, c'est parce qu'il était « rationaliste ». D'où la possibilité, par un jeu de mots sur l'expression « droit subjectif », d'associer l'œuvre de Descartes et celle de Grotius[2]. On admet communément qu'il appartient à Grotius d'avoir forgé ou du moins systématisé et donné sa forme classique à la notion d'un droit subjectif. Descartes n'a rien écrit en ce sens. Pourtant, le rapprochement se fait comme de lui-même. Du reste, comme le notent F. Azouvi et J.-M. Beyssade, ce sont les critiques du droit naturel rationaliste et de l'esprit des Lumières qui, les premiers, ont fait état de cette parenté entre le cartésianisme et le jusnaturalisme. Tout se passe comme si le *Cogito* avait fondé en métaphysique la politique des droits naturels de l'homme.

Le contexte de cette question sur une politique cartésienne n'est donc pas l'interprétation de la philosophie de Descartes considérée selon ses propres intentions, mais la discussion classique sur les origines intellectuelles de la Révolution française. Dans cette discussion, déterminer quelle était ou aurait été la position de Descartes représente un enjeu idéologique plutôt que philosophique. F. Azouvi et J.- M. Beyssade écartent l'image d'un Descartes révolutionnaire, mais ils marquent également la place qu'*aurait pu* avoir une politique progressiste dans le système cartésien. Ils parlent d'une « révolution privée » accomplie par Descartes, une révolution dont les conséquences publiques n'ont pas été tirées par Descartes, mais le seront par d'autres. C'est une extraordinaire notion, si l'on y réfléchit, que celle de *révolution privée*[3].

Descartes limite explicitement sa révision radicale aux opinions qu'il avait jusque-là « reçues en sa créance ». Il laisse de côté l'État parce que, dit-il, il n'appartient pas à un « particulier » d'en examiner les fondements à des fins de réforme[4]. Quelle est la portée réelle de cette limitation ? Parler d'une révolution privée de Descartes, c'est juger que cette portée est forcément nulle. L'entreprise de l'examen méthodique et de l'épreuve du doute porte sur *toutes* les opinions du sujet, sur toutes les croyances qu'il se trouve avoir. Le partage invoqué par Descartes entre le public et le privé ne tient pas, car les affaires publiques (ou religieuses) figurent aussi dans le domaine où le sujet exerce sa compétence, à titre d'opinions qu'il se fait sur elles. Il ne manque pas de questions qui échappent à la compétence de l'individu particulier que je suis. Mais il suffit qu'une question donne lieu à une réponse de ma part pour que je sois en possession d'une opinion : j'ai admis cette opinion en ma créance, et cet assentiment ne relève que de mon autorité. En effet, Descartes a écrit dans le *Discours* : « Mais pour toutes les opinions que j'avais reçues jusques alors en ma créance, je ne pouvais mieux faire que d'entreprendre, une bonne fois, de les en ôter » (A.T., VI, p. 13). Par conséquent, concluent les auteurs de notre article :

> Au regard de *nos* opinions, cette universalité n'admet aucune limitation. Or les vérités religieuses de la foi, aussi bien que les lois civiles de l'État auquel nous appartenons ne s'imposent à nous qu'à travers la médiation d'une opinion qui est *la nôtre* : privée et par conséquent susceptible d'être réexaminée.
> Qu'en est-il, au terme de cet examen et de cette révolution privée ? À dire vrai, pour la politique cartésienne, ce terme n'est jamais arrivé[5].

Que veut dire : accomplir une révolution en privé ? Cela veut dire que la révolution, avant d'être l'événement public bruyant qui s'accomplit sur la scène du monde, se produit dans l'intime entretien du sujet avec lui-même. En ce sens, on pourrait dire que la révolution privée est véritablement radicale puisqu'elle précède et prépare les subversions extérieures.

À cet égard, peu importe que Descartes ait ou non accompli cette révolution privée. Il en va ici comme de l'égologie : même si Descartes n'a pas effectivement dit que j'étais un *moi* et non pas une substance, il aurait dû le dire, et c'est pourquoi nous ferons comme s'il l'avait laissé entendre. On dira donc : même si Descartes a été conservateur en politique, il a mis en évidence la façon dont chacun de nous devait s'instaurer en sujet de ses propres opinions dans l'ordre politique. En effet, il a dégagé le rapport à soi qui s'insère entre l'autorité extérieure (qui proclame des dogmes ou qui édicte des lois) et moi-même comme sujet de l'acte de juger. Lorsque j'examine le bien-fondé d'un dogme religieux ou d'une loi publique, je ne suis pas en train d'outrepasser mon champ de compétence, car ce que j'examine est un acte de ma part : dois-je ou non accepter intimement de me soumettre à l'autorité ? Mais prenons garde à ceci : cette décision est grave, elle ne peut en aucun cas être déléguée, je ne peux m'en remettre à une autorité de m'indiquer la position à prendre (comme paraît le faire le Descartes littéral). Si, *moi*, je déclare accepter tel dogme ou telle loi, il n'est plus possible de prétendre que ce dogme ou cette loi me sont imposés, car j'ai accepté de me les imposer à moi-même.

À suivre ce raisonnement, il n'y a donc d'autorités s'imposant à moi qu'en vertu d'un acte par lequel *je m'impose à moi-même* de les reconnaître. Cet acte est lui-même un acte d'autorité (intellectuelle). L'autorité que je possède sur moi-même est donc le fondement de toute autorité dont je pourrais jamais reconnaître l'existence. Et cet acte est bel et bien réfléchi : la question porte sur *mon* opinion, elle requiert de ma part un examen de *moi-même*.

Or cette idée d'une révolution privée comporte au moins trois difficultés.

Première question : Puis-je avoir des opinions politiques si je ne fais pas partie d'un corps politique ?

Il convient ici de mesurer la distance qui commence à se creuser entre le Descartes historique et le Descartes légendaire. Cette idée d'une fondation « privée » des jugements politiques (et du credo religieux) est problématique. « Révolution » ou « subversion privée » : entendons par là une disqualification à mon propre usage des dogmes enseignés par l'Église dans laquelle j'ai été élevé et des lois civiles organisant l'État dont je suis le citoyen. Les vérités et les principes de la communauté politique et de la communauté croyante peuvent bien affirmer leur légitimité, ils sont privés de toute validité pour le particulier que je suis s'ils ne manifestent pas leur vérité à mes propres yeux.

Il se pourrait pourtant que la subversion privée qu'exerce le penseur sur ses opinions ait pour conséquence, non pas une révolution privée en matière de politique et d'affiliation religieuse, mais plutôt une attitude faite de retrait et de conservatisme. Pourquoi Descartes ne pourrait-il avoir la même attitude apolitique ou, si l'on veut, agnostique en matière politique que Montaigne avant lui et Pascal après lui ? L'individu qui entreprend de vérifier le bien-fondé de toutes ses opinions a cessé d'appartenir au monde de l'action politique. Il a adopté, dira le sociologue, le statut d'un « individu extra-mondain ». En lui demandant de fonder en raison la politique, nous demandons à l'individu-hors-du-monde de se comporter en homme-dans-le-monde, c'est-à-dire en homme social, sans pour autant lui donner les moyens de prendre place dans ce monde, puisqu'il doit juger par lui-même et seulement par ses propres lumières de tout ce qui se présente à lui. Comment pourrait-il retrouver à partir de sa propre existence des principes de gouvernement et de justice ? Il y a bien une individualisation des opinions qu'opère la méthode, mais elle a pour effet de soustraire le sujet de ces opinions à ses liens politiques, ce qui veut dire qu'elle le prive de toute possibilité de prendre un parti dans les affaires publiques.

D'où une seconde question : Comment former mes opinions lorsque je me reconnais membre d'un corps politique ?

De fait, il semble bien que Descartes n'ait pas été tenté par l'individualisme dans l'ordre politique. Il est ici intéressant de comparer les opinions qu'on attribue à un penseur qui appliquerait la méthode cartésienne aux affaires publiques et celles que Descartes a parfois exprimées sur ce point. F. Azouvi et J.-M. Beyssade ont fait cette comparaison et ils ont montré que Descartes raisonnait selon un schéma holiste plutôt qu'un schéma individualiste. Je me bornerai à reprendre leurs références et à prolonger leur commentaire.

Le problème, écrivent-ils, est celui-ci : « Comment un individu autonome, qui se pense comme un tout, peut-il se faire partie d'une totalité politique[6] ? » On dira peut-être : c'est ici la question et aussi le langage de Rousseau dans le *Contrat social* (cf. *supra*, chap. 42). Sans doute, mais on trouve aussi ce langage chez Descartes, de sorte qu'il est possible d'imaginer quelle aurait été la réponse de Descartes à la question de Rousseau. Car c'est justement en termes de totalités (mais de totalités partielles emboîtées les unes dans les autres) que Descartes explique comment il est raisonnable de se dévouer à des intérêts supérieurs au sien particulier.

Chez Descartes, ce n'est pas la raison qui déclare le statut politique de l'homme. C'est bien plutôt le sentiment de l'amour. L'amour, pour notre philosophe, est capable de constituer des totalités réelles. Les totalités que crée l'amour sont réelles puisqu'elles sont dotées d'un bien propre réel et aussi d'une conscience et d'une volonté de ce bien. Voici le texte le plus net sur ce point :

> (...) L'amour qu'un bon père a pour ses enfants est si pur qu'il ne désire rien avoir d'eux, et ne veut point les posséder autrement qu'il ne fait, ni être joint à eux plus étroitement qu'il est déjà ; mais, les considérant comme d'autres soi-même, il recherche leur bien comme le sien propre, ou même avec plus de soin, parce que, se représentant que lui et eux font un tout dont il n'est pas la meilleure partie, il préfère souvent leurs intérêts aux siens et ne craint pas de se perdre pour les sauver[7].

Certes, le thème n'est pas nouveau : l'amour paternel est-il possessif ou désintéressé ? Pourtant, ce texte est significatif, car il montre combien Descartes est à l'aise dans ce qu'un sociologue appellerait les catégories holistes d'une pensée sociale. En outre, ce texte illustre magnifiquement ce que Descartes entend par « un autre soi-même » : ce n'est pas du tout *autrui*, comme pour les phénoménologues, ni même un *prochain*, comme pour les moralistes, mais bien plutôt quelqu'un à l'égard de qui le sujet (*ego*) n'a aucune espèce de distance ou de séparation. De l'analyse proposée dans ce texte, il résulte une conséquence pour ce qui est des opinions politiques que peut avoir un particulier : si quelqu'un doit former des opinions qui soient *les siennes* en politique, alors ces opinions seront les siennes en tant qu'elles seront professées par lui-même, donc ici par *le tout dont il fait partie* ou par lui-même en tant que porte-parole de cette totalité, pas par lui-même en tant qu'individu privé.

Considérons enfin ce qu'écrit Descartes dans une lettre à Elizabeth. La question posée au philosophe était : comment faire pour « se fortifier l'entendement » afin de « discerner ce qui est le meilleur en toutes les actions de la vie » ? Descartes répond qu'il faut garder à l'esprit plusieurs vérités : il y a un Dieu parfait, notre âme est immortelle, le terre n'est pas le centre d'un monde fini. Et il ajoute ce quatrième principe : le tout vaut mieux que la partie, autrement dit les intérêts d'un tout dont je fais partie sont supérieurs aux intérêts du particulier que je suis[8].

Comment un particulier appartient-il à une totalité qui l'englobe et par conséquent lui impose ses propres fins : c'est, écrit Descartes, « par sa demeure, par son serment, par sa naissance ». Il s'agit donc bien d'un lien générateur de devoirs et d'idéaux, mais qui pourtant n'impose pas des obligations inconditionnelles puisqu'il est toujours possible, en présence de la demande que me fait une totalité dont je fais partie de la servir, de me demander s'il n'existe pas une obligation plus haute (attachée à une totalité plus englobante).

Aujourd'hui, un lecteur habitué à poser le problème de la raison pratique en termes néo-kantiens se demandera sans doute si Descartes a défendu l'autonomie ou l'hétéronomie de l'être humain. Mais une telle alternative serait ici sans application. Si je suis soumis, moi personne indépendante, aux lois édictées par une puissance étrangère, alors je subis un régime d'hétéronomie. Mais si je suis soumis aux lois d'une totalité dont je suis partie prenante, alors je suis soumis à mes propres lois. Mieux, c'est justement ainsi que Rousseau conçoit l'obéissance d'un sujet à ses propres lois : il faut poser, entre le particulier soumis à la loi et le législateur, la médiation d'un tout supérieur à l'individu. Bref, pour Descartes, l'homme compris comme citoyen n'est pas encore un individu-dans-le-monde.

Troisième question : Existe-t-il une méthode pour mener, par la voie réflexive, un examen de *toutes* mes opinions ?

L'idée même du doute radical est moins claire qu'il n'y paraît. En quel sens Descartes met-il en question *toutes* les opinions qu'il avait acceptées jusque-là ? Comment le sujet peut-il avoir prise sur toutes ses opinions ? S'agit-il de toutes les croyances ou seulement de tous les jugements explicites ? Que fait-on des croyances *habituelles* ou *virtuelles* ? Chaque fois que je m'assieds sur la chaise, tout se passe comme si je prononçais un jugement sur sa capacité à supporter mon poids. Bien entendu, je ne forme pas ce jugement, même implicitement, je me contente d'en tirer la conséquence (« si ceci est une chaise, alors je peux m'y asseoir »).

Azouvi et Beyssade expriment bien le point de vue d'une épistémologie critique d'inspiration cartésienne quand ils écrivent qu'une vérité quelle qu'elle soit ne s'impose à nous qu'à travers la médiation d'une opinion qui est *la nôtre* : « privée et par conséquent susceptible d'être réexaminée ». Le présupposé est donc qu'une opinion est quelque chose *dans le sujet*, quelque chose qui appartient à la sphère du sujet et que ce dernier peut donc examiner « en privé », c'est-à-dire en toute indépendance à l'égard des autres.

Formule très remarquable : une vérité qui ne s'impose pas à moi est une vérité qui m'est inconnue, qui n'est pas arrivée jusqu'à moi. Que faut-il pour qu'une vérité s'impose à moi ? Il faut une *médiation subjective* : l'acte par lequel je la reconnais et la confesse. Ce n'est pas dire que l'opinion en question *devienne* vraie grâce à moi (ce qui serait insensé pour Descartes comme pour la plupart des philosophes). Mais c'est dire que cette vérité doit faire ses preuves devant un examinateur qui n'est autre que moi. Par cet examen et par le jugement qui le conclut, je me constitue en *sujet* de mes propres opinions, jusque-là simples « préjugés » dont j'étais le porteur et non représentations dont j'étais l'auteur.

En vertu de ce devoir d'appropriation, on ne dira pas : la vérité n'existe que si je consens à ce qu'elle existe. Mais on dira certainement : la vérité n'existe *pour moi* que si je consens à ce qu'elle existe. La différence entre les deux formes de subjectivation n'est pas négligeable : si je ne consens pas à ce que telle vérité existe pour moi, il faut dire « tant pis pour moi », et non pas « tant pis pour la vérité ». Autrement dit, la vérité ne peut pas être une *valeur* au sens qu'on donne à ce mot dans une perspective nietzschéenne ou wébérienne. Quand il s'agit de telles valeurs, il est bien loisible de dire : si telle valeur n'existe pas pour moi, tant pis pour cette valeur. En effet, je ne perds rien, puisqu'aussi bien la valeur ainsi comprise n'est rien par elle-même, et qu'elle doit à la médiation subjective, non pas bien sûr d'exister tout court, mais d'exister-pour-moi, seule mode d'existence qui lui soit accordé dans ces écoles de pensée.

Aucun lecteur attentif de Descartes ne sera tenté d'attribuer à ce dernier une théorie subjectiviste du vrai, ou même des critères du vrai. Il n'en reste pas moins que l'idée d'une médiation subjective entre les vérités et le sujet de créance peut donner lieu à une telle subjectivation. Et c'est ce qui produit chez l'un des représentants les plus notables de la légende d'un *Cogito* révolutionnaire : Condorcet.

La politique des Lumières

Condorcet fait partie des philosophes qui n'hésitent pas à reconstruire la doctrine qu'ils attribuent à Descartes de façon à reconnaître à ce dernier sa place de fondateur[1]. Dans l'*Esquisse*, le nom de Descartes apparaît à la fin de la huitième époque, celle qui va « depuis l'invention de l'imprimerie jusqu'au temps où les sciences et la philosophie secouèrent le joug de l'autorité ». Condorcet compare les mérites de Galilée et du philosophe français dans l'émancipation philosophique de l'esprit humain. Et c'est de nouveau Descartes qui est nommé lorsque l'auteur aborde la neuvième époque, puisque celle-ci va, selon lui, « depuis Descartes jusqu'à la formation de la République française ». Ainsi, l'œuvre de Descartes est dans ce tableau du progrès humain une charnière historique. La contribution de Descartes à l'émancipation humaine est avant tout d'avoir défini la méthode : « doué d'un grand génie pour les sciences, il joignit l'exemple au précepte, en donnant la méthode de trouver, de reconnaître la vérité » (*op. cit.*, p. 211).

Lorsque Condorcet traite des progrès que fit la science au début de la neuvième époque dans les domaines de la politique et de l'économie politique, il les explique par ceux de la métaphysique ou « philosophie générale ». On pourrait donc dire que Condorcet souscrit à la thèse de la révolution privée du *Cogito*.

D'après Condorcet, il y a un rapport direct entre la diffusion des connaissances physiques dans un public toujours plus étendu et la formation d'une opinion publique éclairée. Ainsi, ce n'est pas seulement dans le système cartésien, mais aussi dans l'opinion publique, que la décision cartésienne de pratiquer le libre examen des dogmes proposés à notre créance doit conduire à des conclusions politiques. Pour l'expliquer, Condorcet est amené à formuler sa propre épistémologie, en entendant par là sa réponse à la question : *à quoi reconnaissons-nous qu'une opinion est vraie ?* Les gens apprennent progressivement à raisonner correctement dans le domaine des sciences. En prenant de bonnes habitudes dans leurs raisonnements physiques, ils deviennent capables de bien juger dans les autres domaines :

> En même temps, l'habitude de raisonner juste sur les objets de ces sciences, les idées précises que donnent leurs méthodes, les moyens de reconnaître ou de prouver une vérité doivent conduire naturellement à comparer le sentiment qui nous force d'adhérer à des opinions fondées sur ces motifs réels de crédibilité, et celui qui nous attache à nos préjugés d'habitude, ou qui nous force de céder à l'autorité : et cette comparaison suffit pour apprendre à se défier de ces dernières opinions, pour faire sentir qu'on ne les croit réellement pas, lors même qu'on se vante de les croire, qu'on les professe avec la plus pure sincérité. Or ce secret une fois découvert rend leur destruction prompte et certaine (*ibid.*, p. 254).

Qu'est-ce qui rend croyable une opinion, demande Condorcet ? Quels sont les motifs de sa crédibilité ? Ils peuvent être réels ou faux, car il y a de bonnes raisons de croire, mais aussi de mauvaises raisons. Condorcet distingue trois espèces de motifs de crédibilité :
1° les motifs réels (qui tiennent à la façon rationnelle d'acquérir des opinions) ;
2° le motif de l'habitude (les préjugés) ;
3° le motif de l'autorité attachée à celui qui émet l'opinion.
Comme on voit, Condorcet applique une classification qui est déjà celle dont se servira Max Weber pour construire sa typologie des trois formes de légitimité : rationalité, tradition, charisme (ou prestige). Or la difficulté est la même chez Weber et chez lui. Parmi les trois formes de légitimité qui nous sont proposées, il y a une authentique légitimité (celle qui est qualifiée de rationnelle) et deux qui sont spécieuses. Il en va de même pour les motifs de croire : il y a des motifs de croire les opinions réellement dignes d'être crues, et il y a de (faux) motifs de croire des opinions qui, en réalité, ne sont pas croyables.

L'épistémologie qu'esquisse Condorcet est mentaliste. Il est ici pris au piège d'une philosophie assimilant la croyance du sujet à un état interne sur lequel ce sujet peut nous renseigner parce qu'il est le mieux placé pour s'introspecter. Soit un individu qui doit juger si l'opinion que *p* est vraie. Condorcet l'invite à s'examiner lui-même. Quel sentiment éprouve-t-il lorsqu'il considère que *p* ? A-t-il les mêmes sentiments qu'envers des résultats scientifiques bien établis ? Ou bien sent-il qu'au fond il ne le croit pas ? La subjectivation des critères du vrai est ici complète. Le sujet doit déterminer s'il croit *réellement* les choses qu'il se vante de croire. Un examen de son sentiment doit lui apprendre s'il cède à une habitude, à une autorité extérieure ou à un sentiment réel d'évidence.

Mais comment exclure que les sujets procédant ainsi arrivent à des résultats divergents ? L'individu A s'examine et conclut qu'il croit réellement que *p*. B parvient à la conclusion opposée : il *croyait* croire que *p*, mais il découvre qu'en réalité il ne le croyait pas réellement, mais seulement en apparence.

Que se passe-t-il lorsqu'il y a divergence ? L'individu A *dit* qu'il croit que *p*, mais il le dit sur la foi de sa conscience qui lui présente son état subjectif comme celui de quelqu'un qui croit que *p*. (Ici, ne demandons pas à quoi ressemble un tel état, ce serait ruiner toute la manœuvre du philosophe.) A dit croire que *p*, mais cela ne prouve pas qu'il est dans cet état doxastique. En réalité, le fait que A dise qu'il croit que *p* ne prouve qu'une chose : s'il est sincère, il *croit*, à tort ou à raison, qu'il croit que *p*. Mais qu'en est-il de son état réel de croyance ? De son côté, B a dit qu'il *croyait* tout à l'heure croire que *p*, mais qu'il vient de s'apercevoir qu'en réalité il ne le croyait pas réellement. Mais qu'en est-il de sa croyance présente relativement à sa croyance passée ? Est-ce une croyance réelle ou seulement une croyance qu'il professe sans véritablement la sentir en lui ? Toute cette analyse de la croyance en termes d'états ressentis comme plus ou moins intenses par le sujet conduit ainsi à des incohérences.

Dire que je crois que *p*, ce n'est certainement pas prononcer un jugement sur le point de savoir si je crois que *p*. Le philosophe du sujet voudrait insérer un rapport à soi de type réfléchi entre le sujet de croyance et l'expression de sa croyance, mais aucune place n'a été ménagée dans le langage pour une telle opération subjective. La seule façon de décider si je crois que p, c'est de considérer si j'ai de solides raisons de croire que *p*. Ce n'est pas en m'examinant moi-même que je pourrai jamais faire la différence entre les motifs réels de crédibilité et ceux qui ne sont pas réels.

La raison individuelle
et l'opinion commune

L'idée même d'un *Cogito* républicain, partie « implicite » de
la doctrine de Descartes, apparaît décidément inconsistante.
Cela ressort aussi d'une contre-épreuve à laquelle on peut
soumettre cette reconstruction de l'histoire en se servant des
réflexions de Tocqueville sur le cartésianisme spontané des
Américains. Dans son chapitre « De la méthode philosophique
des Américains », l'auteur de *La démocratie en Amérique*[1] notait
déjà que la méthode communément qualifiée de « cartésienne »
avait été limitée par Descartes aux questions de science, et qu'il
en avait exclu les questions de politique. Pourtant, cette méthode qui consiste « à soumettre à l'examen individuel de chaque homme l'objet de toutes ses croyances[2] » était en principe
d'application universelle. Et c'est pourquoi elle a pu devenir, au
XVIIIe siècle, la méthode philosophique de toute l'Europe, puis
de toutes les sociétés démocratiques. En effet, cette méthode,
telle qu'elle s'est diffusée, n'est pas spécialement cartésienne ou
française. Elle n'est pas autre chose que la traduction en préceptes de l'esprit démocratique, lequel implique un mouvement
d'émancipation à l'égard des autorités reçues.

Les Américains sont cartésiens : cela veut dire, non pas qu'ils
ont lu et approuvé les ouvrages de Descartes, mais qu'ils trouvent naturel de pratiquer la méthode formulée par cet auteur.
« Dans la plupart des opérations de l'esprit, chaque Américain
n'en appelle qu'à l'effort individuel de sa raison.[3] » À première
vue, ce chapitre paraît confirmer l'idée selon laquelle la révolution intellectuelle de Descartes devait inévitablement s'élargir
aux questions du pouvoir et de la religion, et ainsi déboucher
sur la révolution politique. En cela, Tocqueville reprend une

généalogie convenue qui ne diffère pas de celle de Condorcet. « Au XVIᵉ siècle, les réformateurs soumettent à la raison individuelle quelques-uns des dogmes de l'ancienne foi ; mais ils continuent à lui soustraire la discussion de tous les autres[4]. » Ensuite, la méthode philosophique (qui consiste à « prendre en soi-même la règle de son jugement ») s'étend progressivement aux questions philosophiques proprement dites (donc à tout ce qui relève de la science), puis à « toutes les croyances ». Les trois noms qui illustrent ce mouvement des idées sont, comme on pouvait s'y attendre, ceux de Luther, Descartes, Voltaire.

Tocqueville explique donc comment les Américains (tels qu'il les a rencontrés) peuvent suivre la méthode philosophique de Descartes sans l'avoir jamais lu. Cette méthode est de juger par soi-même. Mais, justement, un citoyen américain n'est pas tenté de s'en remettre à la tradition, faute d'une tradition vivante qui puisse l'inspirer (Tocqueville entend par là une solidarité entre les générations). Par ailleurs, un Américain ne saurait avoir les préjugés de sa classe sociale, car les différences de classe sont peu marquées. Enfin, il n'a pas non plus l'occasion d'avoir affaire à des individus dotés d'une autorité intellectuelle personnelle, personne n'étant en position d'exercer une grande influence personnelle sur d'autres autour de lui.

On voit que Tocqueville ne s'occupe pas dans ce chapitre d'examiner la méthode dite cartésienne du point de vue de l'épistémologue (pour en apprécier la valeur), mais du point de vue du sociologue. Qu'est-ce qui fait que cette méthode est spontanément celle des Américains ? Son point de vue est celui d'un observateur qui étudie une rhétorique : quelles sont les idées qui vont paraître sensées, probables, bien fondées à un citoyen vivant dans une société démocratique ? Dira-t-on que Tocqueville soutient ici une doctrine sociologique inadmissible, qu'il *enferme* les Américains dans un milieu, qu'il postule un *conditionnement* de la pensée par le milieu social ? Mais pourquoi parler d'enfermement et de conditionnement ? Tocqueville observe seulement que tout homme participe d'un sens commun — celui de son milieu — et que cela se manifeste dans les opinions qu'il admet comme des évidences, sans éprouver le besoin de s'interroger sur leur validité. « Les Américains ne lisent point les ouvrages de Descartes, parce que leur état social les détourne des études spéculatives, et ils suivent ses maximes parce que ce même état social dispose naturellement leur esprit à les adopter[5]. » Il ne s'agit pas ici d'une hypothèse gratuite sur un mécanisme de génération des opinions, mais d'une constatation banale dont tiennent compte les orateurs, les diplomates, les marchands, quiconque cherche à convaincre. Refuser l'idée que l'état social *dispose* l'esprit, c'est tout simplement rejeter le principe de toute sociologie, qui est que l'homme qui pense le fait toujours avec d'autres, qu'il n'est pas moins social lorsqu'il pense que lorsqu'il coopère avec des partenaires. Il est vrai que ce principe a parfois été dénoncé comme une insulte à la dignité de l'esprit humain, lequel ne serait pleinement lui-même que dans l'indépendance individuelle. Cette protestation montre combien la philosophie individualiste du sujet pensant par ses seules ressources reste dominante dans le sens commun contemporain. Mais, justement, Tocqueville va expliquer comment la diffusion même de la « méthode cartésienne » illustre fort bien la thèse sociologique selon laquelle l'exercice d'une raison individuelle suppose une raison collective.

En effet, le point important de ce chapitre sur la philosophie des Américains est que Tocqueville parle de *raison individuelle*[6]. Par l'emploi de cette expression, Tocqueville donne à entendre qu'il existe une autre forme de raison, caractérisée par le fait qu'elle n'est pas individuelle. Ici, le langage de Tocqueville est typiquement celui d'un auteur du XIXe siècle (écrivant après qu'on a mis en cause l'incapacité des Lumières à rendre compte du déroulement réel des événements révolutionnaires). Auparavant, les philosophes auraient sans doute accepté d'opposer la raison humaine et la raison divine, mais ils n'auraient pas compris qu'on pût faire une différence entre la raison de Paul et celle de Pierre, comme on pourrait opposer le goût de Paul et le goût de Pierre. Sans doute auraient-ils consenti à parler d'un exercice individuel de la raison, si cela veut dire qu'un individu particulier peut exercer sa raison indépendamment de ce que font les autres. Il peut arriver que Paul soit le seul à raisonner (tandis que les autres dorment ou s'en tiennent à leur préjugé). Pourtant, selon cette conception traditionnelle du rationnel, lorsque Paul raisonne, il n'use pas d'un organe individuel, et la question ne se pose pas de savoir si les raisonnements que Paul juge valides le sont aussi pour Pierre. Pour parler comme un philosophe du droit, on pourrait dire que, pour un penseur des Lumières, la *compétence normative* propre au sujet qui juge appartient à chaque fois à un individu (c'est à Paul ou c'est à Pierre de juger d'après ses propres lumières de ce qu'il doit croire, selon que l'injonction s'adresse à Paul ou à

Pierre), mais qu'elle ne lui appartient pas en raison de son individualité. Si nous attendons de Pierre qu'il juge par lui-même, si nous lui reconnaissons une compétence normative, c'est pour autant que nous le tenons pour un être doué de raison : en jugeant rationnellement les choses, il ne saurait en juger autrement que tout autre être rationnel, et son individualité n'entre pas en ligne de compte.

Tant que Tocqueville se borne à retracer la diffusion progressive de l'esprit rationaliste, il parle comme Condorcet. Ce chapitre, au fond, ne dit rien qui n'aurait pu être approuvé par un philosophe des Lumières. Mais Tocqueville fait suivre ce chapitre d'un autre intitulé « De la source principale des croyances chez les peuples démocratiques ». C'est ce chapitre qui est original et profond. Tocqueville s'y montre un meilleur guide que Condorcet pour parler de l'histoire de l'esprit humain.

Lorsque les gens suivent la méthode philosophique qu'on peut appeler « luthérienne » si on la rapporte à sa figure historique initiale, « cartésienne » si on lui cherche une expression proprement philosophique, « voltairienne » si on veut mettre l'accent sur sa prétention critique générale (dans un espace public ouvert au débat des opinions), ils jugent *par eux-mêmes*. Toutefois, cela ne veut pas dire que l'humanité soit enfin entrée dans le règne d'une entière « indépendance individuelle de la pensée[7] ». Ni que la démocratie soit, plus que le régime aristocratique, favorable au pluralisme ou à la diversité des opinions. Des citoyens qui veulent juger par eux-mêmes sont des gens qui, en fait, suivent l'opinion du plus grand nombre. Si chacun de nous veut prendre en lui-même sa règle de jugement, cela veut dire qu'il acceptera de tenir pour son opinion personnelle une bonne part des opinions communes, comme s'il les avait formées lui-même en toute indépendance. Est-ce un paradoxe ? Absolument pas, du moins si l'on accepte la légitimité d'un point de vue sociologique sur l'esprit démocratique. Il n'y aurait de paradoxe que pour un chroniqueur naïf, étranger à toute perception sociologique, qui prendrait à la lettre la philosophie des Lumières et qui croirait que les citoyens démocratiques vont effectivement déduire leurs opinions politiques d'un *Cogito* inaugural.

Tocqueville exprime ce point de vue sociologique dans ce passage célèbre :

> Or il est facile de voir qu'il n'y a pas de société qui puisse prospérer sans croyances semblables, ou plutôt il n'y en a point qui

subsistent ainsi ; car, sans idées communes, il n'y a pas d'action commune, et, sans action commune, il existe encore des hommes, mais non un corps social. Pour qu'il y ait société, et, à plus forte raison, pour que cette société prospère, il faut donc que tous les esprits des citoyens soient toujours rassemblés et tenus ensemble par quelques idées principales ; et cela ne saurait être, à moins que chacun d'eux ne vienne quelquefois puiser ses opinions à une même source et ne consente à recevoir un certain nombre de croyances toutes faites (*ibid.*, p. 16).

Dans ce texte, Tocqueville commence comme s'il avait l'intention de s'adresser à ses lecteurs pour leur recommander d'adopter une attitude devant le phénomène d'un conflit, ou même seulement d'une diversité, des opinions : la société ne sera prospère que si ses membres ont des croyances semblables. La chose est présentée comme un bien, donc comme une chose à vouloir, à organiser, à instaurer par des mesures proprement politiques, législatives, administratives. Pourtant, le point de vue de Tocqueville est sociologique (descriptif) avant d'être politique (normatif), et c'est ce qui ressort de sa correction : il n'y a pas de société qui puisse prospérer, *ou plutôt* il n'y en a point qui subsiste ainsi. Il ne s'agit donc pas tant de *recommander* le consensus des croyances principales que de le *constater*. Ne parlons donc pas des conditions dans lesquelles une société prospère, mais de celles qui lui permettent d'exister et de subsister. Sans cette correction, Tocqueville aurait parlé en écrivain politique, au sens du mot « politique » qui le restreint à une part de la vie sociale. Si le domaine politique est celui des interventions conscientes, volontaires, raisonnées, d'un pouvoir humain, alors le propos d'un auteur politique est de défendre ce qu'on appelle « une politique », une ligne de conduite. Il va de soi qu'un écrivain politique qui parlerait d'imposer un consensus pourrait à bon droit passer pour réactionnaire, ou, si l'on veut, pour « autoritaire » (par opposition à « libéral »). En effet, il exprimerait la crainte d'une dissolution sociale sous l'effet des divergences individuelles, et il inviterait l'État à intervenir pour compenser cette tendance naturelle des individus à l'anarchie par une stricte discipline appliquée à l'expression des opinions.

On notera ici la complicité remarquable d'une telle politique d'inspiration réactionnaire et de l'artificialisme propre à la théorie moderne du politique. Mais, justement, Tocqueville a pris soin de préciser sa pensée : il ne s'agit pas ici de déclarer ce qui serait *souhaitable*, mais de reconnaître ce qui *existe*. En réalité, il n'existe une société que si les êtres qui en font partie ont assez d'idées communes pour agir et communiquer de façon sociale : cela veut dire que, s'ils communiquent, c'est qu'ils ont beaucoup de croyances communes.

« Les esprits sont rassemblés et tenus ensemble par quelques idées principales » : c'est sans doute la meilleure formule qu'on puisse donner de la nature du *lien social*. Pour un penseur comme Tocqueville, ce qui fait tenir ensemble les vies individuelles n'est pas à chercher dans une construction (artificielle) dont la base serait la reconnaissance d'une convergence des intérêts. Le lien social n'est pas non plus enraciné dans les sentiments spontanément affectueux de chacun pour son semblable (comme dans les théories néo-stoïciennes de la sociabilité). Enfin, il n'est pas dans une dialectique de la volonté rationnelle qui lui imposerait de se limiter elle-même par la reconnaissance hors d'elle d'une autre volonté rationnelle (comme dans les théories idéalistes du droit). Pour qu'il y ait société humaine, ce sont les *esprits* qui doivent être d'eux-mêmes « rassemblés et tenus ensemble ». Déplorer que les esprits soient encore liés par les idées communes formant l'esprit social de leurs institutions (plutôt que par l'auto-position d'un Sujet toujours identique à Soi dans tous les hommes), ce serait regretter que l'homme moderne ne soit pas devenu entièrement l'individu (normatif) qu'il croit être, qu'il n'ait pas surmonté sa condition d'homme social. Pour un anthropologue d'inspiration tocquevillienne comme Louis Dumont, c'est cette socialité même qui maintient une part d'humanité commune aux « deux humanités distinctes[8] » que présentent au regard de l'historien les nations aristocratiques du passé et les nations démocratiques d'aujourd'hui. Même s'il a semblé à Tocqueville que « ces sociétés, différant prodigieusement entre elles, sont incomparables » (*ibid.*), son œuvre même témoigne de ce qu'une anthropologie comparative est une tâche possible, en dépit des obstacles trop évidents et surtout de la résistance du sens commun devant le point de vue sociologique[9].

Il faut maintenant tirer la conséquence. La signification sociale que peut prendre la diffusion générale de la « méthode cartésienne » n'est pas celle que propose la légende française du sujet quand elle déduit les temps modernes du *Cogito*. Lorsque l'autorité cesse d'être extérieure, lorsqu'elle est comme remise à chaque individu, elle n'en disparaît pas pour autant. L'individu reste dépendant d'une source à laquelle puiser des opinions qu'il est bien incapable de former par lui-même. « Ainsi, la question n'est pas de savoir s'il existe une autorité intellectuelle dans les siècles démocratiques, mais seulement où en est le dépôt et quelle en sera la mesure[10]. » Tocqueville écarte, sans mobiliser pour cela un grand appareil anti-sceptique, la méthode critique du philosophe post-cartésien. Il écrit cette phrase qu'on pourrait trouver aussi bien dans un texte de Peirce ou de Wittgenstein : « Il n'y a pas de si grand philosophe dans le monde qui ne croie un million de choses sur la foi d'autrui, et qui ne suppose beaucoup plus de vérités qu'il n'en établit » (*ibid.*).

Voici par conséquent le sens de l'individualisation du jugement du point de vue d'une philosophie sociale : le trait propre des sociétés démocratiques n'est pas qu'on trouve la « source principale des croyances » en soi et non plus au ciel, c'est qu'on trouve ces croyances dans « la raison humaine[11] », *c'est-à-dire dans l'opinion commune*, et non plus dans le surnaturel.

Tocqueville, pourrait-on dire, est sociologue en ce qu'il entend placer sa philosophie politique (normative) dans la dépendance d'une philosophie sociale (descriptive). C'est pourquoi il n'écrit pas, comme le font encore aujourd'hui les héritiers individualistes de la philosophie des Lumières : jadis, les hommes étaient conduits par la *tradition*, maintenant, chaque homme est conduits par sa propre *raison*. Tocqueville tiendra un langage conforme au principe comparatif qu'il applique dans ses descriptions des sociétés américaine et française : jadis, les hommes cherchaient l'autorité intellectuelle là où ils apercevaient une supériorité (ancêtres fondateurs, maîtres incontestés), aujourd'hui ils la cherchent dans « la raison humaine », ce qui veut dire dans l'opinion commune des hommes, laquelle se traduit pour eux par l'opinion du plus grand nombre de leurs voisins. « Aux États-Unis, la majorité se charge de fournir aux individus une foule d'opinions toutes faites, et les soulage ainsi de l'obligation de s'en former qui leur soient propres[12]. » La religion elle-même est reçue comme étant l'opinion commune (plutôt qu'une révélation). Il est d'ailleurs concevable que la liberté individuelle de penser puisse être moindre en régime démocratique (si l'opinion majoritaire devient trop puissante) qu'en régime aristocratique.

Dira-t-on que Tocqueville décrit un homme démocratique qui se laisse aller au conformisme ? Peut-être, mais qui ira reprocher à l'homme démocratique de prendre ses opinions personnelles dans l'opinion commune, alors même que nous le félicitons de ne plus les prendre dans une « raison supérieure » ? On dira : mais pourquoi ne tire-t-il pas ses opinions d'une source personnelle, sa propre raison ? Mais dire cela, c'est revenir à l'idée qu'une conscience cartésienne puisse fournir au citoyen des vérités premières sur lesquelles il lui serait possible de fonder tous ses jugements et toutes ses décisions en matière politique. Ces vérités premières seraient signalées par le sentiment inébranlable de vérité qu'est censé procurer, selon la doctrine égologique, le contact cognitif avec soi. En réalité, la légende du sujet des temps modernes ne peut pas espérer survivre à la philosophie de la conscience.

L'individu politique

Y a-t-il une philosophie politique du sujet ? Qu'a-t-elle à nous dire sur les fondements de la vie civique ? C'était la question posée ci-dessus (cf. chap. 40). Or il est apparu plus difficile qu'il ne semblait d'abord de formuler la position d'une telle philosophie. Bien entendu, on peut éviter de se confronter à cette difficulté en choisissant de parler de subjectivité dès qu'un jugement politique s'exprime à la première personne. Dans ce cas, il y aura par définition une « subjectivité » constitutive de ce qui fait le citoyen démocratique, c'est-à-dire pour nous l'homme du suffrage universel, puisque ce dernier est supposé avoir une opinion politique personnelle qu'il doit justement exprimer sans se laisser dicter son vote par des directeurs de conscience ou des chefs de clan.

Pourtant, si la notion de subjectivité est seulement celle d'un discours formulé à la première personne, elle laisse entièrement indéterminé le *rapport à soi* que suppose une telle forme d'expression. Elle est même à ce point indécise qu'on ne voit pas pourquoi il ne faudrait pas dire que toutes les sociétés humaines ont été démocratiques dès lors qu'elles n'étaient pas en crise ouverte. S'il suffit de parler à la première personne pour « exister comme sujet », et si le fondement du régime démocratique est justement dans une telle « subjectivité », alors il y aura démocratie dès que la souveraineté s'exerce sans être contestée dans son principe, ce qui veut dire : dès qu'elle s'exerce normalement, donc avec le consentement tacite des intéressés. La féodalité sera démocratique pour autant qu'elle repose sur des rapports personnels, la croyance dans la monarchie de droit divin sera démocratique pour autant que les sujets savent qui est leur Prince, bref tout consentement à un pouvoir jugé légitime manifestera une adhésion « subjective » des sujets à leur régime de souveraineté. Et l'on devra alors faire face au paradoxe énoncé (et assumé) par Paul Veyne dans ces termes : puisque le subordonné ne peut pas obéir activement à son chef s'il ne se croit pas tenu de lui obéir, alors « l'hétéronomie est en réalité une autonomie[1] ». Décidément, les notions d'autonomie et d'hétéronomie apparaissent malaisées à manier.

Aussi vaut-il mieux réserver l'appellation de « philosophies politiques du sujet » aux doctrines qui veulent poser, au fondement d'un régime politique légitime, un rapport du *citoyen* à la *cité* qui ait le caractère d'une relation réfléchie à soi. Ces philosophies se proposent d'expliquer comment l'individu, de son propre chef, se constitue lui-même en citoyen lorsqu'il donne sa réponse personnelle à la question égologique : Qui suis-je ? Qu'est-ce que c'est, pour quelqu'un comme moi, que d'être soi ? Le fondement de la citoyenneté serait donc dans cette forme d'auto-position qui consiste à définir sa propre identité dans le monde. À ces doctrines, nous demanderons comment elles font pour doter l'individu d'un rapport à lui-même qui lui fournisse un point de vue pratique *d'ensemble* sur les choses. Sans un tel point de vue englobant, il ne pourrait porter que des jugements privés sur la situation, pas des jugements politiques.

J'ai cherché à montrer que divers auteurs souvent cités comme des autorités éminentes d'une telle doctrine, en réalité, n'ont pas conçu ainsi l'existence politique. Descartes n'a pas une philosophie politique du sujet, puisque selon lui l'individu ne peut viser des objectifs politiques que s'il se reconnaît membre d'une totalité plus grande que lui. D'où vient alors cette appartenance de l'individu à un tout plus grand que lui ? Elle sera parfois élective (ma « demeure », mon « serment »), parfois assignée à l'individu par l'ordre du monde (ma « naissance »). Pour qu'un individu puisse énoncer un *jugement politique* — autrement dit, pour qu'il puisse se prononcer en termes *politiques* sur la signification d'un événement et les mesures collectives à prendre pour faire face à ses suites prévisibles —, il faut qu'il puisse indiquer lui-même quel est le tout dont il est une partie, quels sont les « intérêts communs » dont il reconnaît qu'ils sont préférables à « ceux de sa personne en particulier ». Quant à Rousseau, il aurait eu une philosophie subjective du citoyen s'il en était resté à la théorie du Livre I de son *Contrat social.* Cette théorie achoppe sur le mystère de l'auto-position du corps politique, puisque la cité doit être déjà là pour que les individus naturels puissent contracter avec elle et, par ce pacte, lui conférer l'existence. Toutefois, Rousseau présente une autre doctrine dans la suite du traité : les lois proprement politiques, loin d'être chargées d'engendrer le tout social, ne viennent qu'en second lieu. La souveraineté présente en effet deux visages[2]. Au fondement des institutions *sévères* qui permettent à une société d'exercer sa souveraineté consciente et explicite, on trouve les *douces* institutions qui, par le biais des cérémonies de la religion civile, par les jeux et les compétitions gymniques, par les remémorations du passé national et par la poésie, font que les individus sont attachés les uns aux autres et à leur patrie. Si l'on posait seulement la volonté générale comme acte souverain de commandement sans reconnaître à son fondement cette même volonté générale comme habitude collective, ou encore, si l'on avait Romulus sans Numa, la sévérité des lois serait insupportable aux citoyens parce qu'elle leur serait incompréhensible.

Ni Descartes ni Rousseau n'ont formulé une philosophie politique du sujet, car ils estiment l'un et l'autre qu'une société existante est une société holiste. Nous avons vu que Tocqueville pensait de même : il n'existe pas de société, pas d'action commune, sans idées communes. De ce point de vue qui est aussi celui de la sociologie durkheimienne, le problème de l'homme moderne est de savoir comment reconnaître cette vérité sociologique alors que nos valeurs suprêmes sont de fait, et surtout *doivent* être en effet celles de la liberté de l'individu, tant pour ce qui est de l'intimité de sa conscience (extra-mondaine) que pour ce qui est de ses activités (intra-mondaines). Est-ce que la philosophie du sujet possède une réponse à cette question ? Est-ce qu'elle fait comprendre comment un individu (au sens normatif du mot « individu ») peut dériver d'un rapport réfléchi à soi la définition d'une volonté politique ?

Par définition, un tel individu ne saurait se reconnaître membre d'une société globale qui serait déjà donnée, avec ses normes et ses institutions, avant lui. Plus précisément : il admet volontiers qu'elle est donnée factuellement par l'effet de la contingence historique, mais il maintient qu'elle ne sera donnée *pour lui* que lorsqu'il lui aura accordé son consentement. La question est alors de savoir comment il peut adhérer lui-même au consensus et autoriser ainsi une application de la loi à sa personne. Si la solution doit être subjective, cela implique que l'individu va trouver en lui, en examinant ou en « construisant » son identité de sujet, de quoi consentir à un lien civique avec d'autres. S'il peut *transporter le moi dans l'unité commune*, comme dit Rousseau, c'est parce qu'il reconnaît dans cette « unité commune » des traits et des appels qu'il a déjà trouvés en lui-même. Par conséquent, il s'agit maintenant pour nous d'examiner les voies de ce transport du *moi* et de vérifier qu'elles mènent de l'individu (normatif) au citoyen.

Si la philosophie du sujet pouvait opérer cette transmutation ne serait-ce que dans l'élément du concept, elle aurait prouvé à tout le moins qu'elle possédait une légitimité historique, puisqu'elle aurait fourni les matériaux d'une formule idéologique susceptible d'éclairer les citoyens en leur donnant précisément ces « idées communes » sans lesquelles, comme disait Tocqueville, l'action commune devient impossible. Cette philosophie serait la seule à pouvoir nourrir les leçons d'une classe d'instruction civique dans une société démocratique. Trouvons-nous une telle formule dans la conscience commune d'aujourd'hui ? Si nous pouvions l'y découvrir, cela voudrait dire que la philosophie subjective est l'instrument par lequel un homme moderne parvient à se concevoir lui-même dans son statut politique. Mais, ici, il nous faut sortir de l'univers purement conceptuel pour les besoins de cet examen, car nous devons interroger la conscience d'un citoyen contemporain, et donc du citoyen d'un État démocratique *particulier*, en vertu de la logique même du concept de citoyen.

Cette logique ressort d'une réflexion sur le fait qu'une déclaration du type « Je suis citoyen » est telle quelle incomplète. Comme l'a montré Émile Benveniste[3], nous possédons dans notre héritage culturel deux modèles linguistiques permettant de comprendre l'attribut « citoyen ». Selon le modèle latin du *civis*, on ne peut se déclarer « citoyen » qu'en déterminant un rapport de concitoyenneté, car ce mot « *civis* » est un terme relatif (comme les adjectifs « ami », « allié », « proche », etc.) et non un terme absolu (comme « métallique » ou « vivant »)[4]. En réalité, le mot « *civis* » signifie plutôt « concitoyen » que « citoyen ». Selon le modèle grec du *politès*, un homme peut s'attribuer ce statut s'il peut indiquer de quelle cité (*polis*) il est le membre[5], de même qu'il faut appartenir à une *societas* pour être un *socius*, ou à une *compagnie* pour être un *compagnon*. Se décla-

rer citoyen selon ce modèle grec, c'est revendiquer son appartenance à un groupe identifiable comme une cité, assumer les
devoirs et les droits résultant de cette participation à la *polis*. Les
deux modèles saisissent la relation de citoyenneté de façon
opposée : les Grecs posent la *polis* et déterminent à partir de ce
fondement qui est un *politès*, les Latins posent les *cives nostri* et
déterminent par là de qui nous sommes les concitoyens, autrement dit avec qui nous formons une *civitas*. Toutefois, comme
le dit aussi Benveniste, ce sont deux modèles pour exprimer
une même relation (*ibid.*, p. 277) qui est celle du citoyen au
pays dont il est le citoyen. La langue grecque va de la cité aux
citoyens, la langue latine des concitoyens à la cité. Ainsi, quel
que soit le modèle linguistique adopté, il faut trouver en dehors
de l'individu l'ensemble auquel le rattacher. C'est seulement
lorsque l'individu est pourvu d'une relation à ses concitoyens
(*cives ejus*) ou d'une relation à sa cité et aux lois de cette cité
qu'il est doté d'un statut politique. Alors seulement, il peut
avoir des opinions politiques et formuler un jugement pratique
(« voici ce qu'il faut faire ») qui mérite d'être qualifié de jugement politique. C'est pourquoi le programme d'une philosophie subjective de la relation de citoyenneté fait d'abord l'effet
de promettre une véritable alchimie conceptuelle. Comment
tirer d'un individu, et donc d'une existence indépendante, une
relation de citoyenneté entre plusieurs individus ?

Nous connaissons la réponse de la philosophie du sujet : il ne
s'agit pas de partir d'un simple individu, mais d'un individu qui
a réussi à instaurer une relation subjective à soi. Ce n'est pas
l'individu qui va se reconnaître citoyen, mais l'*Ego* ou le *Soi*.
Nous lui demanderons donc comment il a pu trouver en lui-
même de quoi déterminer l'ensemble dans lequel il se reconnaît et grâce auquel il se trouve pourvu d'un point de vue
d'ensemble et d'une volonté politique. Il y a bien entendu une
réponse métaphorique qui consisterait à dire qu'un sujet est
citoyen *du monde*. Ce serait revenir à un cosmopolitisme, donc
accepter que le sage soit en réalité indifférent à la vie politique,
sur le modèle des morales antiques de l'*individualité-hors-du-
monde*. Les seules réponses qui nous importent sont celles qui
permettent à l'individu comme *soi* de se réclamer d'un ensemble politique réel, c'est-à-dire d'un État particulier.

C'est pourquoi il convient de se confiner pour un temps dans
les limites d'une histoire *nationale* pour examiner la formule
idéologique telle qu'elle figure dans la conscience effective

d'un citoyen contemporain. Je me tournerai vers les idées que je connais le mieux, celles de mon propre pays, mais je ne doute pas que notre idéologie nationale ne soit qu'une variante parmi d'autres de la conscience moderne. La réflexion qu'on peut faire sur elle a donc une portée plus générale puisqu'on pourrait faire une analyse semblable des autres variantes nationales de l'idée d'une auto-position politique du *Soi*.

Comment la philosophie subjective se fait-elle conscience démocratique commune ? Comment inspire-t-elle les leçons d'une classe d'instruction civique ? On aurait pu penser que la tâche était pour le moins difficile, et pourtant, ici, c'est la fécondité de la philosophie subjective qui embarrasse. L'histoire française contemporaine montre en effet qu'elle n'a pas engendré une formule idéologique, mais bien deux formules opposées, ce qui donne à penser que l'impératif d'être soi-même est aussi vide en politique qu'en éthique, que par lui-même il ne fournit à l'agent aucun principe d'autodétermination pour sa vie de citoyen.

Selon une première formule idéologique, la volonté de l'individu devient la volonté du citoyen en se généralisant par la voie ascétique de l'abstraction des différences individuantes. La philosophie du sujet se transpose alors, dans le discours politique et pédagogique, en *idée républicaine*. La « société politique des sujets » revêt la forme d'une *République des sujets conscients de leur humanité commune* (ou encore, comme on est ici tenté de dire de façon plus parlante : *des hommes de bonne volonté*). L'homme individuel se change en citoyen doté d'une vision politique et d'un critère de discernement de ce qui est utile au bien public en cherchant en lui-même ce qui fait de lui un être humain égal aux autres, et, dans cette abstraction, un *moi* universel.

Au fondement idéologique de la République des sujets, il y a ce que Claude Nicolet a très bien appelé la « République intérieure[6] ». Il veut parler, bien entendu, de l'idée proprement française de ce que c'est que la République, non de l'idéal républicain au sens qu'on donne à ce mot dans la tradition occidentale de l'« humanisme civique ». La République, explique-t-il, est conçue comme un combat, selon la formule bien connue des orateurs de la IIIe République. Mais ce combat ne se limite pas à déjouer les manœuvres des ennemis du régime républicain que sont les partisans cléricaux de l'ancienne France (monarchistes) et les démagogues « césariens » (bonapartistes). C'est une lutte contre un adversaire qui n'est jamais complètement vaincu puisqu'il est d'abord un ennemi intime que chacun trouve inévitablement en soi.

En effet, le premier de tous les devoirs du citoyen est de veiller à ce que l'État ne s'éloigne pas de sa mission (fixée par la volonté générale). Il faut contrôler les hommes au pouvoir, toujours tentés d'en abuser ou d'en tirer un profit personnel. Oui, mais qui contrôlera les contrôleurs ? Comment éviter que les citoyens ne cèdent à la démagogie ? Une pure démocratie procédurale ne nous est ici d'aucun secours, car elle ne fournit pas de critères de discernement pour reconnaître si la volonté souveraine qui s'est exprimée dans une consultation nationale est bien la volonté générale (du bien public) ou seulement une « volonté de tous », simple compromis entre des volontés particulières. Comment savoir si les citoyens ont préféré le bien public à leurs propres intérêts ? Le vote ne le dit pas. On ne saurait en effet exclure que des citoyens (mal informés ou irresponsables) s'entendent ensemble pour remettre à plus tard les tâches urgentes d'aujourd'hui, s'accordent pour ne rien faire là où un effort est nécessaire, se déclarent pacifistes alors qu'il faudrait se préparer à défendre le pays, et au bout du compte se déchargent sur la fatalité des suites de leurs propres irrésolutions. Dans de telles circonstances, il arrivera que l'authentique volonté générale ne se fera jour que dans la conscience de quelques citoyens, minorité à laquelle des démagogues opposeront la prétendue légitimité démocratique de l'opinion publique du jour et les préférences exprimées par une majorité de leurs concitoyens abusés.

C'est pourquoi la politique du citoyen républicain ne se réduit pas à une lutte contre des adversaires identifiables au dehors. Elle commence dans une inquisition qui est comme un équivalent de l'examen de conscience du chrétien. Nicolet décrit ainsi cet exercice : « Il faut que chacun aille débusquer lui-même au fond de soi-même et des autres tout ce qui sommeille de monarchiste, de militaire et de clérical. Le regard le plus lucide sur la société, sur la politique, sur la République renvoie donc, une fois de plus, au solitaire tête-à-tête de la conscience individuelle avec elle-même : nul ne l'a mieux senti et dit qu'Alain » (*op. cit.*, p. 464-465).

On pourrait donc dire que l'individu politique trouve en lui-même deux partis politiques : s'il adhère au parti intérieur de l'autonomie, il lui faut combattre en lui-même une opposition formant un parti intérieur de l'hétéronomie où s'allient ses propres inclinations monarchiste, militaire et cléricale[7]. Toutefois, le sujet ne serait pas pleinement un citoyen s'il n'appartenait qu'à une République intérieure, si les partis progressiste et rétrograde ne s'opposaient que dans son cœur. L'idée républicaine doit donc indiquer comment dériver d'un tel rapport à soi les institutions extérieures de la République au sens d'un corps collectif formé par l'ensemble des citoyens.

La philosophie du sujet peut aisément rendre compte de la République intérieure : elle décrira le combat de l'individu contre ses propres penchants réactionnaires comme une lutte pour soumettre en soi-même le *moi* porteur des volontés particulières à un *moi* qui sera, comme sujet universel ou indifférencié, comme pur *quidam*, le porteur d'une volonté générale. L'individu qui se veut citoyen choisit d'oublier ses attaches familiales, paroissiales, provinciales, corporatives ou comme on voudra. Ce n'est pas au titre de ces particularités qu'un citoyen doit voter, mais au titre de l'équation « un homme = une voix ». Il se demandera donc pour quel programme il doit voter en tant qu'il s'est lui-même défini, en termes universels, comme *un homme*.

Il y a pourtant un mystère de ce passage du *Cogito* de la République intérieure au *Cogitamus* de la République extérieure. Comment se fait-il que cette opération ascétique, lorsqu'elle se reproduit chez divers individus particuliers, crée entre eux et seulement entre eux un lien civique ? L'individu qui procède à son auto-position comme citoyen républicain ne devrait-il pas se reconnaître membre d'un règne universel des fins ou d'une société générale du genre humain ? Et, pourtant, il est postulé que l'opération produira immanquablement le lien social qui rend solidaires les uns des autres les citoyens d'un même État national.

L'époque heureuse de l'« idée républicaine » semble avoir été celle qu'évoque Nicolet en citant Alain. En effet, on constate que les citoyens formant alors le parti de l'autonomie n'avaient aucune difficulté à se représenter leur patrie comme issue d'une opération collective de définition de soi. De même que chacun peut par lui-même se vouloir citoyen humain (dans la « République intérieure »), de même les citoyens se veulent membres d'un même État qui se trouve être la France, entité historique définie par des frontières qui pourtant ne se sont pas tracées toutes seules. Autrement dit, l'*individu politique* que reconnaît une philosophie de l'auto-position du sujet est d'abord le citoyen, mais il se trouve qu'émerge directement de ce citoyen, par simple collectivisation de l'opération subjective, la *nation* fondée sur la « volonté générale ». Or cette nation est, elle aussi, un individu politique. Elle ne se reconnaît en effet soumise à aucune tutelle supranationale, de sorte qu'elle peut se présenter comme le sujet d'une volonté souveraine. Elle se donne sa propre définition d'elle-même en se concevant elle aussi, mais cette fois sur la scène du monde, comme une sorte de parti menant au-dedans comme au-dehors le bon combat contre les puissances de l'hétéronomie. Et, par une heureuse rencontre, cette nation *politique* issue de la volonté des citoyens coïncide ontologiquement avec un vieux pays jaloux de sa place en Europe. Du coup, si leur pays entre en conflit avec ses voisins pour une raison ou pour une autre, les citoyens républicains peuvent se représenter cet affrontement comme leur propre affaire parce qu'ils le traduisent aussitôt en termes universalistes : la Sainte-Alliance contre la liberté des peuples, les empires contre le droit des peuples à disposer d'eux-mêmes.

Il semble donc que l'âge d'or de l'idée républicaine ait pris fin lorsque les malheurs de la guerre et ses suites ont ébranlé, dans la conscience des Français, la formule idéologique qui permettait de passer de *moi*, cet homme particulier, à *moi*, cet homme en général, et de se trouver ainsi doté d'une conscience politique *française*, comme si la République française était déjà, par une généreuse anticipation, la République universelle. Diverses épreuves ont malheureusement eu pour effet de mettre en question cette belle assurance, qui avait indéniablement sa grandeur propre : d'abord, après 1917, la concurrence d'un nouvel universalisme plus actif qui s'est appelé le « communisme », puis l'*étrange défaite* de 1940, qui reste encore une énigme pour les Français d'aujourd'hui, après quoi sont venus les déchirements de la décolonisation, et récemment le désarroi provoqué par les transferts de souveraineté, dans le cadre indéfini d'une construction européenne dont on ne sait pas si elle vise à construire une ensemble purement économique ou bien un nouvel individu politique vers lequel devront se diriger désormais les sentiments patriotiques des citoyens.

Est-ce à dire que la philosophie politique du sujet a cessé d'approvisionner les citoyens en formules idéologiques ? Il n'en est rien, car sa vacuité intrinsèque lui a permis de se métamorphoser et de revêtir une forme opposée à toute *idée républicaine*, celle de la « politique de la reconnaissance », ou, pour en expliciter le contenu, la *politique de la reconnaissance publique des identités minoritaires dans l'espace pluraliste d'une démocratie procédurale.*

Il suffit pour s'en aviser de se demander où se trouve aujourd'hui le « parti de l'hétéronomie ». Marcel Gauchet s'est posé cette question dans une enquête sur le changement de la société française du point de vue de ses principes idéologiques. Il est parti d'une observation sur le dépérissement de la querelle française autour de la laïcité[8]. Nous assistons, dit-il, à un essoufflement du modèle laïque et républicain (qui avait pourtant traversé les années particulièrement troublées du XXe siècle sans rien perdre de sa vigueur). À quoi ce déclin peut-il être attribué ? Gauchet répond que le parti laïque tirait sa force de son combat avec son adversaire. *Il y a eu un parti de l'hétéronomie, mais il n'y en a plus.* Dira-t-on que la querelle est en train de renaître avec les revendications mettant en péril la séparation du politique et du religieux[9] ? On verra pourquoi ce n'est justement pas le cas pour autant que ces revendications invoquent un droit à se définir soi-même.

Jusqu'à une époque relativement récente, on pouvait dire qui refusait le projet d'autonomie humaine : il y avait en France (et d'ailleurs dans toute l'Europe) un camp contre-révolutionnaire qui se déclarait lui-même l'ennemi du « monde moderne ». Au XIXe siècle, l'Église romaine du *Syllabus* (1864) et du dogme de l'infaillibilité pontificale (1870) incarnait ce « parti de l'hétéronomie[10] ». Du coup, sur la scène politique, le camp républicain (ou ses équivalents « libéraux » dans d'autres pays, comme en Italie ou en Espagne) apparaissait comme porteur d'une *idée* et pas seulement d'une simple coalition d'intérêts. C'est d'ailleurs pourquoi, comme l'a bien montré Nicolet, il était possible alors à ce camp, en toute bonne conscience, de fonctionner à deux niveaux et de distinguer d'un côté les principes à proclamer, et de l'autre les compromis nécessaires, sans que ce dédoublement soit en lui-même une imposture. Il y avait au contraire une certaine sagesse pratique à accepter de tempérer les principes et de laisser mûrir les esprits. *L'idée* n'en avançait pas moins, et elle le faisait sans provoquer de guerre civile. Quelle idée ? L'idée d'une autonomie humaine, c'est-à-dire d'une humanité qui poserait elle-même et à partir d'elle-même les principes de sa conduite. Pour décrire ce projet d'autonomie, Gauchet retrouve le langage de l'existentialisme : la visée d'une politique démocratique est de donner forme « à une réappropriation du choix de soi à l'échelle collective » (*ibid.*). Ce n'est pas un hasard si nous avons ici une formule explicite d'*auto-position*.

Aujourd'hui, le parti de l'autonomie (c'est-à-dire le camp anticlérical) ne trouve plus en face de lui d'adversaire et perd donc sa raison d'être. Ce n'est pas que ce parti ait gagné la bataille et que tout le monde soit devenu républicain. Au contraire, c'est l'idée républicaine qui a perdu de son évidence et passe parfois pour aussi désuète, dit-on, que les encriers, les tabliers gris et les distributions des prix de jadis. On constate qu'il s'est produit une étrange mutation. Tout se passe comme si les membres du camp rétrograde avaient abandonné le langage de l'hétéronomie et adopté celui de l'autonomie, et comme s'ils apparaissaient du même coup *plus avancés* que les progressistes d'hier.

Du reste, ce langage de l'hétéronomie, au fond, n'était pas le leur. On n'a jamais vu un partisan de l'ordre traditionnel déclarer qu'il était partisan de l'aliénation humaine, des superstitions, de la servitude et de l'irresponsabilité morale. Le mot « hétéronomie » n'appartient pas au vocabulaire propre de l'ancien monde. Il exprime bien plutôt la perception que peut avoir de cet ancien monde un penseur des Lumières. Mais, comme l'avait vu Hegel, ce penseur des Lumières manque quelque chose : l'homme du « croire » (*Glauben*) ne vit nullement sa relation à la puissance divine comme une hétéronomie. Tout au contraire, il tire de son alliance avec l'Absolu la certitude qu'il peut être lui-même dans ce monde, que son action n'y est pas d'emblée coupable en tant qu'elle dérangerait l'ordre des choses et les desseins de Dieu[11]. C'est pourquoi les partisans de l'enracinement dans une tradition ou ceux de la participation à une communauté spirituelle n'ont pas eu de mal à exprimer ce qu'ils voulaient dire en termes parfaitement inattaquables du point de vue des normes de correction fixées par le parti de l'autonomie. Ils ont adopté le langage des « identités » et proposé une « politique de la reconnaissance[12] ». En vertu de ce qu'on pourrait appeler le « paradoxe de Veyne », une hétéronomie que le sujet estime légitime de subir est une autonomie. Autrement dit, le concept d'héréronomie apparaît inutilisable puisque nous l'appliquons aussi bien à des peuples opprimés qui se plaignent d'être soumis à des maîtres étrangers et de ne pas pouvoir pratiquer leur religion qu'à des peuples

libres qui veulent se gouverner d'après leurs propres lois ances-
trales et rendre à leurs propres dieux le culte qui leur est dû.

Il apparaît que l'impératif d'être soi-même ne dit rien à celui
qui le reçoit s'il ne trouve pas, dans son milieu culturel, une
idée déterminée de ce que c'est qu'être soi-même. Aucune
conception politique des choses, aucun jugement politique sur
l'événement ne peut surgir dans la conscience d'un individu
qui n'aurait pour se guider que la maxime : *Tu dois être toi-même.*

Hier, il était entendu que, pour être soi, un individu devait
s'émanciper de tous les liens particuliers qu'il se trouvait avoir
du fait de sa naissance, de sa première éducation, du passé de
sa famille et de son pays. Ces attachements représentaient
autant de limitations subies, autant d'obligations extérieures, et
donc quelque chose comme un équivalent laïque de l'« esprit
du monde » auquel le théologien oppose la voie du salut
personnel. Il fallait se détacher de soi (individu particulier)
pour devenir soi-même au sens du vrai moi (individu universel).
Aujourd'hui, nous cherchons une identité personnelle dans les
particularités librement revendiquées. En matière de pratique
religieuse, comme l'a noté Gauchet, « les croyances se muent
en identités[13] ». L'appropriation de soi n'est plus une affaire
d'abstraction, mais plutôt de subjectivation des particularités. Il
y a donc comme un ancien et un nouveau régime de la subjectivité. Selon l'ancienne idée de la subjectivité : « On était soi, ou
plutôt on devenait soi dans la mesure où l'on parvenait à se
dégager de ses particularités, à rejoindre l'universel en soi »
(*ibid.*, p. 90). Selon la nouvelle idée : « Le vrai moi est celui qui
émerge de l'appropriation subjective de l'objectivité sociale. Je
suis ce que je crois ou je suis ce que je suis né — mon je le plus
authentique est celui que j'éprouve en tant que Basque, ou bien
en tant que juif, ou bien en tant qu'ouvrier » (*ibid.*, p. 91).

Il s'ensuit d'abord que la question dite « de la subjectivité »
que posent les philosophes est en réalité complètement indéterminée tant qu'elle est posée de façon intemporelle. *Qu'est-ce
qu'être soi ?* La question paraît totalement générale. Elle semble
demander une réponse elle-même générale, tirée d'une réflexion
abstraite sur soi. En réalité, elle ressemble plus à « Qu'est-ce
qu'être croyant ? » qu'à « Qu'est-ce qu'être daltonien ? », car il
faut préciser aussitôt : qu'est-ce que c'est *à telle époque ?* Une philosophie formelle de la subjectivité qui voudrait tirer un portrait
du sujet de la question « Qu'est-ce qu'être soi ? » serait comme

une philosophie formelle de la vie religieuse qui demanderait
« Qu'est-ce croire ? » ou « Qu'est-ce qu'être un fidèle ? » sans
rapporter ces questions à un culte ou à une communauté en
particulier. En fait, pour qu'une réponse commence à se dessiner, il faut rétablir le sous-entendu qui fixait implicitement le
contexte : qu'est-ce que c'est *pour quelqu'un comme moi*? Mais la
locution « quelqu'un comme moi » ne désigne pas un individu,
elle donne une description générale : pour quiconque est
comme moi l'enfant de son temps et de son monde. Il nous faut
donc choisir : ou bien le terme de *sujet* évoque pour nous la
tâche d'élaborer une réponse philosophique générale aux
questions « Qu'est-ce qu'être soi ? » et « Qu'est-ce que le Soi ? ».
Dans ce cas, il y a peut-être une histoire de l'homme *devenant
sujet*, mais il ne saurait y avoir une histoire *du sujet*, je veux dire
une histoire des réponses variées (et même opposées) qui ont
été données à ces questions selon les temps et les lieux. Ou bien
il y a une histoire du sujet, mais cela implique que la question
du philosophe ne peut pas comporter de réponse tant qu'il n'a
pas précisé quelle est l'époque visée. Pour le dire autrement,
l'idée qu'un individu se fait de lui-même (ou, comme on dit
aujourd'hui, de son « identité ») est une idée *commune*, une idée
sociale. Ce n'est donc pas du tout une idée subjective. Mais cela
veut dire qu'on a tout intérêt à échanger la notion équivoque
de sujet contre celles de l'homme désocialisé (l'individu-hors-
du-monde) et de l'individu cherchant à retrouver une vie
sociale (l'individu-dans-le-monde).

Mais en quoi la « politique de la reconnaissance » est-elle,
comme elle l'annonce, une *politique*? Où est ici le point de vue
d'ensemble qui permet à l'individu d'apprécier, en sujet doté
d'un point de vue et d'une volonté politiques, l'action commune ?

Dans la version particulariste de l'auto-position politique,
nous retrouvons le même moment mystérieux, en réalité le
même tour de passe-passe, que dans la version universaliste.
Tout à l'heure, le mystère était que l'individu qui décidait de
transmuter sa volonté particulière en volonté générale par l'abstraction du « moi » était censé pouvoir fixer les objectifs d'une
politique nationale (« éducation nationale », « langue nationale »,
« défense nationale », « industrie nationale », etc.) et non pas
simplement des objectifs internationalistes à la mesure du genre
humain.

Maintenant, l'individu fait état de son statut de sujet pour revendiquer la reconnaissance de ce qui le rend *différent* de quelques-uns justement parce que cela le rend *semblable* à quelques autres. Mais qui a décidé qu'il était différent ? Est-ce seulement lui ? Dans ce cas, pourquoi réclame-t-il que son « identité distincte » soit reconnue ? S'il le fait, c'est qu'il éprouve le besoin de faire admettre sa propre définition par d'autres hors de lui. Mais comment sait-il *à qui* et *à quel titre* demander cette reconnaissance ? Comment trouve-t-il en soi-même de quoi se poser comme citoyen, donc comme le *concitoyen* des uns et des autres, de ceux qui partagent son identité et de ceux qui en ont une autre ?

Est-ce que le public est invité par l'individu à reconnaître la contribution que fait sa différence à la diversité de *l'ensemble*, comme on le suggère parfois en parlant d'une société « riche de ses différences » ? Dans ce cas, le public concerné est bien défini : c'est celui dont le jugement exprime la conscience commune du groupe qui doit rassembler toutes ces différences dans une unité harmonieuse idéalisée. Cela veut dire que les différences en question ne sont pas de simples différences, qu'elles ont une valeur. Reconnaître une valeur à la différence revendiquée par tel ou tel individu, ce sera admettre que cette différence nous *manquerait* si elle n'existait pas, que notre ensemble serait appauvri ou imparfait sans elle. Mais, si c'était ainsi qu'il fallait comprendre le principe invoqué par l'individu pour se faire reconnaître dans sa particularité, il faudrait avouer que nous serions en pleine représentation *holiste* du monde. Pour pouvoir dire d'une « identité » particulière qu'elle manquerait à l'ensemble si elle n'était pas reconnue, on devrait pouvoir se représenter un ordre idéal de l'ensemble dans lequel il y aurait une place déjà définie pour cette identité unique, une place qui resterait vide si on ne l'y admettait pas. Le principe de la reconnaissance, dans cette hypothèse, ne serait nullement dérivé d'un droit individuel à se doter d'une « identité » de son choix, mais exprimerait les exigences du tout. Il va de soi qu'un « droit à la différence » ainsi compris est incompatible avec le principe même d'une société démocratique. En fait, si nous posons que tous les citoyens sont égaux dans leur dignité de citoyens, nous devons accepter que chacun d'eux n'apporte aux autres que sa personne, ce qui implique qu'aucune « identité » ne ferait à proprement parler défaut dans l'ensemble si tel ou tel individu n'était pas présent. Il en va évidemment autrement dès que le *public* auquel s'adresse la demande de reconnaissance n'est plus celui qui correspond à un ensemble politique des volontés, mais qu'il est par exemple le public des spectateurs ou celui des usagers et des chalands : dès que le principe d'égalité politique est levé, rien ne s'oppose à ce qu'on sache apprécier la diversité des talents, des goûts, des mérites, des accents, des mémoires et des ferveurs.

L'individu veut que son « identité » soit reconnue. Mais à qui demande-t-il cette reconnaissance ? Si ce n'est pas aux membres d'un groupe particulier, par exemple à des compatriotes, alors c'est à l'ensemble indéfini formé par les subjectivités qui élèvent la même prétention. La demande est présentée au nom d'un droit de chacun à exercer sa liberté de définir son *identité publique* à partir de son *identité subjective*. « Je suis ce que j'éprouve être en tant que membre de telle minorité. » D'abord, chacun décide par rapport à lui-même d'une réponse à donner à l'impératif d'être soi. Ensuite, il réclame que sa réponse soit admise par tous au nom d'un principe de reconnaissance réciproque des subjectivités.

La première étape de ce programme se joue entre soi et soi. Il semblerait donc qu'elle ne soit pas encore politique. C'est pourtant dans le langage d'une politique intérieure du sujet que Gauchet la décrit : « Les appartenances possibles sont multiples et hétérogènes — ce n'est pas la même chose de se définir comme homosexuel, comme Breton ou comme protestant. Elles appellent des choix et des hiérarchisations de la part des acteurs (...)[14]. » Chaque acteur se comporte ici comme s'il devait gouverner un pays : il y a des besoins multiples à satisfaire, mais auxquels on ne peut pas pourvoir simultanément ; des fins variées qu'il serait souhaitable de poursuivre, mais qui sont incompatibles entre elles ; des urgences variées auxquelles il faut répondre, mais chacune à son tour. L'art politique est de déterminer les choix et de définir les priorités en fonction d'une relation *architectonique* entre toutes ces demandes, relation dont le principe est le bien de l'ensemble[15]. Toutefois, le pays que gouverne l'individu qui a instauré le rapport politique à soi, ce n'est encore que lui-même. Comment pourra-t-il se changer en concitoyen de quelqu'un d'autre ? Où a-t-il trouvé, dans la gestion personnelle de ses « appartenances » ou de ses « identifications », le principe d'ensemble qui lui permettra de décider à qui demander qu'on le reconnaisse et à quel titre on devrait le faire ?

Selon la thèse particulariste de la « politique de la reconnaissance », ce principe d'ensemble tient dans un moment d'universalité formelle attachée à la revendication même d'une
reconnaissance de sa propre singularité. Dès qu'une singularité
ne se satisfait plus de sa propre affirmation unilatérale et qu'elle
accepte de se soumettre à la procédure de la reconnaissance
mutuelle, elle ne peut qu'accorder à toutes les autres singula-
rités le droit qu'elle réclame pour elle-même. Ce qu'elle exige
des autres à son propre sujet — qu'ils acceptent de lui laisser le
soin de déclarer unilatéralement qui elle est —, elle l'exige
d'elle-même en ce qui concerne les autres. Par conséquent, le
seul régime politique qui convienne à de libres subjectivités,
c'est celui de la démocratie procédurale. Le principe de cette
politique, cette fois, est bien subjectif : le discours de l'individu
sur lui-même est le discours d'un sujet parlant à la première
personne, comme tel revêtu de l'« autorité de la première
personne ».

Mais qui décide des qualités « qui font le *moi* », comme dit
Pascal ? La politique de la reconnaissance suppose trop vite
qu'on peut faire bénéficier de l'autorité de la première personne des énoncés du type : « Je m'éprouve de telle origine
ethnique, de tel sexe, de telle minorité morale[16]. » Elle prétend
tirer un droit d'une tautologie psychologique : comment pourrait-on objecter à quelqu'un qui nous dit *ce qu'il ressent* qu'en
réalité il ne le ressent pas ? Bien entendu, on ne saurait dénier
à quelqu'un le droit de témoigner du fait *qu'il ressent ce qu'il
ressent.*

Encore faut-il qu'il ait *dit* ce qu'il ressentait. Tant qu'il ne l'a
pas dit, il n'y a rien à reconnaître.

Appelons *énoncé expérientiel* une phrase formée sur le schéma
« Je me sens X », où « X » représente une place à remplir par
un mot pour une qualité ou un attribut. Il reste à savoir si tous
les adjectifs de la langue peuvent fournir des attributs expérien-
tiels. C'est le cas de remarquer avec Wittgenstein : nous comprenons « Il est cinq heures en Chine centrale », mais nous ne
comprenons pas « Il est cinq heures au centre du Soleil », bien
que cette phrase soit construite sur le même patron que la précédente (cf. *Recherches philosophiques*, § 350). Nous comprenons
divers mots quand ils sont utilisés dans leurs contextes respectifs
habituels, mais cela n'implique pas que nous devions forcément
les comprendre quand ils sont employés ensemble, et cela
même si leur assemblage est formellement correct. Encore faut-

il qu'une place ait été préparée, dans la pratique du langage, pour leur combinaison. Nous comprenons le sens qu'a le verbe « se sentir » dans : « Je *me sens* fatigué. » Nous comprenons le sens qu'a l'adjectif « breton » dans : « Je suis *breton* du côté paternel. » Mais est-ce que nous comprenons : « Je me sens breton » ? Quelles sont les expériences intimes qui pourraient informer un Breton de ce qu'il est breton ? Où trouver le critère *subjectif* qui permettrait de s'attribuer à soi-même une qualité que tout le monde peut déterminer à l'aide de critères *objectifs* tels que le fait d'avoir ou non des ancêtres bretons.

On dira peut-être : cette phrase « Je me sens breton » permet à l'individu d'énoncer une définition subjective de ce qu'il est à ses propres yeux, de son *être-pour-soi*. Mais nous retombons dans l'équivoque du « pour soi » (cf. *supra*, chap. 26). Il ne s'agit pas, dites-vous, d'apprendre subjectivement qu'on a des ancêtres de tel pays, mais d'être-pour-soi de ce pays. Mais qu'est-ce que ce serait qu'être breton-pour-soi ? Si ce n'est pas seulement croire « subjectivement » qu'on l'est « objectivement », alors cela consistera à jouir d'une celtitude subjective ? Mais en quoi un statut de Breton subjectif peut-il bien consister ?

Il est concevable que quelqu'un ressente de la fierté s'il aperçoit son drapeau totémique dans une position honorable, qu'il ressente un sentiment de confiance en soi s'il se sent chez lui, par exemple parce qu'il entend parler sa langue avec l'accent de son pays et qu'il comprend qu'il pourra plus facilement se tirer d'affaire. Il se peut qu'il soit ému s'il entend une musique familière, s'il retrouve des odeurs ou des saveurs de son enfance. Pourtant, rien de tout cela ne constitue un vécu spécifique d'identité personnelle qui pourrait fonder une définition unilatérale de soi en termes politiques, au sens où un vécu de souffrance se passe de toute confirmation extérieure pour envahir un sujet et possède donc, lorsqu'il s'exprime, l'autorité de la première personne. L'affirmation d'une identité particulière ne relève pas d'une expérience intime irrécusable, mais du choix de *se construire* soi-même selon le modèle qu'est censé proposer cette appartenance élective.

En fin de compte, tout le programme politique que l'on peut tirer d'une philosophie particulariste du sujet se réduit à l'idée d'une *démocratie procédurale*. Si l'on devait formuler ce programme dans la langue de Rousseau, on pourrait dire qu'il consiste à échanger l'*esprit social*, qui est l'œuvre des *douces institutions*, contre quelque chose qui doit en être l'équivalent fonctionnel. Loin que les mœurs soient reconnues comme le fondement de la constitution politique, ce sont les articles de la constitution qui tiendront lieu de mœurs. Les philosophes de la rationalité intersubjective ont expliqué comment, dans une société authentiquement libérale, les normes de l'*agora* devaient être formelles, de façon à ne pas empiéter sur la responsabilité que chaque individu doit assumer à l'égard de sa propre identité, mais seulement de la sienne.

Ce programme apparaît foncièrement ambigu.

Si l'on ne demandait à l'État que de laisser chacun vaquer à ses affaires et gérer lui-même, dans une politique privée, la diversité de ses appartenances, le programme pourrait sembler plausible. Il ne serait pas nécessaire d'adoucir la sévérité des lois par l'esprit social, puisque ces lois n'imposeraient rien aux membres du groupe, sinon de ne pas se déranger les uns les autres.

En réalité, il semble bien que les citoyens soucieux de reconnaissance estiment que leur identité distinctive est reconnue, non pas quand personne ne s'occupe d'eux, mais au contraire quand ils reçoivent une part de l'estime publique sous la forme d'une quote-part de présence dans les institutions culturelles, les programmes scolaires, les divertissements médiatiques, les parades publiques, les politiques d'assistance, et donc aussi dans le budget de l'État.

L'État est donc prié de n'imposer aucun modèle « substantiel » à la définition de l'identité d'un citoyen, mais simultanément d'intervenir à tout propos pour que l'espace public reste un « espace pluraliste » où chacun puisse figurer. Et il doit y veiller, non pas seulement en faisant respecter les règles du jeu, mais en mettant les « institutions douces » au service de l'épanouissement d'un individu qui a remplacé le lien social par le principe de la réciprocité dans l'affirmation subjective. Ainsi, tout ce que cette conception particulariste du sujet comporte de politique est passé dans le rapport de l'individu à lui-même. Aucun principe d'ensemble autre que formel n'a été proposé pour ce qui est de l'espace commun aux libres subjectivités. Au contraire, le dogme est maintenant qu'il ne saurait y avoir un tel principe, car ce serait rendre « substantiel » ou « substantif » un régime démocratique qui n'est libéral (par opposition à autoritaire) que s'il reste procédural.

Dans la nomocratie qui répondrait à cet idéal politique, il n'y

aurait pas à proprement parler un *gouvernement,* mais seulement
une *administration* censée mettre à exécution dans les cas particuliers ce qui a été déterminé par le Législateur sous forme de
dispositions générales. Par ailleurs, le juge ne serait qu'un *Para-
graphenautomat* appliquant le règlement au cas qui lui est
soumis. Sinon, il faudrait craindre que ce juge ne se prononce
au titre de ses valeurs particulières, alors qu'il doit rester agnostique en la matière. D'après Castoriadis[17], qui signale fort
justement ces inconvénients, la doctrine de la démocratie procédurale est entachée d'une duplicité : elle affecte de dire une
chose, mais elle en pense une autre. Ce qu'elle affecte de dire,
c'est qu'on peut avoir une *société* qui fonctionne de façon purement procédurale, donc sans idées communes et sans croyances
communes. Or c'est trop évidemment faux, et cette doctrine ne
l'ignore pas : toutes les décisions politiques qui sont prises portent forcément sur des questions substantielles dont tout le
monde comprend la teneur parce qu'elles sont énoncées dans
le langage commun. Ce qu'elle dit effectivement, c'est que le
régime démocratique peut (doit) être défini par la procédure
selon laquelle les décisions sont prises, en aucun cas par leur
contenu. Seule la forme, dit-elle, peut être partagée : le contenu
relève de la négociation entre les individus. En fait, la distinction est spécieuse, car il est impossible de dissocier à ce point le
régime de la société globale.

Un régime démocratique ne peut pas se dispenser de s'intéresser aux questions « substantives » que soulève sa propre
reproduction sociale. Comme l'écrit Castoriadis : « Supposons
même qu'une démocratie aussi complète, parfaite, etc., que
l'on voudra, nous tombe du ciel : cette démocratie ne pourra
pas continuer plus que quelques années si elle n'engendre pas
des individus qui lui correspondent et qui soient, d'abord et
avant tout, capables de la faire fonctionner et de la reproduire.
Il ne peut y avoir de société démocratique sans *paideia* démocratique[18]. » Ici, le problème de l'avenir de l'homme démocratique est exactement circonscrit : c'est le problème de la
possibilité de la *paideia,* de l'éducation à l'autonomie, autrement dit le problème d'apprécier la place dans notre vie des
« institutions douces » qui doivent produire l'« esprit social »
d'un régime démocratique.

Il apparaît alors que la politique de la reconnaissance, du
moins celle qui est connue en France sous le nom d'« individualisme démocratique », repose sur une contradiction. Cette poli-

tique compte bien s'appuyer sur un lien social déjà formé par des siècles de civilisation, mais elle veut aussi faire comme si ce lien n'était pas nécessaire. L'individu contemporain pourrait bien être « le premier individu à pouvoir se permettre, de par l'évolution même de la société, d'ignorer qu'il est en société[19] ». Cela ne veut évidemment pas dire que l'homme contemporain s'imagine vivre sur une île déserte. Mais plutôt qu'il croit avoir trouvé la pierre philosophale : on pourrait avoir les lois politiques et donc les bienfaits de l'institution politique (comparé à un « état de nature » qui serait celui de la guerre de tous contre tous) sans le fondement de l'esprit social (ou, dans le langage de Castoriadis, sans les « significations imaginaires » qu'institue la société). Le programme s'avère incohérent quand il apparaît qu'il réclame l'intervention continuelle d'institutions globales vigoureuses (école, famille) dont il voudrait pourtant qu'elles soient pénétrées du sentiment de leur propre illégitimité. La contradiction de l'individualisme est finalement d'exiger que les « institutions holistes » se mettent au service de leur contraire : « la promotion de l'individu »[20]. Tout se passe alors comme si le travail de l'individualisation de sa propre vie n'incombait plus à l'individu lui-même, mais à la société.

Les deux formules idéologiques (françaises) qu'engendre la philosophie du sujet ont pour trait commun de se dérober devant ce que le sociologue appelle « le problème de l'homme moderne », à savoir le fait que cet homme qui est devenu (à ses propres yeux) un individu politique n'en reste pas moins un homme, c'est-à-dire un être social (cf. *supra*, ch. 42). Elles font l'une et l'autre comme si le *lien social* pouvait être une œuvre de la volonté politique alors qu'il en est la condition préalable. Les individus appelés à réunir leurs volontés le feraient initialement sans avoir aucune sorte de lien social les uns avec les autres. Ou encore, pour exprimer la même illusion dans l'idiome de la politique réactionnaire, ces formules font comme si la société globale (holiste) avait disparu, comme si le lien social avait été dissous par la diffusion des idées modernes, et comme s'il ne pouvait être rétabli qu'artificiellement par une politique autoritaire. C'est toujours, chez les uns et les autres, la même incapacité à poser le problème de l'individu politique, c'est-à-dire le problème qui se pose à un homme qui doit concilier sa condition réelle d'homme social avec ses principes qui lui commandent de se faire individu *dans le monde* et pas seulement hors du monde, dans l'intériorité de son tête-à-tête avec lui-même.

Toutefois, il ne serait pas juste de tenir les deux formules idéologiques de la conscience politique française pour également ineptes du point de vue politique. L'*idée républicaine* a été capable d'inspirer une vision d'ensemble et un grand projet politique auquel nous devons la séparation des Églises et de l'État. C'est un fait que le citoyen, à la belle époque de la République, ne s'est pas contenté de dénoncer la malfaisance des forces d'inspiration « monarchiste, militaire, cléricale ». Il a su admirer les grands serviteurs républicains de l'État quand il s'en est trouvé, il a courageusement défendu son pays contre l'envahisseur sans devenir pour autant belliciste ou chauvin, il a trouvé pour construire une école « républicaine » des ressources matérielles et surtout morales qui nous font aujourd'hui défaut. L'explication est sans doute à chercher dans la façon dont les grands dirigeants des débuts de la IIIe République ont su reconnaître, il est vrai par des voies indirectes, la nécessité d'un esprit social pour nourrir la vie démocratique.

En revanche, l'individualisme contemporain, bien qu'il se déclare démocratique, ne paraît pas capable de désigner aux citoyens l'ensemble dans lequel leurs vies particulières pourraient recevoir une signification politique commune. De fait, on ne voit pas quel projet politique d'ensemble pourrait naître dans la tête d'un individu qui a choisi de méconnaître les conditions sociales de sa propre individualisation.

Mon but dans ce chapitre était de refaire, sous la direction d'un philosophe de l'*ego*, le chemin qui devait nous mener selon lui de la *relation subjective à soi* à la *citoyenneté*. « Tu dois (ou tu veux) être toi-même, donc tu dois (ou tu veux) être citoyen. » Mais nous constatons que ce chemin ne conduit à aucune concitoyenneté réelle. Non qu'il n'y ait plus de citoyens (comme l'écrivait Rousseau), mais parce que les citoyens d'aujourd'hui, s'il en existe, ne sont assurément pas concitoyens les uns des autres en vertu d'une relation qu'ils auraient pu acquérir par auto-position. Qui plus est, il est apparu qu'on pouvait tirer de la philosophie du sujet des morales civiques opposées selon la façon dont on fixait la signification du « Soi », de l'être-soi. Il est donc juste de conclure qu'on ne saurait dériver une philosophie politique proprement dite, c'est-à-dire une élucidation des fondements de la *vie civique,* de l'idée d'un individu qui se soumet lui-même à l'impératif d'être soi.

Toutefois, l'examen des incidences de la philosophie du sujet sur la pensée politique n'est pas terminé pour autant. Il reste en effet à envisager une dernière possibilité qui n'a pas été prise en compte dans le présent chapitre. J'ai fait comme si la philosophie du sujet devait forcément viser à munir l'individu d'une morale *civique,* d'un statut de *citoyen.* Pourtant, demandera-t-on, est-ce bien dans la figure du citoyen qu'un *ego* cherchera à se donner une individualité intra-mondaine ? Aussi longtemps que la notion de citoyenneté reste soumise aux modèles antiques du *civis* ou, ce qui peut-être semblera pire encore, du *politès,* nous continuons à habiter l'univers intellectuel de la « liberté des Anciens ». On m'objectera donc qu'il serait temps d'entrer dans la modernité. Toutes les notions par lesquelles se définit le domaine politique doivent accepter de se réformer lorsqu'on passe de cette liberté à l'antique (comme privilège de participer à la souveraineté de son peuple ou de sa cité) à la « liberté des Modernes ». Cette dernière, jamais tout à fait acclimatée en France, est une liberté à l'anglaise, c'est-à-dire qu'elle repose sur la distinction des activités spontanées de la *société civile* et des responsabilités limitées de l'*État.*

C'est pourquoi, feront remarquer ceux qui adoptent ce modèle « anglais » de la liberté politique, un individu (normatif) n'est plus quelqu'un qui raisonne en termes de *souveraineté,* de *bien commun,* de *relation architectonique* des biens particuliers au sein de la cité. Pour eux, toutes ces notions représentent autant de rechutes dans une vision archaïque de la vie sociale. Leur définition du domaine politique est tout à fait différente. Elle procède en deux temps. D'abord, on posera l'individu comme titulaire de ses droits subjectifs, c'est-à-dire comme doté d'un statut normatif qu'il ne doit qu'à lui-même. Cet individu établit avec ses semblables des relations d'association active au sein d'une société civile, laquelle est ainsi pourvue d'un ordre juridique reposant sur le seul consentement des participants, mais pas encore d'un ordre politique. Dans une seconde étape, on posera le besoin d'un organe commun chargé de garantir la sécurité des individus et de les protéger contre les dangers du monde. C'est alors que l'individu sera déterminé comme membre d'un État particulier. Or un tel individu n'est nullement dépourvu de critères quand il s'agit pour lui de porter un jugement sur la politique menée par le gouvernement auquel il est soumis : car il n'en juge pas en fonction d'une demande vide d'*ipséité*, mais en fonction de ses libertés et de ses intérêts tels qu'ils lui sont garantis à titre de « droits subjectifs ». Bref, selon cette opinion, le problème de l'homme moderne dont parle le sociologue se poserait en effet si nous voulions (comme Hegel) réconcilier l'individu moderne avec une société de type holiste, mais c'est précisément à ce genre de réconciliation que nous devons renoncer, sinon du point de vue descriptif, du moins dans notre philosophie normative.

La réforme des notions politiques qui nous est demandée repose, on le voit, sur l'idée que l'individu possède des « droits subjectifs » avant même d'avoir un statut politique. On entend en effet par « droits subjectifs » des revendications que l'individu peut légitimement opposer à la puissance publique elle-même. Mais d'où sortent ces droits ? Comment les introduit-on ? C'est précisément ici que la philosophie du sujet entre en scène comme philosophie *politique* de l'*ego*, car elle promet d'apporter la solution d'une difficulté inhérente à toute la doctrine libérale : comment rendre compte des droits subjectifs ? est-ce que les droits de l'individu sont ceux accordés à la *créature* humaine par la Loi naturelle du Créateur, ou est-ce qu'ils sont ceux que revendique la *conscience de soi* d'un individu dès qu'il rencontre une autre *conscience de soi* ? La philosophie du sujet annonce qu'on peut se passer de la *Lex naturae* et donner une fondation purement humaine ou, si l'on veut, purement rationnelle aux droits subjectifs.

Philippe Raynaud a montré comment cette difficulté propre aux diverses doctrines du libéralisme était déjà présente à l'origine dans la pensée de Locke. Il rappelle ainsi le problème qui s'est toujours posé aux interprètes de ce philosophe : « La doctrine classique de la Loi naturelle, qui implique que les hommes obéissent à un ordre "naturel" inspiré par Dieu, s'y trouve mise au service d'un projet d'émancipation de l'individu qui met en fait au premier plan les "droits subjectifs" de celui-ci[21]. » Il y a donc concurrence entre deux fondements possibles d'une doctrine libérale de l'ordre normatif : ou bien les droits subjectifs des individus s'expliquent comme la contrepartie des devoirs des créatures humaines envers leur Créateur, devoirs dont ils ont connaissance par la Loi naturelle qui leur est promulguée sous les espèces de la conscience morale ; ou bien ces droits subjectifs sont des normes créées par l'homme dont on peut rendre compte en invoquant seulement un « pouvoir instituant de l'esprit humain » (*ibid.*, p. 351). Par le premier fondement qu'elle peut recevoir, la doctrine libérale regarde vers le passé et conserve le dispositif normatif qui avait été inventé par l'individu-hors-du-monde. Par l'autre fondement qu'on peut lui donner, elle apparaît entièrement humanisée et par là émancipée de toute attache à l'ancienne façon de penser.

L'un des deux fondements est de trop. Faut-il parler d'une « tension » de la modernité entre deux postulats opposés, que Locke exprimerait sans parvenir à la maîtriser ? Ou bien d'une « équivoque » et d'une « incohérence » ? Raynaud écrit à ce propos : « La cohérence de la pensée morale et politique de Locke dépend de la façon dont elle articule les deux fondements, divin et humain, transcendant et conventionnel, des normes éthiques » (*ibid.*). Mais, justement, il est possible de voir dans la philosophie politique du sujet la doctrine d'une école qui dit avoir le moyen de résoudre cette difficulté. Selon elle, il est possible de fonder de façon purement immanente les normes par lesquelles se trouvent limitées les volontés individuelles : c'est pour jouir de leurs droits subjectifs que les individus acceptent de limiter leurs libertés en posant les « normes morales », dont les « normes juridiques » ne sont alors qu'une dérivation. Par conséquent, ces normes ne sont plus « des conséquences de la "loi naturelle" », mais elles sont des « créations de l'esprit humain », et cela permet de concevoir « une régulation purement humaine ou immanente du monde social[22] ».

Il nous reste donc à prendre acte des thèses originales d'une version *libérale* de la philosophie politique du sujet, ou plutôt, à nouveau, de deux versions opposées (chap. 48-49). Il conviendra alors de se demander si la philosophie *juridique* du sujet tient ses promesses, autrement dit de décider si la notion de « droit subjectif » est recevable (chap. 50-51). Mais le point important sera finalement d'élucider la notion fondamentale d'un « pouvoir instituant de l'esprit » (chap. 52-55), autrement dit d'une capacité humaine à suivre des règles dans sa conduite. C'est en effet le sens même de l'autonomie qui se joue dans cette notion.

VI

LA QUERELLE DES DROITS
SUBJECTIFS

L'humanisme juridique

Alain Renaut écrit que les temps modernes se définissent par une revendication humaniste, laquelle trouve son expression dans le concept philosophique de sujet autonome. On ne saurait souscrire plus explicitement à la thèse selon laquelle l'homme devient moderne en devenant « sujet ». C'est lorsque l'homme en vient à se concevoir comme *moi pensant* que le droit est redéfini comme *droit subjectif* (cf. *supra*, chap. 43). L'auteur explique cette thèse dans une page dont il convient de citer les points principaux :

> L'*humanisme*, c'est au fond la conception et la valorisation de l'humanité comme capacité d'*autonomie*, — je veux dire, sans bien sûr prétendre sur ce point aucunement à l'originalité, que ce qui constitue la modernité, c'est ce fait que l'homme va se penser comme la source de ses représentations et de ses actes, comme leur fondement (sujet) ou encore comme leur auteur (...) L'homme de l'humanisme est celui qui n'entend plus recevoir ses normes et ses lois ni de la nature des choses (Aristote), ni de Dieu, mais qui les fonde lui-même à partir de sa raison et de sa volonté. Ainsi le droit naturel moderne sera-t-il un droit subjectif, posé et défini par la raison humaine (rationalisme juridique) ou par la volonté humaine (volontarisme juridique)[1].

L'auteur croit sans doute reproduire ici un thème familier. On fera pourtant la différence entre le portrait *historique* de l'homme moderne en humaniste et son portrait *philosophique* en sujet. Les deux portraits renvoient-ils au même personnage ? De quel homme moderne parlons-nous ?

Prenons d'abord le portrait historique, celui qui est esquissé par renvoi à divers épisodes de l'histoire des idées juridiques. L'homme veut être l'auteur de son droit et de ses normes, revendiquant ainsi une autonomie humaine du droit. Renaut cite les philosophies juridiques modernes du « rationalisme » et du « volontarisme » (autre nom du positivisme juridique). Le droit moderne est conçu comme *subjectif.*

Est-ce que le rationalisme juridique de l'âge « humaniste » ne tient pas plutôt, contrairement à ce que suggère Renaut, à l'invocation d'un fondement du droit qui n'est ni « la nature des choses », notion romaine (plutôt qu'aristotélicienne), ni directement la volonté divine, comme dans une conception sacrale de la Loi, mais la *nature humaine.* On sait que cette philosophie du droit est largement dérivée de Cicéron et des Stoïciens. Elle participe donc de l'individualisme, dirait Dumont, mais sous une forme encore extra-mondaine, puisqu'on renvoie, à travers la *Lex naturae,* au fondement général de l'ordre des choses. En fait, l'humanisme auquel se réfère Renaut n'est plus celui de la Renaissance, mais celui des jeunes hégéliens, de Feuerbach et de Sartre. C'est un humanisme sans nature humaine, sans modèles antiques d'une supériorité dans l'accomplissement de son humanité. À quoi tient alors l'humanité ? Elle est une « capacité à l'autonomie ». Oui, mais nous avons vu que cette notion d'autonomie pouvait s'entendre dans les sens les plus variés. Renaut, lui, veut certainement dire par là une auto-législation. Et cela nous conduit à considérer le second portait. De qui est-il le portrait ?

Et, d'abord, qu'y a-t-il de proprement philosophique dans le portrait ainsi dessiné de l'homme moderne ? C'est l'idée qu'on pourrait réunir les deux notions de sujet que proposent, d'un côté, la philosophie cartésienne de l'esprit et, d'un autre côté, la théorie des droits subjectifs. La thèse est donc qu'on peut assimiler le *sujet de la conscience de soi* et le *sujet des droits subjectifs.* On remarquera que Hans Kelsen appelle lui aussi « jusnaturalisme » la position que Renaut qualifie d'humanisme juridique. Les « droits subjectifs » sont des droits que l'individu humain (ou personne naturelle) possède en tant qu'individu, et qui, pour cette raison, précèdent et fondent les « droits objectifs », c'est-à-dire les obligations que la loi impose aux personnes juridiques qu'elle reconnaît comme telles. On reconnaît la position de John Locke. Kelsen cite cette définition significative du civiliste allemand Puchta : « La notion fondamentale du droit est la liberté, soit la possibilité de se déterminer soi-même. L'homme est sujet de droit parce qu'il a cette possibilité, parce qu'il a une volonté[2]. » Le fondement de la personnalité juridique (et des droits fondamentaux afférents à ce statut) serait bien, de façon générale, dans le fait de la conscience de soi (dont la philosophie du *Cogito* est censé avoir dévoilé la véritable nature). Kelsen a cherché dans toute son œuvre à réfuter le jusnaturalisme pour établir à sa place le positivisme juridique. En revanche, Renaut voit dans ces deux doctrines des variantes d'un même humanisme.

Ce portrait philosophique de l'homme moderne est profondément énigmatique. Comment peut-on espérer trouver une définition philosophique des temps modernes dans une formule qui, à première vue, apparaît comme une tautologie ? Si quelque chose est *mon* acte, alors j'en suis l'auteur ou l'agent ; si quelque chose est *ma* représentation, alors je suis le penseur qui, grâce à elle, me représente quelque chose. Où est ici la modernité de la découverte, et d'abord où est la découverte ?

Il convient de poser un principe d'herméneutique analytique, je veux dire une règle logique d'interprétation des textes du passé[3]. Nous pouvons attribuer aux Anciens des opinions *fausses*, mais pas des opinions *incompréhensibles* : sinon c'est nous, et non pas les Anciens, qui ne savons pas ce que nous disons. Nous pouvons leur attribuer l'opinion selon laquelle l'homme n'est qu'en apparence l'auteur de divers actes. Notre attribution serait fausse, mais non pas incohérente. Mais nous ne pouvons pas leur attribuer l'opinion selon laquelle l'homme n'est pas l'auteur de *ses* propres actes, car, s'il n'est pas l'auteur des actes en question, c'est qu'il ne fallait pas en parler comme de *ses* actes.

Il est en effet nécessaire de concevoir l'homme comme le responsable des actions qui lui sont nommément imputées. Comme le notait Castoriadis, nous ne pouvons pas imaginer une forme de vie humaine sans les moyens linguistiques d'imputer des actes à celui qui en est l'auteur. L'idée que l'homme agit ne peut pas avoir été découverte par la pensée moderne. Supposez que vous deviez exercer le métier de sergent instructeur dans un régiment formé de conscrits, et que vous trouviez devant vous une nouvelle recrue professant des opinions « prémodernes » sur l'action humaine. Lorsque vous lui demanderiez de se lever ou de s'asseoir, il vous répondrait que ses actions ne dépendent pas de lui, qu'il n'est pas l'auteur de ses actes. Vous le tiendriez pour une forte tête qui se moque de vous. Mais supposez que tous les autres conscrits partagent sincèrement cette opinion. Dans une telle humanité, il n'y aurait pas de place pour l'acte qui consiste à *demander* à quelqu'un de faire quelque chose. Libre à nous de juger que nous n'aurions plus affaire à une forme humaine de vie, ou bien que l'humanité aurait subi une mutation tellement radicale que nos formes communes de pensée ne lui conviendraient plus. Reste à conclure que l'idée selon laquelle l'homme agit *de lui-même* n'est pas une « opinion philosophique », au sens d'une spéculation facultative, et encore moins une doctrine récente qui ferait la différence entre nous et les anciens, mais un présupposé de toute signification.

Qu'en est-il de la mutation que représenterait le fait de se penser comme l'auteur de ses représentations ? La question « Qui est l'auteur ? » offre-t-elle un sens si elle est appliquée à des « représentations » ? Elle est pleine de sens tant qu'il s'agit par exemple de dessins ou de photographies. Je peux me demander si c'est moi qui ai fait *ces dessins* (que je vous montre du doigt tout en les spécifiant : « ces dessins que voici »). Mais comment devons-nous procéder pour transposer la question à des représentations mentales, à des idées ou des jugements ? Pour poser la question de leur auteur, il faudrait être en mesure de les désigner de façon à les faire entrer dans un schéma actanciel. C'est pourquoi le lecteur reste interloqué, comme devant les questions piégées qui réjouissent les enfants, comme lorsqu'on demande quelle est la couleur du cheval blanc d'Henri IV. De fait, lorsqu'on demande si je suis l'auteur de *mes* pensées, en entendant par « auteur » la personne qui pense mes pensées (et non pas par exemple celle qui les a eues pour la première fois et dont je suis dans ce cas le disciple ou le plagiaire), il semble que la réponse soit déjà contenue dans la question. Dès qu'on parle de *mes* pensées, on parle des pensées que je pense, et la question « Qui ? » n'a plus lieu d'être posée. Par ailleurs, le problème ne se pose pas non plus de savoir si je suis le penseur de *vos* pensées, le rêveur de *vos* rêves, le concepteur de *vos* projets, etc. Il n'y a donc pas d'espace pour transférer la question « Qui est l'auteur ? » de son terrain d'origine (les actions transitives) à ce nouveau terrain « subjectif ».

On croira peut-être pouvoir dissiper ces perplexités en disant : certes, l'homme traditionnel sait qu'il est l'auteur de certains événements, et il s'en attribue la responsabilité, mais il n'en conclut pas qu'il doit se juger d'après des normes qu'il lui revient de poser. Et cela veut dire que, faute de se tenir pour autonome dans son jugement normatif (et pas seulement dans son agir), il ne se conçoit pas véritablement comme le « fondement » de sa propre action.

Mais, si tel est le sens de la position qu'il faut prêter à l'homme traditionnel, il semble que cet homme ait raison. Que veut dire : *l'agent est le fondement de son action* ? Si nous visons la fonction ontologique de *subjectum* (*hypokeimenon*) que remplit l'individu à l'égard de l'exercice de sa puissance d'agir, cela veut dire que, par exemple, comme l'objectait Hobbes à Descartes, il ne peut pas y avoir de promenade sans un promeneur (cf. *supra*, chap. 6). L'individu qui se promène pourrait ne pas se promener, il ne doit pas son existence au fait de sa promenade. En revanche, la promenade que fait cet individu n'existerait pas s'il ne la faisait pas : elle est donc ontologiquement fondée sur l'existence de l'agent.

Pourtant, que je sois — à titre de suppôt — le fondement ontologique de ma promenade ne veut certainement pas dire qu'il faille forcément juger du bien-fondé de cette promenade d'après des normes dont je serais l'auteur. Par exemple, je peux faire une promenade pour suivre l'ordonnance de mon médecin (c'est moi qui me promène, mais c'est lui qui a posé la norme selon laquelle je devais me promener). Inversement, supposons que je pose librement une norme selon laquelle *je peux me promener partout où cette activité me procure du plaisir*, mais que cela m'amène à me promener là où, pour une raison ou une autre, il ne faudrait pas que je le fasse (me promener dans le domaine d'autrui, ou bien en terrain dangereux, ennemi, etc.), ma position normative entrerait en conflit avec d'autres considérations (légalité, sagesse pratique), et elle serait disqualifiée comme injuste ou mal avisée. Pourtant, cela n'enlèverait rien au fait que je sois le promeneur et donc le fondement de mon acte de me promener.

Dira-t-on que le pouvoir en question n'est pas une capacité physique de se promener, mais une capacité au sens *déontique* ? que ce que le sujet se donne par sa norme, c'est un *droit* à se concevoir comme l'auteur de ses actions ? Mais cette piste ne semble pas sérieuse. Que pourrait bien être un droit, non pas à faire ceci ou cela, mais à se tenir pour l'auteur de ce qu'on fait ? Par exemple, je ferme la porte. Il peut se faire qu'on m'objecte : vous n'aviez pas le droit de le faire. Mais est-ce qu'on pourrait m'objecter : vous n'avez pas le droit de vous poser comme l'auteur de l'action de fermer la porte ? Il semble bien que cette dernière objection vienne trop tard, car j'ai déjà fait l'action en question et je me suis donc déjà « posé » en auteur de cette action. Si la porte a été fermée par moi, alors j'ai fermé la porte, et, en fermant la porte, j'ai fait tout ce qu'il fallait que je fasse pour qu'on doive me désigner comme l'auteur de la fermeture. Une fois de plus, il y a une notion qui ne présente aucune difficulté et qui ne saurait être réservée aux temps modernes : c'est celle d'un droit, reconnu ou conféré par une autorité, à faire quelque chose. En revanche, l'idée que l'homme aurait le droit d'être l'*auteur de ses actes*, ou encore de *juger* qu'il l'est, ne nous a pas encore dévoilé son contenu.

Bref, nous n'arrivons pas à faire la transition, qui semble relever d'une inférence immédiate dans le texte cité, entre le « sujet » comme agent, c'est-à-dire le premier actant, et le « sujet » comme *titulaire des droits subjectifs*, et par là auteur d'un droit dont le fondement serait trouvé dans sa qualité d'agent.

Mais, objectera-t-on, il existe bien quelque chose comme la conception moderne du droit et son « humanisme juridique ». Selon cette conception, l'homme ne veut plus tirer son droit d'une Loi religieuse ou d'un ordre naturel, mais de lui-même. La notion de sujet philosophique, dans ce contexte, ne fait qu'exprimer cette volonté qu'a l'homme de se poser au fondement de ses normes. Après tout, la notion de fondement (*Grund*) est bien celle de l'*hypokeimenon* ou du *subjectum*.

Il se pourrait en effet que Renaut, en dépit des critiques qu'il fait de la pensée heideggérienne, reprenne à son compte cette explication. L'idée classique de subjectivité, écrit-il, c'est celle d'une aptitude humaine « à être l'auteur conscient et responsable de ses pensées et de ses actes, bref : leur fondement, leur *sub-jectum* » (*op. cit.*, p. 14). Malheureusement, cette interprétation heideggérienne, qui n'est peut-être qu'un raccourci, est telle quelle aberrante. Heidegger confond ici délibérément le fondement comme *hypokeimenon*, c'est-à-dire comme individu concret ou *suppôt* auquel on rapporte un attribut ou un pouvoir, et le fondement au sens logique de la *protasis*, c'est-à-dire de la proposition qui sert d'antécédent dans une inférence et dont nous tirons une conséquence, en vertu d'un principe d'inférence de forme « *si p, alors q* ». Une chose est le fondement au sens de l'*hypokeimenon*, c'est-à-dire la nécessité pour *cette* promenade d'exister comme accident de *cet homme* qui se promène (mais qui n'est certainement pas homme du fait de sa promenade). Autre chose est le fondement au sens où une proposition peut servir de fondement à une autre.

Le fondement au sens d'un principe de justification est forcément une proposition. Si on voulait soutenir que l'homme, comme sujet de prédication, est le fondement du droit ou de la science, il faudrait tenir l'homme pour une proposition. La conséquence paraît difficile à accepter, mais il est vrai que la grandeur des penseurs conséquents est de pas reculer devant les paradoxes s'ils tiennent à leurs principes initiaux. Heidegger ne craint pas d'expliquer que, pour Descartes tel qu'il faut l'interpréter, chacun de nous doit se tenir pour une proposition[4]. Je crains pourtant que cette conséquence radicale ait valeur d'une réduction à l'absurde de toute la démonstration.

Reconnaître que l'agent individuel est au fondement ontologique de son action n'a rien de spécialement humaniste : il en va de même du cheval et de sa couleur, du morceau de cire et de ses propriétés. Par ailleurs, si l'on tient à dire que *l'homme est au fondement du droit,* cela ne peut vouloir dire qu'une chose : qu'il y a, au fondement du droit, une affirmation concernant l'homme. Est-ce que la proposition selon laquelle l'homme a le pouvoir d'agir librement peut servir de fondement à un système de normes ? Est-ce cela qu'aurait découvert l'humanisme juridique ? Encore faudrait-il expliquer le rapport de principe à conséquence entre les deux thèses. Quel est donc le fondement du *modus ponens* qu'on énoncerait ainsi : si l'individu x est l'agent volontaire de certaines de ses actions, alors x possède des droits subjectifs ?

Comment répondra un philosophe qui décide d'entendre l'autonomie comme auto-législation par laquelle l'individu empirique se soumet de lui-même à une Loi purement rationnelle et choisit de tenir les devoirs que lui impose la Loi comme des devoirs qu'il a envers lui-même ? Il ne m'appartient pas de parler à la place de ce philosophe, mais il est clair qu'il lui faudra introduire, d'une façon ou d'une autre, le dédoublement permettant à quelqu'un de s'imposer à lui-même des obligations et de s'engager envers lui-même, sans tomber aussitôt dans la contradiction (cf. *supra*, chap. 48). L'homme individuel peut opposer ses droits subjectifs aux autres ou à la puissance publique parce qu'il a des devoirs envers lui-même, envers sa propre humanité, et que ces devoirs sont au fondement des droits subjectifs. Or c'est justement ce type de solution qui est récusé par le *nominalisme juridique*, et qui est même dénoncé par lui comme rétrograde, précisément au nom de la modernité et de la doctrine des droits subjectifs. L'humanisme juridique se voit donc contesté dans sa prétention à valoir comme la philosophie juridique de l'humanité moderne.

XLIX

Le nominalisme juridique

L'humanisme juridique, selon l'explication d'Alain Renaut, consiste à penser le droit comme une création de l'homme, *donc* comme droit subjectif, apparemment en vertu de l'idée selon laquelle être l'auteur du droit, c'est être le sujet de droits subjectifs. C'est ce qui lui permettait de récuser une « lecture unilatérale » de l'époque moderne à partir de l'idée que s'y affirme la liberté *individuelle*. Il y a en réalité deux idées modernes de la liberté, pour les uns l'indépendance de l'individu, pour les autres l'autonomie du sujet qui a accepté de se limiter lui-même en vue de rendre sa liberté individuelle compatible avec celle d'autrui (cf. *supra*, chap. 41).

On retrouve chez un partisan du subjectivisme moderne comme Olivier Cayla le même sentiment d'un conflit entre deux conceptions de la liberté et du droit chez nos contemporains[1]. Toutefois, Cayla juge qu'une seule de ces conceptions est moderne. D'après lui, l'autonomie rationnelle telle que la définissent les kantiens, comme subordination de soi (individu empirique particulier) à soi (sujet de la raison pratique), n'est pas du tout moderne. Elle est même *anti-moderne* et reproduit sous une forme à peine déguisée le schéma cosmologique de la « loi naturelle » (*lex naturae*) à laquelle sont assujetties toutes les créatures du Dieu législateur. Cayla juge qu'on trouve ces deux conceptions derrière les arguments des deux « partis » qui s'affrontent dans les controverses contemporaines autour de l'existence de tel ou tel droit individuel (faire enregistrer un changement de sexe par l'état civil, porter plainte pour être né avec tel défaut, etc.). Le parti que Cayla juge moderne invoque les *droits de l'homme* et se réclame du « subjectivisme de la modernité » (*op. cit.*, p. 47). Le parti qu'il juge anti-moderne invoque la *dignité de la personne humaine*[2], et fait référence à une instance qui dépasse ou « transcende » l'individu (à savoir l'homme en général, *der Mensch überhaupt*). Il est clair que chacun de ces partis pourrait dire : ma philosophie juridique est un humanisme. La qualité d'humanisme n'est donc pas assez déterminée pour pouvoir fixer la teneur d'une position en philosophie du droit.

Quel est donc, selon Cayla, ce parti du droit au service de la « dignité de la personne » ? Les philosophes le connaissent surtout dans la forme qu'il revêt quand il se veut rationaliste. Son rationalisme peut être classique, et se définir par une « raison pratique » capable de déterminer le motif d'un agent. Ou bien il peut être réformé dans un sens « dialogique », comme dans la théorie de la raison communicationnelle (Habermas). Mais Cayla retrouve la même conception du droit chez les théoriciens qui s'efforcent de comprendre la fonction du droit à partir de notions lacaniennes. L'office du juge serait de faire valoir les exigences de cet ordre structural que Lacan a parfois appelé « ordre symbolique ». Les grands interdits de l'inceste et du parricide forment une « Loi symbolique » qui est communiquée au petit enfant par la médiation des symboles de la fonction du *paterfamilias*. La Loi symbolique permet à cet enfant de construire convenablement ses rapports d'identification affective à ses parents et ses proches, de façon à s'insérer à telle ou telle place dans un monde humain organisé par des oppositions structurales de complémentarité (différence des sexes, ordre des générations)[3].

Cayla retrouve chez les rationalistes contemporains comme chez les théoriciens de l'ordre symbolique l'héritage de la tradition jusnaturaliste, jadis dominante dans l'enseignement du droit, et qui se perpétue de nos jours dans l'enseignement des Églises chrétiennes relatif à la « loi naturelle ». La « raison auto-fondatrice » de l'éthique de la communication, le « grand Autre » du lacanisme sont d'après lui des nouvelles moutures du Législateur universel. En effet, les droits subjectifs ne sont pas conçus comme d'authentiques droits de l'homme : ce sont des droits de l'*humanité*, comme tels opposables aux individus, « lesquels sont ainsi assujettis à des obligations envers cette humanité qui les transcende[4] ». Autrement dit, il est possible d'intenter une action contre un individu X pour la raison que

X a manqué à l'obligation de respect qu'il a envers l'humanité, c'est-à-dire envers la dignité de la personne humaine, en sa propre personne[5].

Comment les deux partis s'opposent-ils ? Cayla observe qu'ils font cause commune (et peuvent donc sembler indiscernables, à la différence près du vocabulaire) quand il s'agit de défendre l'individu X contre une oppression despotique ou contre un crime totalitaire. Les uns diront qu'on attente, en la personne de X, à la dignité humaine. Les autres diront qu'on n'a pas respecté la liberté individuelle de X. Seul le langage diffère. X sera défendu par les uns et les autres au nom des droits de l'homme.

Il n'en est plus ainsi sur le terrain du rapport à soi. Cela montre que le problème se pose de savoir *à quel titre* l'individu humain est tenu pour avoir des droits et ce qu'il peut revendiquer sur la base desdits droits. Les partisans de la « dignité de la personne » ne voient pas dans le droit subjectif une souveraineté individuelle, c'est-à-dire, explique Cayla, un *pouvoir de soi sur soi*[6]. Ils ne considèrent pas qu'un individu ait le droit de *disposer de lui-même*. Ils estiment donc que le juge peut, au nom précisément des droits de l'homme (comme droit que possède la personne humaine comme telle, en vertu de sa dignité, à être respectée), intervenir dans « le rapport que le sujet entretient avec lui-même » et cela « sans y avoir été autorisé par l'intéressé de quelque manière » (*ibid.*). En effet, l'individu n'est pas le détenteur des droits : il n'est que l'obligé d'une relation de subordination qui lui impose de respecter, en lui-même, l'humanité en général, l'*idée* d'humanité. Cayla estime que cette référence à l'« humanité en général » relève d'un « réalisme des universaux » étranger à la pensée moderne : et c'est pour mettre l'accent sur le point exact du conflit philosophique qu'il qualifie sa propre position de « nominaliste ».

Qu'est-ce donc que la souveraineté individuelle ? Ici, Cayla procède comme le font aussi ses adversaires : il nous demande d'imaginer un homme à l'état de nature, ce qui veut dire qu'il nous demande d'imaginer un homme doté de tout ce que peut donner la nature, mais dépouillé de tout lien social. (Il y aurait donc malgré tout des présupposés communs aux deux camps, puisque les uns et les autres passent par le « schème contractualiste[7] » pour construire le lien social.) Même dans cet état de nature, l'individu aurait l'obligation de respecter en lui-même la dignité humaine : telle est la thèse personnaliste.

Cayla a donc fait apparaître une structure hiérarchique que la théorie du droit de l'humanité se donne sans pour autant l'engendrer à partir du pouvoir individuel. Il s'agit par conséquent d'une hiérarchie naturelle ou alors d'une essence universelle qui est posée comme réelle en dehors de notre usage des signes. Insérer l'individu empirique dans cette structure équivaut à le doter d'une socialité originaire. « Même lorsque l'individu n'est pas en relation avec un autre individu, il n'est *pas seul* pour autant : le soi y est en relation avec un Autre, non pas certes particulier mais général, et cette société de soi avec l'essence de l'humanité est naturellement hiérarchique suivant le principe de subordination du particulier à l'universel[8]. »

Cayla souligne que la fiction de l'état de nature vise précisément à faire ressortir le caractère définitivement « privé » (au sens juridique, pas au sens wittgensteinien) du rapport de l'individu à lui-même. L'hypothèse théorique de l'état de nature, explique-t-il, est celle d'un « état de solitude garantissant l'obéissance à la seule règle qu'on s'est soi-même donnée (Rousseau) » (*ibid.*, p. 49). Cayla renvoie encore à Hobbes dont il cite cette définition du droit subjectif[9] : « pouvoir de faire tout ce qu'on considère, selon son jugement et sa raison propres, comme le moyen le mieux adapté à la fin de la préservation de sa propre nature » (*Léviathan*, chap. 14).

Or cette référence à Rousseau soulève un problème d'interprétation. Rousseau lui-même situe la liberté définie comme « obéissance à la seule règle qu'on s'est soi-même donnée » dans l'état civil. Cette liberté suppose une totale *aliénation* de la liberté naturelle de disposer de soi. Quant à la liberté naturelle, on sait qu'elle est pour Rousseau une « liberté sans règle ». Cayla veut-il dire qu'il y a déjà une *autonomie* de l'homme naturel ? Ou bien veut-il dire que l'obéissance à la seule règle qu'on s'est donnée ne se distingue pas d'une « liberté sans règle » ? Si l'on se souvient que le verbe « commander » est en réalité un verbe sociologique qui change de sens lorsqu'il est employé pour un individu seul avec lui-même (cf. *supra*, chap. 38), on dira que se commander à soi-même n'est pas vraiment se donner un ordre, mais plutôt s'exhorter ou s'encourager soi-même en feignant de commander. Inversement, obéir à soi-même, ce sera exécuter un dessein raisonnable en feignant de le faire « parce que c'est commandé » et non en vertu d'une inclination personnelle.

Ou bien le philosophe exigera que les verbes sociologiques soient appliqués à l'individu sous la forme réfléchie tout en conservant leur sens ordinaire. Cela veut dire qu'il acceptera de socialiser le rapport à soi. Or c'est exactement ce que fait le parti de la dignité humaine, comme le voit bien Cayla. Il reproche à ce parti, avec raison, l'inconséquence d'une telle socialisation : comment peut-on appliquer le schème contractualiste pour construire un lien social reposant sur le consentement des intéressés en se donnant pour matériaux de construction des individus déjà socialisés ?

Par conséquent, il semble que Cayla *devrait* juger que l'obéissance de l'homme naturel à la règle qu'il se fixe n'est pas du tout une « autonomie » dans le sens réfléchi des philosophes. L'homme qui, dans son état naturel, n'obéit qu'à sa propre règle est quelqu'un qui n'en fait qu'à sa tête, qui s'autorise de son désir (comme dirait un lacanien) ou qui agit « de sa propre autorité ». Ce n'est pas un homme qui applique docilement une règle qui lui commande de satisfaire son désir ou sa fantaisie même s'il n'a pas envie de le faire !

C'est ici qu'il manque une réflexion sur ce que c'est que suivre une règle. Quelle différence entre quelqu'un qui ne suit aucune règle et quelqu'un qui suit une règle, mais pas une règle extérieure à sa souveraineté ? Il se pourrait qu'il n'y ait en réalité aucune différence entre eux. En effet, la condition pour qu'on puisse décrire le comportement de l'agent comme consistant à suivre une règle qui lui prescrit de procéder d'une manière bien déterminée, c'est qu'on puisse également dire ce que ce serait que de s'écarter de la ligne prescrite. Mais qui peut dire si la règle a été appliquée correctement ou pas ? Qui peut distinguer la ligne à suivre des écarts ? Si le critère de correction n'est pas étranger à la « souveraineté » de l'agent, alors il n'y a pas vraiment de critère déterminant si l'on a obéi ou non à la règle. « On voudrait dire ici : est correct ce qui, quoi que ce soit, m'apparaîtra comme correct. Et cela veut dire uniquement que l'on ne peut parler ici de "correct" et d'"incorrect"[10]. »

Cayla ne se pose pas la question du sens que prennent nos descriptions lorsqu'elles sont appliquées à l'individu solitaire dans l'état de nature. Il ne se demande pas comment appliquer des concepts sociaux à un individu supposé dépourvu de toute socialité. Car nous sommes en effet fondés à reprocher au « parti de la dignité humaine » d'avoir socialisé l'être humain qu'on avait supposé solitaire, mais nous ne pouvons pas lui reprocher d'avoir aperçu qu'il fallait socialiser le rapport à soi de l'individu pour pouvoir qualifier ce dernier d'autonome dans le sens de *soumis à sa propre loi*. Une telle subordination suppose le lien social.

On comprend donc quelle est la doctrine des « droits subjectifs » que Cayla rejette comme anti-moderne. C'est la notion qui dérive les droits (naturels) d'une *obligation* incombant à l'individu du seul fait de son appartenance à l'espèce humaine (et par là, dans une théologie juridique, de son appartenance à la création gouvernée par la « loi naturelle »). Mais quelle est alors sa propre doctrine en ce qui concerne le contenu et le mode de dérivation de ces mêmes « droits subjectifs » ? Pour autant que le « droit de nature » est compris à la manière de Hobbes, donc comme une liberté — une absence d'empêchement — dans l'usage de ses pouvoirs en vue de sa propre conservation, ce droit naturel, si l'on peut dire, ne donne droit à rien du tout, puisqu'il met chaque individu en guerre avec tous les autres. Avoir un *jus in omnia*, c'est finalement n'avoir la possession assurée d'aucune chose. Autrement dit, la liberté naturelle n'est pas plus tôt posée qu'elle s'annule elle-même du fait que l'individu solitaire, en fait, n'est pas seul au monde. Dès que ce fait est pris en compte, « la liberté du droit de nature, qui est l'*ab-solutus* de l'individu souverain de lui-même, n'existe plus » (*ibid.*, p. 68). Il faut entrer dans le contrat social et construire, par des artifices juridiques (contrat, fiction de la personne morale), le souverain étatique. La liberté naturelle ne subsiste donc que là où elle est inaliénable : dans les activités de soi sur soi en tant qu'elles n'affectent pas les autres.

Il semble alors qu'aucune de ces deux doctrines ne puisse nous dire *qui* précisément possède des droits subjectifs.

Le rationalisme distingue l'individu du sujet autonome. Les droits subjectifs sont ceux du sujet, et c'est pourquoi le « droit subjectif » n'accorde nullement à l'individu un prétendu droit à assouvir son désir, si aberrant soit-il. Oui, mais chacun de nous est un individu, tandis que « le sujet » apparaît comme un idéal, une idée, dont le philosophe souligne le caractère abstrait, ce qui veut justement dire qu'il est dépourvu d'individuation. Ainsi Renaut oppose-t-il la personne comme « exemplaire secondairement individué d'un genre essentiellement commun » à l'« individu essentiellement déterminé par son irréductible eccéité »[11].

Que répond le nominaliste juridique ? Est-ce qu'il va attacher les droits subjectifs à la personne humaine prise maintenant au sens naturel et non plus au sens idéal, c'est-à-dire à l'agent de l'*actus humanus* ? Pas du tout ! Car il nous déclare qu'il n'y a pas d'agent dans la nature. La notion d'un agent de l'acte humain est pour lui une simple fiction juridique : ce que chacun accepte dans le contrat social, c'est précisément de se tenir soi-même pour un agent, de vivre selon la fiction de l'identité personnelle. Pour mesurer la portée de ce nominalisme radical, voyons comment on pourrait opposer les apparences de la personne que nous créons par une fiction à la réalité des choses.

D'une part, l'institution juridique ne prévoit pas qu'un individu nommé N. puisse se dérober devant ses responsabilités en tenant un discours « nominaliste » (contemporain[12]) qui serait à peu près celui-ci : « Vous accusez un nommé N. d'avoir commis tel crime odieux. Je ne nie nullement que l'individu qui a fait cela s'appelait N., c'est-à-dire qu'il portait justement mon nom. Mais, ce que je nie, c'est que je sois cet individu. En effet, nul ne contestera que l'individu qui a commis ce crime était plus jeune que moi (d'un nombre de jours correspondant à la distance entre la date des faits et le jour d'aujourd'hui). Par conséquent cet individu est différent de moi et c'est seulement par fiction que l'institution du nom propre peut tenir le N. de cette époque et le N. d'aujourd'hui pour un seul et même individu. »

D'autre part, selon Cayla, ce plaidoyer, bien qu'irrecevable comme plaidoyer (en vertu de nos conventions à cet égard), n'en est pas moins parfaitement justifié du point de vue métaphysique qui s'en tient à ce qui existe[13]. Dans la nature, il n'existe rien qui soit identifiable, car rien ne demeure semblable à soi, tout coule. L'artifice du contrat social crée la « fiction obligatoire[14] » de l'identité personnelle.

C'est la notion de *sujet de droit* qui apparaît maintenant problématique puisque, dans un parti comme dans l'autre, une différence est apparue entre la personne naturelle (c'est-à-dire l'individu humain, l'agent de ses actions, le complément de sujet) et la personne juridique. Il convient donc d'élucider cette notion pour elle-même, et de le faire par la voie grammaticale.

L

Le sujet de droit[1]

Michel Villey observait dans le cours qu'il publiait en 1975 :
« Il y a aujourd'hui une querelle du droit subjectif, qui, sans
doute, ne fait guère de bruit et n'est pas encore parvenue à
troubler le sommeil de nos juristes, mais est digne de notre
attention[2]. » Il évoquait sous ce nom les débats opposant des
auteurs traditionalistes à des critiques du jusnaturalisme, avant
tout Hans Kelsen. Cette querelle est évidemment de la plus
grande importance pour notre enquête sur les différents
concepts que la philosophie propose d'un sujet. Il est vrai
qu'aujourd'hui on ne peut plus parler d'un sommeil des juristes.
Comme l'écrit Yan Thomas dans un article qui, lui aussi, nous
intéresse au plus haut point, « la question du sujet de droit est
devenue franchement polémique[3] ». La polémique, explique-t-
il, porte sur le point de savoir si l'idée du *sujet de droit* est
comme telle au principe du droit moderne, et s'il s'ensuit que
le droit moderne a reconnu la validité des ambitions et des prétentions de l'homme moderne à se considérer comme le centre
du monde, le maître de la nature, le *sujet* souverain de toute
chose, y compris de sa propre nature d'être vivant, c'est-à-dire
aussi mortel, et sexué, c'est-à-dire voué à se reproduire par la
génération plutôt que par une manière de scissiparité. C'est
pourquoi la polémique « autour de l'idée dite moderne du sujet
de droit » est simultanément une polémique autour de l'idée,
« corollaire », de droit subjectif (*ibid.*).

Mais, dira-t-on peut-être, en quoi le sujet de droit peut-il
susciter une polémique ? Quelqu'un voudrait-il soutenir le paradoxe qu'on peut penser le droit, la fonction et la nature du
droit, sans en faire le droit d'un sujet ? Que serait un droit sans

sujets de droit ? Il est d'ailleurs arrivé que des auteurs, tirant argument de cette présence du *mot* « sujet » dans le terme « sujet du droit », soutiennent que seule une *philosophie du sujet* peut comporter une partie consacrée au droit. Sans ce concept de sujet, le philosophe ne peut pas rendre compte du droit. Si nous suivions ces auteurs, nous devrions nous demander si le droit a toujours été un « droit subjectif », ou bien si les peuples qui ont développé un droit avant l'émergence d'une philosophie du sujet ont eu un véritable droit. Dans la première hypothèse, les philosophes anciens auraient manqué le sens du droit, puisqu'ils auraient cru pouvoir le comprendre autrement qu'en posant à son fondement le sujet autonome. Dans la seconde hypothèse, le droit romain lui-même aurait conservé quelque chose d'archaïque et d'imparfait. Mais se trouvera-t-il des juristes pour penser que le droit romain n'est pas véritablement un système juridique ?

Mais, en face de ceux qui défendent l'une ou l'autre hypothèse, nous trouvons leurs adversaires qui mettent en cause la « métaphysique du sujet », c'est-à-dire l'expression sous sa forme générale d'un désir de domination universelle de la part du « sujet prométhéen[4] ». Pour ces derniers, le sens véritable du droit ne saurait être fourni par la notion d'un « sujet de droit » ou d'une volonté, mais plutôt par des notions d'*ordre*, de *loi* ou de *limite* opposée aux demandes émanant des individus conçus comme des « sujets » de désirs (parfois infantiles) et de fantaisies (parfois délirantes). Le droit participerait donc à la fonction *morale* de cet « ordre symbolique » que nous avons déjà rencontré au chapitre 49.

Toutefois, il se pourrait bien que le terme même « sujet de droit » ne soit pas aussi clair qu'on le suppose dans les camps qu'opposent la Querelle du droit subjectif et la Polémique du sujet de droit. De façon générale, la notion de sujet reste indéterminée tant qu'on n'a pas précisé, en termes syntaxiques, le type de construction de la phrase qu'on lui fait correspondre.

La grande nouveauté de la pensée moderne en matière juridique, c'est, nous disent les historiens, l'idée de *droit subjectif.*

Or cette idée est controversée. Les théoriciens qui prennent part à ce débat s'affrontent principalement sur deux terrains. D'abord, on peut se demander, comme l'a fait par exemple Kelsen, si la notion d'un droit subjectif est cohérente. Dans ce cas, le point en discussion est purement philosophique, ou, si l'on veut, conceptuel. Ensuite, on peut discuter du point de savoir si c'est la notion de « droit subjectif » qui exprime le mieux la différence entre la conception ancienne du droit (qu'on doit chercher, bien entendu, chez les Romains) et la conception des modernes. La querelle du droit subjectif prend alors une tournure historique. Notons qu'il y a encore un troisième terrain sur lequel on a intérêt à se placer pour élucider la notion de droit subjectif, celui de ce que Yan Thomas appelle la « casuistique juridique », c'est-à-dire de l'argumentation juridique mise au service d'une décision à prendre sur un cas particulier, ce qui contraint le raisonnement à préciser suffisamment les termes employés pour qu'on puisse donner des conséquences pratiques au fait de reconnaître tel ou tel droit à l'individu[5].

Pour ma part, je ne puis me placer que sur le premier de ces trois terrains, mais il se pourrait qu'un éclaircissement conceptuel par la voie de la grammaire philosophique se révèle utile aux historiens et aux casuistes.

Qu'est-ce qu'on entend par un « droit subjectif » ? On peut ici partir du travail de Michel Villey et des réactions auxquelles son argumentation a donné lieu. En effet, Villey a pris fermement position sur les deux terrains philosophique et historique de la Querelle des droits subjectifs. Selon lui, l'idée même d'un droit subjectif comporte quelque chose d'inintelligible, de contraire à tout ce que l'institution humaine du droit est et veut être. Villey fait donc ici une première objection, laquelle relève de l'analyse conceptuelle, donc de la philosophie juridique. Par ailleurs, il a essayé de montrer que la définition aujourd'hui courante d'un droit comme *attribut* ou *qualité* de la personne n'était pas inhérente à l'idée même de droit, mais qu'elle était d'origine nominaliste : avant de recevoir sa formulation classique chez Grotius[6], cette notion avait été préparée par les constructions théoriques des penseurs nominalistes, notamment au cours de la Querelle de la pauvreté au XIVe siècle[7]. La notion du droit subjectif ne procéderait donc pas initialement d'un constructivisme rationaliste dont les autres manifestations seraient la science moderne ou l'État absolutiste, mais plutôt de l'influence exercée par des moines sur les conceptions du droit à la fin du Moyen Âge.

Déjà, la question de savoir si la notion de droit subjectif est cohérente nous plonge au cœur de la philosophie du droit.

C'est d'ailleurs pour éclairer cette question de fond que Villey disait avoir entrepris son enquête historique sur les origines nominalistes de l'idée du droit subjectif[8]. Il arrivait à l'idée d'une opposition complète entre deux grandes conceptions du droit.

La conception *ancienne* met le droit au service de « l'ordre du groupe », elle définit les droits des uns et des autres en fonction d'une prise en considération des différents intérêts en jeu (ceux des diverses parties, ainsi que ceux du public). Le droit de chacun est alors ce qui doit être découvert par un juge attentif aux conditions de l'ordre social. Ce n'est pas une donnée primitive, assurée à chacun par la nature humaine ou par la raison, c'est une « inconnue » à déterminer en fonction de différentes circonstances de la vie sociale[9]. Le modèle qui sert à penser le droit est donc celui d'un *partage*, le juriste étant ici un homme de l'art qui peut indiquer, de manière au moins approximative, quelle est la *part* revenant à chacun. On retrouve donc l'idée classique du droit comme « juste part » (*suum cuique tribuere*).

De son côté, la conception *moderne* définit le droit de chacun comme un pouvoir du sujet qui a reçu de la loi l'autorisation de s'exercer. Telle est l'idée nouvelle qui trouve pour la première fois sa pleine formulation chez Grotius : *jus est qualitas moralis personae competens ad aliquid juste habendum vel agendum* (cité *ibid.*, p. 483). Villey rend ainsi cette définition : « le droit est une qualité de la personne qui la rend apte à posséder ou à accomplir quelque action sans que la morale soit offensée » (*ibid.*, p. 553). Le « droit subjectif » est donc un *pouvoir* individuel, une liberté individuelle. Qui plus est, ce pouvoir est si bien attaché à un sujet qu'il ne dépend en rien des autres : c'est un « attribut de l'homme isolé » (*ibid.*, p. 243). Loin que ce pouvoir doive être conféré à l'individu par l'institution, ce dernier l'apporte au monde du seul fait d'être lui-même. Tout ce que peut et doit faire l'État est d'ajouter la protection de la force publique à ce que l'individu humain revendique comme son droit à partir de sa propre notion de ce qui lui revient.

Cette grande opposition des deux conceptions, Villey la fait ressortir en contrastant les *langages* dans lesquels ces deux grandes philosophies du droit ont trouvé à s'exprimer. Quand le droit est conçu en fonction des nécessités de la vie collective, il va s'exprimer dans un langage que Villey qualifie d'*objectif*. Le langage d'une philosophie individualiste du droit est, quant à lui, *subjectif*.

> Le propre du langage juridique classique est de viser un monde de *choses*, de biens extérieurs, parce que c'est seulement dans les choses et le partage fait dans les choses que se manifeste le rapport juridique *entre* les personnes. La science du droit a les yeux tournés vers les choses et c'est en quoi l'authentique langage juridique est essentiellement *objectif.*
> Autre est le langage de l'individualisme. Au lieu de viser l'ordre du groupe, il est centré sur le *sujet* en particulier. Il tend à concevoir et à exprimer les « qualités » ou les « facultés » d'un sujet, les forces que son être irradie : des pouvoirs, mais au sens principal du mot, entendu comme capacité de la personne, inhérente au sujet : au sens *subjectif.* Conséquence : on conçoit ce pouvoir au départ comme *illimité.* Ce n'est qu'ensuite, en un second temps, qu'il nous faudra tenir compte des pouvoirs concurrents des autres, que nous en viendrons à lui assigner des frontières. Initialement, il n'est pas une part définie (*ibid.,* p. 244).

Les adjectifs « subjectif » et « objectif » doivent être compris dans ce texte à partir de l'opposition proprement juridique entre les personnes et les choses. Par conséquent, une chose n'est pas nécessairement un objet physique, comme une maison ou un cheval. Ce peut être aussi bien une « chose incorporelle » (comme disaient les Stoïciens), par exemple, un statut (*jus civitatis*) ou un usage (droit d'habitation, etc.).

Villey parle d'un « langage objectif », sans doute pour conserver la symétrie avec la notion de « droit subjectif », mais il vaudrait peut-être mieux qualifier ce langage de *réifiant,* car il a pour trait caractéristique de manifester le rapport juridique entre des personnes, non pas comme un rapport que nous dirions aujourd'hui interpersonnel, mais comme une chose qu'on peut poser indépendamment des personnes puisque ces droits peuvent circuler, être transmis ou distribués entre elles. Villey donne d'ailleurs dans la suite de son texte l'exemple du sens que reçoivent, en droit romain, les notions de droit d'usage (*jus utendi*) ou de droit de passage (*jus eundi*). Certes, explique-t-il, on pourrait penser que ce sont là des *pouvoirs* d'user de la chose ou de passer à travers le champ, donc déjà des « droits subjectifs ». Pourtant, le droit romain a préféré y voir des *biens extérieurs* qu'il est possible d'attribuer, de diviser, de posséder, de transmettre. Il en va ici comme des « pouvoirs publics » qui, pour être divisés en législatif, judiciaire, exécutif,

ont dû être préalablement « objectivés », c'est-à-dire justement
« traités comme choses » (*ibid.*, p. 243, note).

Quant à la conception moderne du droit, elle use d'un
langage qu'on pourrait dire cette fois *subjectivant*, car elle fait du
droit une réalité qui est subjective, non pas certes au sens (moderne) où elle n'existerait que dans l'esprit, mais au sens où
elle est l'attribut d'un sujet. Un droit est le droit de quelqu'un,
la qualité d'une personne qui en est donc le sujet.

Villey a lui-même choisi de faire du langage la pierre de touche de la révolution qu'il a cru déceler entre les idées juridiques des Romains et les nôtres. Or le philosophe d'Oxford John
Finnis lui a opposé un argument de poids : il n'y a pas de différence conceptuelle entre les deux langages, seulement une différence d'accent moral[10]. Il est donc indifférent de s'exprimer
dans le langage réifiant des Romains ou dans le langage personnaliste des modernes.

Finnis accorde qu'il y a eu une transformation sémantique
affectant le mot latin « *jus* ». Chez les Romains, le mot désigne
en effet, comme l'a souligné Villey, un ensemble de relations
(par exemple entre deux personnes à propos d'une affaire
quelconque) sur lesquelles les juristes sont appelés à se prononcer. Chez nous, le mot « droit » a tendu de plus en plus à
signifier les avantages, libertés, privilèges et prérogatives d'une
personne particulière. On parle de « faire valoir ses droits » ou
de se voir accorder de « nouveaux droits ». Finnis concède que
cette différence sémantique peut refléter un déclin moral.
Quand on fait aujourd'hui appel au Droit, c'est plus souvent
pour revendiquer unilatéralement ses propres avantages que
pour demander un jugement impartial sur l'ensemble des intérêts particuliers en présence. Mais Finnis ne voit pas dans cette
évolution une révolution intellectuelle. En effet, dit-il, il n'y a
qu'une différence de notation entre deux formulations possibles du droit.

> C'est une vérité logique de dire que toute relation morale ou ju-
> ridique entre (disons) deux personnes et telle ou telle affaire
> peut être discutée soit comme un ensemble (un unique *ius*),
> soit en fonction de bénéfices qu'elle implique pour l'une ou
> l'autre des parties ou pour toutes les deux à la fois, bénéfices
> qui sont alors exprimés par des énoncés relatifs aux droits « sub-
> jectifs » mis en jeu (*ibid.*, p. 866).

Tout ce que vous pouvez dire d'une relation entre deux personnes, vous pouvez également le dire en termes centrés non plus sur cette relation elle-même, mais sur l'une ou l'autre des personnes concernées. Puisque la « vérité logique » en question relève de la logique des relations, elle n'est pas propre au droit, et nous pouvons l'illustrer par des exemples élémentaires. Je peux décrire pour elle-même la relation qu'il y a entre deux triangles ABC et DEF. Supposons qu'on ait ABC < DEF. Je peux faire de cette relation le sujet de prédication en l'hypostasiant et dire que la relation entre les deux triangles est d'inégalité. Mais je peux aussi faire de ABC le sujet de prédication, et dire de ce triangle particulier qu'en raison de la taille qui est la sienne, il offre le caractère d'être surpassé par un autre triangle, à savoir DEF. Ou bien j'aurais pu faire de DEF le sujet de prédication. Les deux formulations, celle qui décrit la relation elle-même et celle qui décrit l'un des sujets de la relation, sont strictement équivalentes.

Au fond, Finnis nous explique que la Querelle du droit subjectif n'a pas lieu d'être. Tout système juridique doit pouvoir s'exprimer aussi bien dans un langage « objectif » — pour parler du droit comme d'une *res* — que dans un langage « subjectif », pour parler du droit comme d'une capacité de la personne. On a toujours eu l'idée des « droits subjectifs ». Cette notion n'a rien de particulièrement moderne.

On pourrait croire que nous sommes passés sur le terrain historique, mais il n'en est rien. Nous restons sur le terrain de la logique. Si la notion même d'un droit implique celle des sujets de la relation juridique, et si le droit, exprimé comme prédicat d'un individu, est par là même conçu comme droit subjectif, alors tous les peuples qui ont conçu un droit doivent avoir mis en œuvre une notion de « droit subjectif ». Cette notion apparaît aussi universelle que celle de formes langagières pour réclamer son « dû » ou sa « part ». La difficulté philosophique qu'il nous faut affronter est alors la suivante.

D'une part, Finnis a certainement raison de dire qu'il y a équivalence logique entre l'expression « objective » d'une relation (quelle qu'elle soit) et son expression « subjective » (telle qu'il la définit). S'il est établi qu'il existe entre Pierre et Paul telle relation juridique particulière (relation que nous exprimons ici dans un langage « objectif »), alors Pierre peut, en vertu du statut que lui confère cette relation, accomplir telle et telle action. Par exemple, s'il y a une dette de cent écus dont Pierre est le débiteur et Paul le créancier, alors Pierre peut se libérer en payant telle somme, Paul peut réclamer son dû, etc. La différence n'est pas dans la chose dite, mais seulement dans la manière de la dire.

D'autre part, Finnis croit pouvoir tirer de cette vérité logique une conclusion qui ne laisse pas d'être embarrassante. Il semble maintenant qu'il n'y ait plus de différence significative entre l'idée que les anciens auteurs avaient du droit et nos propres idées. Pourtant, ce n'est pas seulement Villey qui voit dans l'invention du droit subjectif un tournant décisif, à son avis déplorable. Ce sont aussi les adversaires philosophiques de Villey qui insistent sur cette mutation, qui est pour eux la marque d'un progrès intellectuel décisif, l'abandon des visions hétéronomes du monde, l'entrée dans l'âge moderne de l'autonomie du sujet. Or la « vérité logique » rappelée par Finnis a l'air de nous interdire de tenir la notion de droit subjectif pour autre chose que le fruit de l'adoption d'une notation différente pour une réalité qui n'a pas changé. Rien ne serait décidé quant au fondement du droit par le fait d'employer cette notation centrée sur les individus plutôt que celle qui est centrée sur les relations juridiques traitées des choses.

Suffit-il de dire que la différence est dans l'accent moral, donc dans les valeurs affirmées ? Villey se faisait lui-même l'objection : « On me dira : rien d'inédit à présenter la science du droit du point de vue de ses bénéficiaires, faisant l'inventaire des avantages qui résultent pour le plaideur des règles objectives existantes[11]. » Le langage impartial du droit comme chose entre les parties serait celui du juge, le langage intéressé du droit comme puissance du sujet serait celui des plaideurs. Pourtant, selon Villey, l'idée même des droits subjectifs est « un retournement total du langage juridique romain » (*ibid.*). Il ne s'agit pas d'opposer l'égoïsme naturel des parties à l'impartialité requise de la part du juge. Ce qui est en cause n'est pas le caractère moral des hommes (selon qu'ils sont anciens ou modernes), c'est la logique même du mot « sujet » dans des propositions traitant des droits ou des obligations qui reviennent aux uns et aux autres.

LI

La personne juridique
comme attributaire

Dans le chapitre précédent, j'ai exploré une voie qui paraissait conduire directement à la notion litigieuse de « droit subjectif » : partout où l'on a le concept de « sujet de droit », on a l'idée de droit subjectif. S'il en était ainsi, alors ce serait une « vérité logique » (Finnis) que quiconque a le droit de faire quelque chose possède un « droit subjectif ». Mais le droit est ici subjectif au sens où tout accident est subjectif, c'est-à-dire n'existe que par inhérence à quelque chose (« comme dans un sujet », cf. *supra*, chap. 6). Cette « subjectivité » n'est certainement pas celle dont nous parle la philosophie du sujet. Elle n'a rien à voir avec l'autonomie humaine, puisqu'on dirait aussi bien que la réalité de la blancheur du cheval est « subjective », c'est-à-dire que le blanc du cheval existe en étant la couleur du cheval.

Les historiens font remonter la notion du droit comme attribut du *sujet de droit* à Grotius et à Hobbes, mais il est remarquable que les termes mêmes de « sujet de droit » et de « droit subjectif » ne soient pas d'emblée imposés. En 1900, Frederick Maitland perçoit encore cette appellation comme ayant la saveur germanique de son origine, ainsi qu'il l'explique dans l'introduction qu'il rédige à sa traduction anglaise d'une section du grand ouvrage de Gierke sur le droit médiéval allemand[1]. Il juge nécessaire de le commenter, et son explication mérite d'être citée :

> Les Allemands font une distinction entre le Sujet et l'Objet d'un droit. Si un nommé Styles possède un cheval, Styles est le Sujet et le cheval l'Objet du droit en question. Si ensuite nous

attribuons la propriété du cheval à la Couronne, nous faisons de la Couronne un Sujet ; et, dès lors, nous pouvons parler de la Subjectivité de la Couronne. C'est ainsi que, dans la théorie politique, si nous attribuons la Souveraineté à la Couronne ou au Parlement ou au Peuple, nous faisons de la Couronne, du Parlement ou du Peuple le Sujet de la Souveraineté (*op. cit.*, p. xx, note).

Que la Couronne (personne morale, non personne naturelle) ait une « subjectivité » s'entend donc dans un sens dérivé de l'usage des manuels de grammaire latine opposant le génitif subjectif et le génitif objectif (l'*injuria regis* pouvant être l'injustice que le roi a faite ou l'injustice qu'on a faite au roi, autrement dit celle dont il a été l'objet). Attribuer une telle subjectivité à une entité quelle qu'elle soit (à un individu humain ou à la Couronne britannique) est une forme de personnification juridique, mais pas de personnification au sens poétique (cf. *supra*, chap. 3). La Couronne peut posséder un cheval sans qu'on doive se représenter un tel « sujet de droit » comme doté des attributs de la volonté et de la conscience de soi, donc de la personnalité qu'on qualifiera de « naturelle » justement pour l'opposer à la personnalité (ou « subjectivité », pour parler le latin de nos juristes allemands) qui est strictement juridique. La Couronne ne peut pas plus *dire* : « Ce cheval est à moi », qu'elle ne peut monter à cheval. C'est toujours par le moyen de son représentant (légal) qu'elle interviendra en justice, par exemple pour louer l'usage du cheval ou pour vendre son titre de propriété. On retrouve ici le grand sujet discuté par les glossateurs du droit canon : une corporation (*persona ficta*) peut-elle être accusée d'avoir commis des fautes ? Peut-on l'excommunier ?

L'explication grammaticale de Maitland nous donne le sens du *subjectum juris*, mais elle ne nous parle pas d'un droit subjectif, d'un droit qui appartiendrait à un individu en tant que sujet, sinon au sens tautologique où le droit qu'a le propriétaire sur son cheval est *son* droit sur *ce* cheval. Pris dans ce sens, le concept de « sujet de droit » ne se distingue pas de celui de « personne », puisque la « subjectivité » en question n'est qu'une « personnalité » juridique exprimée à l'aide de la différence entre le sujet et l'objet d'un verbe transitif comme « posséder ». Telle est aussi l'une des thèses de Y. Thomas dans son article sur le « sujet de droit » : ce terme n'est le plus souvent qu'un équivalent de *persona*, c'est-à-dire d'un statut que les juristes se garderont bien de confondre avec le fait d'avoir des « expériences subjectives » et un rapport réflexif à soi, ce qui est le sens des philosophes. On ne saurait tirer la notion de « droit subjectif » du simple usage du terme « sujet de droit »[2].

Kelsen rappelle que la notion de droit subjectif prend son sens dans une décision théorique : on prétend dériver le « droit objectif », c'est-à-dire l'ensemble des normes juridiques instituées, de quelque chose qui doit les *précéder* tant dans l'ordre chronologique que dans l'ordre logique, à savoir les intérêts et les volontés des particuliers. « Les droits subjectifs naissent les premiers, notamment la propriété qui en est le prototype et qui résulte de l'appropriation originaire. Le droit objectif ne vient que plus tard sous la forme d'un ordre étatique reconnaissant, garantissant et protégeant les droits subjectifs qui ont pris naissance indépendamment de lui[3]. » Cette doctrine suppose, semble-t-il, qu'on puisse être « subjectivement » propriétaire (en manifestant sa volonté d'appropriation) avant de l'être « objectivement » grâce à une forme quelconque de contrat social avec les autres individus qui ont décidé de leur côté qu'ils possédaient tel ou tel bien. Selon cette doctrine, le fondement du droit (qui se trouve être aussi son origine) est dans la volonté d'un individu rencontrant la volonté d'un autre individu. Chacun d'eux accepte de limiter ses prétentions à l'appropriation des choses. Le rapport pratique à soi confère à l'individu la qualité de « sujet du droit ». Il est donc juste de tenir une telle doctrine du droit subjectif pour une *philosophie* juridique *du sujet*, puisqu'elle soutient que l'homme qui prend une décision se constitue par lui-même — indépendamment de tout contexte social — en sujet de droits subjectifs. Si Robinson rencontre un cheval, et s'il réussit à s'en emparer, Robinson s'instaure propriétaire légitime d'un cheval. Il y aurait un sens à parler du *droit* (subjectif) que détient Robinson sur ce cheval, avant toute institution sociale d'un ordre juridique (car, conformément à la fiction, nous tenons Robinson pour revenu à l'état de nature, et non plus pour un sujet de la Couronne britannique).

Pour Kelsen, une telle doctrine n'est pas autre chose qu'une idéologie qui voudrait mettre le droit au service d'un « système politique » fondé sur le « principe de la propriété privée »[4]. Il fait à cette doctrine du droit naturel deux objections. D'une part, comme dans toute doctrine du droit naturel, le système des droits subjectifs apparaît comme un deuxième droit qui peut entrer en contradiction avec le système des normes objectives, ce qui, d'un point de vue juridique, introduit une indétermination insupportable. D'autre part, on ne rencontre pas dans le droit l'autodétermination personnelle, sinon au sens d'une manifestation de volonté prévue par l'institution, avec le formalisme approprié, en vue de certains actes juridiques (faire une promesse, contracter, etc.). Sans doute, un individu capable de décider s'il fera une chose plutôt qu'une autre possède un pouvoir d'autodétermination, mais cette liberté ne fait nullement que quelqu'un soit *par lui-même* ou par sa propre volonté (et non par une « norme hétéronome ») le sujet de ses droits.

> Personne ne peut en effet s'accorder des droits, le droit de l'un supposant l'obligation de l'autre et une telle relation ne pouvant naître, conformément à l'ordre juridique objectif, que par des manifestations concordantes de volonté émanant de deux individus. Il faut de plus que le droit objectif attribue au contrat la qualité de fait créateur de droit, de telle sorte qu'en dernière analyse le droit contractuel émane du droit objectif et non des parties contractantes (*ibid.*, p. 97).

Est-ce que, dans toute cette querelle des droits subjectifs, la notion de sujet de droit n'est pas prise en deux sens ? En l'un des sens du terme « sujet de droit », on peut exprimer n'importe quel problème juridique dans l'idiome des « droits subjectifs » ; en un autre sens, on ne le peut pas. Nous avons bien un sens dans lequel la notion de « droit subjectif » est anodine. Par exemple, demander à qui appartient ce cheval, c'est demander qui en est le propriétaire, donc qui est le *subjectum iuris* relativement au cheval. Mais cette notion n'implique aucunement la théorie jusnaturaliste qui prétend que les gens peuvent être propriétaires par leur seule volonté d'appropriation, hors de tout ordre juridique institué.

Villey a perçu que la notion de « sujet de droit » comportait une équivoque, et que cette équivoque était responsable de l'obscurité du débat sur les droits subjectifs. Dans un article, il critique malicieusement quelques juristes contemporains qui ont cru pouvoir définir à leur guise le « droit subjectif », sans tenir compte de l'histoire du lexique juridique (ce qui est certainement un manquement à ce que Peirce appelait l'« éthique de la terminologie »). Villey extrait du livre d'un professeur de droit une explication du droit subjectif qu'il s'emploie ensuite à tourner en ridicule. Selon cette explication, « le droit subjectif est l'avantage qui résulte pour l'individu des lois objectives[5] ». Supposons donc que la loi m'accorde une indemnité de résidence. En vertu de cette loi, je peux faire valoir un « droit subjectif » à l'indemnité de résidence. Mais qui va me payer cette indemnité ? C'est la même loi qui l'aura fixé. Autrement dit, ce prétendu « droit subjectif » est une création de la loi. Nous sommes loin de la notion authentique du droit subjectif, celle d'un droit de l'homme qui ne dépend en rien de ce que détermine la loi positive, et qui peut même être légitimement opposé par l'individu à la puissance étatique. Si l'indemnité de résidence devait être un droit subjectif, au sens pertinent du mot, il faudrait que je puisse m'attribuer à moi-même cet avantage ou me trouver de quelque façon au fondement de son attribution.

De fait, il n'est pas au pouvoir d'un individu de créer pour lui-même un bénéfice ou un avantage qui tiendrait dans la prestation de quelqu'un d'autre. Robinson peut mettre la main sur différentes choses — fruits, animaux, matériaux variés —, et il peut prétendre qu'en agissant ainsi il crée par lui-même un droit de propriété dont il est le titulaire. Mais il ne peut certainement créer pour lui-même une indemnité de résidence, à moins de se la verser à lui-même ! Nous retrouvons l'obstacle logique relevé par Wittgenstein : il n'est pas possible que ma main droite donne de l'argent à ma main gauche.

La conclusion de Villey est qu'on peut avoir une dispute philosophique sur le point de savoir si certains pouvoirs *naturels* d'un individu humain — comme le pouvoir de se mouvoir de lui-même ou le pouvoir de s'exprimer — sont ou non susceptibles d'être conçus comme des droits opposables à la loi positive. En revanche, dit-il, il est clair qu'on ne saurait traiter comme des « droits subjectifs », autrement dit des droits de l'homme, des *choses* (au sens juridique) qui ne peuvent justement pas s'analyser comme des possibilités d'action. Il peut y avoir un droit « objectif » (ce qui veut dire : créé par la loi) au logement, à la santé ou à l'éducation, mais certainement pas de droit « subjectif » à ce que les autres subviennent à tel ou tel de mes besoins.

À cette occasion, Villey fait une remarque qui témoigne de la finesse de son oreille pour des différences logiques et syntaxiques auxquelles bien des philosophes sont malheureusement insensibles. Il note en effet que l'on ne peut pas à la fois tenir un droit pour un bien ou un avantage et dire que cet avantage est un « droit subjectif » puisqu'il est au bénéfice du sujet. Un droit ainsi conçu est certainement au bénéfice de *l'individu* auquel il est affecté, mais le terme grammatical qui convient alors pour indiquer le statut de l'individu n'est plus « sujet », mais « complément d'attribution[6] ».

On pourrait donc comprendre, dans la terminologie du présent exposé, que Villey veut attirer notre attention sur le fait que les philosophes usent du mot « sujet » selon deux syntaxes. Finnis, dans son article, raisonne comme un penseur scolastique et comprend donc que X, s'il est propriétaire, est le sujet d'un droit de propriété dans le sens logique d'un *sujet de prédication*. Un tel sujet figure dans une proposition *attributive*. Mais qu'est-ce qui peut être attribué à un tel sujet ? Ce n'est certainement pas un cheval ni un droit de propriété sur le cheval, car le propriétaire du cheval n'est pas lui-même un cheval ni non plus un droit de propriété sur le cheval. Ce qui est attribué à un sujet de prédication est forcément le prédicat logique d'*être le propriétaire de ce cheval*. Autrement dit, la notion d'attribution que nous utilisons ici est celle qui nous fait parler d'un adjectif en position d'attribut, ce n'est pas celle qui nous fait parler d'une œuvre à attribuer à son auteur ou d'un objet trouvé à attribuer à son propriétaire ou d'un droit à reconnaître à celui qui en est le bénéficiaire. Dans ce dernier cas, l'attribution se fait à un *complément d'attribution*, à un tiers actant.

La thèse de Villey me semble pouvoir être plus clairement formulée à l'aide de la syntaxe du système actanciel des verbes : les droits qu'on attribue ne sont pas à concevoir comme des capacités qu'on reconnaîtrait à des *agents* (premiers actants), mais comme des biens qu'on distribue entre des *attributaires* (tiers actants).

Dans sa critique de la position de Villey, Finnis fait valoir une nécessité conceptuelle. Curieusement, Finnis, qui pourtant appartient à un milieu philosophique où l'on cultive les méthodes de l'analyse logique du langage, n'a pas perçu que Villey, dans sa critique des droits subjectifs et du « sujet de droit », avait voulu mettre en évidence un point qui relève de la logique du langage juridique. Il s'agissait en effet pour lui de révéler une *différence de catégorie* entre deux notions en apparence voisines, et que beaucoup tiendraient même pour à peu près équivalentes : celle de « sujet moral » et celle de « sujet de droit ». Voici un texte de Villey dans lequel l'aspect logique de la question ressort clairement :

Le « droit » que le juge attribue à chaque justiciable, une fois sa mesure effectuée — terme, aboutissement des efforts de la jurisprudence —, est toujours une sorte de quotient, le produit d'une quasi-*division* des choses : les choses « extérieures » sont l'objet de partages, et, sur ces partages, de procès. En face du juge il y a toujours une pluralité de plaideurs ; jamais un homme seul, un sujet unique. Il serait temps de se débarrasser de la notion de *sujet de droit*. Il est légitime de parler de sujets en morale, si la morale a pour objet des comportements : les actes que la morale ordonne ou qu'elle interdit d'accomplir ont effectivement des « sujets ». Le droit ne connaît pas de sujet, seulement des attributaires[7].

Villey, une nouvelle fois, cherche à nous faire saisir l'abîme intellectuel qui, selon lui, sépare le monde des droits subjectifs, qui est notre monde intellectuel, de celui du droit romain, qui est encore, croit-il, celui de la pratique juridique réelle quand elle n'est pas trop contrariée par les préconceptions de la philosophie dominante. La conclusion est vigoureuse : il faut se débarrasser de la notion même de « sujet de droit ». Cette conclusion paraîtra vraisemblablement scandaleuse à bien des philosophes du droit, surtout s'ils tirent leur inspiration du jusnaturalisme ou du kantisme. Mais, objection beaucoup plus grave pour le philosophe, la conclusion de Villey apparaîtra absurde à ceux qui raisonneront comme Finnis. Comment pourrait-on envisager de se débarrasser de la notion de sujet de droit si le droit lui-même, par définition, doit pouvoir se formuler dans un langage posant des sujets de droit ?

Toutefois, il s'agit moins de supprimer une notion solide de « sujet de droit » que de signaler que cette notion solide n'existe pas.

Ce qui existe, c'est, en premier lieu, le *sujet de prédication* de droits qui ne sont en rien subjectifs, puisqu'ils ne manifestent pas l'indépendance de l'individu à l'égard des puissances extérieures, mais au contraire sa dépendance à l'égard de la puissance étatique dont il attend divers bienfaits justement qualifiés de « providentiels » (à l'exemple des « indemnités » accordées par la loi, non pas au titre de l'humanité ou de la volonté individuelle, mais des services rendus ou des besoins constatés). Du point de vue proprement syntaxique, un tel « sujet » se définit comme un tiers actant, il n'est « sujet » que si le verbe est exprimé au second passif (dans les langues qui le permettent).

Ce qui existe, c'est, en second lieu, le sujet d'une action exprimée à la voix active, donc le *complément d'agent*. Ce complément désigne un suppôt porteur de diverses capacités naturelles : il peut marcher, se lever, manifester une volonté. La question du « droit subjectif » est alors de savoir à quel titre un individu pourrait juger qu'il a le *droit* de faire certaines choses du seul fait qu'il *veut* les faire, ou peut-être du seul fait qu'il *a besoin* de les faire pour accomplir quelque chose d'indispensable.

Bref, c'est une erreur de croire que l'attribution d'un *droit* à une *personne* procède selon la même forme logique que l'attribution d'une *qualité* à une *substance*. En réalité, le verbe « attribuer » devient ici équivoque. Quand on parle du sujet et de son attribut grammatical (« Socrate est assis »), l'attribution est seulement le fait de décrire la chose sous tel ou tel aspect : il ne s'agit nullement de mettre en relation deux entités qu'on pourrait identifier séparément l'une de l'autre. Comme nous le savons, l'attribut est attribut d'un sujet justement parce qu'il ne peut pas être identifié indépendamment d'une identification de la chose dans laquelle il existe « comme dans un sujet ». En revanche, quand on parle d'attribuer un droit (tel immeuble appartient à telle personne, telle charge incombe au détenteur de telle fonction), il s'agit pour un juge de décider qui sera l'attributaire d'une *chose* (corporelle ou incorporelle) qu'on peut spécifier pour elle-même.

Ces conclusions obtenues par la voie syntaxique me semblent s'accorder avec celles qu'obtient Yan Thomas par la voie de la casuistique juridique. La technique de la personnification permet au juriste de définir « un point d'imputation des obligations et des droits[8] ». Ce point peut être trouvé dans une personne naturelle (un individu qui possède sa biographie, ses désirs, etc.). Mais il peut aussi être trouvé dans une entité fictive. C'est donc une erreur de penser que le droit puisse, par lui-même, avoir à se prononcer sur les désirs et les fantaisies des individus, que ce soit pour leur donner sa sanction (en se mettant au service du « sujet prométhéen ») ou pour leur opposer la limite de l'*Interdit*. Ce serait confondre le sujet juridique (autrement dit la personne comme attributaire ou « point d'imputation » des droits et des obligations) et le sujet de conscience auquel ont affaire les philosophes[9]. La confusion des deux rend équivoque la notion de « droit subjectif » et elle fausse la réflexion sur le rôle que peut jouer le droit dans l'évolution des mœurs contemporaines[10].

LII

L'humanité de la règle

Nous avons reconnu avoir besoin, pour notre philosophie politique et juridique, et plus généralement pour notre philosophie pratique, d'au moins deux concepts différents de sujet.

En premier lieu, nous devons nous servir des procédés permettant d'assurer dans un discours la référence à des individus, de façon à identifier les personnes (« naturelles ») dans leurs divers rôles sur la scène du droit, ou dans n'importe quelle forme de commerce humain. Savoir faire référence à un individu, c'est posséder le concept du sujet comme *sujet de prédication* (*subjectum*). Ce concept, qui est logique, n'est pas réservé aux domaines variés des affaires humaines, mais est mis en œuvre dans toute activité descriptive. Il va sans dire qu'avoir ce concept, ce n'est nullement disposer d'une théorie logique des noms propres et des démonstratifs, mais seulement posséder une capacité à user intelligemment de ces outils langagiers pour identifier des individus.

En second lieu, notre concept d'action nous demande de distinguer les différents rôles que des individus peuvent jouer à l'égard de l'événement signifié par le verbe dans une proposition narrative. Nous répartissons formellement ces rôles entre les différentes façons de compléter le verbe : par des compléments circonstanciels, par des compléments actanciels (qui est l'agent ? qui est l'objet ? qui est le bénéficiaire ?). Parmi ces fonctions, nous retrouvons celle du sujet, mais cette fois au sens de l'*agent,* de l'auteur (à un degré quelconque) de l'action, autrement dit du premier actant. Parmi les verbes d'action et d'état, on doit faire toutes sortes de distinctions : verbes d'action humaine, verbes psychologiques, verbes dialogiques, verbes sociologiques. Mais ces distinctions portent sur les œuvres et les capacités que les verbes imputent aux agents, pas sur le concept même d'agent.

Avons-nous encore besoin d'un autre concept ? Faut-il ajouter au *subjectum* de la logique et au *premier actant* de la théorie de l'action le *soi*, comme certains philosophes nous le demandent ? Ce sujet ne serait pas un premier actant ordinaire, car il serait l'auteur d'un acte qui ne peut porter que sur soi : ce qu'il donne, il ne peut le donner qu'à soi et ce qu'il reçoit, il ne peut le recevoir que de soi. Le rapport du sujet à l'objet, ou plutôt au destinataire, ne serait donc pas véritablement transitif (« transcendant »), mais resterait immanent à l'acte.

Je dis bien : *faut-il ajouter ?*, et non pas seulement : *le pouvons-nous ?* Car il n'y a pas ici de réponse éclectique recevable. Ou bien le sujet de l'auto-position réflexive est nécessaire, ou bien il est vain. En effet, c'est toujours par un argument visant à en révéler la nécessité qu'il nous est demandé de lui faire une place dans notre langage. J'ai examiné ci-dessus l'application d'un tel argument dans divers domaines : philosophie de la première personne, éthique de la liberté, politique de l'autonomie, philosophie juridique. Or il reste un dernier argument à examiner qui porte sur le domaine du droit positif pris comme l'exemple même d'un système normatif institué par l'homme. Le pouvoir d'instituer serait, d'après cet argument, un pouvoir subjectif au sens où cet adjectif s'entend dans le présent exposé, c'est-à-dire le pouvoir qu'un sujet se confère à lui-même dans une auto-institution de soi comme auteur des institutions sur lesquelles il se règle pour agir.

L'argument subjectiviste qu'il s'agit maintenant de considérer fait appel à une opposition entre ce qui est établi par la *nature* et ce qui est établi par la *convention* (au sens large du mot « *nomos* »), c'est-à-dire finalement par la volonté humaine, que celle-ci s'exprime par le seul fait de laisser s'instaurer certaines habitudes qui deviennent peu à peu de vénérables coutumes, ou qu'elle s'exprime par des décisions particulières que prennent les autorités habilitées à légiférer et à réglementer. L'argument vise à montrer que, sans le concept du sujet comme individu rapporté à soi par un acte réfléchi intrinsèque, nous ne pourrions pas expliquer comment l'homme est l'auteur du droit.

En effet, fixer un ordre juridique, c'est *s'imposer à soi-même* un ensemble de normes : activité réfléchie s'il en est. Le point important, ici encore, n'est pas de savoir si le mot « sujet » figure dans l'explication. Il est de savoir si notre explication peut se passer de poser un acte humain dont la forme syntaxique soit celle de la diathèse réfléchie subjective : se soumettre à une norme dont on soit nécessairement l'auteur, s'imposer de suivre une règle qu'on ait nécessairement fixée soi-même, etc. D'après l'argument subjectiviste en matière de philosophie juridique, nous devons supposer un tel acte d'auto-position au fondement du droit positif. Si le droit est œuvre humaine et non don du ciel ou production spontanée de la nature, il faut bien — dit l'argument — qu'une volonté ait posé la règle juridique. Peu importe comment les choses se sont déroulées en fait : du point de vue normatif qui est ici celui du philosophe, la norme n'existe pas en soi, mais seulement en vertu de nos dispositions et de nos promulgations, lesquelles renvoient, en définitive, à la capacité qu'a un individu de se poser en « sujet » face à la norme, c'est-à-dire de s'en faire l'*auteur* par le seul fait de la reconnaître comme s'appliquant à lui.

Bref, l'autonomie, c'est le rapport réfléchi à soi sous son aspect normatif. On note qu'un tel argument a une portée générale. Il ne vise pas spécialement à déterminer le fondement des seules normes juridiques, mais il vaut pour toute espèce de norme, toute espèce de modèle permettant d'opposer une façon d'agir qui est qualifiée de *correcte* à d'autres façons *incorrectes*. Nous mettrons donc provisoirement entre parenthèses les différences qui existent entre un code juridique et, par exemple, un protocole des réceptions officielles ou les règles d'un tournoi de tennis. Il s'agit de se demander ce qui permet de dire, de façon générale, qu'un individu agit comme il le fait parce qu'il entend agir correctement, c'est-à-dire conformément à ce que stipule la règle. C'est pourquoi nous pouvons ici tirer parti des réflexions de Wittgenstein sur ce que c'est qu'*obéir à une règle* dans sa conduite, autrement dit qu'agir dans un contexte normatif.

Comme l'a noté Robert Brandom[1], Wittgenstein retrouve un problème qui avait été posé par la pensée des Lumières. La philosophie de l'action humaine doit rendre compte du fait que les hommes suivent des conventions. Il faut saisir ce que suppose cette *humanité de la règle* tant du côté des agents que du côté des formules permettant d'exprimer et de communiquer ces règles. La pensée des Lumières avait humanisé la règle à suivre en expliquant l'autonomie humaine par le modèle d'un sujet qui promulgue une loi pour lui-même. La règle n'existe pour le sujet et n'a d'autorité sur lui que pour autant qu'il en reconnaît la rationalité, ce qui veut dire qu'il constate que sa raison y souscrit, de sorte que lui-même, en tant qu'agent rationnel, accepte de s'y plier. L'acte de reconnaissance dont parle ici le philosophe est une opération rationnelle : il ne s'agit évidemment pas de soumettre les systèmes de normes en vigueur à une procédure empirique de ratification par les *individus* tels qu'ils sont, donc de les consulter un à un, mais seulement de demander son consentement à un *sujet* rationnel idéal (ce qui veut dire qu'un seul sujet suffit, chacun de nous pouvant le retrouver en *soi*). Humaniser la règle veut donc dire ici : opposer des règles que l'homme rationnel veut pour lui-même à toute législation entachée d'hétéronomie.

Wittgenstein, pourrait-on dire, a radicalisé cette entreprise philosophique des Lumières. Il s'est proposé lui aussi d'expliquer en quoi les règles étaient une production humaine (en étendant d'ailleurs la question, au-delà des conventions linguistiques, aux règles logiques, aux « vérités » mathématiques, aux axiomes de la « lumière naturelle », ce qui aurait sans doute surpris plus d'un *Aufklärer*). Il s'est demandé comment on devait faire pour *humaniser* la règle sans aussitôt *déshumaniser* l'agent de la règle, ou, si l'on préfère, sans le *surhumaniser*, je veux dire sans lui supposer des pouvoirs qui passent si bien notre entendement que nous ne pouvons même pas dire en quoi ils consistent. Or il semble bien que la philosophie subjective des règles fasse justement cela : qu'elle remplace l'agent humain de la règle, c'est-à-dire les individus que nous sommes, par un sujet doté d'un pouvoir transcendant qu'il exerce dans un acte d'auto-législation. Telle est du moins la question qu'il s'agit finalement de poser.

Wittgenstein écrit : « "Comment peut-on suivre une règle ?", telle est la question que je voudrais poser » (*Remarques sur les fondements des mathématiques*, VI, § 38). Il note aussitôt qu'il s'agit d'une question de philosophe. Normalement, nous ne nous interrogeons pas sur cette possibilité, nous ne doutons pas que nous puissions nous servir de règles pour nous guider dans ce que nous devons faire. C'est seulement dans le cas de règles peu familières ou nouvelles que nous nous demandons ce qu'elles nous demandent et que nous avons l'impression qu'il nous faut les *interpréter*, leur conférer par nous-mêmes le pouvoir de nous diriger. Dès lors, Wittgenstein a déjà donné le principe de sa réponse à la question qu'il a posée : si le philosophe s'interroge ainsi, c'est qu'il se méprend sur des faits qu'il a pourtant sous les yeux. Il s'agit donc seulement de lui rappeler ce qu'il sait déjà : de lui remettre en mémoire ce que nous appelons, en fait, agir comme on le fait pour suivre une règle.

Comment se fait-il que la règle puisse diriger l'agent ? Le problème que veut poser Wittgenstein n'est pas tout à fait celui que connaissait la philosophie classique lorsqu'elle s'interrogeait sur le fondement de l'*autorité* qu'une règle (ou une norme) prétend avoir sur nous. Les Lumières avaient repris ici le schéma théologique qui fait de l'obligation d'agir comme la règle le prescrit une affaire hiérarchique : la volonté du supérieur impose une manière d'agir à la volonté de l'inférieur[2]. Pour tenir compte de l'autonomie humaine, elle avait intériorisé ce schéma : l'agent possède une volonté supérieure (parce que rationnelle) qui est comme telle revêtue d'une autorité sur sa propre volonté inférieure (parce qu'immédiate, sans principes).

La question de savoir pourquoi j'ai l'obligation de faire quelque chose que la règle m'impose alors même qu'il me serait peut-être plus agréable ou plus utile de ne pas le faire est une question philosophique fort importante, mais ce n'est pas une question radicale ou fondamentale (au sens d'élémentaire). Elle suppose que nous disposions déjà de tout un vocabulaire normatif qui ait été élucidé. Les exemples de règles que prend Wittgenstein lui permettent de ne pas se laisser arrêter par ce que peut avoir de redoutable cette interrogation sur l'autorité de la règle. Tel Socrate discutant des exemples tirés de l'artisanat ou des aspects prosaïques de la vie, Wittgenstein nous invite à considérer des petites scènes (« jeux de langage ») qui font intervenir des maçons utilisant un code conventionnel simplifié pour désigner les matériaux de leur métier (« brique », « pavé », « carreau », « colonne », etc.), des gens occupés à jouer aux échecs ou au tennis, des voyageurs qui se dirigent d'après la signalisation routière, des élèves qui doivent montrer qu'ils savent produire des séries arithmétiques, des locuteurs qui appliquent le vocabulaire de la couleur, etc.

Dans tous ces exemples, nous pouvons tenir pour acquis que les individus *veulent* suivre les règles ou les conventions existantes. Le problème posé par un éventuel conflit entre ce que demande la règle et ce que demande la fantaisie individuelle est donc supposé résolu. Et c'est dans cette situation délibérément réduite à l'application de techniques élémentaires que se pose une nouvelle question : comment la règle peut-elle guider l'individu ? Quand bien même on aurait donné une solution satisfaisante à la question classique de l'autorité de la règle, il resterait à affronter cette autre question qui est celle de sa *normativité*, je veux dire la question de savoir comment la règle peut assumer la fonction que nous voulons lui conférer et qui est de nous communiquer ce qu'il convient de faire pour « être en règle ». Dans un autre vocabulaire, on pourrait dire que le problème posé par Wittgenstein n'est pas celui de fonder dans une volonté l'autorité d'un ordre normatif, mais celui de savoir comment un tel ordre peut revêtir le caractère d'un *esprit objectif*, au sens hégélien du terme[3]. Comment se fait-il que la règle puisse me diriger, donc m'imposer d'agir comme elle veut et non comme je veux, alors même que la règle ne s'applique à moi et ne me parle que parce que je veux la suivre et que je veux qu'elle me dise ce qu'elle me dit ? Autrement dit, comment se fait-il que l'enracinement des règles dans la volonté humaine n'ait pas pour conséquence de les priver, non pas d'une autorité (puisque, par hypothèse, nous avons accepté cette autorité), mais d'un pouvoir de nous dicter notre conduite et de nous permettre de corriger nos erreurs ?

Par conséquent, il ne suffit pas de répondre à la question : *Pourquoi obéir à la règle ?* Il faut commencer par la question plus radicale de Wittgenstein : *Que dois-je faire pour obéir ?* À supposer que je sois désireux de suivre la règle, puis-je juger de ce que je dois faire ? La question est plus radicale, puisqu'il ne servirait à rien d'indiquer tous les motifs raisonnables que nous pouvons avoir de nous doter de règles (par exemple, le désir de vivre en sécurité, ou bien le désir d'être un agent libre, donc rationnel) si nous ne pouvions pas ensuite utiliser ces règles.

À la question : « Comment peut-on suivre une règle ? », la philosophie du sujet d'auto-position répondra qu'il m'appartient de donner à la formule de la règle le sens que je vais lui reconnaître, ce qui revient à dire que je dois me comporter à l'égard de la règle existante comme si elle n'était pas déjà établie extérieurement à moi, comme si je venais de l'instituer moi-même, comme si j'en étais l'auteur, du moins en ce qui me concerne. Nous voulons en effet pouvoir dire qu'un individu soumis à une règle lui *obéit librement*. Il ne peut être question d'obéissance que de la part d'un agent libre. De fait, la règle n'agit pas sur l'homme à la façon d'un mécanisme (extérieur

ou interne) qui le contraindrait à faire les gestes corrects.
L'agent conserve la liberté de ses mouvements, et c'est pourquoi nous lui imputons les erreurs constatées comme autant de
fautes commises dans l'application. Même si la règle lui est
imposée par quelqu'un d'autre, c'est à lui de l'appliquer et de
veiller à la correction de ses opérations. La règle ou le commandement peuvent bien venir d'un autre, l'*agir*, lui, doit venir de
l'agent. Commander quelque chose et se faire obéir, c'est justement obtenir que l'agir nécessaire à l'exécution d'une tâche qui
importe au donneur d'ordre soit fourni par quelqu'un d'autre.
Mais cela veut dire qu'il y a un moment d'autonomie inhérent
à tout agir rationnel, y compris dans une situation d'hétéronomie. L'individu qui suit la règle est à lui-même son propre
inspecteur, son propre correcteur, son propre juge. L'autonomie nécessaire à une obéissance intelligente tient donc bien, en
définitive, dans une capacité à être le législateur de soi-même.

Selon cette vue, l'individu ne peut pas obéir à une règle,
quelle qu'elle soit et d'où qu'elle vienne, sans en faire le principe de sa conduite : « Je dois faire ceci, éviter cela. » Cette
reprise en première personne exige qu'il se fasse le sujet de la
règle, au sens de se poser comme son *auteur*. Un agent qui obéit
est nécessairement un *donateur de sens* : c'est par sa propre opération que la règle s'applique à lui, non seulement parce qu'il
choisit de lui obéir, mais d'abord parce qu'il doit la comprendre pour l'appliquer, ce qui veut dire qu'il doit *se la formuler* à
lui-même.

Cet argument revient à dire que le concept d'un agent *hétéronome* a quelque chose de dialectique. En tant qu'agent rationnel, l'individu qui applique une règle imposée par une autre
volonté est quelqu'un qui obéit librement, qui le fait sans y être
contraint. Il s'ensuit qu'en obéissant il se pose librement comme
sujet d'une conduite hétéronome, et que c'est seulement son
autonomie qui rend possible l'adoption d'une telle conduite. Il
y aurait donc bien, à en croire cet argument, une auto-position
inhérente à toute conduite réglée.

Mais cela implique que c'est toujours *pour la première fois* que
l'agent libre suit une règle et que la règle qu'il suit est suivie.
L'individu ne peut suivre la règle qu'en l'instituant pour lui-
même. Peu importe ce qui s'est fait avant lui, et peu importe
aussi ce que lui-même a déjà fait mille fois. Il en va ici comme
du contrat social dans la philosophie politique du libéralisme :
d'abord, l'argument contractualiste explique qu'il faut remon-

ter des lois politiques existantes à une première convention, comme si l'on cherchait à retrouver un événement originel ; ensuite, il se découvre que la première convention n'est pas un fait préhistorique, qu'elle est un perpétuel présent vivant, un acte de création continuée de l'ordre normatif en tant qu'il s'applique à nous. De même ici : la règle établie ne peut fournir un modèle à l'agent que si ce dernier en fait le guide de sa conduite, donc s'il l'instaure comme modèle. Tout se passe donc comme s'il était l'auteur des usages et des coutumes qu'il observe dans sa conduite. Il *doit* en être ainsi, car, s'il ne se posait pas comme leur auteur, alors il les suivrait de façon automatique à la façon d'une machine dont les mouvements sont réglés par le montage interne.

Cet argument contient un grain de vérité, mais il ne parvient à l'exprimer qu'au prix d'une mythologie. Un agent qui applique une règle le fait librement. Nous ne dirions pas qu'il *obéit* à une règle s'il ne le faisait librement (mais nous dirions seulement que sa conduite présente une régularité qui signale peut-être l'intervention d'un mécanisme naturel). Il est donc juste de soutenir qu'en un sens l'idée d'un agent libre agissant de façon hétéronome est contradictoire. Le concept même d'un agir intentionnel suppose qu'il y ait une description de l'action au regard de laquelle l'individu qui agit soit l'*agent propre* de ce qu'il fait, autrement dit qu'il fasse ce qu'il fait sans que personne ne le lui fasse faire (cf. *supra*, chap. 10). Peut-être est-ce seulement cette vérité que le philosophe du sujet veut défendre contre des conceptions mécanistes de l'action. Pour assurer cette présence intelligente de l'agent à ses mouvements, il postule un acte par lequel l'individu doit donner à la règle son sens de règle et en faire une règle-pour-soi.

L'inconvénient est ici que cet acte de s'approprier la règle par une ré-institution de celle-ci ne peut être qu'un mythe, une prouesse qui réclame chez l'agent des pouvoirs d'ordre fabuleux.

Wittgenstein remarque que se servir d'une règle est analogue, du point de vue de l'agent, à obéir à un ordre. Dans les deux cas, on apprend d'un signe extérieur ce qu'il convient de faire dans l'occasion présente. Il y a toutefois une différence : la règle donne une directive générale, tandis que l'ordre donne une directive particulière. Pour suivre la règle, l'agent doit donc trouver dans la formule générale dont il a été muni de quoi former une application particulière au cas présent : par exemple, il doit appliquer l'opération « N + 2 » au nombre N qui lui est maintenant fourni et qui est 1 000. Comment le fera-t-il ? L'instruction est de faire comme on a fait auparavant, selon le modèle fourni par quelques exemples (« 0, 2, 4, 6, *et ainsi de suite* »). Comment la règle, telle qu'elle a été communiquée sous les espèces d'instructions générales et d'exemples en nombre (nécessairement) fini, peut-elle le guider dans l'infinité de ses applications possibles ? Une philosophie subjective de la règle croit détecter ici un écart séparant la règle dans son état extérieur (qui ne dit pas précisément que faire dans le cas particulier) de la règle telle qu'elle dicte effectivement une opération particulière : l'écart, pense-t-elle, ne peut être comblé que par un acte d'interprétation par lequel le sujet conclut ou décide qu'il faut répondre de telle ou telle façon.

En fait, l'ordre étant communiqué sous la forme d'un message composé de signes, il soulève les mêmes problèmes qu'une directive générale. L'agent qui reçoit l'ordre ne peut obéir que s'il a compris le message. Ici aussi, le philosophe sera tenté de dire : la directive (particulière ou générale) que reçoit l'agent lui reste extérieure tant qu'il ne l'a pas comprise, et il ne l'a pas comprise tant qu'il ne l'a pas faite sienne. Pour la faire sienne, il a dû se la reformuler à la première personne. Mais l'agent est certainement l'auteur de son interprétation : c'est pourquoi il ne peut finalement obéir à une règle qu'après avoir converti l'hétéronomie en autonomie, après avoir reçu *de lui-même* le texte des consignes à appliquer.

S'il fallait accepter ce raisonnement, le résultat serait paradoxal. Le philosophe aurait réussi à démontrer dialectiquement (par un exercice purement conceptuel) que personne n'a jamais obéi à personne, sinon à soi comme sujet. Il est impossible à l'homme d'obéir. Il ne peut certes pas obéir à quelqu'un d'autre, car les commandements extérieurs lui restent extérieurs. Il ne peut pas non plus s'obéir à lui-même en tant qu'autre, car un ordre qu'il se donnerait « en tant qu'autre » partagerait le même statut d'extériorité, ce serait de nouveau un message reçu du dehors. L'homme ne peut obéir qu'à des ordres immanents à sa sphère subjective.

Wittgenstein est maintes fois revenu à la charge : cet acte d'interprétation qu'on veut intercaler entre le commandement (la règle) et l'action n'est qu'un mythe. Il ne sert strictement à rien parce qu'il est intrinsèquement incapable de remplir quelque rôle que ce soit. Dans la *Grammaire philosophique* (§ 9), il esquisse l'alternative suivante :

1° Ou bien l'acte d'interprétation est complètement déterminé par ce commandement, mais alors cet acte en est une doublure inutile, il ne lui ajoute rien (et on veut dire seulement que l'agent a compris le commandement qui lui a été donné). Dans cette hypothèse, il n'y a pas eu réellement d'écart entre *recevoir* le message et *savoir* ce qui était commandé.

2° Ou bien l'acte de l'agent consiste à choisir l'une des interprétations possibles du message reçu, et, dans ce cas, l'agent n'exécute pas l'ordre reçu, mais un autre commandement, à savoir celui qu'il a confectionné lui-même à partir du texte qui lui a été communiqué. Dans cette hypothèse, l'agent a en effet ajouté quelque chose à ce qu'il avait reçu. Malheureusement, ce qu'il a ajouté est à nouveau un texte, ce n'est qu'un autre ensemble de signes, puisqu'il a substitué le texte de sa traduction à l'original. Et s'il obéit maintenant, ce n'est pas à l'ordre original, mais à sa propre traduction, choisie arbitrairement parmi plusieurs interprétations possibles.

Dira-t-on que la subjectivité humaine consiste précisément dans le fait qu'on ne peut pas obéir à l'ordre reçu, mais à l'ordre tel qu'interprété par soi ? Cette position aurait une conséquence solipsiste indésirable. En effet, interpréter un signe consiste seulement à le remplacer par un autre signe[4], de sorte qu'il faut se demander comment l'agent peut se servir de ce nouveau signe pour se diriger. S'il peut nous dire quel est le second signe par lequel il a interprété ou traduit le premier signe, alors il use d'un signe extérieur ou public, et il devrait rencontrer les mêmes difficultés à s'en servir qu'avec le précédent. Si ce signe n'est pas extérieur, alors il ne peut pas nous le communiquer, car il s'agit d'un signe que lui seul peut utiliser et comprendre. Si l'agent devait s'approprier les commandements et les règles en se les traduisant à lui-même de façon à les recevoir de lui-même, il ne pourrait obéir qu'à des *ordres ineffables* et il ne pourrait suivre que des *règles privées*. Mais l'exécution d'un commandement ineffable consiste dans une action elle-même ineffable, et le fait d'appliquer correctement une règle privée consiste dans des opérations dont la correction est elle-même privée puisqu'elle ne répond à aucun critère susceptible d'être expliqué à d'autres.

Récapitulons : ou bien il y a effectivement un écart entre la règle telle qu'elle est donnée et l'application particulière que doit faire l'agent, mais alors cet écart est impossible à combler, de sorte qu'on ne peut jamais suivre une règle ; ou bien il est possible de suivre une règle, ce qui veut dire que l'écart est irréel. S'il a semblé que l'agent devait ajouter quelque chose venant de lui-même à la formule reçue (du commandement particulier ou de la règle générale) pour rendre cette formule applicable, c'est parce que nous nous sommes mépris sur ce que nous avions sous les yeux, que nous avons perdu de vue ce qu'on appelle, de façon générale, se conduire comme on le fait pour suivre une règle. Nous devons par conséquent nous remettre ces faits sous nos yeux qui avaient glissé sur eux sans s'y arrêter.

LIII

Se diriger soi-même

N'est-il pas abusif de soutenir que Wittgenstein a posé le problème de l'autonomie humaine ? Il n'a nulle part traité des fondements de l'État. La modestie de ses exemples (jeux, exercices scolaires, etc.) permet-elle de lui imputer des vues sur les questions qu'ont posées les théoriciens classiques du domaine politique, par exemple des vues sur le contrat social ?

Il est exact que Wittgenstein prend des exemples qui paraissent minimalistes au regard de ces grandes figurations d'une auto-institution de la cité qu'on trouve chez les classiques. Mais on se tromperait complètement si l'on croyait que ces exemples sont modestes. En fait, ils ont justement l'ambition d'être aussi élémentaires que possible, et par là de nous replacer devant des faits qui n'ont jamais cessé d'être sous nos yeux.

Un agent est autonome s'il est capable de se diriger tout seul, sans être contraint par quelqu'un d'autre à se conduire comme il le fait. Il est incontestable que nous sommes capables de nous diriger tout seuls. Wittgenstein nous invite à saisir ce pouvoir sous sa forme la plus élémentaire : nous sommes capables de nous diriger, et donc d'abord, si l'on peut dire, de nous *di-riger*, de nous *mouvoir en ligne droite* par nous-mêmes. Mais poser la question de savoir comment un agent peut se diriger par lui-même en ligne droite, c'est revenir aux fondements mêmes de la notion de souveraineté, laquelle est à comprendre originellement comme le pouvoir du *rex* qui est de *regere fines* (littéralement, tracer la ligne droite de la frontière entre l'intérieur du royaume ou du temple et son extérieur)[1].

La question de l'autonomie commence d'une certaine façon avec celle-ci : qu'est-ce qui nous rend capables de *suivre une ligne droite* ou de *tracer une ligne droite* ? Ce n'est pas ici une question de psychologie — à quel âge et en mobilisant quelles ressources ? — ni une question de philosophie transcendentale — que doit être le monde pour que je puisse m'y diriger en ligne droite ? —, mais une question grammaticale : dans quel contexte y a-t-il un *sens* à dire que quelqu'un se dirige en ligne droite ?

Ainsi, nous devons distinguer plusieurs composantes dans notre notion de la souveraineté : avant d'être le pouvoir de *commander* à quelqu'un de suivre telle ligne (« Tu avanceras selon cette ligne droite »), et donc de créer chez quelqu'un l'*obligation* de suivre cette ligne (« Tu es tenu de suivre cette ligne droite »), la souveraineté est le pouvoir de *tracer* soi-même une ligne droite. Mais tracer cette ligne soi-même, est-ce que ce n'est pas pour chacun de nous recouvrir de notre propre trait une ligne « idéale » qui doit préexister pour nous permettre de juger si notre tracé est correct ? Comment expliquera-t-on que cette ligne idéale sur laquelle nous nous guidons ne préexiste à notre trait empirique que parce que nous l'avons nous-mêmes *souverainement* tracée, donc cette fois sans prendre aucun modèle de correction ?

On pourrait dire que les théoriciens du contrat social ont posé le problème de la Loi, c'est-à-dire le problème de la souveraineté au sens politique restreint d'un exercice du pouvoir de commander, mais que Wittgenstein a voulu poser le problème plus radical de la capacité à fixer un modèle et à s'en servir pour se diriger[2]. Tout se passe comme s'il avait perçu comme Rousseau qu'il fallait, pour penser la souveraineté, remonter d'abord de Romulus à Numa[3], et ensuite de Numa comme Instituteur des cérémonies nationales au maître d'école qui apprend à l'élève des opérations telles que « + 2 ».

C'est pourquoi Wittgenstein, qui n'a jamais abordé directement la question philosophique des fondements de la cité, pourrait bien en avoir traité à sa façon en se demandant par exemple : est-ce qu'un individu peut inventer un jeu[4] ? Est-ce qu'il peut se donner à lui-même une règle ? Nous sommes en effet ici à la racine de la souveraineté parce que ce qui est en question, c'est le *pouvoir instituant* lui-même. Selon une vue individualiste, ce pouvoir est purement individuel : lorsqu'il est exercé collectivement, c'est à titre de résultante des décisions individuelles. Selon une autre vue, celle d'une philosophie sociale qu'on peut tirer de la sociologie holiste comme de

Wittgenstein, ce pouvoir ne peut devenir individuel qu'après avoir été individualisé. Il ne peut d'ailleurs jamais l'être totalement (cf. *infra*, chap. 54).

Soit un agent autonome dans le sens qui vient d'être défini. Il sait se diriger en ligne droite. Comment cela est-il manifeste dans sa façon de se conduire ? Ce sera par exemple ainsi : ayant demandé son chemin à un passant qui lui a répondu qu'il fallait aller tout droit, il réagit à cette information en allant tout droit. Comme le note Wittgenstein, se diriger d'après une règle est analogue à cheminer en se guidant sur des signaux routiers[5]. Le fait que notre homme réagisse correctement à l'information montre qu'il sait se diriger d'après une règle. Tels sont les faits que nous avons sous nos yeux tandis que nous réfléchissons sur l'humanité de la règle, tel est l'exemple même de ce que nous appelons « suivre une règle ». Pour décrire ce petit épisode, nous n'avons eu qu'à mentionner la règle ou la directive, puis la réaction. Il n'a pas été nécessaire d'insérer entre les deux un travail d'interprétation et d'appropriation par lequel le sujet aurait conféré un sens à l'indication qu'il avait reçue du dehors. C'est seulement si notre homme n'avait pas bien compris le message (par exemple donné dans une langue qu'il maîtrise mal) qu'il aurait eu à affronter la possibilité de l'interpréter de différentes façons et d'en choisir une.

Pourtant, un philosophe attaché à l'idée que l'autonomie du sujet requiert un acte réfléchi de sa part jugera que cette description d'une conduite réglée est incomplète. Selon lui, elle passe à côté de l'essentiel, qui est de savoir si la connexion entre la règle et la conduite de l'agent s'établit *hors de* l'agent (malgré lui) ou *dans* l'agent (avec son consentement et sa coopération active). Si elle s'établit hors de son contrôle, il y aura peut-être mouvement régulier de sa part, mais pas obéissance à la règle. Il est donc nécessaire que la connexion s'établisse en lui de façon que la règle puisse lui communiquer son sens. On demandera donc : qu'a fait l'agent pour *saisir* la règle ? Après tout, la règle n'agit pas sur l'agent comme le ferait un mécanisme ou une force extérieure. L'agent reste libre, il ne subit pas une contrainte. C'est donc l'agent qui agit sur lui-même. La seule règle qui puisse guider l'agent est une règle qui le guide en tant que *sujet*, une règle qui lui dise uniquement ce que lui-même lui fait dire souverainement.

Toutefois, nous avons vu qu'une telle subjectivation de la

règle a pour effet de la rendre oiseuse. S'imposer de suivre une règle subjective ou privée (une « règle-pour-moi ») ne se distingue pas de ne rien s'imposer du tout, de ne se priver d'aucune possibilité. Une règle subjective n'impose aucune conduite particulière. Tout ce que l'agent estime devoir faire est justifié puisque le critère de correction a été placé dans la signification que lui-même donne, dans un acte d'interprétation, à la règle. Supposons que je doive me diriger d'après des signaux routiers. Comment pourrait-on dire que je me dirige d'après ces signaux si c'est à moi de fixer ce qu'ils me disent de faire ? Dans une telle hypothèse, tout ce qui *semble* correct est par définition correct, ce qui veut dire que l'opposition du correct et de l'incorrect a été annulée[6]. Il est donc impossible que l'agent de la règle puisse se présenter comme le *donateur* du sens que possède cette règle qu'il prétend suivre. Il ne peut trouver dans la règle de quoi le guider que si elle possède une « objectivité » (au sens de l'*esprit objectif*) qui la place hors de sa sphère subjective.

Comment la règle opère-t-elle sur l'agent ? N'est-ce pas plutôt l'agent qui, en posant la règle, opère sur lui-même ? Wittgenstein donne la parole à notre perplexité proprement philosophique en prenant comme souvent un exemple plus élémentaire, celui de la règle à suivre au sens littéral du mot, c'est-à-dire de la ligne droite qu'il faut suivre (par exemple pour aligner des briques, ou bien pour découper une feuille, ou bien pour tracer une seconde ligne, etc.). En quoi la ligne a-t-elle une influence quelconque sur mon action ? L'exemple est ici celui de la ligne droite le long de laquelle il s'agit d'avancer (en se mouvant *comme elle a fait*), ou bien qu'il s'agit de prolonger en continuant son mouvement *dans la même direction*. Comment le segment de droite qui a été fourni comme modèle dicte-t-il une conduite à l'agent qui a décidé de s'en servir comme d'un modèle ? Comment cet agent sait-il ce qu'il doit faire ?

> Est-ce que la ligne me force à la suivre ? — Non, mais quand je me suis résolu à m'en servir comme d'un modèle à suivre de *cette façon*, alors elle me contraint. — Non, ce qui arrive alors est que je me contrains à l'utiliser de cette façon (*ich zwinge mich sie so zu gebrauchen*). Je m'accroche pour ainsi dire à elle (*Remarques sur les fondements des mathématiques*, VII, § 48).

En fait, explique Wittgenstein, la ligne ne me dicte rien. Traiter la ligne comme un oracle qui donnerait une directive est une

« façon mythologique » de parler pour souligner quelque chose qui est important, à savoir que, si je dois me justifier et expliquer pourquoi je procède de cette façon, je le fais en invoquant la règle. Elle est l'*ultime instance* qui décide en appel. Pourquoi parler de « mythologie » ? Parce qu'on imagine l'agent comme un pilote qui aurait à côté de lui un navigateur (la règle) pour lui dire à chaque pas dans quelle direction il faut aller. Mais, si les instructions étaient ainsi données de façon discontinue et imprévisible, rien ne pourrait garantir la régularité de l'oracle, ce qui veut dire que l'agent aurait bien choisi d'être guidé, mais qu'il ne suivrait en réalité aucune règle.

Je me suis résolu à me servir de la ligne droite comme d'un modèle : en ce sens, tout repose sur une résolution (*Entschluß*) de ma part. Toutefois, ma souveraineté d'agent s'arrête là. Il n'y a pas lieu de postuler un acte d'auto-législation par lequel je proférerais moi-même ce que je veux me faire dire par la règle. Il faut que ce soit elle qui me dicte où aller et non moi. Car c'est la seule façon dont je puisse m'imposer à moi-même d'avancer tout droit : non pas en m'accrochant à ma propre volonté d'aller tout droit, mais en m'accrochant à la règle elle-même comme à un modèle à suivre *de cette façon*. Et, ici, je ne décide pas de la façon de la suivre, car le sens de la règle « aller tout droit » n'est pas quelque chose qui dépende de moi en aucune façon. Il dépend de moi d'adopter cette règle, mais non d'en faire la règle qu'elle est.

Que veut dire alors : la règle me dicte ma conduite ? Ce n'est qu'une autre image pour expliquer quelle sorte de pouvoir directif la règle exerce sur moi. Si vous me demandez pourquoi j'agis comme je le fais, je ne peux vous répondre qu'une chose : c'est la règle qui le veut, c'est elle qui réclame qu'on agisse ainsi. La règle est donc la « dernière instance » à laquelle j'en appelle pour me justifier. Autant dire que, s'il y a une règle à laquelle je m'attache à obéir dans ma conduite, c'est pour autant que justement *je ne me pose pas en auteur de cette règle*, mais que je peux lui transférer la responsabilité de mes propres gestes.

Si la règle me laissait libre d'agir à ma guise, si elle me laissait le choix d'aller comme bon me semble, alors elle n'aurait pas de pouvoir normatif et ne jouerait aucun rôle dans ma conduite. Pourtant, tout ce qu'elle me fait faire, c'est moi qui lui demande de me le faire faire. Tout son pouvoir sur moi vient de moi. Pour les philosophes des Lumières comme pour

Wittgenstein, la question est de savoir comment concevoir le mixte de liberté (individuelle) et de nécessité (normative) que constitue le fait de se diriger soi-même, de s'imposer une direction à soi-même. Faut-il mettre l'accent sur la liberté ou sur la détermination ? Faut-il faire de la volonté libre la source de la contrainte ? Wittgenstein se pose la question et il répond ainsi :

> Pourquoi est-ce que je parle toujours d'une contrainte (*Zwang*) par la règle ? Pourquoi ne pas parler du fait que je peux *vouloir* la suivre ? Car cela est aussi important.
>
> Mais je ne veux pas non plus dire que la règle me contraint à agir ainsi, mais qu'elle me donne la possibilité de m'attacher à elle et de me faire contraindre par elle (*ibid.*, VII, § 66).

Et nous arrivons ainsi à une réponse dépourvue de mythologie qui est précisément celle que le philosophe avait tout à l'heure rejetée comme incomplète et superficielle : comprendre la règle, ce n'est pas faire un « acte de comprendre » (qui devrait embrasser d'un seul regard intellectuel l'ensemble *infini* des applications possibles de la règle), mais c'est avoir la *capacité* de produire maintenant une opération correcte au regard de la règle. L'agent montre qu'il a saisi la règle en l'appliquant correctement. Par exemple, le promeneur montre qu'il a compris ce que veut dire l'instruction « aller tout droit » en réagissant comme le demande la règle : il va tout droit. C'est donc bien *dans l'agent* que se fait la connexion intelligente entre la règle et l'action. L'erreur n'était pas de chercher à loger le pouvoir normatif de la règle dans l'agent, mais de vouloir le loger dans son entendement discursif, dans un acte intellectuel.

Il y a des règles peu familières ou formulées en termes obscurs. Dans ce cas, l'agent doit commencer par se les expliquer à lui-même avant de pouvoir les appliquer s'il le désire. Mais cette explication, il se la donnera à lui-même dans son langage et fera appel à d'autres actes gouvernés par des règles : utilisation des mots du langage, opérations de calcul, gestes techniques. Seul peut *interpréter* telle ou telle formule normative un individu qui possède ces capacités techniques. Comment se fait-il alors que nous puissions suivre quelque règle que ce soit ? S'il fallait toujours fixer le sens de la formule normative à appliquer par un acte d'interprétation, il y aurait une régression à l'infini. Il y a donc une façon de saisir ce que demande la règle qui se passe de toute interprétation[7]. Au fondement de la compréhension intellectuelle des règles (acquise par la voie d'une formulation explicite de ce qu'elles réclament), il y a une compréhension pratique, laquelle consiste seulement à savoir réagir comme la règle le demande sans passer par un jugement explicite sur ce qu'elle demande.

L'idée que l'agent doit faire quelque chose *de lui-même* pour suivre la règle est parfaitement justifiée : car nous ne voulons certainement pas dire que la formule matérielle de la règle agit sur l'agent à la façon d'une manette de télécommande. La règle ne s'applique pas sans nous, par son propre efficace, mais c'est nous qui l'appliquons. Toutefois, cet acte que l'agent produit de lui-même, nous l'avons suffisamment décrit en racontant notre petit scénario. Quelqu'un cherche son chemin et tombe sur un signe qui dit d'aller tout droit (par exemple en apercevant un signal routier, ou bien en entendant la réponse du passant à la question qu'il lui avait posée). Puisqu'il a été formé à se servir de tels signes, il *a compris* ce signe, ce qui veut dire qu'il *sait* ce qu'il doit faire. S'il veut suivre cette règle, il n'a qu'une chose à faire. La preuve qu'il sait le faire et qu'il veut le faire, c'est qu'il le fait ! Ainsi, l'agent établit de lui-même la connexion, en effet indispensable, entre la formule signifiante de la règle et son action : il l'établit en allant tout droit. Pour lui, choisir de suivre la règle, c'est choisir de la suivre *de cette façon* parce que c'est justement *ainsi* qu'il a appris à le faire.

Certains philosophes répugnent à se contenter de cette description parce qu'ils aperçoivent aussitôt la conséquence qu'il leur faudrait accorder : si la règle peut dicter sa conduite à l'agent, c'est parce que ce dernier a appris à la suivre comme il le fait, donc parce qu'il l'a *déjà* suivie maintes fois. Et cela veut dire que ce n'est jamais la première fois qu'il suit la règle (s'il la comprend), ni la première fois que la règle est suivie (puisqu'elle était un modèle dont il a fallu apprendre l'usage). Or cette conséquence heurte les convictions de ces philosophes : il leur semble qu'elle est paradoxale, au sens de contraire à tout bon sens. Il nous appartient de vérifier qu'elle ne l'est pas.

LIV

Se donner à soi-même une règle

Quelle est la part de la convention dans la vie humaine ? Elle est certainement considérable. Il est tout à fait exact que rien, dans la *nature*, n'est à proprement parler une règle. Ce qu'on trouvera dans la nature ne sera jamais qu'un objet auquel une convention humaine a conféré un pouvoir normatif. Il n'y a pas d'objets normatifs par eux-mêmes, il y a seulement des objets dont nous avons choisi de nous servir comme de symboles ou de modèles pour notre propre conduite. La question philosophique de la règle n'est pas vraiment de savoir *d'où* vient le pouvoir normatif de ces symboles et de ces modèles (il vient évidemment de nous), mais *comment* un tel pouvoir peut être exercé par des signes sur un agent. C'est cette question que Wittgenstein ne se lasse pas de reprendre sous diverses formes : « Comment peut-on suivre une règle ? », « Comment la ligne droite me dirige-t-elle ? », etc.

Ce pouvoir paraît inexplicable tant que nous focalisons notre attention sur la différence entre ce que paraît dire le symbole extérieur à l'agent (par exemple, « N + 2 » ou bien « aller tout droit ») et ce que l'agent va produire en réponse à cette instruction dans le cas particulier où il se trouve (« 1 002 », marcher dans cette direction-ci). Comment l'instruction donnée par la règle, qui est générale et donc relativement indéterminée lorsqu'elle parvient à l'agent et en quelque sorte pénètre en lui, peut-elle ressortir de cet agent sous les espèces d'une opération particulière qui se trouve être l'opération correcte, celle que demande la règle dans ce cas particulier, du moins dans l'hypothèse d'un agent compétent et attentif ?

La difficulté s'évanouit lorsqu'on donne une description de

l'épisode qui ne se borne pas à mentionner le signe matériel (le « signifiant ») et l'agent, mais s'intéresse à ce qui se trouve autour d'eux, à ce qui s'est passé avant leur rencontre, à ce qui s'ensuivra ensuite. L'individu va tout droit lorsque le signal routier lui dit « tout droit » parce qu'il a aperçu un signal routier, pas un mystérieux poteau en bois dont il lui faudrait interpréter la présence. Il va tout droit parce qu'il cherchait un signal, ayant depuis longtemps appris à se guider d'après des signaux qui disent des choses telles que « aller tout droit », « tourner à gauche », etc. S'il n'avait pas cette *pratique* des signes, l'épisode serait fabuleux, car il faudrait attribuer à un objet matériel du milieu environnant (le poteau indicateur en bois, les sons proférés par un passant) un pouvoir d'influencer le mouvement de l'homme comme par une influence astrologique, ou bien attribuer à l'individu le pouvoir d'embrasser en un seul instant une infinité de données (puisqu'il devrait substituer à la formule générale l'ensemble de ses applications et trouver parmi elles celle qui l'intéresse dans le cas présent).

Cette description plus complète que Wittgenstein nous invite à donner exclut quelque chose que devait soutenir la philosophie subjective de la direction de soi-même : que c'est *toujours pour la première fois* que l'individu rencontre la formule de la règle, quand bien même il l'aurait déjà appliquée mille fois (cf. *supra*, chap. 52). En effet, l'individu devait s'approprier à chaque fois, par une interprétation personnelle, la formule qui lui parvenait de l'extérieur. Il devait donc à chaque fois décider à nouveau de son sens.

Mais est-ce que l'argument de Wittgenstein n'aboutit pas, lui aussi, à un paradoxe : ce n'est *jamais la première fois* qu'un individu suit une règle ? Il semble maintenant exclu de suivre une règle pour la première fois. La conclusion est troublante, d'abord parce qu'elle semble aller contre le fait trivial que je peux inventer une règle nouvelle et la suivre pour la première fois, et être ainsi le premier à la suivre ; ensuite, parce qu'il faut bien que les institutions humaines aient commencé à un moment ou à un autre de l'histoire.

De sorte que nous tombons dans un embarras typiquement philosophique : nous avons à répondre à un argument montrant que les choses doivent se passer d'une certaine façon, alors qu'il est établi par ailleurs qu'elles ne peuvent justement pas se passer de cette façon.

Selon l'objection individualiste, qui entend parler ici au nom du simple bon sens, il faut bien que tout ait commencé par un acte individuel, et il faut donc que le *pouvoir instituant* ait pu se trouver entièrement confiné dans les limites d'un individu ou, pour parler comme Rousseau, d'un Homme Naturel. Il le faut, car les institutions historiques des hommes ne sont justement pas des reproductions approximatives de modèles célestes, ce sont des inventions historiques. Or l'argument de Wittgenstein, si nous l'admettions, nous imposerait de conclure que les choses n'ont jamais commencé.

En réalité, dira-t-on, il est très facile de suivre une règle pour la première fois : il suffit d'inventer une règle nouvelle et d'être le premier à la suivre. De même, il est possible que j'invente un jeu auquel on peut jouer tout seul : si ensuite je jouais à mon jeu avant de l'avoir publié, j'aurais été le premier à le faire.

Wittgenstein se fait lui-même cette objection et répond ainsi :

> Bien sûr, je peux me donner à moi-même une règle et ensuite la suivre. Mais qu'est-ce qui fait que cela que je me donne est une règle, sinon que c'est analogue à ce qu'on appelle « règle » dans le commerce entre les hommes (*Remarques sur les fondements des mathématiques*, VI, § 41).

Il ne s'agit pas pour le philosophe d'opposer un argument dialectique au fait que chacun peut se forger des règles. Ce fait n'est pas contesté. Mais il reste à savoir si le fait en question a été bien décrit. Lorsque j'invente une nouvelle règle que je serai le premier à suivre si je décide de la suivre, et peut-être le seul si personne ne m'imite, ce que je fixe pour moi-même est par hypothèse une règle. Comment se fait-il que ce soit une règle ? En disant que je me suis donné à moi-même *une règle* et non pas une formule occulte, nous avons en réalité fait allusion (sans peut-être nous en aviser) à tout un arrière-fond de pratiques, d'usages établis et d'institutions (au sens large de « modèles pré-établis d'action »).

Ce que Wittgenstein conteste est qu'un pur individu puisse se donner une règle à lui-même. Sans doute, je peux instaurer pour moi-même une règle particulière, par exemple décider que cette semaine je m'imposerai à moi-même tel régime diététique, ou bien que désormais j'adopterai telle orthographe pour tel mot (comme lorsque Raymond Queneau décidait de donner une orthographe française aux mots anglais entrés dans la langue). Ce point n'est pas disputé. Ainsi, la question n'est pas celle-là. Elle est plutôt de savoir si un individu peut se donner une règle indépendamment de son insertion dans une vie sociale réglée. Nous pouvons exprimer cela en reprenant les fictions de la théorie politique : un individu solitaire à l'état de nature peut-il, de lui-même et par lui-même, se donner une règle à lui-même ? C'est précisément ce qu'avaient supposé les théoriciens du contrat social, puisqu'ils posaient des Hommes Naturels possédant la capacité de s'engager, de contracter, d'assumer des obligations.

Je peux me donner à moi-même une règle si le contexte autorise à tenir ce que je me donne à moi-même pour une règle. La condition ici énoncée se ramène, du point de vue syntaxique, à demander que l'action d'instituer une règle pour soi-même ait le caractère d'une action réfléchie ordinaire. Par conséquent, si j'applique ici les distinctions élaborées précédemment (cf. chap. 38), il semble d'abord que le verbe « établir une règle » soit dialogique, mais non pas sociologique, puisque nous acceptons qu'il puisse se construire à la diathèse réfléchie. Rien n'empêcherait donc un individu d'exercer par lui-même, indépendamment des autres, un pouvoir instituant. Pourtant, en y regardant de plus près, les choses sont moins claires : lorsque je me donne à moi-même une règle, suis-je un homme social ou un homme naturel ?

Partons de la condition à remplir pour tout usage réfléchi de « fixer une règle ». On dira ici :

1° Ce que j'ai fixé pour moi-même est une règle au cas où j'aurais pu le fixer pour d'autres que moi.

2° Ce que j'ai reçu de moi-même est une règle au cas où j'aurais pu le recevoir d'un autre que moi.

Ces opérations ne présentent aucune difficulté. Si je fixe la formule des règles du jeu que j'invente dans ma langue, ces règles sont fixées pour quiconque peut comprendre cette langue. De même, je peux me corriger moi-même si j'applique incorrectement les règles : ce qui est une faute dans mon opération le serait également si cela figurait dans l'opération d'un autre. L'action de se fixer une règle pour soi-même est donc réfléchie dans le sens ordinaire (comme dans « se nommer » ou « se raser la barbe »).

Il reste néanmoins à savoir ce que ces opérations accomplissent et comment elles le font. Revenons à la condition de sens

qui a été énoncée ainsi : c'est bien une règle que je me suis
donnée à moi-même en fabriquant la formule pourvu que j'eusse
pu, en communiquant cette formule à d'autres, leur donner
une règle qu'ils auraient pu suivre s'ils le désiraient. Mais que se
passe-t-il quand je donne une règle aux autres ? Ici, notre description doit se faire plus précise. Je peux donner une règle à
d'autres, mais je ne peux pas leur donner à proprement parler
un *usage*, une *institution*, une *coutume*. Déterminer le contenu
d'une règle est une chose, en faire une pratique établie en est
une autre. Si nous appelons « établir une règle » l'opération de
fixer ce que sera désormais l'usage, il apparaît impossible à un
individu, si puissant soit-il, d'établir un usage par lui-même. En
ce sens, le pouvoir instituant n'est pas de nature individuelle.
Un individu peut bien édicter qu'il faudra désormais observer
telle règle de son choix, par exemple, qu'il faudra écrire « une
professeure » (*sic*) pour désigner un professeur du sexe féminin, ou bien — pour reprendre un exemple donné par Dumézil
— écrire « un vedet » (*sic*) pour désigner une célébrité du sexe
masculin : ce qu'il a prescrit ne deviendra à proprement parler
un usage qu'à partir du moment où, comme on dit, les gens
auront pris le pli. Tout ce que peut déterminer l'individu dès à
présent, c'est la façon dont les gens devraient agir dans l'hypothèse où ils se conformeraient à la règle édictée. Il ne peut
déterminer maintenant quel sera demain l'*usage* établi, seulement tenter d'imposer une volonté qui sera peut-être ressentie comme tyrannique par les intéressés.

Dans ce contexte, il convient de citer la remarque profondément sociologique de Wittgenstein : « Si je voulais inventer une
fête, elle ne tarderait pas à disparaître, ou bien serait modifiée
de telle manière qu'elle corresponde à une tendance générale
des gens[1]. »

Mais supposons qu'il s'agisse seulement de donner la règle au
sens d'informer quelqu'un de ce qu'il doit faire pour être en
règle. Comment fait-on pour donner une règle à quelqu'un
d'autre ? Dans le cas normal où par exemple il nous le
demande, nous lui expliquons ce qu'il faut faire. Mais que dire
à l'agent auquel nous avons affaire s'il n'a pas encore appris la
moindre règle ? Il est bien incapable de concevoir ce que c'est
qu'être en règle. Nous devons alors le former à suivre une règle
qu'il ne comprend pas encore, à obéir à la règle *sans savoir encore en
quoi consiste le fait d'être en règle*. Cette situation peut sembler

paradoxale, et de nouveau nous nous demandons : s'agit-il d'un cercle vicieux (signalant que nous n'avons pas bien décrit la situation), ou ne serait-ce pas une fois de plus le cercle de l'autonomie ? Wittgenstein écrit :

> Quand on enseigne la manière de suivre une règle, on utilise les mots « correct » (*richtig*) et « faux » (*falsch*). Le mot « correct » laisse l'élève continuer, le mot « faux » l'arrête. Est-ce qu'on pourrait expliquer ces mots à l'élève en les remplaçant par : « cela s'accorde avec la règle — cela ne s'accorde pas avec la règle » ? Oui, si l'élève possède déjà un concept d'accord. Mais comment le pourra-t-on si ce concept reste encore à former (*Remarques sur les fondements des mathématiques*, VII, § 39).

Le mot « faux » arrête l'élève. Comment cela se fait-il ? Selon le degré d'avancement de cet élève dans sa formation, le sens de ce mot dans le « jeu de langage » est entièrement différent. Si notre élève est en train d'apprendre une technique particulière, mais est déjà instruit dans d'autres techniques, le mot « faux » l'arrête parce que c'est l'équivalent de « cela n'est pas en accord avec la règle ». Or le but de l'exercice est de se conformer à la règle. L'élève comprend alors qu'il lui faut corriger sa réponse incorrecte. Mais supposons que notre élève soit un novice dans tous les domaines : dans ce cas, le mot « faux » ne signifie pas qu'il a fait une réponse incorrecte (car il ne comprend pas ces mots), mais ce mot l'arrête comme si l'instructeur l'avait tiré en arrière et empêché de continuer.

On ne peut pas enseigner comment suivre une règle à un élève qui non seulement ignore telle ou telle règle particulière, mais ne sait pas ce que c'est pour son acte que d'être en accord avec ce que demande la règle. Impossible de comprendre l'explication « pour suivre la règle, il faut agir ainsi » tant qu'on n'a pas compris ce que c'est que suivre une règle et qu'être en accord avec elle. La difficulté que rencontre alors l'instructeur est celle de tout apprentissage du langage : en un sens, l'apprentissage du langage est inexplicable, car on ne peut certainement pas *enseigner* verbalement à quelqu'un sa première langue, mais on ne peut pas non plus la lui *faire apprendre* autrement qu'en lui parlant. Wittgenstein, pourrait-on dire, se pose le problème du cercle de l'autonomie sous les espèces du cercle de l'apprentissage du concept même de règle[2]. Comment se fait-il que le cercle ne soit pas un « cercle logique » (vicieux) et qu'on puisse, en fin de compte, apprendre les règles du langage, les règles des jeux, les usages de la vie civile ?

Avant d'aborder cette ultime question, j'enregistre un résultat positif de la discussion de ce chapitre : il n'y a pas de paradoxe à dire que personne ne peut suivre une règle pour la première fois. Soit un nouveau venu dans le monde humain (enfant ou Homme Naturel) : il ne pourra suivre correctement la règle qu'après avoir été formé à le faire. Or cette formation consiste à *se conformer à la règle* (grâce aux messages de l'instructeur : « juste », « faux ») *sans savoir ce qu'on fait*. Il s'ensuit que quelqu'un qui se montre capable de suivre une règle ne le fait jamais pour la première fois. S'il sait qu'il suit une règle, c'est toujours après l'avoir suivie sans être encore capable de se formuler à lui-même ce qu'il faisait. Quant à la question de savoir si je peux me donner une règle à moi-même, elle était ambiguë. Le puis-je tel que je suis, c'est-à-dire comme agent déjà rompu aux usages et aux pratiques établies ? Il va de soi que je le peux. Le pourrais-je si j'étais un Homme Naturel ? Mais, dans ce cas, comment aurais-je pu m'adresser à moi-même les signaux « juste » et « faux », puisque à ce stade il est supposé que l'instructeur est seul à les comprendre ?

LV

Le cercle de l'autonomie

Comment peut-on enseigner des règles ou des critères de correction à qui que ce soit ? Le cercle que semble comporter un tel enseignement est en réalité celui du langage lui-même. Supposons, écrit Wittgenstein, que l'instructeur doive expliquer une règle à quelqu'un qui ne sait que le français (cf. *Recherches philosophiques,* § 208). Dans ce cas, l'instructeur doit lui parler français. Mais supposons que l'instructeur doive expliquer une règle quelconque à un élève qui ne saurait aucune langue. Cette fois, il ne peut rien lui expliquer du tout, car l'élève ne possède pas les notions requises dès lors qu'il ne comprend pas la différence que nous faisons entre une réponse correcte et une réponse incorrecte. Dans ce dernier cas, les leçons données par l'instructeur ne consisteront pas en un enseignement proprement dit (passant par des définitions et des justifications), mais dans de purs exercices. Ce sera un enseignement par l'exemple et non par la formulation générale : mais, ajoute Wittgenstein, l'instructeur qui procédera par l'exemple et l'exercice communiquera tout autant ce que lui-même sait que s'il produisait des formulations explicites de la règle.

Montrer l'exemple, susciter chez l'élève des réactions appropriées, l'encourager quand sa réaction se trouve être la bonne, lui faire sentir qu'il déçoit quand il répond de travers : si nous étions les témoins d'une séance de formation pratique de ce genre, nous constaterions que l'instructeur use tour à tour de ces différentes techniques. Mais cela veut dire, conclut Wittgenstein, qu'aucun des mots à apprendre (« règle », « correct », « conforme », etc.) ne serait expliqué par lui-même : on ne verrait jamais l'instructeur chercher à *définir* ces termes, on constaterait seulement qu'il les *applique* sans se préoccuper d'en donner d'abord une explication didactique. Il n'y aurait donc « aucun cercle logique » dans une telle technique d'apprentissage (*ibid.*).

Mais cela veut dire que nous avons ici la réponse à l'inquiétude qui saisit le philosophe du langage lorsqu'il découvre qu'on ne peut pas *enseigner* le langage à quelqu'un qui n'aurait pas de langage[1].

L'idée est qu'il y a une façon *purement pratique* de saisir pour la première fois le sens des notions normatives, et que cela ressort de la façon dont les termes normatifs (« correct », « faux ») peuvent figurer dans les jeux de langage que mobilise un apprentissage. En fait, l'instructeur va se servir de ces termes pour inciter l'élève à adopter à l'égard de son action le point de vue normatif, sans nullement se laisser arrêter par le fait que l'élève ne comprend pas ces termes lorsqu'il les entend. Nous jugeons en effet que le seul fait de répéter ces jeux de langage (d'abord l'élève est invité à produire une réponse, après quoi l'instructeur dit « correct » ou alors « faux ») constitue un exercice fécond et qu'au terme de l'entraînement l'élève se montrera capable d'utiliser lui-même, à notre satisfaction, les termes « correct » ou « faux ». Tout se passe comme si ces jeux de langage, par l'exercice, pouvaient changer un individu ignare en matière de règles en individu compétent.

Elizabeth Anscombe[2] a développé plus en détail cette idée d'un jeu de langage qui modifie la relation entre les joueurs au fur et à mesure qu'il est joué. Elle part d'une réflexion sur le sens que peut prendre, par exemple dans l'initiation au jeu de dames, une intervention telle que : « Tu ne peux pas déplacer ainsi ton pion, c'est contraire à la règle. » Que signifie, dans cette application particulière, l'auxiliaire de modalité « tu ne peux pas » ? Pour l'expliquer, il est éclairant de prendre une vue synoptique sur les usages que nous pouvons faire d'un verbe de modalité (« tu peux », « tu dois »). Considérons divers exemples de phrases dans lesquels on va invoquer différentes raisons pour lesquelles on doit (ou, selon les cas, ne doit pas) faire quelque chose. Voici une première série (A) d'énoncés :

(a) Il te faut passer par ce chemin : c'est plus *court*.

(b) Tu ne peux pas passer par ici : la route est coupée par une *inondation*.

(c) Tu dois aller à la réunion : c'est ton *intérêt*.

On a donc invoqué l'économie du trajet (a), l'obstacle de l'inondation (b), l'avantage personnel (c). Ce sont des faits *naturels*, en ce sens que l'on peut les décrire et les confirmer indépendamment du *langage* dans lequel nous énonçons les conséquences qu'ils ont sur la conduite de l'agent.

Voyons maintenant une série (B) d'exemples invoquant des obstacles d'une tout autre nature :

(e) Il te faut passer par ici : c'est *la règle*.

(f) Tu ne peux pas passer par ici : seul X a *le droit* de le faire (c'est à lui que ce passage est réservé).

(g) Tu dois aller à la réunion : tu t'y es engagé, *tu l'as promis*.

Les énoncés des deux séries ont à première vue la même forme. Ils sont composés de deux parties. Dans la première partie de l'énoncé, nous informons l'agent qu'il est impossible de faire une certaine action : « Tu ne peux pas faire cela. » Ou bien, dans des constructions plus complexes, nous l'informons qu'il est impossible de ne pas faire une certaine action, autrement dit qu'il est nécessaire de la faire : « Tu ne peux pas ne pas faire cela » (ce qui veut dire que tu dois le faire, qu'il te faut le faire). Dans la seconde partie de l'énoncé, nous signalons l'obstacle qui est responsable de cette impossibilité.

Mais, à y regarder de plus près, les deux séries ne sont parallèles qu'en apparence, car les modalités n'y fonctionnent pas de la même façon. Tant qu'il s'agit de nécessité « naturelle » (série A), les choses se passent bien comme il vient d'être dit : la seconde partie de l'énoncé *signale* l'obstacle qui est responsable de la nécessité (ou de l'impossibilité) indiquée dans la première partie. Signaler quelque chose, c'est attirer l'attention par un signe sur quelque chose d'autre, par exemple informer le passant d'une situation qui est donnée *indépendamment* du signe qui la porte à sa connaissance. On peut signaler qu'un obstacle physique existe : la route est coupée, il est impossible de passer. Cela veut dire que l'agent ne peut pas faire l'action envisagée, à moins évidemment d'être assez fort pour surmonter l'obstacle ou assez malin pour le contourner. Rien ne l'empêche en effet d'essayer, car il n'est pas contradictoire d'être passé par une route en dépit de l'obstacle, c'est seulement difficile ou peut-être au-dessus de nos moyens. L'impossibilité dont il s'agit n'est pas de type logique : convenons d'appeler *physique* ce type de modalité.

En revanche, dans les exemples de la série (B), on ne saurait dire que l'énoncé *signale* un obstacle qui rend impossible une action particulière. Il serait plus exact de dire que l'énoncé *crée* cet obstacle, ou du moins rappelle qu'un tel obstacle *a été créé* et qu'il est toujours en vigueur. La nécessité mentionnée n'a donc rien de physique (car, si elle l'était, elle serait magique).

La différence entre les deux séries est claire. Dans les exemples de la série (A), la raison avancée est de type téléologique ou fonctionnel. Tous ces énoncés expliquent pourquoi il est bon (pour l'agent ou pour celui dont l'agent s'occupe) d'agir ainsi qu'il est indiqué, comme dans les exemples (a) et (c), ou bien pourquoi il est inutile de tenter d'accomplir quelque chose à quoi s'oppose un obstacle insurmontable (pour lui au vu de ses capacités physiques), comme dans l'exemple (b). La *rationalité pratique* qu'invoque le verbe modal est donc intelligible en termes de faits bruts qu'on peut apprécier par simple inspection de la situation.

Dans les exemples de la série (B), il n'est pas fait référence au bien de l'agent ou à ses buts. Il semble même qu'on lui demande de se déterminer sans tenir compte de son avantage ou de ce qui lui plaît, et cela pour tenir compte de choses telles que la règle, le droit, la promesse. La rationalité du « tu dois » ne peut plus s'expliquer par la situation de fait : nous invoquons pour expliquer ce « tu dois » ou ce « tu ne peux pas » des choses qui ne sont identifiables qu'à la condition d'avoir un langage normatif à sa disposition. Ces raisons invoquées sont parfaitement intelligibles pour un interlocuteur déjà civilisé, déjà entré dans le monde des conventions humaines, mais elles sont inintelligibles à l'élève que nous nous sommes donné par hypothèse : quelqu'un que nous voulons faire entrer dans le cercle des notions normatives et dont l'esprit, par conséquent, est censé fonctionner comme celui d'un empiriste[3]. Notre apprenti n'a que des notions factuelles, il ne comprend le « tu ne peux pas » que dans le sens physique. Il semble alors que les notions normatives soient vouées à rester inintelligibles, car il n'est pas possible de les expliquer sans faire appel à d'autres notions tout aussi normatives. Si cette apparence était justifiée, il y aurait bel et bien un « cercle logique », c'est-à-dire un cercle vicieux dans l'explication. Mais cette apparence se dissipe lorsqu'on décrit l'apprentissage de façon plus synoptique.

Nous devons éduquer un élève qui, par hypothèse, n'a pas encore appris qu'il fallait tenir compte, non seulement des obstacles physiques qui se dressent devant nos projets, mais aussi des obstacles conventionnels. Tant que nous lui signalons un obstacle naturel, l'individu peut expérimenter par lui-même le bien-fondé de l'information que nous lui donnons en essayant malgré tout d'accomplir l'action que nous jugeons impossible. Il n'est pas exclu qu'il réussisse. Mais, lorsque l'obstacle est purement langagier ou conventionnel, l'agent ne se heurte à rien de tel : *rien* ne l'empêche de faire le mouvement que la règle dit être impossible puisque ce mouvement est physiquement possible. Comment cet agent, que nous avons supposé dépourvu de notions normatives, peut-il comprendre de quoi il s'agit ? Quel apprentissage lui donnerons-nous ?

L'apprentissage commencera forcément par un état d'indifférenciation des deux sens, physique et déontique, du verbe modal « tu dois ». Il s'achèvera lorsque la distinction du « tu dois » physique et du « tu dois » déontique aura été acquise par l'élève.

I) Plaçons nous d'abord au début de l'apprentissage des règles d'un jeu. L'instructeur dit par exemple : « Tu ne peux pas déplacer ton pion, car c'est à lui de jouer » (parce qu'en vertu de la règle, c'est maintenant son tour). En même temps, l'instructeur bloque le mouvement que voulait faire l'enfant en retenant son bras. De fait, l'enfant ne peut pas faire son mouvement parce qu'il rencontre un obstacle physique. Simultanément, le commentaire de l'instructeur lui signifie que l'obstacle qui l'empêche de déplacer son pion n'est pas ce geste physique, mais l'existence d'une règle du jeu. Et, à ce stade, l'enfant n'est pas capable de comprendre la raison de l'impossibilité dont on l'informe. (Néanmoins, notre élève n'apprendra jamais rien s'il n'est pas sensible aux signes d'une humeur de l'instructeur : à son ton de voix, à ses grimaces, à sa posture, il comprend si son instructeur est satisfait ou au contraire mécontent de lui.)

II) Par la suite, l'instructeur se borne à dire : « Tu ne peux pas faire cela » et à en donner la raison. Il ne fait rien pour bloquer le mouvement de l'enfant. Ce dernier doit maintenant se retenir lui-même de faire le mouvement. S'il ne se retient pas de faire le mouvement que les règles ne reconnaissent pas comme un coup dans le jeu, nous en concluons qu'il est encore trop petit pour jouer avec nous. S'il se retient d'agir quand nous l'informons qu'il ne peut pas faire le mouvement incorrect, nous lui disons qu'il progresse, nous sourions, nous l'encourageons. Lorsque nous n'avons plus besoin de l'avertir de ce que prescrit la règle du jeu, nous déclarons qu'il sait jouer, qu'il a appris et maîtrisé les règles du jeu. C'est précisément cela que nous appelons *connaître les règles* ou être autonome.

Dans de tels échanges, explique Anscombe, le verbe de modalité fonctionne comme un « verbe modal d'arrêt » (*stopping modal*). C'est l'usage répété de ce verbe, dans un contexte qui se modifie graduellement, qui est le rouage essentiel de l'apprentissage. Dans les premiers temps, l'instructeur dit qu'il y a un obstacle et, simultanément, il intervient physiquement pour en susciter un. Toutefois, il n'explique pas l'obstacle qui s'oppose à l'impulsion immédiate de l'élève par une *volonté* de sa part comme si, par son geste, il lui signifiait : tu ne peux pas parce que je t'en empêche, parce que je ne veux pas. Ce qui est en cause n'est pas le rapport de deux volontés. L'explication donnée pour accompagner le geste physique fait état d'un obstacle impersonnel (« droit », « règle »). Par la suite, l'instructeur se borne à dire qu'il y a un obstacle, et il le dit en l'absence de tout obstacle physique. Quel est donc le progrès que l'élève doit accomplir du stade initial au stade final ?

Dira-t-on que l'élève réagit d'abord à la perception d'un obstacle physique *réel* (l'instructeur intervient physiquement) et qu'il étend ensuite ce type de réaction à l'évocation de la *fiction* d'un obstacle physique (l'instructeur intervient verbalement) ? Ce ne serait pas véritablement éclairant. La fiction d'un obstacle physique n'est pas un obstacle physique. Pourquoi ne pas répondre à la fiction d'un obstacle réel par la fiction d'une réaction ?

L'opposition de la fiction et de la réalité est pertinente tant qu'il s'agit de faire ressortir le caractère conventionnel des obstacles de type normatif. Toutefois, on ne peut pas en rester à une description de l'instructeur qui le présenterait comme un auteur de fictions, car ce serait en faire l'équivalent d'un illusionniste ou d'un mystificateur : en effet, comme producteur d'une barrière fictive, il dit qu'*il y a un obstacle là où il n'y en a pas* (ce qui laisse entendre que les seuls obstacles dignes de ce nom sont les obstacles physiques). Il est plus juste de décrire ainsi son intervention : il dit qu'*il y a un obstacle sans sous-entendre par là qu'on va se heurter à un obstacle physique*. Autrement dit : il dit qu'il y a un obstacle d'un autre ordre. Cet obstacle qui doit arrêter le mouvement de l'agent est spécial parce qu'il n'existe que sur le mode d'une idéalité linguistique : l'obstacle existe lorsqu'on *dit* qu'il existe[4]. Qui est « on » ? Qui dit que l'obstacle existe ? Est-ce l'instructeur qui crée l'impossibilité du fait de déclarer qu'elle existe ? Mais l'instructeur n'a pas cette souveraineté, car il n'a fait que rappeler une règle du jeu tel que ce jeu est joué. L'instructeur a donc tout simplement rappelé les conventions sur lesquelles repose une pratique humaine particulière.

Lorsque ces « verbes modaux d'arrêt » sont employés au cours de l'apprentissage, c'est toujours pour indiquer qu'il est impossible de faire le mouvement envisagé, non pas parce que l'agent n'aurait pas le pouvoir physique de le faire, mais parce qu'il *a été dit* que c'était impossible. C'est là ce qui fait que la description d'un tel exercice n'est pas paradoxale, qu'elle ne repose pas sur un cercle vicieux, car cet apprentissage ne présuppose pas chez l'apprenti la possession préalable des capacités conceptuelles qu'il doit justement lui inculquer. Du début à la fin, l'apprentissage se fait *par l'exemple*, pas par des définitions. L'instructeur dit ce que c'est qu'un droit en montrant ce que c'est qu'un droit, ce que c'est qu'une règle : or la seule façon de le montrer est justement de *dire*: « lui seul peut..., etc. », de même que la seule façon d'expliquer ce que c'est qu'une règle est de *dire*: « il faut faire ainsi, toute autre geste est incorrect ».

Cet apprentissage est en effet circulaire puisqu'il conduit d'un « tu ne peux pas » que l'apprenti accepte sans le comprendre à un « tu ne peux pas » qu'il accepte parce qu'il juge qu'il aurait dû le savoir. Nous y reconnaissons le *cercle moral* de l'autonomie, laquelle s'entend ici au sens des aptitudes acquises par l'exercice, et non le *cercle vicieux* de l'auto-position d'un sujet qui devrait devenir par son acte l'agent de son acte. Je parle d'un cercle moral pour souligner que l'exercice vise à développer chez l'agent des capacités d'agir, des dispositions à agir, des aptitudes, des habitudes, donc des *mœurs*.

Maintenant, pourquoi faut-il respecter cet obstacle créé et sans cesse renouvelé par le langage ? Pourquoi faut-il considérer qu'il existe effectivement un obstacle là où rien de physique ne s'oppose à notre mouvement ?

Cette question, nous ne pouvions pas encore la poser tant que nous n'avions pas isolé, dans les diverses espèces de nécessité attachée à la *chose à faire*, le type correspondant au « tu dois » déontique et dont la définition est d'être engendrée par de purs instruments linguistiques (« c'est la règle », « c'est son droit », etc.). Nous demandons maintenant pourquoi il faudrait s'incliner devant ce « tu dois ». La question ne porte plus sur la *normativité* de la règle (ou du droit, de la promesse, etc.), mais sur la raison d'être de cette règle. Elle ne porte pas sur le pouvoir directif de la règle, mais sur les motifs que nous avons de vouloir nous y plier.

À cette question de l'*autorité des normes*, il ne saurait y avoir de réponse générale. Mais il est bien clair que la réponse doit faire appel à une nécessité pratique (la nécessité qui s'attache à telle ou telle chose à faire) qui ne soit plus de type déontique. On peut justifier une norme particulière par une autre norme, l'existence d'un droit par l'existence d'un autre droit, mais on ne peut pas faire reposer l'ensemble des normes sur une norme fondamentale (qui serait forcément vide puisqu'elle dirait en somme : il y a une règle qui veut qu'il y ait des règles).

En réalité, les raisons pratiques qui rendent nécessaires tel ou tel usage sont forcément variées. Il y a de bonnes raisons d'accepter les règles du jeu d'échecs (parce qu'on a envie de jouer aux échecs), il y a également des raisons d'accepter les règles de la langue française (parce qu'on souhaite se faire comprendre), et il y a encore d'autres raisons de s'incliner devant les revendications juridiques (parce qu'on reconnaît qu'elles sont nécessaires à la définition d'un rapport de justice entre les personnes). Toutes ces raisons sont différentes. Inversement, il y a de multiples raisons pratiques pour lesquelles on peut être amené à décider de ne pas suivre telle coutume pourtant bien établie, de ne pas se conformer à telle règle de l'étiquette, de ne pas reconnaître tel droit acquis. Ainsi, nous n'avons pas à nous mettre en quête d'un motif unique pour toutes les conventions humaines.

« Pourquoi dites-vous que je *dois* faire telle action ? » À cette question, nous ne pouvons pas répondre sur-le-champ, car la question n'a pas encore reçu un sens déterminé. Il faut distinguer deux sens de « Pourquoi dois-je faire cela ? ». Est-ce que je demande s'il y a une règle en vertu de laquelle cette action est obligatoire ? La question porte alors sur le statut normatif de l'action que j'envisage de faire. La réponse qu'attend une telle question doit fonder une nécessité déontique dans une pratique ou un usage, c'est-à-dire finalement dans la souveraineté anonyme et diffuse de la convention humaine. Mais je peux aussi me demander si j'ai une raison de respecter la règle qui existe. Pourquoi devrais-je faire ce que tel ou tel article d'un code m'enjoint de faire ? Quelle que soit la norme considérée — invocation d'un droit ou d'une règle du jeu de tennis, article du Code civil ou article du code de l'élégance —, la seule raison de juger que je *dois* (nécessité pratique) faire ce que la règle prescrit que je *dois* (nécessité déontique) faire pour être en règle est que l'appareil normatif mobilisé pour diriger ma conduite apparaisse à tel ou tel égard comme l'« instrument d'un bien humain[5] ».

APPENDICES

NOTES

PROGRAMME : UN TOURNANT GRAMMATICAL
EN PHILOSOPHIE DE L'ESPRIT SUBJECTIF

1. Il y a un écart entre l'usage ordinaire et l'usage des philosophes. Il serait dogmatique et abusif d'en conclure à l'illégitimité de l'un ou l'autre de ces emplois du langage. Les buts des philosophes ne sont pas ceux que nous poursuivons quand nous usons des formes ordinaires. Toutefois, en constatant l'écart, nous signalons le point où une explication est requise : il appartient au philosophe d'introduire et d'expliquer les raisons du nouvel usage qu'il entend adopter.

2. Par convention, l'ensemble de l'argument cartésien qui utilise le verbe latin *cogito* (avec une minuscule) est appelé « le *Cogito* » (avec la majuscule).

3. Il y a bien entendu des exceptions. Les livres qui m'ont le plus aidé à cet égard sont ceux d'auteurs qui ont réussi à combiner, dans des styles évidemment très différents, une approche analytique du concept de sujet et une conscience de la dimension historique des problèmes que pose l'emploi de ce concept. Je citerai en particulier les livres d'Ernst Tugendhat (*Conscience de soi et auto-détermination*) et de Paul Ricœur (*Soi-même comme un autre*), ainsi que les articles de Charles Taylor (dont certains sont traduits sous le titre *La liberté des modernes*) qui ont préparé sa synthèse plus historique (*Les sources du soi*).

4. Conformément à l'usage français, je distingue toujours la pensée *moderne* (après la Renaissance) de la pensée *contemporaine* (à présent).

5. *Fiches*, § 452.

6. *Recherches philosophiques*, §89.

7. « Se représenter un langage, c'est se représenter une forme de vie » (*ibid.*, §19).

8. *Éléments de syntaxe structurale*, p. 109.

9. On se souvient que Hegel appelle *esprit subjectif* « l'esprit dans la forme de la relation à soi-même », et qu'il appelle *esprit objectif* la réalité engendrée dans le monde par l'esprit, autrement dit « la liberté présente

en tant que nécessité » (cf. *Encyclopédie des sciences philosophiques*, § 385).
Cette formule évoquant un mixte de liberté et de nécessité, après tout,
est une bonne façon de caractériser le mode d'être d'une règle et rejoint
donc la question que veut poser Wittgenstein au sujet de notre relation à
la règle.

I. HISTOIRE ET PHILOSOPHIE DU SUJET

1. Voir, sous ce titre « Découverte de la subjectivité », la discussion de
Merleau-Ponty dans une section d'un texte où il se demande ce qui caractérise la philosophie moderne (*Signes*, p. 191-194).
2. Condorcet reprend la terminologie de Condillac. L'étude générale du
développement des facultés de l'esprit humain (recevoir des sensations,
éprouver du plaisir, former et combiner des idées) est « la métaphysique ».
L'étude de ce même développement dans le temps, de générations en
générations et d'époque en époque, est « le tableau des progrès de l'esprit
humain » (Condorcet, *Esquisse d'un tableau historique des progrès de l'esprit
humain*, p. 80).
3. Hegel, *Encyclopédie des sciences philosophiques* (1830), § 548-552.

II. LES CONSTRUCTIONS AVEC SUJET

1. « Actanciel » au sens où, selon Lucien Tesnière, les verbes ont chacun
un système actanciel que révèle le mécanisme des voix : ils demandent à
être complétés par des substantifs qui sont les « actants » d'un « procès ».
Certains verbes sont à compléter par zéro actant (« il pleut »), d'autres par
un actant (« Pierre rit »), ou par deux actants (« le chat mange la souris »),
ou par trois actants (« Arthur donne le livre à Pierre »). Voir Tesnière,
Éléments de syntaxe structurale, chap. 48. Je reviendrai plus loin sur le sujet
comme « premier actant » (cf. *infra*, chap. 9).
2. Jean-Louis Gardies, *Esquisse d'une grammaire pure*, p. 87-94.
3. *Ibid.*, p. 91-92.
4. Donald Davidson, « La forme logique des phrases d'action », dans
Actions et événements.
5. Tesnière, *op. cit.*, p. 239.
6. Voir *infra*, chap. 6.
7. Cf. *infra*, chap. 4 sur « la superstition du sujet ».

III. LES CONSTRUCTIONS INTENTIONNELLES

1. Cette opposition du *moi* et du *non-moi* n'est pas intelligible dans tous les contextes. On comprend très bien son apparition dans une situation du genre : « Qui a écrit sur la porte "Je reviens tout de suite" ? Est-ce moi ou est-ce un autre que moi ? » On ne la comprendrait pas dans cet exemple : « Qui vois-je passer dans la rue ? Est-ce moi ou un autre que moi ? » Ni dans : « Qui ressent ce mal à la tête ? Est-ce moi ou un autre que moi ? »

2. Certains auteurs croient qu'il n'y a aucun rapport entre l'intention pratique (la visée d'un but dans son action) et l'intention au sens de la phénoménologie (« toute conscience est conscience de quelque chose »). C'est le cas de John Searle dans son livre *L'intentionnalité, essai sur la philosophie des états mentaux.* En fait, l'histoire du vocabulaire philosophique ne justifie pas l'idée qu'il faudrait deux graphies du mot (avec et sans la majuscule) pour lever une équivoque du terme. Anscombe explique briè-vement le passage du sens pratique au sens ontologique et logique dans son article sur l'intentionalité de la sensation (repris dans son livre *Metaphysics and the Philosophy of Mind*). On appelle « objet intentionnel » l'objet que donne le sujet à son acte mental, comme il se donne par son intention un terme à atteindre dans son action. Le concept logico-sémantique d'inten-tionalité, chez les scolastiques (auxquels renvoie Brentano lorsqu'il le remet en usage), est dérivé du concept de l'intention d'agir. De même que le but visé par mon intention d'agir — par exemple, la maison que je veux construire ou la personne que je cherche — peut n'exister que dans mon intention (*intentionaliter*, dirait un scolastique), de même, l'objet de ma pensée, par exemple, l'objet de mon attente est intentionnel tant qu'il ne possède qu'une « existence intentionnelle » (*esse intentionale*), tant qu'il n'a pas d'autre existence que celle de mon attente elle-même. Et ainsi de suite pour toutes les « visées mentales ». C'est donc une erreur de soutenir que le terme « intentionalité » de Brentano n'a rien à avoir avec le concept d'intention que nous analysons en philosophie de l'action.

3. Peter Geach, *Mental Acts*, § 18, « Psychological Uses of Oratio Recta ».

4. Pour un développement de ce point classique, voir l'article « Causes, raisons et circonstances de l'action » dans le *Dictionnaire d'éthique et de philosophie morale* de Monique Canto-Sperber.

5. *L'intention*, § 47.

6. Fontanier, *Les figures du discours*, Paris, Flammarion, 1968, p. 111. Je reproduis les exemples de l'auteur.

7. *Ibid.*, p. 118.

IV. LA SUPERSTITION DU SUJET

1. *Par-delà le bien et le mal*, § 17. (J'ai ajouté la division (a)-(d) pour la commodité des références.)

2. Sur « l'événement de l'idée », voir les analyses de Pierre Pachet dans son essai *L'œuvre des jours.*

3. « Hasard donne les pensées, et hasard les ôte ; point d'art pour conserver, ni pour acquérir.// Pensée échappée je la voulais écrire, j'écris, au lieu, qu'elle m'est échappée » (éd. Brunschvicg, n° 370). En mentionnant la pratique de l'écriture, Pascal rappelle le conflit qui existe nécessairement entre les exigences de l'idée qu'il faut suivre et celles de la page continue qu'il faut rédiger.

4. « *Das Subjekt "ich" ist die Bedingung des Prädikats "denke".* »

5. Cf. *infra,* chap 8.

V. LE SUJET SCOLASTICO-CARTÉSIEN

1. Étienne Gilson, *Index scolastico-cartésien.*

VI. LOGIQUE DES INDIVIDUS

1. Dans une traduction littérale, ce texte difficile donne ceci (en ajoutant la division en quatre points a-d et les italiques) :

« En ce qui concerne les êtres,

(a) les uns *sont dits* d'un sujet, mais *ne sont dans* aucun sujet ; par exemple, homme se dit d'un sujet, à savoir d'un certain homme particulier, mais n'est dans aucun sujet.

(b) D'autres *sont dans* un sujet, mais *ne sont dits* d'aucun sujet. (Par "dans un sujet", je veux dire ce qui est dans quelque chose, non comme une partie, et qui ne peut exister séparément de ce dans quoi il est.) Par exemple, une connaissance grammaticale particulière est dans un sujet, l'âme, mais elle n'est dite d'aucun sujet ; et une blancheur particulière est dans un sujet, le corps (car toute couleur est dans un corps), mais elle n'est dite d'aucun sujet.

(c) D'autres *sont dits* d'un sujet et *sont dans* un sujet ; par exemple, la connaissance est dans un sujet, l'âme, et elle est dite d'un sujet, la science grammaticale.

(d) D'autres ne sont pas dans un sujet et ne sont pas dits d'un sujet, par exemple cet homme, ce cheval » (*Catégories,* 2, 1a20-1b6).

2. Voir *Le cahier brun* de Wittgenstein. Ainsi se vérifie le secours mutuel que se prêtent les deux enseignements d'Aristote et de Wittgenstein, comme l'ont dit plusieurs bons auteurs. Voir en dernier lieu l'essai d'Hilary Putnam intitulé « Aristotle after Wittgenstein » dans son livre *Words and Life,* et, en français, l'essai de Roger Pouivet, *Après Wittgenstein, saint Thomas.*

3. Arthur Prior suggère un exemple : savoir que le mot latin *mensa* est féminin (*The Doctrine of Propositions and Terms,* p. 61-62).

4. « De façon générale, les individus (*ta atoma*) et les choses qui sont des unités ne sont jamais dits d'un sujet. Pourtant, certains peuvent être dans un sujet. Ainsi par exemple, cette connaissance grammaticale est de ces choses qui sont dans un sujet » (*Catégories*, chap. 2, 1b 6-8).

5. *Recherches philosophiques*, § 58 (voir aussi : *Grammaire philosophique*, § 90). Pour un commentaire plus détaillé de cette équivalence, je me permets de renvoyer à mon étude : « Latences de la métaphysique. »

6. Dans la philosophie contemporaine, l'ouvrage qui a le plus fait pour réhabiliter le concept de substance (contre la théorie scolaire) est le livre de David Wiggins *Sameness and Substance renewed*. Voir en français son article « Pourquoi la notion de substance paraît-elle si difficile », *Philosophie*, n° 30, printemps 1991, p. 77-89.

VII. L'ANALYSE DES PROPOSITIONS NARRATIVES

1. C'est la distinction classique entre l'*actio hominis* (celle dont l'agent se trouve être un homme) et l'*actus humanus* (celle dont l'agent assume la responsabilité parce qu'il aurait pu se conduire autrement).

2. NOTE SUR LA NOTION DE CONNEXION PRÉDICATIVE. J'emprunte cette notion à l'étude d'Anscombe « On the Grammar of "Enjoy" » (dans *Metaphysics and the Philosophy of Mind*, p. 94-100). Elle appelle ainsi une connexion de type « fonction et argument », comme celle que le *Tractatus logico-philosophique* prétend trouver dans toute expression complexe contenant un verbe (cf. la proposition 5.47). Anscombe fait remarquer qu'il existe des expressions complexes qui forment des « connexions signifiantes », mais qui sont irréductibles à la connexion prédicative. Elle donne un exemple anglais pour illustrer la distinction des deux types de connexion : *I enjoyed riding with N.* (« j'ai pris plaisir à faire du cheval avec N. »). Cette phrase est porteuse d'une ambiguïté, selon la façon dont on va construire l'expression indiquant l'objet du plaisir. Supposons en effet que je sois mauvais cavalier : j'ai pu prendre plaisir au fait que je faisais un tour à cheval avec N. (par exemple, parce que N. est un grand personnage et que l'idée de chevaucher avec lui m'a comblé de bonheur), mais il se peut qu'en même temps, je n'aie pris aucun plaisir à faire du cheval (en raison de mon incapacité à diriger l'animal). Il y a donc deux façons de donner un complément au verbe « prendre plaisir à » (*enjoy*). D'abord, par une expression qui comporte une connexion prédicative (j'ai apprécié la promenade = le fait que je faisais la promenade). L'objet du plaisir est alors exprimé sous forme propositionnelle. Ensuite, par une expression contenant un verbe, mais sans connexion prédicative (j'ai apprécié la promenade = l'activité même de faire la promenade). L'objet du plaisir est alors signifié par un verbe qui ne fait pas partie d'une proposition complétive. Parmi les connexions de mots qui sont signifiantes, mais non prédicatives, Anscombe remarque qu'il y a la structure formée par le *verbe* transitif, son *sujet* et son *objet* (*ibid.*, p. 97).

3. *Syntaxe grecque*, p. 65.

4. On pourrait se demander si la notion de « phrase verbale » ne vise pas à réunir d'authentiques phrases verbales, les phrases narratives, et des phrases attributives qui ne sont verbales que par attraction. Dans son chapitre sur la phrase à verbe « être », Tesnière fait une remarque importante : « Dans de nombreuses langues européennnes, le schème de la phrase verbale est si impérieux qu'il s'impose même à la phrase attributive » (*Éléments de syntaxe structurale*, p. 158).

5. *Wittgenstein's Lectures on Philosophical Psychology 1946-1947*, p. 25. (La traduction française *Les Cours de Cambridge 1946-1947* donne la pagination de l'édition anglaise.)

6. *Ibid.*, p. 144. Autre exemple : « mes pantalons grisaillent » plutôt que « mes pantalons sont gris » (*ibid.*, p. 265).

7. Comme cherche à le faire Deleuze (*Logique du sens*, p. 15, p. 33) en s'appuyant sur l'interprétation des Stoïciens donnée par Bréhier (*La théorie des incorporels dans l'ancien stoïcisme*).

8. *Op. cit.*, p. 240. C'est plutôt d'inactivité que de passivité qu'il faudrait parler, si la passivité se comprend comme le fait de subir un changement.

9. Geach, *Reference and Generality*, p. 55.

VIII. LES CATÉGORIES DE L'ACTION

1. Voir Anthony Kenny, *Action, Emotion and Will*, chap. 7. Tout ce chapitre porte sur la différence de catégorie entre les actions et les relations.

2. On ne saurait en conclure qu'une théorie poétique des genres littéraires narratifs peut se constituer sur la seule base de la syntaxe des verbes d'action, comme l'ont cru les partisans d'une narratologie de type sémiotique. Ils ont cru pouvoir dégager directement une « syntaxe du récit » à partir de considérations sur la phrase narrative, sans disposer d'un principe permettant de rendre compte de la diversité des genres littéraires. Il me semble qu'une théorie poétique doit plutôt s'inspirer d'une philosophie de l'action humaine, et que c'est cette dernière qui doit, pour élucider le concept d'action humaine, se confronter à la grammaire des phrases narratives. L'échec de bien des tentatives de formalisation narratologique me semble s'expliquer par la méconnaissance du principe posé par Aristote : une tragédie n'est pas le récit d'une vie, elle ne tire pas son unité de celle d'un personnage (Œdipe, Ajax, etc.), mais c'est le récit d'une unique action complexe. Pour passer du niveau des phrases narratives à celui de l'œuvre, il faut passer par l'étape intermédiaire des formes littéraires et rendre compte du niveau formel de l'organisation (compliquée) par laquelle une tragédie ou un roman se distinguent, chacun à sa façon, d'une « tranche de vie ».

3. Kenny, *op. cit.*, p. 153.

4. *Ibid.*, p. 156.

5. *Ibid.*, p. 160.

6. Donald Davidson, *Actions et événements*, p. 152 et suivantes.

7. Davidson, *op. cit.*, p. 153-154.

8. Du reste, Aristote lui-même a poussé plus loin ses distinctions dans les livres de la *Métaphysique*, avant tout en introduisant l'opposition de l'acte et de la puissance. Le point de vue adopté dans les *Catégories* est celui des changements qui sont susceptibles d'affecter un individu physique. Qu'est-ce qui peut changer dans un sujet sans qu'il y ait changement du sujet lui-même (au sens de son remplacement par un autre individu du même genre). Par exemple, « Le roi a changé » est ambigu, car nous voulons distinguer entre le changement par lequel le même roi est devenu un homme plus vieux et le changement par lequel le même roi (cette fois, au sens où il s'agit du roi du même pays) est devenu, par succession, un autre homme. Dans le traité des *Catégories*, l'idée importante (et juste) est qu'on ne peut se contenter d'appliquer uniformément un schéma d'analyse du sujet et du prédicat, car il y a des différences logiques importantes entre les schémas de prédication (cf. *supra*, chap. 6).

9. Davidson, *op. cit.*, p. 153.

10. *Op. cit.*, p. 105.

11. *Ibid.*, p. 109.

12. *Ibid.*, p. 63. C'est pourquoi « Il a fait un dîner léger » se transposera en « Il a dîné légèrement ».

13. « Les adverbes expriment les attributs des procès, c'est-à-dire des circonstances dans lesquelles interviennent les procès » (*ibid.*, p. 74).

14. Pour un développement plus détaillé de ce point, je me permets de renvoyer à mon exposé sur « la relation » au Colloque de Beaubourg sur les catégories (publié dans le volume *Quelle philosophie pour le XXIᵉ siècle ?*).

IX. LE SYSTÈME ACTANCIEL DU VERBE

1. *Éléments de syntaxe structurale*, p. 102.

2. Le linguiste préférera dire un « procès », de façon à englober dans une seule catégorie les verbes d'action transitive, les verbes de pures activités (comme « voir », « respirer », « danser ») et les verbes d'état conçus comme signifiant, sinon des activités, du moins des manières d'être qui se conservent, se maintiennent, et ont donc un aspect processuel (comme « briller », « dormir »).

3. Tesnière, *op. cit.*, p. 172. En latin, une phrase comme *Aulus amat* ne correspond pas tout à fait à « Aulus aime ». « En disant *Aulus amat*, c'est un peu comme si l'on disait en français : *Alfred il aime* » (*ibid.*, p. 139). Dans le même sens, Benveniste a expliqué qu'il faudrait en principe traduire le latin *volat avis* par « il vole, l'oiseau », et non tout simplement par « l'oiseau vole ». En effet, explique-t-il, « la forme *volat* se suffit à elle-même et, quoique non personnelle, inclut la notion grammaticale du sujet ». En précisant que l'objet volant est un oiseau, on ajoute quelque chose qui est réclamé par le sens, mais non par la forme (cf. *Problèmes de linguistique générale*, t. I, p. 231). Ces remarques valent pour tous les pronoms personnels du latin. Tesnière donne le tableau de la correspondance : *ille amat* = lui, il

aime ; *tu amas* = toi, tu aimes ; *ego amo* = moi, j'aime. « Ce serait une grave erreur que de faire équivaloir *ego* à *je*, et de traduire *ego amo* par *j'aime* » (*op. cit.* p. 140). On aperçoit la conséquence pour l'interprétation de l'énoncé cartésien fondateur : *ego cogito.* Il faut traduire « moi, je pense », c'est-à-dire « moi qui doute, je pense », et non pas simplement « je pense ». La fonction de « *ego* », dans l'énoncé, n'est pas de fournir un sujet au verbe (car ce dernier est déjà exprimé par la désinence marquant la première personne), mais d'introduire une opposition entre ce qu'il en est de moi et ce qu'il en est de l'autre que moi : *quant à moi*, je pense, et donc j'existe, même si je ne peux en dire autant de mon corps, de vous, du monde, de Dieu, etc. Comme le notait finement Étienne Gilson, le texte latin du *Discours* donne « *Ego cogito ergo sum* » pour « je pense, donc je suis » : « Quant au pronom personnel *ego*, il conviendrait peut-être mieux de le considérer comme une suppression de la rédaction française que comme une addition de la rédaction latine. On ne pouvait, en effet, le transposer en français sans user d'une formule assez lourde, telle que : *Moi qui pense, je suis*. C'est cependant le sens exact et complet que Descartes veut exprimer (...) » (René Descartes, *Discours de la méthode*, texte et commentaire par Étienne Gilson, p. 292).

4. Tesnière, *op. cit.*, p. 259.

5. Dans le Midi, rappelle Tesnière, le verbe est perçu comme transitif : quand il fait chaud, on tombe la veste (*op. cit.*, p. 271).

6. Tesnière, *op. cit.*, p. 298-299.

7. *Ibid.*, p. 255.

8. *Ibid.*, chap. 99-106, p. 240-258.

9. *Ibid.*, p. 260.

10. Ici, la grammaire philosophique se sépare de la syntaxe du linguiste. Sans doute, les verbes de dire ressemblent à des verbes de don, et, du point de vue de la langue, les *choses dites* ressemblent à des *choses données*. Toutefois, la ressemblance que marque fortement l'usage ne doit pas dissimuler la différence (qui se manifestera dans d'autres contextes) : je peux en général identifier la chose donnée en la montrant du doigt (quand elle consiste dans un objet matériel). C'est déjà plus difficile si elle consiste dans un service ou une prestation. Mais je ne peux en aucun cas montrer du doigt une chose dite, je ne peux l'identifier qu'en reproduisant (au style indirect) le discours tenu par quelqu'un. Les verbes de dire sont des verbes dont la construction est intentionnelle : on ne les complète pas en nommant une entité. C'est ainsi que demander son chemin à quelqu'un n'est pas se faire donner une chose, mais se faire donner une information, laquelle ne peut être identifiée qu'en étant reproduite. L'observation de Tesnière sur la trivalence des verbes de don me paraît être de la plus grande importance pour la philosophie sociale. (Dans *Les institutions du sens*, j'ai cherché à montrer que la notion de « verbe de don » permettait de confirmer, sur le plan conceptuel, les intuitions de Marcel Mauss dans son célèbre *Essai sur le don*.)

11. *Op. cit.*, p. 255.

12. *Op. cit.*, p. 404.

13. On peut retenir l'explication de la voix causative que donne Littré à l'article « causatif » : « Voix causative, voix qui rend tous les verbes actifs, à l'aide du verbe *faire*, employé comme une sorte d'auxiliaire : Je vous fis voir

l'autre jour, c'est-à-dire je fis en sorte ou je fus cause que vous vissiez ; Mon père ne m'a pas fait étudier, c'est-à-dire n'a pas fait en sorte que j'étudiasse. »
14. *Ibid.*, p. 261-262.

X. LES DEGRÉS DE L'AGIR

1. Alain Peyrefitte, *C'était de Gaulle*, t. I, p. 76.
2. On sait que c'est l'exemple par lequel Aristote illustre l'opposition du volontaire et de l'involontaire (*Éthique à Nicomaque*, III, 1, 1110 a). Voir *infra*, chap. 36 sur la notion de contrainte exercée sur soi-même.
3. Tesnière, *op. cit.*, chap. 108, p. 260.
4. Louis Marin a étudié le fonctionnement de cette appropriation des œuvres par le monarque en régime absolutiste (cf. *Le portrait du roi*).
5. Voir Tesnière, *op. cit.*, p. 272.
6. Voir toutefois la discussion de cet exemple par Bruno Gnassounou dans son article « La grammaire logique des phrases d'action » (*Philosophie*, n° 76, 2002, p. 33-51).
7. Voir par exemple *Sur Le Politique de Platon*, p. 54.

XI. LE RAPPORT À SOI

1. La phénoménologie a cherché à rendre compte de cette différence en parlant d'un « cogito pré-réflexif », mais cette notion, semble-t-il, ne fait que reproduire la difficulté au lieu de la résoudre.
2. *Op. cit.*, p. 273-74.
3. *Ibid.*, p. 279.
4. *Ibid.*, p. 278.
5. *Syntaxe grecque*, p. 103.
6. *Ibid.*, p. 105.
7. *Ibid.*, p. 104. Humbert écrit aussi : « En face de l'actif correspondant, le moyen exprime que l'action accomplie possède aux yeux du sujet une *signification personnelle*. L'action est rapportée, soit au *sujet lui-même*, soit à ce qui constitue *sa sphère propre* » (*ibid.*, p. 103). Un tel rapport de l'action au sujet n'a évidemment rien de réfléchi.
8. *Ibid.*, p. 105.
9. Voir *infra*, chap. 31.
10. *Ibid.*, p. 105.
11. Habermas écrit par exemple : « l'idée d'autolégislation par les citoyens requiert que ceux qui sont soumis au droit en tant que destinataires se pensent aussi comme auteurs du droit » (*Droit et démocratie*, p. 138). Il conçoit donc le fait de se donner des lois comme équivalent à l'action d'y

soumettre les assujettis, la seule particularité étant l'identité entre l'auteur et le destinataire, ce qui correspond exactement à la diathèse réfléchie d'un verbe trivalent.

12. Voir *infra*, chap. 42.

13. *Op. cit.*, p. 143.

14. *L'être et le néant*, p. 118. Sartre fait ici allusion à l'explication que donnent les manuels du pronom personnel : à la troisième personne, le latin, plus logique que le français, impose d'utiliser le pronom *réfléchi* pour représenter *le sujet de la proposition* (en fait, au génitif, le possessif réfléchi : *compos sui*, maître de soi, c.-à-d. : de sa propre personne) et le pronom *non réfléchi* pour représenter *une personne autre que le sujet* (en fait, au génitif, le pronom démonstratif de rappel : *vidi patrem ejus*, j'ai vu son père, c.-à-d. selon les cas : le père de lui, ou le père d'elle).

XII. GRAMMAIRE DE L'ACTION SUR SOI

1. Littré, à l'article « réfléchi », n° 3.

2. *The Concept of Mind*, p. 196.

3. L'erreur logique des doctrines de l'« absolu littéraire » a été d'avoir cru qu'une œuvre pouvait être directement la critique d'elle-même. Un livre écrit sur ce mode « réflexif » serait doté, croyait-on, d'une sorte de conscience de soi impersonnelle, puisque distincte de celle de son auteur.

4. *Physique*, II, 192b23 ; *Métaphysique*, V, 12, 1019a15-25 (la *dunamis* active est le pouvoir de produire un changement dans un autre être ou, cas spécial, « dans le même être en tant qu'autre »).

5. Il semble que de telles actions correspondent plutôt à celles qu'on exprime par les verbes récessifs (ou « essentiellement pronominaux ») : le roi s'amuse, le clown se lève, l'enfant s'ennuie, le père s'inquiète pour sa famille.

XIV. LE PHÉNOMÈNE DU SOI-MÊME

1. Le mot « *ipseitas* » est un terme scolastique utilisé par les philosophes qui cherchaient à définir une propriété d'individualité par laquelle un individu se trouve être lui-même et pas un autre. Lui-même, c'est-à-dire *celui que voici* (dit-on en le montrant) : c'est pourquoi on a parlé aussi d'une propriété d'*hæcceitas* ou d'*ecceitas*. Les phénoménologues français ont restreint le sens de l'ipséité à l'individualité d'un sujet conscient de soi par laquelle celui-ci se reconnaît ou s'affirme soi-même. Ils ont utilisé ce mot pour traduire le mot allemand « *Selbstheit* ».

2. Aristote, *Éthique à Nicomaque*, VI, 5, 1140b5. Certains traducteurs rendent « *meta logou* » par « accompagnée d'une règle », ce qui tend à faire

de la prudence une vertu *auxiliaire* de la moralité conçue comme application de règles générales à des situations particulières. D'autres le rendent par « accompagnée de raison », c'est-à-dire capable de justifier la décision par des raisons, ce qui fait de la *phronèsis* une vertu *fondamentale* de la moralité conçue comme recherche du bien agir dans des circonstances variables. Cette dernière traduction me paraît plus fidèle à l'inspiration générale de l'éthique aristotélicienne.

3. Rémi Brague, *Aristote et la question du monde : essai sur le contexte cosmologique et anthropologique de l'ontologie*, p. 163.

4. Selon Hegel, la position de l'idéalisme s'exprime dans le principe « *Ich bin Ich* » (*Phénoménologie de l'Esprit*, chap. V). Les traductions françaises donnent parfois « Je suis Je ». « Je suis je, en ce sens que Je, qui est objet pour moi, (...) est objet avec la conscience du non-être de tout autre que ce soit, est unique objet, est toute réalité et présence » (trad. J.-P. Lefebvre, p. 178). L'inconvénient d'un tel germanisme est qu'il nous fait perdre le contact avec l'usage du pronom dans des échanges familiers tels que « Qui est là ? Est-ce que c'est toi ? — Oui, c'est moi », « Lui, c'est lui et moi, c'est moi », etc.

5. *Éthique à Nicomaque*, VI, 5, 1140b5 sq.

6. *Op. cit.*, p. 128. Il n'est pas indifférent que Brague ne dise pas trivialement : je le dis de moi, mais bien : je le dis de ce « je », c'est-à-dire, sans doute, du référent du mot « je » dans la phrase.

7. *Éthique à Nicomaque*, IX, 4, 1166a 19-21 (cité par Brague, *ibid.*, p. 141).

8. *Éthique à Nicomaque*, IX, 9, 1169b33-35.

9. L'histoire est citée par Roderick Chisholm, *The First Person*, p. 18.

10. Il reste évidemment à décider si cela ne veut pas dire, tout simplement, que « je suis fatigué » exprime normalement une fatigue (comme un soupir) et non pas un jugement sur soi-même. Lorsque je juge que tu es fatigué, je n'exprime pas ta fatigue. Lorsque j'exprime ma fatigue, je ne conclus pas que je suis fatigué. Bien entendu, il est possible de juger, donc de conclure, que je suis fatigué, mais c'est alors l'expression d'une connaissance de moi-même obtenue par une réflexion sur différents faits me concernant, donc un savoir « objectivant ».

XV. LA RÉFÉRENCE À SOI

1. Sauf précision en sens contraire, je tiens ces deux verbes pour strictement équivalents.

2. *Soi-même comme un autre*, p. 71.

3. *Ibid.*, p. 56.

4. *Le temps retrouvé*, t. III, p. 792.

5. Sur cette notion de connexion prédicative, voir *supra* chap. 7, note 2.

6. Je m'en tiendrai à l'exposé de Ricœur, sans chercher à reconstituer pour elle-même la position de Strawson.

7. *Soi-même comme un autre*, p. 49.

8. L'étude classique sur ce point est celle de Castaneda intitulée « He. A Study in the Logic of Self-Consciousness ». Ce dernier renvoie à l'étude

antérieure de Geach « On Beliefs about Oneself ». Je reprends la terminologie d'Anscombe dans « The First Person ». Il existe une anthologie anglaise des principales contributions à cette question publiée par Quassim Cassam sous le titre *Self-Knowledge*. En français, on trouvera une discussion éclairante de ces analyses dans le livre de Stéphane Chauvier, *Dire « Je » : essai sur la subjectivité.*

9. Je reviendrai sur cette idée que l'expérience est vécue « en première personne » au chapitre suivant.

10. Platon, *Le banquet*, texte établi et traduit par Léon Robin, Paris, Les Belles-Lettres, 1958, p. 5.

11. J. Humbert, *Syntaxe grecque*, § 321, p. 193.

12. Comme le fait remarquer Humbert, c'est ici le réfléchi direct (*heauton*) qui est utilisé ici, alors qu'on trouve par ailleurs les réfléchis indirects (*hou, hoi, sphas*) pour renvoyer à Aristodème et à ceux qui l'accompagnent.

13. *Op. cit.*, p. 49.

14. Ricœur y fait allusion (*op. cit.*, p. 58, p. 63).

15. *Ibid.*, p. 58. Ricœur expose ici la position de John Searle.

16. Geach, *Reference and Generality*, p. 31.

17. Ricœur remarque que, dans la théorie sémantique issue de Frege, il n'y a pas de mots qui soient des noms et qui pourtant ne désignent pas des êtres réels. « Le nom est ainsi une étiquette qui colle à la chose » (*op. cit.*, p. 41, n. 1). Il n'est pas faux de dire que nommer quelque chose, c'est comme coller une étiquette sur une chose. Mais il faut ajouter que cet étiquetage tire son sens d'un usage à venir de cette étiquette (cf. Wittgenstein, *Recherches philosophiques*, § 26). Si nous trouvons qu'une étiquette a été fixée sur une valise et qu'on y a inscrit le nom « Pierre Dupont », nous n'en concluons pas que la valise s'appelle ainsi. En revanche, à l'école maternelle, la petite fille qui porte le bracelet sur lequel est écrit le nom « Jeanne » est Jeanne.

18. Wittgenstein, *Recherches philosophiques*, § 691.

19. Ricœur, *op. cit.*, p. 44.

20. On dira peut-être ici qu'il aurait fallu distinguer deux sortes d'identification, correspondant à deux sens de « identique ». Ces deux sens sont, d'après l'explication de Ricœur, identique « au sens de l'extrêmement semblable » (en latin « *idem* ») et identique « au sens du non-étranger » (en latin « *ipse* »). L'identité serait tantôt la mêmeté, tantôt l'ipséité (cf. Ricœur, « Individu et identité personnelle », dans : P. Veyne *et al.*, *Sur l'individu*, p. 66-67).

En fait, le sens de « identique » qui nous importe pour rendre compte de la référence à quelqu'un, sous quelque forme que ce soit, n'est aucun de ces deux sens. Ce n'est pas l'identité comme cas limite de la ressemblance. Supposons que deux petites filles soient jumelles et qu'elles soient « extrêmement semblables ». On dira qu'il est facile de prendre l'une pour l'autre, car elles ont la même apparence (*idem*), mais on ne dira pas qu'elles sont sur le point de devenir identiques, c'est-à-dire de se confondre en une seule petite fille. Si on doit héberger les jumelles, il faudra prévoir deux lits, deux repas, deux costumes, quel que soit le degré de la ressemblance entre elles. Par ailleurs, l'identité comme « relation d'ipséité » qu'on opposerait à une « relation d'aliénation » n'est pas non plus celle dont on a besoin pour désigner quoi que ce soit. La différence individuelle par laquelle une jumelle et une autre jumelle font deux jumelles n'empêche nullement qu'elles puissent se sentir très proches, jusqu'à ne pas tenir les affaires et les sentiments de l'autre jumelle pour étrangers à soi (*ipse*). Elles n'en sont pas moins deux personnes distinctes.

Le concept d'identité qui nous est nécessaire pour expliquer à quoi va la référence du nom est plutôt celui qui nous permet de dire que « Cicéron » et « Tullius » sont les noms du même homme, que « Phosphorus » et « Hesperus » sont les noms de la même planète (Vénus). Cicéron et Tullius ne sont pas deux êtres *identiques* parce que *entièrement semblables*, ils sont *un seul et même homme* qui se trouve posséder ces deux noms.

XVI. PARLER À LA PREMIÈRE PERSONNE

1. Ricœur oppose la « personne objective » au « sujet réfléchissant » (*Soi-même comme un autre*, p. 71). À ma connaissance, il n'emploie pas le terme de « personne subjective ». Toutefois, on trouve la notion de « personnalité subjective » pour désigner le statut de la personne qui parle chez Tesnière (*Éléments de syntaxe structurale*, p. 117). Tesnière s'inspire ici de la distinction que fait É. Benveniste entre la « corrélation de subjectivité » entre « je » et « tu » et la corrélation de personnalité » entre d'un côté les deux personnes « je » et « tu » et, de l'autre, « il » (cf. *Problèmes de linguistique générale*, t. I, p. 231-232).

2. Ricœur, *Soi-même comme un autre*, p. 49.

3. Je reprends ici les termes de l'alternative que formule Anscombe dans son essai sur la première personne (cf. « The First Person », p. 31).

4. Ricœur, *op. cit.*, p. 50.

5. Dira-t-on que Strawson réserve la qualification de « prédicats psychiques » à des attributs et des verbes qui présentent ce que Wittgenstein appelle le trait de l'asymétrie épistémologique (cf. *infra*, chap. 23) ? Il y a pourtant une différence : les « prédicats psychiques » ont toujours un critère d'attribution (dans le cas d'autrui, l'observation, dans mon cas le vécu).

6. *Ibid.*, p. 53.

7. *Ibid.*, p. 47.

8. Ricœur critique chez Strawson « l'alignement de l'ascription à nous-mêmes sur l'attribution à quelque chose » (*ibid.*, p. 49), ce qui tend à faire de l'auto-attribution un cas particulier d'attribution. Lorsqu'il s'agit de l'action, il se demande même s'il ne faut pas admettre que l'« ascription d'une action à un agent » (par cet agent lui-même) est si spéciale qu'elle ne relève plus d'une logique de l'attribution (*ibid.*, p. 110). Il me semble que cette remarque doit être étendue à toutes les auto-attributions : grammaticalement, elles peuvent s'exprimer par des phrases attributives (« Je suis souffrant », « J'ai mal »), mais logiquement, ce ne sont pas des jugements d'attribution, car il manque une authentique connexion prédicative (cf. Anscombe, « The First Person », p. 36).

9. Les principales références sont données dans l'article « Je/Moi » du *Dictionnaire Wittgenstein* de Hans-Johann Glock.

10. « The First Person », dans *Metaphysics and the Philosophy of Mind*, p. 30.

11. Sydney Shoemaker, « Self-Reference and Self-Awareness », p. 81.
12. P. Ricœur, *Soi-même comme un autre*, p. 69. Ricœur s'appuie ici sur l'analyse des pronoms personnels proposée par Émile Benveniste. Le linguiste expliquait, dans son article classique sur la subjectivité dans le langage, que la polarité des deux personnes grammaticales (« je » et « tu ») était la condition de possibilité d'une appropriation du langage par le locuteur. Il ajoutait que cette polarité ne devait être conçue ni comme une égalité, ni comme une symétrie, mais plutôt comme une complémentarité de deux termes qui ne peuvent être conçus l'un sans l'autre (*Problèmes de linguistique générale*, t. I, p. 260).

XVII. LE SUJET DU « JE PENSE »

1. « Descartes (...) est tombé dans l'erreur substantialiste » (Sartre, *L'être et le néant*, p. 115).
2. *Soi-même comme un autre*, p. 18.
3. E. Balibar, « L'invention de la conscience », p. 35.
4. E. Anscombe a développé ce point dans son texte sur la première personne (cf. *Metaphysics and the Philosophy of Mind*, p. 33-34).

XVIII. PHILOSOPHIES DE LA CONSCIENCE

1. *De l'interprétation, essai sur Freud.*
2. *Cogitationis nomine intelligo illa omnia quæ nobis consciis in nobis fiunt, quatenus eorum in nobis conscientia est* (*Principes de la philosophie*, Première Partie, article 9 ; A.T., VIII, 7).
3. *Nam si dicam, ego video vel ego ambulo, ergo sum ; et hoc intelligam de visione, vel ambulatione, quæ corpore peragitur, conclusio non est absolute certa ; quia, ut sæpe sit in somnis, possum putare me videre, vel ambulare, quamvis oculos non aperiam, et loco non movear, atque etiam forte, quamvis nullum habeam corpus. Sed si intelligam de ipso sensu sive conscientia videndi vel ambulandi, quia tunc refertur ad mentem, quæ sola sentit sive cogitat se videre aut ambulare, est plane certa* (*ibid.*).

XIX. PHÉNOMÉNOLOGIE DE LA CONSCIENCE

1. Paul Ricœur, *De l'interprétation, op. cit.*, p. 42.
2. Cette dénomination frappante se lit dans *De l'interprétation*, p. 40.

3. La conscience fausse dont il s'agit ici, et dont le sens nous échappe, ne doit pas être confondue avec ce que les moralistes appellent une « conscience fausse », par quoi ils désignent quelque chose de parfaitement familier : le fait que quelqu'un qui se conduit mal peut fort bien être en paix avec sa conscience. Il suffit pour cela qu'elle lui présente comme bonnes ou requises par les plus hautes considérations ce qui en réalité est une mauvaise action dont il devrait rougir au lieu de s'en glorifier.

XX. LA PRÉSENCE À SOI

1. Je m'inspire ici de cette remarque de Wittgenstein : la tentation du philosophe est de dire quelque chose comme : « il m'est facile de connaître mon état de conscience puisque je suis moi », voulant dire peut-être « parce que je suis si proche de l'état qu'il s'agit de connaître » (« *"to know my own state is easy because I am myself"* — *because I am so near to it ?* » (cf. *Wittgenstein's Lectures on Philosophical Psychology 1946-1947*, p. 97. La pagination de l'original est indiquée dans la traduction française).

2. Son savoir consiste à *pouvoir dire* quelles sont ces intentions, et non pas à *détenir des informations* sur son propre état interne (sur cette distinction, voir E. Anscombe, *L'intention*, § 14 et § 32). Ce point est controversé. Nombre de théories cognitives de l'action intentionnelle estiment, à la suite de Scarle, que la conscience de soi d'un agent est une connaissance que prend l'agent de son état « subjectif ». J'ai cherché à montrer ailleurs pourquoi cette conception était impossible (dans une étude sur Anscombe intitulée « Comment savoir ce que je fais ? ») et je me propose d'y revenir dans un autre ouvrage.

3. Si savoir = pouvoir dire, alors le sujet sait ce qu'il se propose de faire, il connaît ses propres intentions. Si savoir = avoir acquis une information, alors le mot « savoir » n'est pas le bon, car le sujet n'a pas à prendre connaissance de ses propres intentions. En revanche, le sujet peut découvrir et par là prendre connaissance de ses propres inclinations, penchants, idiosyncrasies, affinités, de tout ce qui peut l'inciter à former telle ou telle intention.

4. Voir : Charles Taylor, *Les sources du soi*, chap. 8-9.

5. Cf. E. Anscombe, *L'intention*.

6. « L'action comme expression », dans : Chap. Taylor, *La liberté des modernes*, tr. Ph. de Lara, p. 84.

7. « Dans les formulations originales du cartésianisme et de l'empirisme, je suis conscient des contenus de mon esprit de façon immédiate et transparente. On peut admettre que je suis immédiatement conscient du fait que je veux manger une pomme ou que j'ai l'intention de manger cette pomme. Et que cette conscience ne peut être corrigée. Mais en ce qui concerne les conséquences de ce désir ou de cette intention, c'est-à-dire le fait de manger la pomme, j'en ai connaissance de n'importe quel phénomène extérieur : je l'observe » (Ch. Taylor, « Esprit et action dans la philosophie de Hegel », *La liberté des modernes*, p. 93).

XXI. DOCTRINE DES ACTES COGITATIFS

1. Descartes, *Méditations métaphysiques, Réponses aux Secondes objections*, A.T., IX, 124. (On sait que la traduction française procurée par Clerselier a été revue par Descartes.)

2. Traduction du latin : *ut ejus immediate conscii sumus.*

3. Anthony Kenny, « Cartesian Privacy » (voir aussi son livre *Descartes : A Study of his Philosophy*, p. 44-45 et 68-78). Dans ce qui suit, je me borne à expliciter et à tirer les conséquences de l'application faite par Kenny à Descartes des analyses de Wittgenstein sur les opérations d'identification privée des états mentaux.

4. Comme l'écrit Kenny : « Les deux versions identifient la pensée et la conscience ; mais la version latine du texte voit dans les actes mentaux des espèces de conscience-de-pensée (*thought-consciousness*), alors que la version française y voit des actes accompagnés de conscience-de-pensée » (« Cartesian Privacy », p. 357-358).

5. Il peut sembler bizarre de dire que la grandeur (ou la figure) d'un corps est un *acte* de ce corps, à moins de l'entendre comme un état ou un attribut *actuel.*

6. Il est impossible de dire en quoi consisterait un « acte de compréhension ». En revanche, certains actes peuvent manifester une compréhension de la part du sujet. On dira par exemple que sa réponse montre qu'il a compris ce qu'on lui demandait.

7. Les guillemets veulent marquer que ces adjectifs de nationalité renvoient ici aux deux théories proposées par le texte de Descartes. Je ne veux nullement suggérer que la théorie « française » de Descartes se retrouve ensuite principalement dans la pensée française. (C'est ainsi que Sartre, lorsqu'il expose la théorie husserlienne de l'intentionalité, adopte en fait la théorie « latine » de la *cogitatio.*)

8. Pour connaître, il faut posséder des informations vraies, avoir été informé d'une façon et d'une autre de ce qui existe. Toutefois, selon certaines théories de la connaissance, il suffit pour connaître quelque chose de posséder des opinions qui se trouvent être vraies au sujet de quelque chose et avoir une raison décisive de les tenir pour vraies. Il est généralement admis que ces théories sont problématiques.

9. Husserl, *Méditations cartésiennes*, § 21. Voir aussi le § 14 (tout *cogito* vise quelque chose à sa façon, porte en lui son *cogitatum : ego* se rapporte à telle maison particulière sur le mode perceptif quand il la voit, sur le mode mémoriel quand il s'en souvient, sur le mode apophantique quand il forme des jugements à son sujet, etc.).

10. Cité par P.M.S. Hacker, *Wittgenstein : Mind and Will*, Part II, *Exegesis* § 428-693, p. 300. Une telle généralisation rappelle le mouvement par lequel Descartes élargit la notion de « pensée » au-delà des simples actes de représentation : entre mes pensées (*cogitationes*), écrivait-il, certaines sont comme des idées ou des « images des choses » (*rerum imagines*), d'autres sont ce que j'ajoute à l'idée de la chose, à savoir mon propre rapport à la

chose représentée (*Troisième méditation*, A.T., VII, 37). Par exemple, la pensée comme image représentera un homme ou une chimère, et la pensée comme addition venant du sujet sera que je crois, juge, veux, redoute, espère quelque chose à propos de la chose qui constitue l'objet de ma pensée.

XXII. THÉORIES DE L'INCONSCIENT

1. Comme le dit Kenny, la notion cartésienne de « conscience » est embarrassante parce qu'elle nous demande de parler d'une *conscience de voir* aussi bien dans le cas où je vois effectivement que dans le cas où j'ai seulement l'impression de voir, mais où cette impression est illusoire puisque je ne vois pas vraiment (« *Cartesian Privacy* », p. 357). Il y aurait donc un noyau (neutre) commun aux deux expériences, une donnée immédiate (la « représentation ») à laquelle s'ajouterait, dans certains cas, le « rapport à l'objet » donnant à cette donnée la valeur d'une « perception objective » (par opposition à un « vécu subjectif » de perception). Cette objection, que fait déjà John Austin (*Sense and sensibilia*), a reçu un grand développement dans la philosophie récente de la perception grâce à son développement chez John MacDowell et Hilary Putnam, sous le nom de « critique de l'argument tiré de l'illusion ».

XXIII. LES « VERBES PSYCHOLOGIQUES »

1. Wittgenstein explique ainsi l'asymétrie des verbes qu'il veut rassembler sous le qualificatif du *psychologique* : « Leur caractéristique est qu'on emploie leur troisième personne sur la base d'observations, mais non la première personne » (*Remarques sur la philosophie de la psychologie*, t. I, § 836).
2. Certains auteurs, réfléchissant sur la généalogie des doctrines du sujet conscient de soi, appellent « philosophie de la conscience » la thèse selon laquelle le sujet d'un acte de conscience est une conscience. En ce sens, Descartes n'a pas une « philosophie de la conscience », ni d'ailleurs une « philosophie du sujet ». Comme le souligne É. Balibar, c'est Locke, pas Descartes, qui fait de la conscience « le sujet même de la pensée » (« L'invention de la conscience », p. 39). Je préfère ne pas employer ainsi les qualificatifs, car — comme cela devrait ressortir de l'ensemble du présent exposé —, il me paraît impossible d'expliquer quelle est la thèse que Descartes n'a pas encore soutenue et qui n'apparaît qu'avec Locke. Il n'est pas certain que la suite de mots « la conscience est le sujet même de la pensée » ait reçu un sens qui permettrait d'y voir une proposition, une thèse susceptible d'être discutée. Pour ma part, j'appelle « philosophie de la

conscience » une doctrine des actes cogitatifs : tous les verbes psychologiques sont des verbes de conscience vécue.

3. « Events in the Mind », repris dans son livre *Metaphysics and the Philosophy of Mind*, p. 63.

XXV. DEVENIR SOI-MÊME

1. « L'état du sujet aujourd'hui » (repris dans *Le monde morcelé*, p. 189-225). Voir aussi les exposés du séminaire de Castoriadis à l'École des Hautes Études en Sciences Sociales (1986-1987) publiés sous le titre *Sujet et vérité*.

2. *Le monde morcelé*, p. 143.

3. Dans *L'institution imaginaire de la société* (p. 138 sq.), Castoriadis citait déjà ce dicton de Freud. Il en esquissait ensuite une interprétation « lacanienne » : l'inconscient, c'est en fait le « discours de l'Autre », et cela veut dire que le but d'une cure psychanalytique est de *remplacer* chez le patient (ou « analysant ») l'adhésion aux paroles décisives des autres (parents, etc.) sur soi par la profération d'un discours assumé en première personne. Cette opposition des deux discours sur soi, l'un aliénant et aliéné, l'autre responsable de soi et émancipateur, trouve sa source dans la « philosophie de l'existence humaine » (cf. *infra*, chap. 27).

4. Voir *Le monde morcelé*, p. 142, avec la référence à l'article de Freud intitulé « Analyse terminale et analyse interminable ».

5. Castoriadis écrit par exemple que « le patient est l'agent principal du processus psychanalytique » (*Le monde morcelé*, p. 145).

6. *Ibid.*, p. 146. Voir Aristote, *Politique*, III, 4, 1277a. Je reviendrai sur le concept d'autonomie au chapitre 40.

7. Il lui arrive de reprendre à son compte l'idée que la conscience de soi consiste dans une activité intrinsèquement réfléchie : « dans la réflexivité nous avons quelque chose de différent : la *possibilité que la propre activité du "sujet" devienne "objet"*, *l'explicitation de soi* comme un *objet non objectif*, ou comme *objet simplement par position et non par nature* » (*Le monde morcelé*, p. 211).

XXVI. EXISTER POUR SOI

1. *Wittgenstein's Lectures, Cambridge 1932-1935*, from the Notes of Alice Ambrose and Margaret Macdonald, p. 62.

2. Je reconnais volontiers que l'interprétation que je propose me fait écarter divers éléments de la doctrine du sujet qu'on trouve chez Castoriadis, et auxquels il s'est toujours montré attaché (à tort, selon moi). Il n'aurait donc sans doute pas approuvé la séparation, que je propose, d'une

part « aristotélicienne » de sa pensée (la seule dont je puisse faire quelque chose) et d'une part « fichtéenne » (dans laquelle se concentre, selon moi, l'apparence d'une « impossibilité » logique, relevée par Castoriadis lui-même, du projet d'autonomie).

3. *Le monde morcelé*, p. 145.

4. *Ibid.*, p. 194.

5. *Ibid.*, p. 196.

6. *Les carrefours du labyrinthe*, Paris, Seuil, 1978, p. 181.

7. « Le système immunitaire de chaque individu est un système sélectif somatique composé de molécules, de cellules et d'organes spécialisés. En tant que système, il est capable de distinguer entre soi et non-soi. Par exemple, il est chargé de détecter les caractéristiques chimiques des envahisseurs bactériens et viraux (le non-soi) et d'y réagir. Autrement, ces envahisseurs viendraient à bout des ensembles de systèmes cellulaires des individus (le soi) » (Gerald M. Edelman, *Biologie de la conscience*, trad. Ana Gerschenfeld, p. 101). Ce que le neurobiologiste appelle en termes fichtéens distinction entre le soi et le non-soi, nous pouvons aussi l'appeler, plus simplement, discrimination (faite dans le monde extérieur) entre le bienfaisant pour soi et le nuisible pour soi.

8. La volonté est « la capacité d'action délibérée, au sens fort de ce terme » (*Le monde morcelé*, p. 195). La volonté est donc la capacité à faire quelque chose, par exemple sortir (ou rester) délibérément, ce qui veut dire qu'elle n'est pas le pouvoir de poser des « volitions » et encore moins d'éprouver des états de conscience volitifs. Par « délibérée, au sens fort de ce terme », je comprends que l'auteur nous invite à nous souvenir ici de l'analyse aristotélicienne de la délibération.

XXVII. EXISTER À LA PREMIÈRE PERSONNE

1. *L'être et le néant*, p. 98.

2. E. Levinas, *En découvrant l'existence avec Husserl et Heidegger*, p. 98. Levinas indique aussi que cette conception dérive d'une interprétation de la pensée comme étant une transition de soi à l'objet. Le verbe « exister » est substitué à un verbe « intentionner » qui remplace lui-même le *cogitare* de Descartes. De même que la pensée est pensée de quelque chose, de même le verbe « exister » doit prendre, non pas un attribut, mais un complément d'objet (*ibid.*, p. 98). « Sur le plan des catégories, la nouveauté de la philosophie de l'existence nous apparaît dans la découverte du caractère transitif du verbe "exister". On ne pense pas seulement quelque chose, on existe quelque chose » (*ibid.*, p. 100). L'existentialisme apparaît alors comme un rejeton de l'idéalisme qui, non content de réduire l'objet à la représentation, a voulu placer les représentations hors du sujet. En fait, il ne pouvait qu'échouer dans sa tentative, car le verbe « penser » est certes intentionnel, mais cela l'empêche justement d'être transitif. Si je pense que Pégase est le cheval ailé de Persée, je pense quelque chose, mais ma pensée ne me transporte vers aucun objet, et la question ne se pose donc pas de savoir si,

non content de penser ma pensée de Pégase, j'existe de façon existentielle ma pensée de Pégase. L'intérêt de cette explication de Levinas est de révéler la filiation conduisant de la philosophie de la conscience (de Descartes à Husserl) à la philosophie de l'existence. On retrouve exactement le même postulat (inadmissible) : une seule structure pour tous les verbes psychologiques (cf. *supra*, chap. 23).

3. Ernst Tugendhat, *Conscience de soi et autodétermination*, trad. Rainer Rochlitz, p. 174.

4. *Ibid.*, p. 136. Sur les notions de connexion prédicative et de connexion signifiante non prédicative, voir *supra*, chap. 7, note 2.

5. Comme beaucoup des lecteurs de ce livre de Tugendhat, je lui dois d'avoir compris que prendre véritablement au sérieux le travail spéculatif de toute la tradition philosophique (des Grecs jusqu'à l'idéalisme allemand et la phénoménologie), c'était s'imposer à soi-même une tâche d'élucidation de type logique et linguistique, et, par conséquent, ne pas s'en tenir à une réappropriation « herméneutique ».

6. *Recherches philosophiques*, § 90.

7. L'emphase dans le style et les excentricités du vocabulaire sont en réalité « l'envers d'une absence d'élucidation analytique » (Tugendhat, *op. cit.*, p. 177).

8. Tugendhat, lui-même bon connaisseur d'Aristote, se réfère surtout à Anthony Kenny (*Action Emotion and Will*, 1963). Ce dernier se rattache à Wittgenstein, non seulement par son étude personnelle de ce philosophe, mais également à travers l'enseignement d'Elizabeth Anscombe.

9. *Conscience de soi et autodétermination*, p. 144.

10. *Ibid.*, p. 27-28.

11. Tugendhat citant la recension de Jaspers par Heidegger, *Selbstbewußtsein und Selbstbestimmung*, p. 36.

12. Le terme *Vorhandenheit* est rendu de façon obscure dans les traductions françaises de Heidegger, car les traducteurs veulent à tout prix conserver l'allusion étymologique au mot « main » (*Hand*), ainsi que le contraste que fait par ailleurs Heidegger entre le statut de ce qui est devant soi (*vorhanden*) et celui des choses qui sont « à portée de main » (*zuhanden*). Toutefois, il faut avouer que les équivalents proposés (« être là devant », « être à portée de main ») sont en général impossibles tant du point de vue syntaxique que du point de vue de la simple intelligibilité du texte. Françoise Dastur fait remarquer que le préfixe *vor-* marque ici plutôt l'antériorité (des faits qui, s'ils sont donnés, le sont avant l'énoncé par lequel on les rapporte) que la position devant (cf. son étude *Heidegger et la question du temps*, p. 124). Rien n'interdit donc de traduire par « présence de fait » (*ibid.*, p. 121), ce qui indique bien le caractère « donné par avance » de ce qui est « déjà présent », « disponible » (*ibid.*, p. 79).

13. *Conscience de soi et autodétermination*, p. 150.

14. *Ibid.*, p. 153. Tugendhat discute ici le § 9 de *Être et temps*.

15. *Ibid.*, p. 151. J'ai modifié la traduction pour tenir compte des usages de la philosophie analytique en français. En allemand, le mot *Satz* désigne aussi bien la phrase, l'énoncé que la proposition. L'usage étant en français de réserver le mot « proposition » aux phrases déclaratives susceptibles d'être vraies ou fausses, il convient d'éviter de traduire *Absichtsatz* par « proposition intentionnelle » puisque l'auteur soutient justement que la phrase

par laquelle j'annonce ce que je ferai n'est pas un énoncé vrai ou faux, mais plutôt une directive que je me donne à moi-même. En revanche, si l'on croit (comme moi), que l'énoncé par l'agent de son intention est un discours qui sera vrai ou faux selon que l'agent exécutera ou non son intention, on sera prêt à dire qu'une phrase déclarant une intention est bel et bien une « proposition d'intention ».

16. *Recherches philosophiques*, § 629.

17. *Recherches philosophiques*, II, XI, Blackwell, p. 224.

18. Je reprends ici les vues d'Elizabeth Anscombe dans *L'intention*, § 31 et § 52.

19. Sur ce point, Jocelyn Benoist fait une remarque qui me semble très juste : « D'une certaine façon, dans le dépassement même de l'idéalisme moderne, hautement proclamé, Heidegger ne fait qu'approfondir ce fait qui veut que les choses ne "soient" que pour quelqu'un. Mais en même temps, l'interprétation qu'il en propose modifie profondément la portée de cet énoncé et dans cette mesure même le sens de la "subjectivité" qui s'y joue. Le déplacement d'accentuation est le suivant : *l'être n'est pas "pour" nous, mais nous sommes "pour" l'être* » (« La subjectivité », p. 540). Est-ce un fait que les choses ne *sont* qu'en étant *pour quelqu'un* ? Il me semble que cela est vrai, mais tautologique, dès qu'on restreint cette subjectivité aux choses qui « sont » au sens où elles sont *dites* être, c'est-à-dire où *il est dit* qu'elles sont (comme le suggèrent peut-être les guillemets de l'auteur). Malheureusement, il ne suffit pas qu'une chose « soit » (= qu'il soit dit par quelqu'un qu'elle est) pour qu'elle soit. Encore moins suffit-il qu'une chose soit pour qu'elle « soit », sinon il faudrait se demander *où était* la chose dont on vient de découvrir l'existence alors qu'elle était, mais n'« était » pas (puisque personne n'avait encore jamais dit qu'elle était).

XXVIII. LA CONFRONTATION À SOI

1. *Ibid.*, p. 137-148.

2. Nous disons « passé simple » et « passé composé », mais ce sont là des notions morphologiques plutôt que syntaxiques. À noter que les auteurs de Port-Royal appellent « passé indéfini » ce qui correspond à l'aoriste grec, c'est-à-dire quelque chose que nos grammaires scolaires d'aujourd'hui qualifient de « passé défini » (*Il écrivit*). De même, ils appellent « prétérit défini » ce qui correspond au parfait du grec (*il a écrit*), alors que ce temps reçoit aujourd'hui le nom de passé indéfini. Benveniste a noté cette incongruité (*Problèmes de linguistique générale*, t. I, p. 239, note) en revenant à la notion d'aoriste pour la forme *il écrivit*.

3. *Grammaire de Port-Royal*, p. 118-119. Voir sur ce point Jean-Louis Gardies, *Essai d'une grammaire pure*, p. 145.

4. Il est possible qu'en principe cette totalité diachronique dans laquelle nous avons notre place puisse s'étendre à l'histoire universelle.

5. La locution latine *paulo post* signifie « peu après ».

XXIX. LE CHOIX DE SOI-MÊME

1. Sartre, *L'être et le néant*, p. 547.
2. *Pensées*, éd. Brunschvicg, 477 (Lafuma 420).
3. *Phénoménologie de la perception*, p. 409-410.
4. *Ibid.*, p. 410-411.
5. Voir sa remarque brève, mais décisive, sur la tentation solipsiste du philosophe dans les *Recherches philosophiques* (§ 24) : au lieu de s'exprimer directement en disant des choses telles que « Il va pleuvoir » ou « La porte est fermée », nous pourrions nous imposer de toujours dire « Je pense qu'il va pleuvoir » ou « Je pense que la porte est fermée ». Cette transcription (qui, en réalité, ne change rien aux conditions de vérité des énoncés) pourrait donner l'impression (à des philosophes déjà inclinés à développer de telles doctrines) que tous les énoncés portent en réalité sur la personne du locuteur. Dire « Il va pleuvoir », ce serait décrire ma vie subjective, puisqu'il faudrait traduire « Je pense qu'il va pleuvoir », de sorte que le véritable sujet de prédication n'est pas la pluie, mais le penseur.
6. Il faudrait traduire : le fait de se rapporter à soi (*das Sichzusichverhalten*).
7. Heidegger, *Sein und Zeit*, p. 188.
8. *Conscience de soi et autodétermination*, p. 162. La traduction de Rochlitz explicite la référence à un sujet, là où Tugendhat se borne à reproduire le glissement qui s'opère — comme par un tour de prestidigitation — dans le texte heideggérien : « *wer (wie) ich sein werde* », autrement dit : « dans cet acte, je détermine qui (comment) je serai » (cf. *Selbstbewußtsein und Selbstbestimmung*, p. 196).
9. *Conscience de soi et autodétermination*, p. 192.

XXX. LA RACINE DE LA LIBERTÉ

1. E. Tugendhat, *Conscience de soi et autodétermination*, p. 244-245.

XXXI. LE SOUCI DE SOI-MÊME

1. Ce que le prédicateur enseigne à tous en s'exprimant dans l'élément de la « représentation » (*Vorstellung*), à l'aide de paraboles et d'images, le philosophe l'enseigne à ceux qui peuvent le suivre dans l'élément du pur « concept », ce qui veut dire qu'il entend se servir uniquement de termes mutuellement définis au sein d'une « logique » qui doit couvrir l'ensemble

de ce qui est concevable en partant de la simple idée de quelque chose à concevoir (l'être de quelque chose).

2. « Le droit de la particularité du sujet à trouver sa satisfaction, ou, ce qui revient au même, le droit de la liberté subjective, constitue le point critique et central qui marque la différence entre les temps modernes et l'antiquité. Ce droit, dans son infinité, a été exprimé dans le christianisme et est devenu le principe universel réel d'une nouvelle forme du monde » (*Philosophie du droit*, § 124, Remarque, trad. Robert Derathé). On se souvient que, pour Hegel, le concept même de sujet est apparu dans la théologie trinitaire chrétienne, laquelle a conçu la vie divine comme celle d'un Esprit, c'est-à-dire d'une substance qui est aussi sujet puisqu'elle possède en elle-même l'être-autre et l'être-pour-soi. « Le fait que (...) la substance soit essentiellement sujet est exprimé dans la représentation qui énonce l'absolu comme esprit : concept sublime entre tous et qui appartient bien à l'époque moderne et à sa religion » (*Phénoménologie de l'esprit*, Préface, trad. Jean-Pierre Lefebvre, p. 42).

3. Bien entendu, un hégélien accepterait de dire que, dès l'Antiquité, la question du sujet a été posée *implicitement*, par les Sophistes, par les Stoïciens et par les Sceptiques. D'après lui, l'émergence de ces courants philosophiques manifeste l'épuisement de la belle totalité civique, qui n'est plus capable de donner satisfaction à toutes les aspirations de la conscience individuelle.

4. D'après Charles Taylor, l'injonction « prends soin de toi-même » a sous l'Antiquité un sens qui ne nécessite pas le passage au « point de vue de la première personne ». L'individu doit s'occuper de ce qui est vraiment important (de son « âme »), mais pas d'un soi. La « réflexivité radicale » ne se rencontre pas avant saint Augustin (*Les sources du soi*, chap. 7). Je reviendrai sur la controverse historique dans le chap. 33 (« L'individu hors du monde »).

5. Michel Foucault, *L'herméneutique du sujet*, Paris, Gallimard et Seuil, 2001, p. 39-40. Pour la question portant sur *auto to auto*, voir, dans l'*Alcibiade*, 130d qui reprend 129b.

6. « L'anthropologie est cette interprétation de l'homme qui sait déjà, en principe, ce qu'est l'homme *(was der Mensch ist)*, et qui, pour cette raison, ne peut jamais se demander qui il est *(wer er sei)* » (M. Heidegger, *Holzwege*, p. 103 ; trad. W. Brokmeier modifiée dans : Heidegger, *Chemins qui ne mènent nulle part*, p. 99).

7. *Métaphysique*, VII, chap. 4, 1029b 13-1b

8. Foucault, *op. cit.*, p. 53.

9. *Ibid.*, p. 51.

XXXII. LA SUBJECTIVATION DE SOI PAR SOI

1. *L'herméneutique du sujet*, p. 467.

2. Qu'est-ce que Foucault entend par la philosophie ? Il est remarquable que la définition qu'il en propose soit au fond celle du néo-kantisme. La

philosophie pose la question des conditions de possibilité de la connaissance. « Appelons "philosophie", écrit-il, la forme de pensée qui s'interroge sur ce qui permet au sujet d'avoir accès à la vérité, la forme de pensée qui tente de déterminer les conditions et les limites de l'accès du sujet à la vérité » (*ibid.*, p. 16). Bien entendu, cette définition apparaît trop courte et doit donc être complétée. Foucault nous invite alors à reconnaître, derrière la tradition occidentale d'une réflexion sur les conditions d'un accès à la vérité qu'on cherchera dans des méthodes générales et des procédures impersonnelles, une tradition qui relève de la *spiritualité*. La visée spirituelle est de transformer le sujet lui-même pour le rendre capable d'accueillir une vérité conçue comme une illumination salvatrice et non plus un savoir de l'objet. L'inconvénient de l'une et l'autre explication de ce qu'a représenté la philosophie dans l'histoire occidentale est de faire d'Aristote une exception, bien que, comme l'admet Foucault, il ait pu passer longtemps pour « le philosophe » (*ibid.*, p. 19), c'est-à-dire pour le représentant le plus exemplaire des capacités de la raison naturelle.

3. *L'usage des plaisirs*, p. 40.

4. *L'herméneutique du sujet*, p. 316-317.

5. *Ibid.*, p. 206.

6. *Ibid.*, p. 476 (texte du résumé du cours rédigé par Foucault lui-même).

7. *Ibid.*, p. 52-53.

8. *Ibid.*, p. 205 (voir aussi p. 82-83). Dans *Le souci de soi* (p. 90-92), Foucault renvoie à divers textes de Sénèque.

9. *Ibid.*, p. 251.

10. *Ibid.*, p. 125.

11. Nous avons vu comment, selon Castoriadis, il n'y avait aucun cercle vicieux à reconnaître qu'en un sens, la capacité à l'autonomie ne peut s'acquérir que par son propre exercice (cf. *supra*, chap. 25).

12. Sénèque, *Lettres à Lucilius*, LII.

13. Foucault, *L'herméneutique du sujet*, p. 128.

14. Impossible en effet de ne pas penser ici à la façon dont Hegel définit la volonté libre comme une volonté dont l'objet est la volonté libre. « Ce n'est que dans la mesure où elle [la volonté] se prend elle-même pour objet qu'elle est pour soi ce qu'elle est en soi [à savoir libre] » (Hegel, *Philosophie du droit*, § 10, trad. R. Derathé).

15. *L'herméneutique du sujet*, p. 129.

16. *Le souci de soi*, coll. Tel, p. 91.

17. Dans *Le souci de soi* (p. 92), Foucault cite la traduction par F. Préchac et H. Noblot publiée aux Belles-Lettres du texte suivant : « *Ad verum bonum specta et de tuo gaude. Quid est autem hoc, de tuo ? Te ipso, et tui optima parte* » (*Lettres à Lucilius*, XXIII).

18. *Le souci de soi*, p. 92.

19. Article « Sénèque » du *Dictionnaire d'éthique et de philosophie morale*, dir. Monique Canto-Sperber, p. 1368.

20. Cf. *Qu'est-ce que la philosophie antique ?* p. 307. Hadot y renvoie à la *Doctrine de la vertu* de Kant. Je reviendrai sur l'image du tribunal intérieur au chapitre 39.

21. *La citadelle intérieure*, p. 198.

22. Hadot, *ibid.*, p. 197.

XXXIII. L'INDIVIDU HORS DU MONDE

1. *Le souci de soi*, p. 58-60.

2. *Ibid.*, p. 112. Pour une défense de l'interprétation politique du stoïcisme, voir l'étude de Maria Daraki, *Une religiosité sans Dieu, essai sur les stoïciens d'Athènes et saint Augustin*.

3. « Il y a enfin des sociétés ou des groupes dans lesquels le rapport à soi est intensifié et développé sans que pour autant ni de façon nécessaire les valeurs de l'individualisme ou de la vie privée se trouvent renforcées » (*ibid.*, p. 60).

4. Pour se donner un point de vue authentiquement *comparatif*, il faut mettre en correspondance les affirmations des uns et les affirmations des autres, et non pas, d'un côté, notre vive conscience de telle ou telle valeur et, de l'autre, l'absence ou la faiblesse d'une telle conscience chez les autres, avec pour conséquence notre supériorité sur eux. (Ni d'ailleurs opposer la présence chez les Anciens de tel ou tel sentiment de la valeur de quelque chose d'appréciable, sentiment qui manque chez nous, pour conclure à la supériorité des Anciens.) Dumont tire la règle de la comparaison anthropologique de ce précepte de Mauss : « L'explication est terminée quand on a vu qu'est-ce que les gens croient et pensent, et qui sont les gens qui croient et pensent cela » (cité dans ses *Essais sur l'individualisme*, p. 177). Pour avoir une formule complète du principe comparatif, il suffit, écrit-il, d'ajouter la précision qui reste sous-entendue dans la règle de Mauss : « par rapport à nous qui croyons ceci » (*ibid.*, p. 13).

5. *Homo hierarchicus*, p. 22 ; *Essais sur l'individualisme*, p. 68. Dumont renvoie à une remarque de Weber dans *L'Éthique protestante et l'esprit du capitalisme*, p. 122, n. 23. Weber note que le débat historique (sur le caractère individualiste ou non du Moyen Âge) souffre de ce que le terme « individualisme » est indéterminé. On discute pour savoir si l'individu est déjà là au Moyen Âge ou s'il apparaît à la Renaissance, mais tout dépend de ce qu'on appelle « individu ». Ce jugement de Weber, semble-t-il, vaut aussi pour l'historiographie récente, si l'on en croit une recension par Alain Boureau (« Un royal individu », *Critique*, 1996, n° 593, p. 845-857) du *Saint Louis* de Jacques Le Goff (Paris, Gallimard, 1996).

6. *Homo aequalis*, p. 17. Dans *Homo hierarchicus*, la distinction est exprimée ainsi : « 1. L'agent empirique, présent dans toute société, qui est à ce titre la matière première principale de toute sociologie 2. L'être de raison, le sujet normatif des institutions ; ceci nous est propre, comme en font foi les valeurs d'égalité et de liberté, c'est une représentation idéelle et idéale que nous avons » (*op. cit.*, p. 22).

7. Voir Louis Dumont, *Homo hierarchicus*, p. 236-237. Dumont emprunte la notion de « discipline de salut » à La Vallée Poussin, qui distinguait, à propos du bouddhisme, la religion proprement dite (des laïcs) et la discipline de salut (des moines), autrement dit la religion individuelle du renonçant (*ibid.*, p. 336).

8. *Le souci de soi*, p. 59.

9. L. Dumont, *Essais sur l'individualisme*, p. 36.

10. Cf. *infra*, chap 34 (« L'esprit du monde »).

11. *Économie et société*, p. 555.

12. Voir la présentation de Jean-Pierre Grossein à sa traduction de Max Weber, *Sociologie des religions*, en particulier p. 102.

13. *Homo hierarchicus*, p. 235-236.

14. *La civilisation indienne et nous*, p. 56.

15. Voir les auteurs cités plus haut à la note 7.

16. *Homo hierarchicus*, p. 235.

17. Dumont pense ici aux doctrines du droit naturel moderne et aux théories de l'économie politique libérale (voir son étude sur la constitution de la catégorie d'économie dans *Homo aequalis*).

18. *Homo hierarchicus*, p. 328.

19. L. Dumont, *L'idéologie allemande*, p. 209. Le rapprochement entre la *bhakti* indienne et le piétisme est dû à Weber qui écrit : « La "bhakti" entretenait à peu près la même relation avec la sotériologie intellectuelle de l'ancienne religiosité des Bhagavata que le piétisme, notamment le piétisme de Zinzendorf, avec l'orthodoxie de Wittemberg aux XVIIᵉ et XVIIIᵉ siècles » (*Hindouisme et bouddhisme*, p. 492).

XXXIV. L'ESPRIT DU MONDE

1. *Œuvres complètes de Bossuet*, t. VII, Outhenin-Chalandre fils, éditeur Besançon et Paris, 1840, p. 130-144.

2. *L'herméneutique du sujet*, p. 241.

3. *Ibid*. Je reviens plus loin sur l'impasse d'une politique qui se voudrait entièrement fondée sur le seul rapport à soi (cf. chap. 47 : « L'individu politique »).

XXXV. L'INVENTION DU BIEN
AU SENS MORAL

1. Cf. les contributions de Louis Dumont (« Absence de l'individu dans les institutions de l'Inde ») et de Pierre Hadot (« De Tertullien à Boèce : le développement de la notion de personne dans les controverses théologiques ») au colloque « Problèmes de la personne » (sous la direction d'Ignace Meyerson).

2. L. Dumont, *Essais sur l'individualisme*, p. 38-39.

3. *Le système stoïcien et l'idée de temps*, p. 183-184.

4. Émile Bréhier, *Histoire de la philosophie*, t. I, p. 374.

5. Cicéron *Premiers Académiques*, II, 42 (trad. É. Bréhier revue par V. Goldschmidt, dans : *Les Stoïciens*, Bibliothèque de la Pléiade, p. 248).

6. Jacques Brunschwig, « Stoïcisme ancien » (dans : *Dictionnaire d'éthique et de philosophie morale*, dir. Monique Canto-Sperber, p. 1460A).

7. É. Bréhier, *Chrysippe et l'ancien stoïcisme*, p. 223.

8. *Lettres à Lucilius*, n° XCIV, texte établi, traduit et annoté par François et Pierre Richard, p. 13.

9. Hadot, *La citadelle intérieure*, p. 205.

10. Jacques Brunschwig (*op. cit.*, p. 1459), qui propose ces traductions, note que la traduction usuelle par « devoir » (qui passe par le mot latin « *officium* ») introduit une nuance déontologique qui n'existe pas en grec.

11. « L'indifférence à l'égard de la "matière", de l'argument, du "texte", veut que le sage soit, non plus acteur, mais simple "spectateur" en face du monde et des événements, et qu'il se contente de contempler là où le vulgaire "agit" et s'agite » (V. Goldschmidt, *op. cit.*, p. 183).

12. Jacques Brunschwig, « Stoïcisme ancien » (dans : *Dictionnaire d'éthique et de philosophie morale*, dir. Monique Canto-Sperber, p. 1459B).

13. Je ne crois pas possible de justifier la différence qu'on veut parfois trouver entre le mot « morale » et le mot « éthique » (comme si, par exemple, la morale était toujours le code universel des prescriptions universelles alors que l'éthique serait la recherche personnelle d'un sens de la vie et de valeurs pour l'orienter).

14. Marc-Aurèle, *Pensées*, II, 5, 1 (cité et traduit par Goldschmidt, *Le système stoïcien*, p. 169).

15. É. Bréhier, *Histoire de la philosophie*, t. I, p. 377.

16. Dumont, *Essais sur l'individualisme*, p. 45.

17. *Ibid.*, p. 44.

18. *Ibid.*, p. 47.

XXXVI. SE CONTRAINDRE SOI-MÊME

1. *Métaphysique des mœurs*, trad. Alain Renaut, p. 217. Kant indique ici que se recoupent les deux notions de *Nötigung* et de *Zwang* (traduites respectivement par « coercition » et « contrainte »).

2. *Ibid.*, p. 220, note.

3. Paul Girard, *Manuel élémentaire de droit romain*, p. 458, n. 2. L'auteur commente ainsi la distinction entre *déterminer* la volonté et la *supprimer* : « Il y a, dit-on, seulement une *vis impulsiva*, qui détermine à vouloir, par opposition à la *vis physica*, exclusive du consentement, comme est par exemple celle commise quand on force une personne à signer en lui tenant la main » (*ibid.*).

4. Voir E. Anscombe, *L'intention*, § 36.

5. Tesnière note qu'en latin on peut employer le verbe *cogere* dans une fonction d'auxiliaire causatif, mais que ce verbe conserve sa pleine signification (« forcer ») : *Eum fugere coegit*, « il le força à s'enfuir » (*Éléments de syntaxe structurale*, p. 266-267).

XXXVII. S'OBLIGER SOI-MÊME

1. *Métaphysique des mœurs*, p. 267.

2. Voir Jérôme Schneewind, *L'invention de l'autonomie* (l'index donne, à la rubrique « devoirs envers soi-même », les références à différents auteurs).

3. *Doctrine de la vertu*, § 2 (*Métaphysique des mœurs*, p. 268). L'expression allemande rend peut-être plus sensible la notion d'une dette à payer (« *Ich bin es mir selbst schuldig* »).

4. Kant parle du *subjectum obligationis* au sens scolastique où l'on dira que le bloc de marbre que travaille le sculpteur est le « sujet du changement », et il l'oppose à l'auteur de l'obligation. Mais, quand il dit que, dans le cas présent, tous deux sont *einunddasselbe Subjekt*, il veut dire qu'ils sont un seul et même homme.

5. *Doctrine de la vertu*, § 1 (*Métaphysique des mœurs*, p. 267).

6. *Obligatio est juris vinculum, quo necessitate adstringimur alicujus solvendae rei secundum nostrae civitatis jura* (*Institutes*, III, 13 ; cité par Paul Girard, *Manuel élémentaire de droit romain*, p. 385).

7. On peut penser ici, dit-il, aux « obligations » au sens des valeurs boursières (voir « Métamorphoses de l'obligation », dans : M. Villey, *Critique de la pensée juridique moderne*, p. 208). Cet essai de Villey n'est pas seulement important pour l'histoire du concept romain d'obligation, mais pour une compréhension de la logique de l'obligation comme telle. Villey souligne que les « liens de droit » en vertu desquels une personne possède un pouvoir légitime de coercition sur une autre (*actio in personam*) naissent de certains faits (délits, prêts, promesses de vente, etc.) en vertu du contexte constitué par le droit (« *secundum nostræ civitate jura* »). Il y a donc, dit-il, un *cercle vicieux* à vouloir fonder les institutions politiques et le droit sur des obligations contractuelles, puisqu'il n'y a d'obligations qu'en vertu d'un droit déjà existant. « L'obligation contractuelle ne peut fonder la valeur du droit puisque c'est le droit qui fonde la valeur de l'obligation contractuelle » (*ibid.*, p. 213).

8. Pothier, *Traité des obligations*, art. prélim., cité par Littré à l'article « Obligation », n° 4. Villey commente cette définition dans son étude (*op. cit.*, p. 210).

XXXVIII. PHILOSOPHIE DES VERBES SOCIOLOGIQUES

1. « Notes for Lectures on "Private Experience" and "Sense Data" » (dans : Wittgenstein, *Philosophical Occasions*, p. 208).

2. *Éléments de syntaxe structurale*, chap. 106.

XXXIX. SE JUGER SOI-MÊME

1. On pourra compléter cette remarque de Kant par une autre qui soup-
çonnera au contraire le procès d'être perdu d'avance : si l'accusateur est
en même temps le juge, alors c'est l'accusé qui risque de se voir immanquablement condamné, quel que soit son plaidoyer.
2. *Métaphysique des mœurs*, trad. p. 296.
3. *Ibid.*, note.
4. *Ibid.*, p. 297.
5. « Si elle ne doit pas entrer en contradiction avec elle-même, la
conscience morale doit nécessairement concevoir, comme juge de ses
actions, un *autre* (*einen Anderen*) qu'elle-même (à savoir l'homme en général) » (*ibid.*, p. 296).
6. La construction réduplicative consiste à préciser à quel titre un
individu A possède le prédicat « C » selon un schéma : « A, *en tant que B*,
est C. »

XL. L'AUTORITÉ SUR SOI-MÊME

1. *Le monde morcelé*, p. 146.
2. Francis Goyet fait remarquer qu'au XVIᵉ siècle on persistait, comme au
temps d'Aristote, à concevoir la prudence (vertu éthique) sur le modèle
politique d'une vertu du Prince, alors que les auteurs du XXᵉ siècle, même
s'ils tirent leur inspiration d'Aristote, font le mouvement inverse, comme si
le « gouvernement de soi-même » pouvait être le modèle du gouvernement
de la cité (voir son étude « Prudence et "Panurgie" : le machiavélisme est-il
aristotélicien ? » p. 13-34). Il cite un auteur qui écrit que nous sommes « les
rois de nous-mesmes et de nos familles » (Pierre de Lostal), ce qui montre
bien que tout le vocabulaire s'applique d'abord à la souveraineté du
Prince dans la cité avant de s'appliquer analogiquement au pouvoir que
chacun peut exercer sur ses impulsions.
3. Aristote écrit : « On loue le fait d'être capable aussi bien de gouverner
que d'être gouverné, et il semble que d'une certaine manière l'excellence
d'un bon citoyen soit d'être capable de bien commander et de bien obéir »
(*Politiques*, III, 1277a 26-27, trad. P. Pellegrin).
4. « État social et politique de la France avant et depuis 1789 » (dans :
Alexis de Tocqueville, *Œuvres complètes*, t. II, *L'Ancien Régime et la Révolution*).
5. P. Manent, *Tocqueville et la nature de la démocratie*, p. 37. L'auteur explique fort bien comment Tocqueville peut passer par la référence romaine
pour caractériser la notion « aristocratique » de la liberté (*ibid.*, p. 38-39).

XLI. LA LIBERTÉ COMME INDÉPENDANCE
ET COMME AUTONOMIE

1. *De la démocratie en Amérique*, II, p. 105-106.
2. Article « Liberté » du *Dictionnaire de philosophie politique*, sous la direction de Philippe Raynaud et Stéphane Rials, p. 347.
3. Alain Renaut, *L'ère de l'individu*, chap. 2 : « Louis Dumont, le triomphe de l'individu ».
4. Voir L. Dumont, *Essais sur l'individualisme*, p. 97.
5. « Du contrat social ou essai sur la forme de la République » (dans : J.-J. Rousseau, *Œuvres complètes*, t. III, p. 283). Dans ce chapitre intitulé « De la société générale du genre humain », Rousseau critique les doctrines jusnaturalistes du lien social dans une discussion serrée de l'article « Droit naturel » rédigé par Diderot pour l'*Encyclopédie*. Je reviendrai au chapitre suivant sur les raisons qui conduisent à tenir Rousseau pour un précurseur de la sociologie.
6. « Il est certain que le mot de *genre humain* n'offre à l'esprit qu'une idée purement collective qui ne suppose aucune union réelle entre les individus qui le constituent » (Rousseau, *ibid.*). Rousseau prend ici congé de toute la tradition de la *lex naturæ* et d'une socialité humaine réduite à une bienveillance spontanée de l'être humain envers son semblable ou à des instincts de sociabilité.
7. A. Renaut, *L'ère de l'individu*, p. 82-83.
8. Voir *L'ère de l'individu*, p. 105-111, sur les deux interprétations possibles de l'*ego* cartésien (comme étant individué ou non).

XLII. LÉGIFÉRER POUR SOI-MÊME

1. Sur la distinction de l'individu au sens « empirique » (l'exemplaire, s'il existe, du genre) et de l'individu au sens « normatif » (l'être qui veut individualiser ses fins), voir *supra*, chap. 33.
2. Sur les notions de « corps moral et collectif », de « personne morale » et sur le fait que l'État n'est ontologiquement qu'un être de raison, donc si l'on veut une fiction rationnelle, voir les commentaires et les références données par Derathé dans son édition des écrits politiques de Rousseau de la Bibliothèque de la Pléiade (*Œuvres complètes*, t. III, p. 1446, n. 5).
3. R. Derathé, dans Rousseau, *op. cit.*, p. 1447, n. 3.
4. Rousseau reprend ce point dans l'*Émile* : « Les bonnes institutions sociales sont celles qui savent le mieux dénaturer l'homme, lui ôter son existence absolue pour lui en donner une relative, et transporter le *moi* dans l'unité commune ; en sorte que chaque partie ne se croie plus un, mais partie de l'unité, et ne soit plus sensible que dans le tout » (*Œuvres complètes*, t. IV, p. 249).

5. A. Renaut s'est mépris sur ce point : il attribue à Dumont l'opinion selon laquelle la volonté générale selon Rousseau préfigurerait le totalitarisme (*L'ère de l'individu*, p. 79). Pourtant, si l'on se reporte au texte de Dumont qu'il cite (*Essais sur l'individualisme*, p. 99), on voit que le passage en question, loin d'exprimer la pensée de Dumont, ne fait que signaler une lecture de Rousseau qui existe et qu'il s'agit pour lui de réfuter, afin de faire ressortir la profondeur philosophique de la solution de Rousseau dès qu'elle n'est plus interprétée en termes de politique artificialiste.

6. Louis Dumont, *Essais sur l'individualisme*, p. 98.

7. *Ibid.*, p. 99.

8. Durkheim écrit ce commentaire pénétrant : « Puisque la volonté générale se définit principalement par son objet, elle ne consiste pas uniquement ni même essentiellement dans l'acte même du vouloir collectif. Elle n'est pas elle-même par cela seul que tous y participent (...) Si la communauté doit être obéie, ce n'est pas parce qu'elle commande, mais parce qu'elle commande le bien commun. L'intérêt social ne se décrète pas ; il n'est pas par le fait de la loi ; il est en dehors d'elle et elle n'est ce qu'elle doit être que si elle l'exprime » (« Le "Contrat social" de Jean-Jacques Rousseau », dans : E. Durkheim, *Montesquieu et Rousseau précurseurs de la sociologie*, p. 166).

9. Durkheim, *op. cit.*, p. 167.

10. *Essais sur l'individualisme*, p. 101.

11. Rousseau indique bien le passage de la description sociologique à la prescription concernant un bon gouvernement lorsqu'il écrit : « C'est ce qu'il y a de commun dans ces différents intérêts [particuliers] qui forme le lien social, et s'il n'y avait pas quelque point dans lequel tous les intérêts s'accordent, nulle société ne saurait exister. Or c'est uniquement sur cet intérêt commun que la société doit être gouvernée » (*Contrat social*, II, chap. I).

12. *Essais sur l'individualisme*, p. 102.

13. L. Dumont, *Homo hierarchicus*, p. 27.

XLIII. LA LÉGENDE FRANÇAISE DU SUJET MODERNE

1. J'emprunte cette expression à Michel Villey qui l'applique à Luther (*La formation de la pensée juridique moderne*, p. 287).

2. Ainsi, Yves Charles Zarka souligne qu'il faut reconnaître l'existence d'une « seconde voie » vers la subjectivité à côté de la voie cartésienne (voir *L'autre voie de la subjectivité*). Ce n'est pas la métaphysique cartésienne qui enfante « la notion de l'homme comme sujet de droit », c'est une autre tradition qui, venant de la scolastique espagnole et de Grotius, conduit, en passant par Locke et Leibniz, à l'idéalisme allemand. Alors seulement se réuniront la voie « cartésienne » (qui entend le sujet comme *ego cogitans*) et la voie jusnaturaliste (qui entend le sujet comme *subjectum juris*). En fait, l'idée de la pluralité des « voies » conduisant aux philosophies modernes de la subjectivité est certes pertinente (mais non surprenante) du point de vue historique, mais elle est conservatrice du point de vue philosophique.

Car la construction générale reste en place : le terminus auquel mènent toutes ces voies, c'est encore et toujours la notion de subjectivité moderne. Nous fixons nos propres certitudes comme le point d'arrivée de l'histoire, laquelle apparaît alors comme le chemin par lequel l'esprit humain parvient à se rejoindre lui-même par différentes « voies » et à trouver sa satisfaction dans la conscience de ce résultat.

XLIV. LA RÉVOLUTION PRIVÉE DE DESCARTES

1. Article « Descartes René, 1596-1650 », dans : *Dictionnaire de philosophie politique*, sous la direction de Philippe Raynaud et Stéphane Rials, p. 133-137. Voir aussi, de François Azouvi, *Descartes et la France, histoire d'une passion nationale*.

2. Le grand traité de Grotius *De jure belli ac pacis* est de 1625 et ne doit donc rien à Descartes. Pourquoi parler d'un jeu de mots sur « subjectif » ? Il y a bien chez Grotius la notion d'un droit du sujet — du sujet de droit, la personne. Mais si Grotius fait du droit l'attribut d'un sujet qui est la personne naturelle, il ne le fait pas au nom d'une « subjectivité » de l'homme (cf. *infra*, chap. 48-51).

3. Art. cité, p. 134. « Privé » a ici le sens ordinaire de ce qui ne concerne que moi, pas le sens solipsiste d'une donnée de l'expérience qui n'existerait que pour moi (ce dernier sens étant celui qui est pertinent pour la discussion wittgensteinienne de l'idée même d'un langage fondé sur des données subjectives).

4. *Discours de la méthode*, A.T., VI, p. 13.

5. Art. cité, p. 134. Les auteurs énoncent ici ce qu'ils jugent être la doctrine cartésienne, ils ne souscrivent pas nécessairement à cette thèse.

6. Art. cité, p. 134.

7. *Les Passions de l'âme*, article 82.

8. « On doit toutefois penser qu'on ne saurait subsister seul, et qu'on est en effet l'une des parties de l'univers, et plus particulièrement encore l'une des parties de cette terre, l'une des parties de cet État, de cette société, de cette famille, à laquelle on est joint par sa demeure, par son serment, par sa naissance. Et il faut toujours préférer les intérêts du tout, dont on est partie, à ceux de sa personne en particulier ; toutefois avec mesure et discrétion » (lettre à Elizabeth du 15 septembre 1645 ; A.T., IV, p. 293).

XLV. LA POLITIQUE DES LUMIÈRES

1. Condorcet, *Esquisse d'un tableau historique des progrès de l'esprit humain*.

XLVI. LA RAISON INDIVIDUELLE ET L'OPINION COMMUNE

1. Alexis de Tocqueville, *Œuvres complètes*, t. I, *De la démocratie en Amérique*, vol. II.
2. *Ibid.*, p. 13.
3. *Ibid.*, p. 11.
4. *Ibid.*, p. 13. Sur Tocqueville, lecteur et critique (implicite) de Condorcet, voir l'étude d'Agnès Antoine, *L'impensé de la démocratie : Tocqueville, la citoyenneté et la religion*, chap. 10.
5. *Ibid.*, p. 11.
6. *Ibid.*, p. 13.
7. *Ibid.*, p. 15.
8. *De la démocratie en Amérique*, vol. II, IV, chap. 8, p. 338.
9. « Par opposition à la société moderne, les sociétés traditionnelles qui ignorent la liberté et l'égalité comme valeurs, qui ignorent en somme l'individu, ont au fond une idée collective de l'homme, et notre aperception (résiduelle) de l'homme social est le seul lien qui nous unisse à elles, le seul biais par où nous puissions les comprendre. C'est donc le point de départ d'une sociologie comparative » (L. Dumont, *Homo hierarchicus*, p. 21).
10. *De la démocratie en Amérique*, vol II, p. 17.
11. *Ibid.*
12. *Ibid.*, p. 18.

XLVII. L'INDIVIDU POLITIQUE

1. Le paradoxe surgit lorsque l'homme est soumis à l'autorité d'un maître légitime et que l'obéissance est pour lui un devoir qu'il reconnaît. Selon la morale civique de l'Antiquité gréco-romaine telle que l'explique Veyne, obéir à son supérieur se réduit à obéir à soi-même : « lorsqu'on obéit à un chef qui est maître de lui-même, on n'obéit pas vraiment à ce chef — on obéit à la morale, à laquelle ce chef est le premier à obéir ; le bien moral est le maître commun du roi et de ses sujets ; l'hétéronomie est en réalité une autonomie » (P. Veyne, « L'individu atteint au cœur par la puissance publique », dans *Sur l'individu*, p. 10).
2. On sait que la représentation romaine de la souveraineté répartit cette fonction entre les figures de Romulus et de Numa (cf. G. Dumézil, *Les dieux souverains des Indo-Européens*, p. 159-166). Rousseau observe à cet égard : « Ceux qui n'ont vu dans Numa qu'un instituteur de rites et de cérémonies religieuses ont bien mal jugé ce grand homme. Numa fut le vrai fondateur de Rome. Si Romulus n'eût fait qu'assembler des brigands qu'un revers pouvait disperser, son ouvrage imparfait n'eût pas résisté au

temps. Ce fut Numa qui le rendit solide et durable en unissant ces brigands en un corps indissoluble, en les transformant en Citoyens, moins par des lois, dont leur rustique pauvreté n'avait guère encore besoin, que par des institutions douces qui les attachaient les uns aux autres et tous à leur sol » (« Considérations sur le Gouvernement de Pologne », dans *Œuvres complètes*, t. III, p. 957).

3. « Deux modèles linguistiques de la cité », dans : É. Benveniste, *Problèmes de linguistique générale*, t. II, p. 272-280.

4. « *Civis* dans la langue ancienne et encore à l'époque classique se construit souvent avec un pronom possessif : *civis meus, cives nostri*. Ceci suffirait à révoquer la traduction par "citoyen" : que pourrait bien signifier "mon citoyen" ? La construction avec le possessif dévoile en fait le vrai sens de *civis*, qui est un terme de valeur réciproque et non une désignation objective : est *civis* pour moi celui dont je suis le *civis* » (*op. cit.*, p. 274).

5. « Dans le modèle grec, la donnée première est une entité, la *polis*. Celle-ci, corps abstrait, État, source et centre de l'autorité, existe par elle-même. Elle ne s'incarne ni en un édifice, ni en une institution, ni en une assemblée. Elle est indépendante des hommes, et sa seule assise matérielle est l'étendue du territoire qui la fonde » (*ibid.*, p. 278).

6. Claude Nicolet, *L'idée républicaine en France (1789-1924)*, p. 502-507.

7. Il est frappant que Nicolet écrive « militaire » et non pas « militariste », alors qu'il écrit « clérical » et non pas « religieux ». Il est également remarquable que la politique soit d'abord saisie comme *combat* et *guerre civile*, affrontement d'un camp opposé dans la politique intérieure, plutôt que comme *direction d'ensemble* qu'il s'agit d'imposer à une diversité d'initiatives et d'affairements particuliers pour qu'elle soit l' *action commune* qu'elle veut être.

8. Marcel Gauchet, *La religion dans la démocratie : parcours de la laïcité*.

9. Je pense ici aux troubles provoqués depuis les années 1990 par la revendication, qu'ont émise ici et là quelques élèves de l'enseignement secondaire, d'un droit fondamental à porter en classe des insignes religieux (en fait, le « foulard islamique ») dans le but de marquer publiquement — et non pas seulement « dans son cœur » ou « dans sa conscience », comme il le faudrait pour satisfaire tout le monde — qu'à leurs yeux la loi de la communauté religieuse (donc d'une appartenance *particulière* aux yeux du citoyen républicain) l'emporte sur la loi de la communauté politique (la seule qui puisse se dire *universelle* pour ce même citoyen). Dès lors que cette revendication est celle d'un droit et qu'elle se fait au nom de la liberté de conscience, elle ne peut avoir le caractère « communautaire » qu'on lui impute souvent, mais relève de l'individualisme contemporain. Mais c'est là aussi ce qui la rend contradictoire et donc dangereuse par les effets de ségrégation qu'elle aurait forcément si elle était satisfaite.

10. M. Gauchet, *op. cit.*, p. 53.

11. Les Lumières se contredisent, puisqu'elles veulent « démystifier » la conscience des fidèles en leur disant tout à la fois que les dieux sont des illusions et que la conscience ne trouve dans le divin rien d'autre qu'elle-même. « Les Lumières sont ici complètement sottes ; la croyance (*der Glaube*) les découvre comme un discours qui ne sait pas ce qu'il dit, et qui, lorsqu'il parle de tromperie des curés et d'illusion du peuple, ne comprend rien à la chose. Elles parlent comme si, par quelque abracada-

bra de prêtres illusionnistes, la conscience se voyait refiler, en guise d'essence, quelque chose d'absolument *autre* et *étranger*, et dans le même temps déclarent que ce serait une essence de la conscience que d'y croire, d'avoir confiance en cette chose étrangère, et d'essayer de l'incliner en sa faveur » (Hegel, *Phénoménologie de l'esprit*, trad. J.-P. Lefebvre, p. 370-371).

12. En donnant ce nom à ce qu'on appelle aussi « politique de la différence » ou « multiculturalisme », Charles Taylor a fait ressortir ce que ces idéologies devaient à une tradition issue de l'idéalisme allemand (et de sa dialectique de la reconnaissance des consciences). Voir son texte « *The Politics of Recognition* » (traduit dans : C. Taylor, *Multiculturalisme : différence et démocratie*). Ces rapports entre la grande philosophie de l'intersubjectivité et les problèmes de l'idéologie politique contemporaine ont été étudiés par Axel Honneth (qui a rédigé l'article « Reconnaissance » du *Dictionnaire d'éthique et de philosophie morale*, direction Monique Canto-Sperber).

13. M. Gauchet, *op. cit.*, p. 89.

14. *Ibid.*, p. 92.

15. Relation architectonique au sens expliqué par Aristote (cf. *Éthique à Nicomaque*, I, 2).

16. Il me paraît utile de distinguer les minorités de type *communautaire* (qui revendiquent une « identité » distincte fondée sur une origine historique) des minorités de type *moral* (qui tirent leur « identité » distincte des *mœurs* alimentaires, vestimentaires, sexuelles, etc., qu'elles ont librement adoptées).

17. C. Castoriadis, *La montée de l'insignifiance*, p. 230.

18. *Ibid.*, p. 232-233.

19. M. Gauchet, *La démocratie contre elle-même*, p. 254.

20. *Ibid.*, p. 115.

21. Article « Locke » du *Dictionnaire de philosophie politique*, direction Ph. Raynaud et S. Rials, p. 349.

22. Philippe Raynaud, « Libéralisme », *ibid.*, p. 340.

XLVIII. L'HUMANISME JURIDIQUE

1. *L'ère de l'individu*, p. 53.

2. G. F. Puchta, *Cursus der Institutionen*, cité par Hans Kelsen, *Théorie pure du droit*, trad. Henri Thevenaz, p. 97, note.

3. Voir la remarque de Wittgenstein sur la logique du discours rapporté : si je posais « A juge que *p* », mais que « *p* » soit un assemblage de signes dépourvu de sens, ce serait moi le fauteur de non-sens et non pas A (*Tractatus logico-philosophicus*, 5. 5422).

4. Le fondement (*principium*) de la science, c'est la proposition dont la vérité est absolument indéniable : *Cogito, ergo sum*. Maintenant, cette proposition pose un *Ego* comme fondement (*subjectum*) de l'acte cogitatif. Mais, puisqu'on avait dit que la métaphysique du sujet posait l'homme en fondement de toutes choses en tant qu'elle en faisait le *subjectum* de l'acte de pensée, cela veut dire que, selon le sens profond de cette métaphysique, *je*

suis une proposition, puisque c'est en tant que *subjectum* que l'homme est au fondement de la science. C'est bien ce que laisse entendre Heidegger à la suite d'une analyse de la position de Descartes, où il explique ainsi le passage de la première vérité « Je suis une chose pensante » à la seconde proposition vraie qui dit : « La nature est une *res extensa.* » « *Sum res cogitans* en est le fondement sous-jacent [*der Grund, das zum Grunde Liegende*], le *subjectum* propre à déterminer le monde matériel en tant que *res extensa.* Ainsi, c'est la proposition *cogito sum* qui est elle-même le *subjectum* » (*Nietzsche,* t. II, tr. P. Klossowski, p. 134).

XLIX. LE NOMINALISME JURIDIQUE

1. Olivier Cayla, « Le droit de se plaindre : analyse du cas (et de l'anti-cas) Perruche », dans : Olivier Cayla et Yan Thomas, *Du droit de ne pas naître.*
2. Dans tout ce qui précède, j'ai employé le mot « personne » au sens que requiert la « personnification poétique » (cf. chap. 3), c'est-à-dire pour ce que le juriste appellerait la « personne naturelle », le sujet concret des opérations intentionnelles, l'agent de l'*actus humanus.* Comme on va le voir, le débat dont traite Cayla ne porte pas sur la personne prise en ce sens, mais sur une personne susceptible de jouer le rôle d'un « soi » distinct de l'individu empirique, c'est-à-dire précisément le rôle d'un sujet au sens des philosophies du sujet. Il s'agit de savoir si la *persona,* prise cette fois au sens juridique abstrait d'une instance à laquelle on peut attribuer des capacités et des obligations, a quelque chose à voir, soit avec la personne naturelle, soit avec la personne idéale (le « soi » normatif des philosophies du sujet).
3. L'entreprise de penser le droit à partir de tels interdits n'est-elle pas d'emblée vouée à l'échec ? D'une part, la « Loi symbolique » s'énonce comme un Interdit (prohibition de l'inceste). Ce mode de communication est propre au « droit sacral », qui n'a pas été détaché des institutions religieuses (cf. M. Villey, *La formation de la pensée juridique moderne,* p. 113), alors que le droit positif s'exprime dans des énoncés à l'indicatif. D'autre part, il est étrange de chercher à comprendre le droit à partir de la structure des relations familiales, alors que ces relations internes à la famille, jusqu'à une époque récente, était précisément jugées extérieures au droit (en raison de l'unité du patrimoine qui ne permet pas de poser les individus humains comme des personnes juridiques distinctes les unes des autres).
4. O. Cayla, « Le droit de se plaindre », p. 48.
5. O. Cayla étudie, dans son article « Le coup d'État de droit ? » (*Le Débat,* n° 100, 1998, p. 108-133), un arrêt du Conseil d'État sur l'affaire opposant à une personne de petite taille (qui avait pour métier de s'exhiber dans le spectacle forain du « lancer de nain ») une municipalité qui invoquait un trouble à l'ordre public. Le juge administratif avait jugé que le spectacle constituait un tel trouble, car il portait atteinte au principe d'une obligation de respecter sa propre dignité.
6. « Le droit de se plaindre », p. 51.

7. Alain Renaut, *L'ère de l'individu*, p. 53.

8. « Le droit de se plaindre », p. 50.

9. C'est-à-dire, dans le vocabulaire de Hobbes, le *jus naturale, the right of nature.*

10. Wittgenstein, *Recherches philosophiques*, § 258 (trad. J. Bouveresse dans *Le mythe de l'intériorité*, p. 428). On dira peut-être qu'un individu peut apercevoir ses propres erreurs et se corriger, mais cela serait une pétition de principe, car le problème n'est pas de savoir si chacun de nous peut détecter ses propres erreurs et les corriger par lui-même, mais si l'homme à l'état de nature peut le faire. Je reviens sur ce point à la fin de ce livre (cf. chap. 52-55).

11. *L'ère de l'individu*, p. 110. L'*ecceitas* scolastique appartient à toute chose qui peut faire l'objet d'une désignation ostensive par un mot présentatif comme « voici » (en latin *ecce*). Ce qui procure l'eccéité à l'individu humain est donc son principe d'individuation, autrement dit la différence matérielle qui explique que cet homme-ci ne soit pas le même homme que cet homme-là (déclaration qui suppose que, simultanément, je vous indique autour de nous un premier homme, puis à côté de lui un second).

12. Je veux dire que ce nominalisme des « multiplicités » est plus deleuzien qu'occamiste.

13. Cayla croit apparemment qu'on peut dire « le même individu » sans sous-entendre, par exemple, le même individu *humain*. Le fait d'avoir vieilli fait de moi un homme différent, mais fait-il de moi un autre individu humain, au sens du démographe ? Le principe de ce raisonnement est dénoncé par Platon dans l'*Euthydème*, qui le réduit au sophisme suivant : tu veux que ton ami devienne sage, ce qu'il n'est pas ; tu veux donc qu'il soit différent de celui qu'il est ; tu veux donc qu'il ne soit plus lui ; tu veux donc qu'il meure.

14. Cayla, « Le droit de se plaindre », p. 83.

L. LE SUJET DE DROIT

1. Je reprends et corrige dans ce chapitre ainsi que dans le suivant des idées présentées de façon plus succincte dans une étude, « Le sujet du droit selon Louis Dumont », parue dans la revue *Droit et cultures*, 2001, n° 39, p. 149-160.

2. *La formation de la pensée juridique moderne*, p. 241.

3. Dans son article « Le sujet de droit, la personne et la nature. Sur la critique contemporaine du sujet de droit », *Le Débat*, n° 100, 1998, p. 85-107.

4. Y. Thomas, art. cité, p. 104.

5. Y. Thomas, art. cité, p. 87.

6. M. Villey, *La formation de la pensée juridique moderne*, III, 2, ch. 2, « Grotius et le droit ».

7. Louis Dumont avait été frappé par la démonstration de Villey et l'avait intégrée à sa reconstruction du long cheminement par lequel

l'Occident est passé de l'individu chrétien *extra-mondain* de l'Église primitive à l'individu moderne, *intra-mondain*, mais toujours doté d'un statut normatif et d'une dignité transcendante (Dumont, *Essais sur l'individualisme*, p. 70 *sq.*). Il me paraît important que Dumont ait aussitôt reconnu au travail d'historien de Villey une valeur comparative, donc anthropologique (cf. L. Dumont, *Groupes de filiation et alliance de mariage*, p. 65-67). En effet, le philosophe du droit ne saurait faire comme si les notions qu'il doit analyser ou expliquer étaient naturelles ou inhérentes à toute conscience humaine.

8. Pour tout ce qui suit, cf. Villey, *La formation, op. cit.*, p. 220 *sq.* Chez Villey, l'histoire du droit est inconcevable sans une solide réflexion philosophique sur la nature et les fins du droit.

9. . Villey use de ce langage algébrique (*ibid.*, p. 484), mais il ne veut évidemment pas dire que l'énoncé d'un problème juridique puisse tenir dans une stricte équation.

10. John Finnis, « Loi naturelle », dans : Monique Canto-Sperber, *Dictionnaire d'éthique et de philosophie morale*, p. 862-868.

11. *La formation de la pensée juridique moderne*, p. 483.

LI. LA PERSONNE JURIDIQUE COMME ATTRIBUTAIRE

1. Otto Gierke, *Political Theories of the Middle Age*, trad. et intr. par Frederick W. Maitland.

2. Comme Kelsen, Yan Thomas définit les droits subjectifs comme des droits qu'on croit pouvoir poser avant la « norme objective », laquelle n'a dès lors d'autre fonction que de les valider. « Mais le droit subjectif pris en ce sens est un artefact, non du droit lui-même, mais d'une idéologie récente du droit » (« Le sujet de droit, la personne et la nature », art. cité, p. 98). Ainsi, il n'y a pas de lien nécessaire entre le fait de parler du sujet d'un droit et le fait de reconnaître des « droits subjectifs ». Thomas note d'ailleurs que l'étiquette « sujet de droit » n'a jamais réussi à supplanter le mot de « personne », lequel « est resté le mot technique que seul connaît par exemple le Code civil, et que seul connaissent encore les civilistes, en dehors de l'exercice ornemental des introductions générales au droit » (*ibid.*).

3. Hans Kelsen, *Théorie pure du droit : introduction à la science du droit*, trad. Henri Thévenaz, p. 95.

4. Kelsen, *op. cit.*, p. 99.

5. M. Villey, « Droit subjectif », dans *Seize essais de philosophie du droit*, p. 143.

6. *Ibid.*, p. 143, note.

7. M. Villey, *Le droit et les droits de l'homme*, p. 96.

8. Y. Thomas, art. cité, p. 93-94.

9. Dans son texte sur l'« affaire Perruche », Thomas se demande comment on a pu prêter à la Cour de cassation une décision revenant à reconnaître à quelqu'un un « droit de ne pas naître » (ou de porter plainte

pour avoir subi le fait d'une naissance, dans ce cas handicapée). On a protesté contre l'aberration d'une « auto-institution » du sujet de droit. Mais, répond Y. Thomas, une personne juridique n'est jamais qu'un « attributaire de droit ». Selon son analyse proprement juridique (sur laquelle je ne prétends pas avoir un avis compétent), cette prétendue « auto-institution » du sujet n'est en réalité qu'une « création du juge » qui cherche à résoudre, par la fiction d'une « personne prénatale » (bien entendu distincte de l'individu, du « sujet concret »), un problème particulier. Quoi qu'il en soit de l'affaire Perruche, je retiens pour ma part que Y. Thomas assimile la personne juridique au tiers actant d'un verbe désignant l'acte du juge (« Le sujet concret et sa personne », dans : O. Cayla et Y. Thomas, *Du droit de ne pas naître*, p. 165).

10. Un exemple que donne Y. Thomas illustre bien la double confusion. Certains pensent que le droit contemporain a reconnu (ou devrait se réformer de façon à reconnaître) un droit (subjectif) de l'individu sur son propre corps. Mais si tel était le cas, cela voudrait dire que la loi aurait créé l'*obligation* pour le médecin de répondre à la demande d'un individu concernant son propre corps (comme par exemple une demande d'interruption de grossesse ou de changement d'apparence). La loi ne saurait en effet créer (ou même « reconnaître ») un droit sans créer simultanément une obligation. En fait, la loi a seulement créé une « immunité ». C'est donc une confusion qui fait parler d'une loi reconnaissant le droit du « sujet » sur son corps. « Le modèle ici fallacieux du droit subjectif sert à suggérer que le législateur a fait triompher le désir du sujet et les avantages égoïstes de l'individu, comme s'il existait une affinité évidente entre la construction du sujet juridique et l'existence psychique du sujet du désir » (« Le sujet de droit, la personne et la nature », art. cité, p. 89).

LII. L'HUMANITÉ DE LA RÈGLE

1. *Making It Explicit*, p. 50-55.
2. *Ibid.*, p. 51.
3. J'ai cherché à préciser le sens dans lequel l'esprit objectif hégélien pouvait intéresser le lecteur de Peirce et de Wittgenstein dans *Les institutions du sens*, chap. 19.
4. Cf. Wittgenstein, *Recherches philosophiques*, § 201.

LIII. SE DIRIGER SOI-MÊME

1. É. Benveniste explique qu'il faut partir de la signification littérale du mot « *rex* » (« celui qui *dirige* », au sens de fixer la *voie* qui est la bonne et d'indiquer ce qui est *droit*, autrement dit juste) pour expliquer ensuite les

autres sens. Le *rex* n'est pas tant un chef politique qu'un prêtre qui « trace la ligne ». « Le *rex* indo-européen est beaucoup plus religieux que politique. Sa mission n'est pas de commander, d'exercer un pouvoir, mais de fixer des règles, de déterminer ce qui est, au sens propre, "droit" » (*Le vocabulaire des institutions indo-européennes*, t. II, p. 15). De même, il faut comprendre que le *rectus* (dont dérivent l'allemand « *Recht* » et l'anglais « *right* ») est le « droit à la manière de cette ligne qu'on trace ». Et il faut comprendre que la *regula* est « l'instrument à tracer la droite » (*ibid.*, p. 14).

2. Je ne veux nullement suggérer que Wittgenstein lui-même ait eu en vue cette application de son argument à la philosophie politique. Chez lui, la philosophie de la règle se présente comme une réflexion sur la logique des signes de la généralité (comme « etc. », « et ainsi de suite »). Il la développe dans le cadre d'une philosophie des mathématiques et d'une philosophie du langage. Toutefois, mon propos n'étant pas exégétique, je ne retiens de son argument que ce qui est nécessaire à une élucidation de la notion d'autonomie.

3. Voir *supra*, chap. 47, n. 2. Bertrand de Jouvenel avait noté l'importance de cette dualité pour une philosophie de la souveraineté (cf. ses remarques dans son livre *De la souveraineté : à la recherche du bien politique*, p. 59-77, et sa référence à Georges Dumézil pour commenter Rousseau, *ibid.*, p. 70).

4. Cf. Wittgenstein, *Remarques sur les fondements des mathématiques*, VI, § 41-43.

5. *Recherches philosophiques*, § 85, § 198.

6. Voir Wittgenstein, *Recherches philosophiques*, § 258.

7. Il y a, comme l'écrit Wittgenstein, « *eine Auffassung der Regel, die nicht eine Deutung ist* » (*Recherches philosophiques*, § 201).

LIV. SE DONNER À SOI-MÊME UNE RÈGLE

1. L. Wittgenstein, *Remarques sur Le rameau d'or de Frazer*, trad. Jean Lacoste, p. 32. On se reportera sur ce point aux commentaires de Jacques Bouveresse. D'une part, le fait que nos jeux de langage reposent sur des conventions ne veut pas dire qu'ils soient tout simplement « arbitraires » et qu'ils aient pu résulter d'arrangements explicites entre des individus. En réalité, la « voix de la nature » continue à s'exprimer à travers nos conventions. D'autre part, d'après Wittgenstein, « les pratiques et les institutions humaines ont besoin d'une base infiniment plus large que les désirs et les décisions d'un individu ou d'un groupe, aussi éclairés soient-ils » (cf. « L'animal cérémoniel », dans : J. Bouveresse, *Essais*, t. I, p. 156).

2. Meredith Williams signale cette ressemblance entre l'analyse aristotélicienne de la formation du caractère et l'analyse wittgensteinienne de l'acquisition d'une technique d'utilisation de symboles et de règles dans son livre *Wittgenstein, Mind and Meaning : Towards a Social Conception of Mind*, p. 210.

LV. LE CERCLE DE L'AUTONOMIE

1. Cf. Wittgenstein, *Remarques philosophiques*, § 6.

2. Voir par exemple le texte « Rules, Rights and Promises » dans son livre *Ethics, Religion and Politics*, p. 97-103. Pour une présentation de cette idée du point de vue d'une philosophie de l'apprentissage, voir l'article de Philippe de Lara « Les pratiques de la raison », dans *Philosophie*, n° 76, 2002, p. 52-62.

3. En fait, cet apprenti, c'est le philosophe lui-même depuis qu'il a décidé de ne plus comprendre les notions normatives et qu'il réclame qu'elles lui soient expliquées radicalement.

4. Voir E. Anscombe, « The Question of Linguistic Idealism » (dans le premier volume de ses écrits philosophiques intitulé : *From Parmenides to Wittgenstein*, p. 112-133).

5. E. Anscombe, *Ethics, Religion and Politics*, p. 19.

BIBLIOGRAPHIE

Anscombe, Elizabeth : *L'intention*. trad. M. Maurice et C. Michon, Paris, Gallimard, 2002.

—, *From Parmenides to Wittgenstein*, Oxford, Blackwell, 1981.

—, *Metaphysics and the Philosophy of Mind*, Oxford, Blackwell, 1981.

—, *Ethics, Religion and Politics*, Oxford, Blackwell, 1981.

—, « The First Person » (dans Anscombe, E., *Metaphysics and the Philosophy of Mind*, ainsi que dans : Cassam, Q., *Self-Knowledge*).

Antoine, Agnès : *L'impensé de la démocratie : Tocqueville, la citoyenneté et la religion*, Paris, Fayard, 2003.

Aristote : *Les politiques*, trad. P. Pellegrin, Paris, GF-Flammarion, 1993.

Arnauld, Antoine, et Lancelot, Claude : *Grammaire générale et raisonnée de Port-Royal* (1660), éd. A. Bailly, Paris, 1846.

Azouvi, François : *Descartes et la France, histoire d'une passion nationale*, Paris, Fayard, 2002.

— avec Beyssade, Jean-Marie : article « Descartes » (voir : Ph. Raynaud et S. Rials, *Dictionnaire de philosophie politique*).

Balibar, Étienne : « L'invention de la conscience », dans : John Locke, *Identité et différence*, Paris, Seuil, 1998.

Benoist, Jocelyn : « La subjectivité », dans *Notions de philosophie*, II, sous la direction de Denis Kambouchner, Paris, Gallimard, 1995, p. 501-561.

Benveniste, Émile : *Problèmes de linguistique générale*, t. I, Paris, Gallimard, 1966 ; t. II, Paris, Gallimard, 1974.

—, *Le vocabulaire des institutions indo-européennes*, t. II : *Pouvoir, droit, religion*, Paris, Minuit, 1969.

Beyssade, Jean-Marie : article « Descartes « (voir : *Dictionnaire de philosophie politique*).

Bossuet : « Panégyrique de saint Sulpice », dans : *Œuvres complètes de Bossuet*, t. VII, Outhenin-Chalandre fils, éditeur, Besançon et Paris, 1840.

Boureau, Alain : « Un royal individu », *Critique*, 1996, n° 593, p. 845-857.

Bouveresse, Jacques : *Le mythe de l'intériorité : expérience, signification et langage privé chez Wittgenstein*, Paris, Minuit, 1976.

—, *Essais I : Wittgenstein, la modernité, le progrès et le déclin*, Marseille, Agone, 2000.

Brague, Rémi : *Aristote et la question du monde : essai sur le contexte cosmologique et anthropologique de l'ontologie*, Paris, PUF, 1988.

Brandom, Robert : *Making It Explicit : Reasoning, Representing & Discursive Commitment*, Cambridge (Mass.), Harvard University Press, 1998.

Bréhier, Émile : *La théorie des incorporels dans l'ancien stoïcisme*, Paris, Vrin, 8ᵉ éd., 1989.

—, *Chrysippe et l'ancien stoïcisme*, Paris, PUF, 2ᵉ éd., 1951.

—, *Histoire de la philosophie*, Paris, PUF, 1931.

Brunschwig, Jacques : « Stoïcisme ancien » (voir : Monique Canto-Sperber, *Dictionnaire d'éthique et de philosophie morale*).

Canto-Sperber, Monique : *Dictionnaire d'éthique et de philosophie morale*, Paris, PUF, 1966.

Cassam, Q. : *Self-Knowledge*, Oxford, Oxford University Press, 1994.

Castaneda, H.-N. : « "He" : A Study in the Logic of Self-Consciousness », *Ratio*, VI, n° 2, 1966, p. 130-157.

Castoriadis, Cornelius : *Le monde morcelé*, Paris, Seuil, 1990.

—, *La montée de l'insignifiance*, Paris, Seuil, 1996.

—, *Sur* Le Politique *de Platon*, Paris, Seuil, 1999.

Cayla, Olivier : « Le droit de se plaindre » (dans : Cayla, Olivier, et Thomas, Yan : *Du droit de ne pas naître*, Paris, Gallimard, 2002).

—, « Le coup d'État de droit ? » (*Le Débat*, n° 100, 1998, p. 108-133).

Chauvier, Stéphane : *Dire « Je »*. *Essai sur la subjectivité*, Paris, Vrin, 2001.

Chisholm, R. : *The First Person : An Essay on Reference and Intentionality*, Minneapolis, University of Minnesota Press, 1981.

Condorcet : *Esquisse d'un tableau historique des progrès de l'esprit humain*, GF-Flammarion, 1988.

Daraki, Maria : *Une religiosité sans Dieu, essai sur les stoïciens d'Athènes et saint Augustin*, Paris, La Découverte, 1989.

Dastur, Françoise : *Heidegger et la question du temps*, Paris, PUF, 1990.

Davidson, Donald : *Actions et événements*, trad. P. Engel, Paris, PUF, 1993.

Deleuze, Gilles : *Logique du sens*, Paris, Minuit, 1969.

Descartes, René : *Œuvres*, éd. Adam et Tannery, Paris, Vrin, 1964-1974 (cité sous le sigle A.T., suivi de l'indication du volume et de la page).

—, *Discours de la méthode*, texte et commentaire par Étienne Gilson, Paris, Vrin, 1962.

Descombes, Vincent : *Les institutions du sens*, Paris, Minuit, 1996.

—, « Causes, raisons et circonstances de l'action » (dans : M. Canto-Sperber, *Dictionnaire d'éthique et de philosophie morale*).

—, « Latences de la métaphysique », dans : K. O. Apel et *al.*, *Un siècle de philosophie*, Paris, Gallimard, 2000.

—, « La relation », dans : J. Benoist et *al.*, *Quelle philosophie pour le XXIᵉ siècle ?*, Paris, Gallimard, 2001.

—, « Le sujet du droit selon Louis Dumont », *Droit et cultures*, 2001, n° 39, p. 85-107.

Dictionnaire de philosophie politique, sous la direction de Philippe Raynaud et Stéphane Rials, Paris, PUF, 1996.

Dumézil, Georges : *Les dieux souverains des Indo-Européens*, Paris, Gallimard, 1977.

Dumont, Louis : *La civilisation indienne et nous*, Paris, Armand Colin, 1964.

—, *Homo hierarchicus*, Paris, Gallimard, 1966.

—, « Absence de l'individu dans les institutions de l'Inde », dans : Meyerson, I. (dir.), *Problèmes de la personne*.

—, *Groupes de filiation et alliance de mariage — introduction à deux théories d'anthropologie sociale*, Paris, Gallimard, coll. « Tel », 1997.

—, *Homo aequalis*, Paris, Gallimard, 1977.

—, *Essais sur l'individualisme*, Paris, Seuil, 1983.

—, *L'idéologie allemande*, Paris, Gallimard, 1991.

Durkheim : *Montesquieu et Rousseau précurseurs de la sociologie*, Paris, Librairie Marcel Rivière, 1966.

Edelman, Gérald M. : *Biologie de la conscience*, trad. Ana Gerschenfeld, Odile Jacob, 1992.

Finnis, John : article « Loi naturelle » (voir : M. Canto-Sperber *Dictionnaire d'éthique et de philosophie morale*).

Foucault, Michel : *Le souci de soi* (1984), Paris, Gallimard, coll. Tel, 2000.

—, *L'herméneutique du sujet. Cours au Collège de France*, Paris, Gallimard/Seuil, 2001.

Gardies, Jean-Louis : *Esquisse d'une grammaire pure*, Paris, Vrin, 1975.

Gauchet, Marcel : *La religion dans la démocratie : parcours de la laïcité*, Paris, Gallimard, 1998.

—, *La démocratie contre elle-même*, Paris, Gallimard, 2002.

Geach, Peter Thomas : *Mental Acts*, Londres, Routledge & Kegan, 1957.

—, *Reference and Generality, An Examination of Some Medieval and Modern Theories*, Ithaca, Cornell University Press, 3ᵉ éd., 1980.

—, « On Beliefs about Oneself » (dans : P. Geach, *Logic Matters*, Oxford, Blackwell, 1972).

Gierke, Otto : *Political Theories of the Middle Age*, trad. et intr. par Frederick W. Maitland, Cambridge University Press (1900), 1987.

Gilson, Étienne : *Index scolastico-cartésien*, Paris, Alcan, 1913.

Girard, Paul : *Manuel élémentaire de droit romain*, Paris, Librairie nouvelle de droit et de jurisprudence, 1901, 3ᵉ édition.

Glock, Hans-Iohann : *Dictionnaire Wittgenstein*, trad. Hélène Roudier de Lara et Philippe de Lara, Paris, Gallimard, 2003.

Gnassounou, Bruno : « La grammaire logique des phrases d'action », *Philosophie*, n° 76, 2002, p. 33-51.

Goldschmidt, Victor : *Le système stoïcien et l'idée de temps*, Paris, Vrin, 1953.

Goyet, Francis : « Prudence et "Panurgie" : le machiavélisme est-il aristotélicien ? » (dans : *Au-delà de la Poétique : Aristote et la littérature de la Renaissance*, éd. Ullrich Langer, Genève, Droz, 2002.

Habermas, J. : *Droit et démocratie. Entre faits et normes*, trad. Rainer Rochlitz et Christian Bouchindhomme, Paris, Gallimard, 1997.

Hacker, P. M. S. : *Wittgenstein : Mind and Will*, Part II, *Exegesis § 428-69*, Oxford, Blackwell, 1992.

Hadot, Pierre : « De Tertullien à Boèce : le développement de la notion de personne dans les controverses théologiques », dans : Problèmes de la personne, (dir. I. Meyerson).

—, *Qu'est-ce que la philosophie antique ?*, Paris, Gallimard, 1995.

—, *La citadelle intérieure : Introduction aux Pensées de Marc-Aurèle*, Paris, Fayard, 1997.

—, article « Sénèque » (voir : M. Canto-Sperber, *Dictionnaire d'éthique et de philosophie morale*).

Hegel, Georg W. F. : *Phénoménologie de l'Esprit*, trad. J.-P. Lefebvre, Paris, Aubier, 1991.

Heidegger, Martin : *Être et temps*, trad. Emmanuel Martineau, Authentica, 1985.

—, *Nietzsche*, t. II, trad. P. Klossowski, Paris, Gallimard, 1971.

—, *Holzwege*, Francfort, Klostermann, 1950 ; trad. Wolfang Brokmeier sous le titre : *Chemins qui ne mènent nulle part*, Paris, Gallimard, 1962.

Honneth, Axel : article « Reconnaissance » (voir : M. Canto-Sperber, *Dictionnaire d'éthique et de philosophie morale*).

Humbert, Jean : *Syntaxe grecque*, 3ᵉ éd., Paris, Klincksieck, 1960.

Husserl, E. : *Méditations cartésiennes*, trad. Gabrielle Peiffer et Emmanuel Lévinas, Paris, Vrin, 1953.

Jouvenel, Bertrand de : *De la souveraineté*, Paris, Librairie de Médicis, 1955.

Kant, Emmanuel : *Métaphysique des mœurs*, II (*Doctrine du droit, doctrine de la vertu*), trad. Alain Renaut, Paris, GF-Flammarion, 1994.

Kelsen, Hans : *Théorie pure du droit*, trad. Henri Thevenaz, Neuchâtel, 1953, La Baconnière.

Kenny, Anthony : *Action, Emotion and Will*, Londres, Routledge & Kegan, 1963.

—, « *Cartesian Privacy* », dans : *WITTGENSTEIN, The Philosophical Investigations, A Collection of Critical Essays*, dir. par George Pitcher, p. 352-370.

—, *Descartes : A Study of his Philosophy*, New York, Random House, 1968.

Lancelot, Claude, et Arnauld, Antoine : *Grammaire générale et raisonnée de Port-Royal* (1660), éd. A. Bailly, Paris, 1846.

Lara, Philippe de : « Les pratiques de la raison », *Philosophie*, n° 76, 2002, p. 52-62.

Lévinas, Emmanuel : *En découvrant l'existence avec Husserl et Heidegger*, Paris, Vrin, 1967.

Manent, Pierre : *Tocqueville et la nature de la démocratie*, Paris, Fayard, 1993, 2ᵉ édition.

Merleau-Ponty, Maurice : *Phénoménologie de la perception*, Paris, Gallimard, 1945.

—, *Sens et non-sens*, Paris, Nagel, 1966.

—, *Signes*, Paris, Gallimard, 1960.

Meyerson, Ignace (dir.) : *Problèmes de la personne*, Paris et La Haye, Mouton & Co, 1973.

Nicolet, Claude : *L'idée républicaine en France (1789-1924)*, Paris, Gallimard, 1994.

Nietzsche : *Par-delà le bien et le mal* (*Jenseits von Gut und Böse*, éd. Giorgio Colli et Mazzino Montinari, Munich, de Gruyter, 1988).

Pachet, Pierre : *L'œuvre des jours*, éditions Circé, 1999.

Peyrefitte, Alain : *C'était de Gaulle*, vol. I, Paris, Fayard, 1994.

Pouivet, Roger : *Après Wittgenstein, saint Thomas*, Paris, PUF, 1997.

Prior, Arthur : *The Doctrine of Propositions and Terms*, Londres, Duckworth, 1976.

Proust, Marcel : À *la recherche du temps perdu*, Paris, Gallimard, Bibliothèque de la Pléiade, éd. P. Clarac et A. Ferré, 1954.
Putnam, Hilary : *Words and Life*, Cambridge (Mass.), Harvard University Press, 1994.
Raynaud, Philippe : voir *Dictionnaire de philosophie politique*.
Renaut, Alain : *L'ère de l'individu*, Paris, Gallimard, 1989.
—, article « Liberté » (dans : *Dictionnaire de philosophie politique*).
Rials, Stéphane : voir *Dictionnaire de philosophie politique*.
Ricœur, Paul : *De l'interprétation, essai sur Freud*, Paris, Seuil, 1965.
—, *Soi-même comme un autre*, Paris, Seuil, 1990.
—, « Individu et identité personnelle » (dans : P. Veyne et *al.*, *Sur l'individu*, p. 54-72).
Rousseau, Jean-Jacques : *Œuvres complètes*, Paris, Gallimard, Bibliothèque de la Pléiade, t. III, *Écrits politiques*, 1964 ; t. IV, *Émile*, 1969.
Sartre, Jean-Paul : *L'être et le néant*, Paris, Gallimard, 1943.
Schneewind, Jerome : *L'invention de l'autonomie*, Paris, Gallimard, 2001.
Searle, John : *L'intentionalité, essai sur la philosophie des états mentaux* (1983) ; trad. Pichevin, Paris, Minuit, 1985.
Sénèque : *Lettres à Lucilius*, texte établi, traduit et annoté par François et Pierre Richard, Paris, Garnier, 1954.
Shoemaker, Sydney : « Self-Reference and Self-Awareness » (dans : Q. Cassam, *Self-Knowledge*).
Les Stoïciens, textes traduits par Émile Bréhier, Paris, Gallimard, Bibliothèque de la Pléiade, 1962.
Strawson, Peter : *Les individus* (1959), trad. A. Shalom, P. Drong, Paris, Seuil, 1973.
Taylor, Charles : *La liberté des modernes*, trad. Philippe de Lara, Paris, PUF, 1997.
—, *Les sources du soi : la formation de l'identité moderne* (1989), trad. C. Melançon, Paris, Seuil, 1998.
—, *Multiculturalisme : différence et démocratie*, Paris, Flammarion, 1994.
Tesnière, Lucien : *Éléments de syntaxe structurale*, Paris, Klincksieck, 2ᵉ éd., 1988.
Thomas, Yan : « Le sujet de droit, la personne et la nature. Sur la critique contemporaine du sujet de droit », *Le Débat*, n° 100, 1998, p. 85-107.
—, « Le sujet concret et sa personne », dans : Cayla, Olivier, et Thomas, Yan : *Du droit de ne pas naître*, Paris, Gallimard, 2002.
Tocqueville, Alexis de : *Œuvres complètes*, t. I, *De la démocratie en Amérique*, vol. I et II, Paris, Gallimard, 1951 ; t. II, *L'Ancien Régime et la Révolution*, Paris, Gallimard, 1952.
Tugendhat, Ernst : *Conscience de soi et autodétermination*, trad. Rainer Rochlitz, Paris, Armand Colin, 1995 (= *Selbstbewußtsein und Selbstbestimmung*, Frankfurt-am-Main, Suhrkamp, 1979).
Veyne, Paul : « L'individu atteint au cœur par la puissance publique », dans P. Veyne et *al.*, *Sur l'individu*, Paris, Seuil, 1987, p. 7-19.
Villey, Michel : *La formation de la pensée juridique moderne*, Paris, PUF, 2003.
—, *Seize essais de philosophie du droit*, Paris, Dalloz, 1969.
—, *Critique de la pensée juridique moderne*, Dalloz, 1976.
—, *Le droit et les droits de l'homme*, Paris, PUF, 1983.

Weber, Max : *L'Éthique protestante et l'esprit du capitalisme*, trad. J. Chavy, Paris, Plon, 1964.
—, *Sociologie des religions*, trad. J.-P. Grossein, Paris, Gallimard, 1996.
—, *Hindouisme et bouddhisme*, trad. I. Kalinowki et R. Lardinois, Paris, Flammarion, 2003.

Wiggins, David : *Sameness and Substance Renewed*, Cambridge University Press, 2001.
—, « Pourquoi la notion de substance paraît-elle si difficile », *Philosophie*, n° 30, printemps 1991, p. 77-89.

Williams, Meredith : *Wittgenstein, Mind and Meaning*, Londres, Routledge, 1999.

Wittgenstein, Ludwig : *Le cahier bleu et le cahier brun*, trad. Marc Goldberg et Jérôme Sackur, Paris, Gallimard, 1996.
—, *Grammaire philosophique*, trad. Marie-Anne Lescourret, Paris, Gallimard, 1969.
—, *Recherches philosophiques* (= *Philosophische Untersuchungen Philosophical Investigations*, éd. et trad. anglaise d'Elizabeth Anscombe, Oxford, Blackwell, 1953).
—, *Remarques sur les fondements des mathématiques*, trad. Marie-Anne Lescourret, Paris, Gallimard, 1983.
—, *Remarques sur la philosophie de la psychologie*, trad. Gérard Granel, TER, 1989.
—, *Fiches*, trad. J. Fauve, Paris, Gallimard, 1970
—, *Wittgenstein's Lectures, Cambridge 1932-1935*, from the Notes of Alice Ambrose and Margaret Macdonald, Chicago, The University of Chicago Press, 1979 (= *Les Cours de Cambridge 1932-1935*, trad. Élisabeth Rigal, TER, 1992).
—, *Remarques sur Le rameau d'or de Frazer*, trad. J. Lacoste, L'Âge d'Homme, 1982.
—, *Wittgenstein's Lectures on Philosophical Psychology 1946-1947*, éd. par Peter Geach, The University of Chicago Press, 1988 (= *Les Cours de Cambridge 1946-1947*, trad. Élisabeth Rigal).
—, *Philosophical Occasions, 1912-1951*, éd. James Klagge et Alfred Nordmann, Indianapolis, Hackett Publishing Company, 1993.

Zarka, Yves Charles : *L'autre voie de la subjectivité*, Paris, Beauchesne, 2000.

INDEX GÉNÉRAL

III

L'ÉGOLOGIE COGNITIVE

IV

LES ÉTHIQUES DU SUJET

nrf essais

NRF Essais n'est pas une collection au sens où ce mot est communément entendu aujourd'hui ; ce n'est pas l'illustration d'une discipline unique, moins encore le porte-voix d'une école ni celui d'une institution.

NRF Essais est le pari ambitieux d'aider à la défense et restauration d'un genre : l'essai. L'essai est exercice de pensée, quels que soient les domaines du savoir : il est mise à distance des certitudes reçues sans discernement, mise en perspective des objets faussement familiers, mise en relation des modes de pensée d'ailleurs et d'ici. L'essai est une interrogation au sein de laquelle la question, par les déplacements qu'elle opère, importe plus que la réponse.

Éric Vigne

(Les titres précédés d'un astérisque ont originellement paru dans la collection Les Essais.*)*

Bronislaw Baczko *Comment sortir de la Terreur. Thermidor et la Révolution.*
Bronislaw Baczko *Job mon ami. Promesses du bonheur et fatalité du mal.*
Alain Bancaud *Une exception ordinaire. La magistrature en France 1930-1950.*
Gilles Barbedette *L'invitation au mensonge. Essai sur le roman.*
Jean-Pierre Baton et Gilles Cohen-Tannoudji *L'horizon des particules. Complexité et élémentarité dans l'univers quantique.*
Michel Blay *Les raisons de l'infini. Du monde clos à l'univers mathématique.*
Luc Boltanski et Ève Chiapello *Le nouvel esprit du capitalisme.*
Luc Boltanski et Laurent Thévenot *De la justification. Les économies de la grandeur.*
Jorge Luis Borges *Entretiens sur la poésie et la littérature* suivi de *Quatre essais sur J. L. Borges* (Borges the Poet ; traduit de l'anglais [États-Unis] par François Hirsch).
Pierre Bouretz *Les promesses du monde. Philosophie de Max Weber.*
Pierre Bouretz *Témoins du futur. Philosophie et messianisme.*
* Michel Butor *Essais sur les Essais.*
Robert Calasso *Les quarante-neuf degrés* (I quarantanove gradini ; traduit de l'italien par Jean-Paul Manganaro).
* Albert Camus *Le mythe de Sisyphe. Essai sur l'absurde.*
* Albert Camus *Noces.*
Pierre Carrique *Rêve, vérité. Essai sur la philosophie du sommeil et de la veille.*
Barbara Cassin *L'effet sophistique.*
* Cioran *La chute dans le temps.*
* Cioran *Le mauvais démiurge.*
* Cioran *De l'inconvénient d'être né.*
* Cioran *Écartèlement.*
* Jean Clair *Considérations sur l'état des beaux-arts. Critique de la modernité.*
Élisabeth Claverie *Les guerres de la Vierge. Une anthropologie des apparitions.*
Robert Darnton *Édition et sédition. L'univers de la littérature clandestine au XVIIIe siècle.*
Philippe Delmas *Le bel avenir de la guerre.*
Daniel C. Dennett *La stratégie de l'interprète. Le sens commun et l'univers quotidien* (The Intentional Stance ; traduit de l'anglais [États-Unis] par Pascal Engel).
Vincent Descombes *Le complément de sujet. Enquête sur le fait d'agir de soi-même.*
Jared Diamond *Le troisième chimpanzé. Essai sur l'évolution et l'avenir de l'animal humain* (The Third Chimpanzee. The Evolution and

Future of the Human Animal ; traduit de l'anglais [États-Unis] par Marcel Blanc).

Jared Diamond *De l'inégalité parmi les sociétés. Essais sur l'homme et l'environnement dans l'histoire (Guns, Germs, and Steel. The Fates of Human Societies* ; traduit de l'anglais [États-Unis] par Pierre-Emmanuel Dauzat).

Alain Dieckhoff *L'invention d'une nation. Israël et la modernité politique.*

Michel Dummett *Les sources de la philosophie analytique (Ursprünge der analytischen Philosophie* ; traduit de l'allemand par Marie-Anne Lescourret).

* Mircea Eliade *Briser le toit de la maison. La créativité et ses symboles* (textes traduits de l'anglais par Denise Paulme-Schaeffner et du roumain par Alain Paruit).

* Mircea Eliade *Occultisme, sorcellerie et modes culturelles (Occultism, Witchcraft and Cultural Fashions* ; traduit de l'anglais [États-Unis] par Jean Malaquais).

Pascal Engel *La norme du vrai. Philosophie de la logique.*

* Etiemble et Yassu Gauclère *Rimbaud.*

Gérard Farasse *L'âne musicien. Sur Francis Ponge.*

Jean-Marc Ferry *La question de l'État européen.*

Alain Finkielkraut *La mémoire vaine. Du crime contre l'humanité.*

Michael Fried *La place du spectateur. Esthétique et origines de la peinture moderne (Absorption and Theatricality. Painting and Beholder in the Age of Diderot* ; traduit de l'anglais [États-Unis] par Claire Brunet).

Michael Fried *Le réalisme de Courbet. Esthétique et origines de la peinture moderne II (Courbet's Realism* ; traduit de l'anglais [États-Unis] par Michel Gautier).

Michael Fried *Le modernisme de Manet. Esthétique et origines de la peinture moderne III (Manet's Modernism or, The Face of Painting in the 1860s* ; traduit de l'anglais [États-Unis] par Claire Brunet).

Ilan Greilsammer *La nouvelle histoire d'Israël. Essai sur une identité nationale.*

Pierre Guenancia *L'intelligence du sensible. Essai sur le dualisme cartésien.*

Jürgen Habermas *Droit et Démocratie. Entre faits et normes (Faktizität und Geltung. Beiträge zur Diskurstheorie des Rechts und des demokratischen Rechtsstaats* ; traduit de l'allemand par Rainer Rochlitz et Christian Bouchindhomme).

Jürgen Habermas *Vérité et justification (Wahrheit und Rechtfertigung. Philosophische Aufsätze* ; traduit de l'allemand par Rainer Rochlitz).

Jürgen Habermas *L'avenir de la nature humaine. Vers un eugénisme libéral ? (Die Zukunft der menschlichen Natur. Auf dem*

Weg zu einer liberalen Eugenik ? ; traduit de l'allemand par Christian Bouchindhomme).

Pierre Hadot *Le voile d'isis. Sur l'histoire de l'idée de nature.*

François Hartog *Mémoire d'Ulysse. Récits sur la frontière en Grèce ancienne.*

Stephen Hawking et Roger Penrose *La nature de l'espace et du temps* (*The Nature of Space and Time* ; traduit de l'anglais [États-Unis] par Françoise Balibar).

Nathalie Heinich *États de femmes. L'identité féminine dans la fiction occidentale.*

Raul Hilberg *Exécuteurs, victimes, témoins. La catastrophe juive 1933-1945* (*Perpetrators Victims Bystanders. The Jewish Catastrophe 1933-1945* ; traduit de l'anglais [États-Unis] par Marie-France de Paloméra).

Raul Hilberg *Holocauste : les sources de l'histoire* (*Sources on Holocaust Research* ; traduit de l'anglais [États-Unis] par Marie-France de Paloméra).

Christian Jouhaud *Les pouvoirs de la littérature. Histoire d'un paradoxe.*

Ian Kershaw *Hitler. Essai sur le charisme en politique* (*Hitler* ; traduit de l'anglais par Jacqueline Carnaud et Pierre-Emmanuel Dauzat).

Ben Kiernan *Le génocide au Cambodge 1975-1979. Race, idéologie et pouvoir* (*The Pol Pot Regime. Races, Power, and Genocide in Cambodia under the Khmer Rouge, 1975-79* ; traduit de l'anglais [États-Unis] par Marie-France de Paloméra).

* Alexandre Koyré *Introduction à la lecture de Platon suivi de Entretiens sur Descartes.*

Julia Kristeva *Le temps sensible. Proust et l'expérience littéraire.*

Thomas Laqueur *La fabrique du sexe. Essai sur le corps et le genre en Occident* (*Making Sex. Body and Gender from the Greeks to Freud* ; traduit de l'anglais [États-Unis] par Michel Gautier).

J.M.G. Le Clézio *Le rêve mexicain ou la pensée interrompue.*

Jean-Marc Lévy-Leblond *Aux contraires. L'exercice de la pensée et la pratique de la science.*

Jacqueline Lichtenstein *La tache aveugle. Essai sur les relations de la peinture et de la sculpture à l'âge moderne.*

* Gilles Lipovetsky *L'ère du vide. Essais sur l'individualisme contemporain.*

Gilles Lipovetsky *Le crépuscule du devoir. L'éthique indolore des nouveaux temps démocratiques.*

Gilles Lipovetsky *La troisième femme. Permanence et révolution du féminin.*

Nicole Loraux *Les expériences de Tirésias. Le féminin et l'homme grec.*

Nicole Loraux *La voix endeuillée. Essai sur la tragédie grecque.*

Giovanni Macchia   *L'ange de la nuit. Sur Proust* (*L'angelo della notte* ; *Proust e dintorni* ; traduit de l'italien par Marie-France Merger, Paul Bédarida et Mario Fusco).

Christian Meier   *La naissance du politique* (*Die Entstehung des Politischen bei den Griechen* ; traduit de l'allemand par Denis Trierweiler).

Jonathan Moore (sous la direction de)   *Des choix difficiles. Les dilemmes moraux de l'humanitaire* (*Hard Choices. Moral Dilemmes in Humanitarian Intervention* ; traduit de l'anglais [États-Unis] par Dominique Leveillé).

Pierre Pachet   *La force de dormir. Essai sur le sommeil en littérature.*

Thomas Pavel   *La pensée du roman.*

* Octavio Paz   *L'arc et la lyre* (*El arco y la lira* ; traduit de l'espagnol [Mexique] par Roger Munier).

* Octavio Paz   *Conjonctions et disjonctions* (*Conjunciones y Diyunciones* ; traduit de l'espagnol [Mexique] par Robert Marrast).

* Octavio Paz   *Courant alternatif* (*Corriente alterna* ; traduit de l'espagnol [Mexique] par Roger Munier).

* Octavio Paz   *Deux transparents. Marcel Duchamp et Claude Lévi-Strauss* (*Marcel Duchamp, Claude Lévi-Strauss o el nuevo Festín de Esopo* ; traduit de l'espagnol [Mexique] par Monique Fong-Wust et Robert Marrast).

* Octavio Paz   *Le labyrinthe de la solitude* suivi de *Critique de la pyramide* (*El laberinto de la soledad* ; *Posdata* ; traduit de l'espagnol [Mexique] par Jean-Clarence Lambert).

* Octavio Paz   *Marcel Duchamp : l'apparence mise à nu* (*Apariencia desnuda, la obra de Marcel Duchamp. El Castillo de la Pureza.* * water writes always in * plural ; traduit de l'espagnol [Mexique] par Monique Fong).

Philip Pettit   *Républicanisme. Une théorie de la liberté et du gouvernement* (*Republicanism. A Theory of Freedom and Government*; traduit de l'anglais par Patrick Savidan et Jean-Fabien Spitz).

Jackie Pigeaud   *L'Art et le Vivant.*

Joëlle Proust   *Comment l'esprit vient aux bêtes. Essai sur la représentation.*

Hilary Putnam   *Représentation et réalité* (*Representation and Reality* ; traduit de l'anglais [États-Unis] par Claudine Engel-Tiercelin).

David M. Raup   *De l'extinction des espèces. Sur les causes de la disparition des dinosaures et de quelques milliards d'autres* (*Extinction, Bad Genes or Bad Luck ?* ; traduit de l'anglais [États-Unis] par Marcel Blanc).

Jean-Pierre Richard   *L'état des choses. Études sur huit écrivains d'aujourd'hui.*

Rainer Rochlitz *Le désenchantement de l'art. La philosophie de Walter Benjamin.*

Rainer Rochlitz *Subversion et subvention. Art contemporain et argumentation esthétique.*

Rainer Rochlitz *L'art au banc d'essai. Esthétique et critique.*

* Emir Rodriguez Monegal *Neruda le voyageur immobile (El Viajero inmovil* ; traduit de l'espagnol par Bernard Lelong).

Marc Sadoun *De la démocratie française. Essai sur le socialisme.*

Marc Sadoun (sous la direction de) *La démocratie en France*, tome 1 : *Idéologies* ; tome 2 : *Limites.*

Jean-Paul Sartre *Vérité et existence.*

Jean-Marie Schaeffer *L'art de l'âge moderne. L'esthétique et la philosophie de l'art du XVIIIe siècle à nos jours.*

Jean-Marie Schaeffer *Les célibataires de l'art. Pour une esthétique sans mythes.*

Dominique Schnapper *La communauté des citoyens. Sur l'idée moderne de nation.*

Dominique Schnapper *La relation à l'Autre. Au cœur de la pensée sociologique.*

Dominique Schnapper *La démocratie providentielle. Essai sur l'égalité contemporaine.*

Jerome B. Schneewind *L'invention de l'autonomie. Une histoire de la philosophie morale moderne (The Invention of Autonomy. A History of Modern Moral Philosophy* ; traduit de l'anglais [États-Unis] par Jean-Pierre Cléro, Pierre-Emmanuel Dauzat et Évelyne Meziani-Laval).

John R. Searle *La redécouverte de l'esprit (The Rediscovery of the Mind* ; traduit de l'anglais [États-Unis] par Claudine Tiercelin).

John R. Searle *La construction de la réalité sociale (The Construction of Social Reality* ; traduit de l'anglais [États-Unis] par Claudine Tiercelin).

Jean-François Sirinelli (sous la direction de) *Histoire des droites en France*, tome 1 : *Politique*, tome 2 : *Cultures*, tome 3 : *Sensibilités.*

Wolfgang Sofsky *Traité de la violence (Traktat über die Gewalt* ; traduit de l'allemand par Bernard Lortholary).

Wolfgang Sofsky *L'ère de l'épouvante. Folie meurtrière, terreur, guerre (Zeiten des Schreckens. Amok, Terror, Krieg* ; traduit de l'allemand par Robert Simon).

Jean Starobinski *Le remède dans le mal. Critique et légitimation de l'artifice à l'âge des Lumières.*

George Steiner *Réelles présences. Les arts du sens (Real Presences. Is there anything in what we say ?* ; traduit de l'anglais par Michel R. de Pauw).

George Steiner *Passions impunies (No passion spent* ; traduit de l'anglais par Pierre-Emmanuel Dauzat et Louis Évrard).

George Steiner *Grammaires de la création* (*Grammars of creation* ; traduit de l'anglais par Pierre-Emmanuel Dauzat).

George Steiner *Maîtres et disciples* (*Lessons of the Masters* ; traduit de l'anglais par Pierre-Emmanuel Dauzat).

* Salah Stétié *Les porteurs de feu et autres essais.*

Ian Tattersall *L'émergence de l'homme. Essai sur l'évolution et l'unicité humaine* (*Becoming Human. Evolution and Human Uniqueness* ; traduit de l'anglais [États-Unis] par Marcel Blanc).

* Miguel de Unamuno *L'essence de l'Espagne* (*En torno al Casticismo* ; traduit de l'espagnol par Marcel Bataillon).

Jean-Marie Vaysse *L'inconscient des Modernes. Essai sur l'origine métaphysique de la psychanalyse.*

Patrick Verley *L'échelle du monde. Essai sur l'industrialisation de l'Occident.*

Paul Veyne *René Char en ses poèmes.*

Michael Walzer *Traité sur la tolérance* (*On Toleration* ; traduit de l'anglais [États-Unis] par Chaïm Hutner).

Bernard Williams *L'éthique et les limites de la philosophie* (*Ethics and the Limits of Philosophy* ; traduit de l'anglais par Marie-Anne Lescourret).

Yosef Hayim Yerushalmi *Le Moïse de Freud. Judaïsme terminable et interminable* (*Freud's Moses. Judaism Terminable and Interminable* ; traduit de l'anglais [États-Unis] par Jacqueline Carnaud).

Composition Nord Compo.
Achevé d'imprimer par la
Société Nouvelle Firmin-Didot
à Mesnil-sur-l'Estrée, le 26 février 2004.
Dépôt légal : février 2004.
Numéro d'imprimeur : 67388.

ISBN : 2-07-076130-4/Imprimé en France.